ÉTUDES SUR LES ORIGINES
DE L'INQUISITION

L'ÉGLISE ET L'ÉTAT AU MOYEN AGE
Directeur : G. LE BRAS
VII

ÉTUDES
SUR LES ORIGINES
DE L'INQUISITION

PAR

Henri MAISONNEUVE

Deuxième édition revue et augmentée

PARIS
LIBRAIRIE PHILOSOPHIQUE J. VRIN
6, PLACE DE LA SORBONNE, Vᵉ
—
1960

A la mémoire
de Monseigneur H.-X. ARQUILLIÈRE.

Nihil obstat
R. LECONTE
Lille, 14 Décembre 1959

Imprimatur
A. CHAVANAT
v. g.
Lille, 23 Janvier 1960

INTRODUCTION

L'Inquisition, écrivait Paul Frédéricq au début du siècle, « est une institution bien difficile à expliquer, quand on songe qu'elle s'est développée dans le sein d'une Eglise qui se réclame de l'Evangile. Comment une religion, toute d'amour et de tolérance, a-t-elle pu être amenée à brûler vifs ceux qui n'acceptaient pas librement ses enseignements ? Tel est le problème »[1].

Entre l'Evangile et l'Inquisition, en effet, les différences sont grandes. D'aucuns peuvent en éprouver quelque joie et se plaire à brosser un tableau d'inspiration manichéenne opposant l'un à l'autre. D'autres s'étonnent que leur Eglise ait pu se faire persécutrice. Pour conjurer leur malaise, ils peuvent être conduits, sinon à nier les faits, ce qui serait au moins puéril, du moins à leur chercher une excuse, ce qui peut être maladroit. C'est pourquoi la sérénité de la recherche et de l'exposé peut quelquefois se ressentir des préjugés ou des croyances de l'historien.

Henri-Charles Lea et Jean Guiraud sont peut-être encore les meilleurs historiens de l'Inquisition. Leur information est étendue, leur érudition imposante. Bien que leurs références, là un peu rares, ici plus abondantes, ne soient pas toujours sûres, on les consultera sans doute longtemps encore. Mais l'*Histoire de l'Inquisition au Moyen Age* de Henri-Charles Lea appelle les plus extrêmes réserves. L'hostilité de l'auteur envers l'Eglise catholique peut avoir ses raisons[2] elle est trop constamment évidente et par conséquent ne laisse pas de jeter sur l'œuvre tout entière un regrettable discrédit. Au contraire, l'*Histoire de l'Inquisition au Moyen Age* de Jean Guiraud n'est pas toujours exempte d'un souci discret d'apologétique.

C'est peut-être sous la plume d'un homme d'Eglise, l'abbé E. Vacandard, qu'a été publiée jadis une des études les plus sereines qui

---

1. Paul FRÉDÉRICQ : *Historiographie de l'Inquisition*, avant la Préface de l'Auteur, dans Henri-Charles Lea : *Histoire de l'Inquisition au Moyen Age*, traduction par Salomon Reinach, t. I, Paris 1900, p. v.
2. Voir l'article de E.A. RYAN, S.J. : *The religion of Henry-Charles Lea*, dans Mélanges Joseph de Ghellinck, S.J., t. II, Moyen Age, Epoques moderne et contemporaine, Paris 1951, pp. 1043-1051.

aient paru sur l'Inquisition. Le sujet était particulièrement délicat : *L'Inquisition : Etude historique et critique sur le pouvoir coercitif de l'Eglise*, surtout à une époque où les passions anticléricales étaient vives. Le mérite de l'auteur est d'autant plus grand de l'avoir traité avec mesure.

La littérature contemporaine sur l'Inquisition est relativement abondante. On en trouvera une liste dans l'*Histoire de l'Eglise* d'Augustin Fliche et Victor Martin, tome X, *La Chrétienté Romaine*, au chapitre sur l'Inquisition, dû à la plume de Christine Thouzellier. La plupart des travaux récents n'ont guère renouvelé les données traditionnelles que nous possédons.

Beaucoup plus riches sont les études qui portent sur l'hérésie médiévale et sur le catharisme. Dans ce domaine, les travaux des Pères Ilarino da Milano et Antoine Dondaine font autorité. Ils permettent de mieux connaître les circonstances religieuses qui ont invité l'Eglise à créer l'Inquisition.

Pour essayer de comprendre l'Inquisition elle-même, il ne faut pas oublier que l'Eglise catholique n'est pas seulement un corps mystique, mais une société de ce monde, et même une société parfaite, comme disent théologiens et canonistes, avec ses disciplines de l'esprit et des mœurs, son organisation hiérarchique, ses biens spirituels, les sacrements, et ses biens temporels à l'usage du sacré qui s'appellent au Moyen Age bénéfices ecclésiastiques, sans préjudice des autres biens temporels autorisés par la coutume ou imposés par le Droit.

Il faut encore se faire une mentalité antique et médiévale[3] qui ignore le dualisme de l'Eglise et de l'Etat et ne connaît en principe qu'une seule et unique société avec sa religion officielle et nécessaire : autrefois le culte de l'Empereur, ensuite le culte du Christ. Au nom du culte impérial les empereurs ont persécuté les premiers chrétiens. Avec le triomphe du christianisme la législation impériale réduit les païens au silence. La victoire de l'orthodoxie amène la persécution des hérétiques. Les moyens sont violents, mais les résultats sont heureux. D'aucuns parmi les hommes d'Eglise se demandent alors si les constitutions des empereurs ne seraient pas voulues de Dieu pour briser la résistance des pécheurs.

Ces idées, transmises au Moyen Age, fournissent les éléments d'une théorie de l'hérésie et de la répression. Le catholicisme étant la religion officielle de l'Europe occidentale, toute manifestation religieuse aberrante est évidemment proscrite. Elle se réfugie dans la clandestinité, elle éveille les soupçons, elle fait naître la peur, elle provoque des dénonciations, elle attire l'attention du Pouvoir, elle appelle la répression.

---

3. Hoffman NICKERSON : *The Inquisition, A political and military study of its établishment*, Londres, nouvelle édition 1932, retrouve assez heureusement le climat mental du Moyen Age.

Dès qu'on leur est suspect, on n'est plus innocent.

Quiconque « *pense autrement que l'Eglise* » est « *retranché comme un membre pourri du Corps du Christ* » : il est excommunié. L'excommunication le met en marge de la société. Le prince transpose sur le plan temporel les effets spirituels de l'excommunication. Le peuple réagit d'une manière instinctive et brutale contre les forces obscures de dissolution qui menacent l'ordre traditionnel. L'excommunié s'expose à la confiscation des biens, à l'exil, à la mort, au bucher : le feu, en consumant les méchants, détruira la dissidence. Ce schème paraît simpliste, et il l'est sans doute comme toutes les simplifications. Mais il semble résumer assez correctement le long processus qui a conduit l'Eglise, société spirituelle assurément, mais incarnée dans le siècle, à défendre ses structures juridiques et dogmatiques contre les forces adverses.

Au début, les manifestations de l'hérésie sont discrètes, les flambées d'hérétiques localisées. Puis l'hérésie médiévale, encore indéterminée, s'étend en surface et gagne en profondeur. Le bogomilisme, importé sans doute par les croisés, se répand à son tour dans la vallée du Rhin, le Languedoc et la Lombardie. Le catharisme oppose à l'Eglise catholique sa théologie dualiste et sa hiérarchie. La répression s'organise avec un succès inégal suivant le dynamisme des clercs et la fidélité des princes. S'il est relativement aisé à l'Eglise Romaine de substituer aux clercs indignes des pasteurs zélés, il lui est souvent plus difficile d'obtenir le concours des princes. Quand ils se dérobent, l'Eglise s'efforce néanmoins de réduire la dissidence, mais la croisade des clercs et des seigneurs pose des problèmes juridiques et politiques délicats. Quand ils acquiescent, l'Eglise peut refaire l'unité chrétienne et reconstituer ses cadres. Elle organise avec les hiérarchies locales, souvent au-dessus d'elles, cette police générale de la Chrétienté qu'est précisément l'Inquisition.

On a essayé, une fois de plus, d'écrire cette histoire, suivant la méthode et l'esprit de la première édition. Toutefois, il a paru opportun de simplifier le plan général de l'ouvrage et utile de combler au moins deux lacunes. C'est pourquoi on a interrogé les Collections Canoniques de l'Antiquité et du Haut Moyen Age. S'il n'a pas été possible de suivre toute la transmission des textes, les résultats obtenus, pour insuffisants qu'ils soient, montrent que la législation de l'hérésie n'a jamais été tout à fait oubliée. Quant à l'étude de l'organisation inquisitoriale, arrêtée précédemment à la mort d'Innocent IV, elle a été poursuivie jusqu'à la publication du Sexte. On aurait pu aller jusqu'au concile de Vienne et même au delà. Mais au xive siècle la période des origines est close. L'Inquisition, définitivement organisée, fonctionne avec des chances diverses jusqu'à la Réforme. Elle s'efface alors, sans toutefois disparaître, devant le Saint-Office. Enfin, on a consulté la littérature inquisitoriale qui paraît dans le dernier tiers du xiiie siècle. Elle est plus abondante qu'originale. Néanmoins, les spéculations des canonistes et des théologiens permettent du moins de comprendre comment les contemporains ont compris l'Inquisition.

Ces études n'auraient jamais été entreprises ni poursuivies sans les conseils et encouragements de nos maîtres.

M. Gabriel Le Bras nous a initié aux études canoniques. Non seulement nous avons bénéficié de la richesse de son enseignement, mais nous avons encore apprécié la gentillesse de son accueil et la délicatesse avec laquelle il a favorisé nos recherches. En bien des circonstances ses avis, même étrangers aux disciplines de l'esprit, nous ont été précieux. Nous voulons lui redire ici notre vive reconnaissance et notre respectueuse amitié.

Louis Halphen a guidé nos premiers essais et souvent relevé un courage qui s'abandonnait devant les difficultés ou les déceptions de la recherche. « Au moins, disait-il, vous savez qu'il n'y a rien. » Il orientait alors vers d'autres lectures et stimulait avec humour l'ardeur de l'élève. C'est un devoir de justice de dire à sa mémoire notre profonde reconnaissance.

Monseigneur Arquillière aimait le Moyen Age et le faisait aimer à ses élèves. Ses thèses favorites sur l'augustinisme politique, le Sacerdoce et l'Empire, les théories conciliaires, tous ceux qui l'ont entendu savent avec quel art, on pourrait écrire avec quelle persuasion, il savait les présenter. Monseigneur Arquillière n'était pas seulement un Maître. Il y avait tant de cordialité dans sa manière de recevoir et de diriger un travail qu'il aurait fallu la plus mauvaise grâce du monde pour ne pas être conquis. C'est lui qui a voulu cette nouvelle édition. Son insistance a sans doute hâté le fastidieux travail de revision du texte et des notes. Elle n'a pu vaincre toutes les difficultés. Quand ce livre paraît, c'est malheureusement à sa seule mémoire que nous pouvons l'offrir.

BIBLIOGRAPHIE

I. SOURCES IMPRIMÉES ET MANUSCRITES

ABBAS ANTIQUUS. — Voir BERNARD DE MONTMIRAT.

ABÉLARD. — Introductio in Theologiam, dans Patrologie Latine, t. 178.

ACCURSE. — Codicis Sacratissimi Imperatoris Justiniani PP Augusti Libri XII Accursii commentariis ac Contii et Dionysii, Gothofredi atque aliorum quorumdam illustrium jurisconsultorum lucubrationibus illustrati, édition Denys Godefroy, t. II, Lyon 1618.

ACTA IMPERII. — Edition J. Boemer, J. Ficker, Ed. Winkelmann, Innsbrück 1892.

ACTA SANCTORUM. — Vita Sancti Galdini, t. XI, Paris 1866.

ACTA SANCTORUM. — Vita Sancti Norberti, t. XXI, Paris 1867.

ACTA SANCTORUM. — Vita Sancti Petri Parenzi, t. XVIII, Paris 1866.

ACTA SYNODI ATREBATENSIS. — Patrologie Latine, t. 142. Mansi : Amplissima Collectio, t. XIX.

ALAIN. — Vita Secunda Sancti Bernardi, dans Patrologie Latine, t. 185.

ALBERT LE GRAND. — Opera Omnia, édition P. Jammy, Lyon 1651.

ALCUIN. — Vita Caroli, édition L. Halphen, dans Collection Les Classiques de l'Histoire de France au Moyen Age, Paris 1923.

ALEXANDRE III. — Epistolae, dans Patrologie Latine, t. 200.

ALEXANDRE IV. — Registre, par A. Coulon, dans Bibliothèque des Ecoles Françaises d'Athènes et de Rome, t. III, Paris 1931.

ALEXANDRE DE HALÈS. — Summa Theologica, t. III, Quaracchi, 1930.

AMBROISE (Saint). — Commentaires sur saint Luc, dans Corpus Scriptorum Ecclesiasticorum Latinorum, t. 32 : Oratio contra Auxentium, De Officiis, dans Patrologie Latine, t. 16.

ANNALES BRUNWILARENSES. — Monumenta Germaniae Historica, Scriptores, t. XVI, édition G.H. Pertz, Hanovre 1859.

ANNALES COLONIENSES MAXIMI. — Monumenta Germaniae Historica, Scriptores, t. XVII, édition G.H. Pertz, Hanovre 1861.

ANNALES ECCLESIASTICI. — Par C. Baronius, O. Raynaldi, J. Laderchii, édition A. Theiner, t. XVIII, XXI, Bar-le-Duc, 1869, 1870.

ANNALES ESPHERFURDENSES (Erfurt). — Monumenta Germaniae Historica, Scriptores, t. XVI, édition G.H. Pertz, Hanovre 1859.

ANNALES FLOREFFENSIENSES. — Monumenta Germaniae Historica, Scriptores, t. XVI, édition L. Bethmann, Hanovre 1859.

ANNALES FLORENTINI. — Monumenta Germaniae Historica, Scriptores, t. XIX, édition G.H. Pertz, Hanovre 1866.

ANNALES MARBACENSES. — Monumenta Germaniae Historica, Scriptores, t. XVII, édition R. Wilmans, Hanovre 1861.

ANNALES PARCHENSES. — Monumenta Germaniae Historica, Scriptores, t. XVI, édition G.H. Pertz, Hanovre 1859.

ANNALES PLACENTINI GUELFI. — Monumenta Germaniae Historica, Scriptores, t. XVIII, édition G.H. Pertz, Hanovre 1863.

ANNALES REINERI (Rainier de Liège). — Monumenta Germaniae Historica, Scriptores, t. XVI, édition G.H. Pertz, Hanovre 1859.

ANNALES STADENSES. — Monumenta Germaniae Historica, Scriptores, t. XVI, édition I.M. Lappenberg, Hanovre 1859.

ANNALES VERONENSES. — Monumenta Germaniae Historica, Scriptores, t. XIX, édition G.H. Pertz, Hanovre 1866.
ANNALES WORMATIENSES (Worms). — Monumenta Germaniae Historica, Scriptores, t. XVII, édition G.H. Pertz, Hanovre 1861.
ANSELME DE LUCQUES. — Lucensis collectio canonum una cum collectione minore, édition F. Thaner, Innsbruck, 1906-1915.
ANSELME DE LUCQUES. — Liber contra Wicbertum et sequaces ejus, dans Monumenta Germaniae Historica, Libelli de Lite, t. II, édition E. Bernheim, Hanovre 1891.
ANSELMUS. — Gesta Episcoporum Leodiensium, dans Monumenta Germaniae Historica, Scriptores, t. VII, édition R. Koepke, Hanovre 1846.
ANSELMUS AB ORTO. — Juris Civivis instrumentum, dans A. Gaudenzi : Bibliotheca juridica medii aevi, Scripta anecdota glossatarum, vol. II, Bologne, 2e édition 1914.
ATTON DE SAINT MARC ou DE MILAN. — Capitulare, dans A. MAI : Scriptorum Veterum Nova Collectio, VI, 2e partie, Rome, 1832.
ATTON DE VERCEIL. — Capitulare, dans Patrologie Latine, t. 134.
AUBRY DE TROIS FONTAINES. — Chronicon, dans Monumenta Germaniae Historica, Scriptores, t. XXIII, édition P. Scheffer-Boichorst, Hanovre 1874.
AUGUSTIN (Saint). — Lettres et Traités, dans Patrologie Latine, t. 34, 36, 40 : Corpus Scriptorum Ecclesiasticorum Latinorum, t. 25, 28, 34, 40, 44, 51, 52, 57.
AVELLANA. — Epistulae Imperatorum, Pontificum aliorum inde ab a. CCCLXVII usque ad DLIII datae Avellana quae dicitur collectio, 2 vol., dans Corpus Scriptorum Ecclesiasticorum Latinorum, t. 35, édition O. Guenther, Prague, Vienne, Leipzig 1895-1898.
AZON. — Azonis lectura sive commentaria in codicem justinianeum, Paris 1611.
AZON. — Azonis Summa, Lyon 1540.

BENOIT DE PETERBOROUGH. — Gesta Henrici II, dans Recueil des Historiens des Gaules et de la France, t. XIII.
BERNARD (Saint). — Epistolae, dans Patrologie Latine, t. 182, 183.
BERNARD DE MONTMIRAT. — Lectura in Decretales Gregorii IX, dans Perillustrium Doctorum tam veterum quam recentiorum In lib. Decretalium aurei commentarii videlicet Abbatis Antiqui, cum Additionibus Sebastiani Medices Iuriscon. Florentini, hactenus non impressis, Bernardi Compostellani, cum Additionibus Antonij de Creusant, Abbatis S. Leonardi de Ferrarijs, Guidonis Papae, cum Additionibus Ioannis Thierri, Iuriscons. Lingonensis, atque Ioannis a Capistrano, cujus quidem Commentarii nunc primum prodeunt. [....] Tomus Primus : Venetiis, Apud Iuntas. MDLXXXVIII, Cum Licentia et Privilegio.
BERNARD DE PARME. — Glossa Ordinaria super Decretalibus, Lyon 1618.
BONACURSUS. — Tractatus adversus haereticos, dans Patrologie Latine, t. 204.
BONAVENTURE (Saint). — Opera Omnia, Quaracchi, 1882-1902.
BONIZON DE SUTRI. — Liber ad amicum, dans Monumenta Germaniae Historica, Libelli de Lite, t. I, édition E. Dümmler, Hanovre 1891.
BREVIATIO CANONUM FERRANDI. — Dans Patrologie Latine, t. 88.
BURCHARD DE WORMS. — Decretum, dans Patrologie Latine, t. 140.

CAPELLI. — Summa contra haereticos, édition P. Ilarino de Milano : La « Summa contra haereticos di Giacomo Capelli O.F.M. e un suo « Quaresimale » inedito (sec. XIII), dans Collectanea Franciscana, 10 (1940).
CÉSAIRE DE HEISTERBACH. — Dialogus Miraculorum, édition J. Strange, Cologne, Bonn, Bruxelles, 1851.
CHRONIQUE DE SAINT ANDRÉ DE CAMBRAI. — Monumenta Germaniae Historica, Scriptores, t. VII, édition L. Bethmann, Hanovre 1846.
CHRONIQUE BRETONNE. — Dans Recueil des Historiens des Gaules et de la France, t. XII.
CHRONIQUE DE LAON. — Monumenta Germaniae Historica, Scriptores, t. XXVI, édition O. Holder-Egger, Hanovre 1882.

CHRONIQUE DE SAINT MÉDARD DE SOISSONS. — Monumenta Germaniae Historica, Scriptores, t. XXVI, édition G. Waitz, Berlin 1882.

CLÉMENT IV. — Registre, édition E. Jordan, dans Bibliothèque des Ecoles Françaises d'Athènes et de Rome 1912-1945.

CODE GRÉGORIEN. — Edition G. Haenel, Bonn 1842.

CODE JUSTINIEN. — Edition P. Krueger, Berlin 1929.

CODE THÉODOSIEN. — Edition Th. Mommsen et P. Meyer, Berlin 1905.

CODEX CANONUM ECCLESIAE AFRICANAE. — Dans Patrologie Latine, t. 67.

CONCORDIA CANONUM CRESCONII. — Dans Patrologie Latine, t. 88.

CONSTITUTIONES ET ACTA PUBLICA IMPERATORUM ET REGUM. — Monumenta Germaniae Historica, Leges IV, t. 1 et 2, édition L. Weiland, Hanovre 1893.

CONTINUATIO ZWELTENSIS ALTERA. — Monumenta Germaniae Historica, Scriptores, t. IX, édition G.H. Pertz, Hanovre 1851.

CORPUS SCRIPTORUM ECCLESIASTICORUM LATINORUM. — Vienne, depuis 1866, t. 3, 25, 28, 32, 34, 35, 40, 44, 47, 51, 52, 57.

CYPRIEN (Saint). — De Exhortatione martyrii, dans Corpus Scriptorum Ecclesiastocorum Latinorum, t. 3.

DECRETALES DE GRÉGOIRE IX. — Edition E. Friedberg, Leipzig, 1881.

DECRETALES PSEUDO-ISIDORIANAE et CAPITULA ANGILRAMMI. — Edition P. Hinschius, Leipzig, 1863.

DECRETUM GRATIANI. — Edition E. Friedberg, Leipzig, 1879.

DELISLE (L.). — Catalogue des Actes de Philippe-Auguste, Paris 1856.

DENIFLE (H.) et CHATELAIN (A.). — Cartularium Universitatis Parisiensis, t. I, Paris 1889.

DESILVE (J.). — Lettres d'Etienne de Tournai, Paris, Valenciennes 1893.

DEUSDEDIT. — Libellus contra invasores et simoniacos, dans Monumenta Germaniae Historica, Libelli de Lite, t. II, édition M.E. Sackur, Hanovre 1891.

DIONYSIANA. — Patrologie Latine, t. 67.

DISPUTATIO INTER CATHOLICUM ET PATERINUM HAERETICUM. — Dans Thesaurus Anecdotorum de D. Martène et D. Durand, t. V ; dans Ævum 14 (1940), par le P. Ilarino da Milano.

ECBERT DE SCHONAUGEN. — Sermones XIII contra Catharos, dans Patrologie Latine, t. 195.

EGINHARD. — Vita Caroli, édition L. Halphen, dans Classiques de l'Histoire de France au Moyen Age, Paris 1923.

EPISTOLA ECCLESIAE LEODIENSIS AD LUCIUM PAPAM. — Dans Patrologie Latine, t. 179.

EPISTOLA EVERSINI STEINFELDENSIS PRAEPOSITI AD SANCTUM BERNARDUM. — Dans Patrologie Latine, t. 182.

EPISTOLAE ARELATENSES GENUINAE. — Monumenta Germaniae Historica, Epistolae, t. III, édition W. Gundlach, Berlin 1892.

EPISTOLAE SAECULI XIII E REGESTIS PONTIFICUM ROMANORUM SELECTAE. — Monumenta Germaniae Historica, 3 vol. édition C. Rosenberg, Berlin, 1883, 1887, 1894.

ERMENGAUD. — Opusculum contra haereticos, dans Patrologie Latine, t. 204.

ETIENNE DE BOURBON. — Anecdotes Historiques, édition A. Lecoy de la Marche, dans Société de l'Histoire de France, Paris 1877.

ETIENNE DE TOURNAI. — Epistolae, voir DESILVE (J.).

ETIENNE DE TOURNAI. — Summa des Stephanus Tornacensis über das Decretum Gratiani, édition J.F. von Schulte, Giessen 1881.

EUGÈNE III. — Epistolae, dans Patrologie Latine, t. 180.

FRÉDÉRIC I BARBEROUSSE et FRÉDÉRIC II. — Voir CONSTITUTIONES ET ACTA PUBLICA IMPERATORUM ET REGUM.

FREDERICQ (P.). — Corpus Documentorum Inquisitionis haereticae pravitatis Neerlandicae, t. 1 et 2, Gand 1889.

GALLIA CHRISTIANA. — T. I à XIII, Paris 1715-1785.

GALLIA CHRISTIANA NOVISSIMA. — 6 vol. Valence 1899-1920.

GAMS (P.B. — Series Episcoporum, Ratisbonne 1873.

GAUDENZI (A.). — Bibliotheca juridica medii aevi, Scripta anecdota glossatarum, voir ANSELMUS AB ORTO.

GAUTHIER D'ORLÉANS. — Capitula, dans Mansi, t. XV.

GEOFFROY D'AUXERRE. — Vita Prima Sancti Bernardi, dans Patrologie Latine, t. 185.

GEHRARD DE SALZBOURG. — Epistola ad Herimannum Metensem, dans Monumenta Germaniae Historica Libelli de Lite, t. I, édition K. Francke, Hanovre 1891.

GEROH DE REICHERSBERG. — De investigatione Antichristi, dans Monumenta Germaniae Historica, Libelli de Lite, t. III, édition E. Sackur, Hanovre 1897.

GESTA PONTIFICUM CENOMANENSIUM. — Dans Recueil des Historiens des Gaules et de la France, t. XII.

GESTA SYNODI AURELIANENSIS. — Dans Recueil des Historiens des Gaules et de la France, t. X : dans Mansi : Amplissima Collectio, t. XIX.

GIRARD (F.). — Textes de Droit Romain publiés et annotés, Paris 1913.

GLOSE ORDINAIRE. — Dans Patrologie Latine, t. 114.

GODEFROY DE TRANI. — Summa Goffredi de Trano clarissimi juris interpretis in titulos Decretalium, Venise 1570.

GRÉGOIRE (Saint). — Gregorii Papae registrum epistolarum, dans Monumenta Germaniae Historica, Epistolae, t. I, édition P. Ewald et L.M. Hartmann, Berlin 1887, t. II, édition L.M. Hartmann, Berlin 1899.

GRÉGOIRE (Saint). — Moralia, dans Patrologie Latine, t. 75.

GRÉGOIRE IX. — Registre, édition L. Auvray, 3 vol. dans Bibliothèque des Ecoles Françaises d'Athènes et de Rome, Paris 1896-1907.

GRÉGOIRE DE TOURS. — Historia Francorum, dans Monumenta Germaniae Historica, Scriptores Rerum Merovingicarum, t. I, édition Wilhem. Arndt, Hanovre 1885.

GUIBERT DE NOGENT. — De vita sua seu Monodiarum libri tres, édition G. Bourgin, dans Collection de Textes pour servir à l'étude et à l'enseignement de l'Histoire, Paris 1907.

GUILLAUME LE BRETON. — Gesta Philippi, édition Fr. Delaborde, dans Société de l'Histoire de France, Paris 1882.

GUILLAUME DURAND. — Speculum Judiciale, Lyon 1505.

GUILLAUME DE NEUBURGH. — De Rebus Anglicanis, dans Recueil des Historiens des Gaules et de la France, t. XIII.

GUILLAUME DE PUYLAURENS. — Chronicon, édition J. Beyssier, dans Bibliothèque de la Faculté des Lettres de Paris, fascicule 18, Paris 1904.

HENRI DE MARSIAC. — Lettres, dans Patrologie Latine, t. 204.

HERARD DE TOURS. — Capitula, dans Mansi, t. XVII B.

HERIBERT. — Epistola de haereticis Patragoricis, dans Patrologie Latine, t. 181.

HERIMAN AUGIENSIS (Reichenau). — Chronicon, dans Monumenta Germaniae Historica, Scriptores, t. V, édition G.H. Pertz, Hanovre 1849.

HIBERNENSIS. — Die Irische Kanonensammlung, édition H. Wasserschleben, Leipzig 1885.

HINCMAR DE REIMS. — De Praedestinatione Dei et libero arbitrio, posterior dissertatio adversus Gothescalcum et coeteros Praedestinatianos, dans Patrologie Latine, t. 125.

HISPANA. — Patrologie Latine, t. 84.

HISTORIA PONTIFICALIS. — Monumenta Germaniae Historica, Scriptores, t. XX, édition W. Arndt, Hanovre 1868.

HONORIUS III, — Regesta Honorii papae III, édition P. Pressutti, 2 vol. Rome, 1888-1895.

HOSTIENSIS. — Glossa super Decretalibus, dans N. Eymeric, Directorium.

HOSTIENSIS. — Summa Aurea, Venise 1570.

HUGUCCIO. — Summa, inédite. Bibliothèque Nationale, Manuscrits latins 3892 et 15397. Bibliothèque Vaticane, Manuscrit Latin 2280.

HUGUES D'AMIENS. — Tractatus adversus haereticos, dans Patrologie Latine, t. 192.

HUGUES DE POITIERS. — Historia Vizeliacensis Monasterii, dans Recueil des Historiens des Gaules et de la France, t. XII.

INNOCENT III. — Epistolae, dans Patrologie Latine, t. 214, 215, 216, 217.
INNOCENT IV. — Apparatus Innocentii super Decretales, Venise 1495.
INNOCENT IV. — Registre, par E. Berger, dans Bibliothèque des Ecoles Françaises d'Athènes de Rome, 4 vol. Paris 1884-1919.
IRÉNÉE (Saint). — Adversus Haereses, dans Patrologie Grecque, t. VIII.
IRNERIUS. — Summa Codicis des Irnerius, édition H. Fitting, Berlin 1894.
ISAAC DE LANGRES. — Capitula, dans Mansi, t. XVII B.
ISIDORE (Saint). — Etymologies, Contra Judeos, Historia de regibus Gothorum, dans Patrologie Latine, t. 82 et 83.

JAFFE (Ph.) et LÔWENFELD (S.). — Regesta Pontificum Romanorum ab condita Ecclesia ad annum post Christum natum MCXCVIII, 2e édition, 2 vol., Berlin 1885-1888.
JEAN DE FLEURY-SUR-LOIRE. — Lettre, dans Recueil des Historiens des Gaules et de la France, t. X.
JÉROME (Saint). — Opera, dans Patrologie Latine, t. 25, 26.
JOANNES ANDREAE. — Glossa Ordinaria in Sexto, Lyon 1618.
JOANNES ANDREAE. — Glossa in novella super Titulo de Haereticis, dans N. Eymeric, Directorium.
JOANNES TEUTONICUS. — Glossa Ordinaria super Decretum Gratiani, Lyon 1618.
JULIANUS POMERIUS. — De Vita Contemplativa, dans Patrologie Latine, t. 59.

KEHR (P.F.). — Regesta Pontificum Romanorum, Italia Pontificia, t. I et III, Berlin 1906, 1908.

LA CHANSON DE LA CROISADE CONTRE LES ALBIGEOIS, édition E. Martin-Chabot, dans Classiques de l'Histoire de France au Moyen Age, Paris 1931.
LA CHANSON DE LA CROISADE CONTRE LES ALBIGEOIS, de Guillaume de Tudèle, édition P. Meyer, dans Société de l'Histoire de France, 2 vol., Paris 1875-1879.
LANDULPHE. — Historia Mediolanensis, dans Monumenta Germaniae Historica, Scriptores, t. VIII, édition L. Bethmann et W. Wattenbach, Hanovre 1848.
LA SOMME DU CODE. — Texte dauphinois de la région de Grenoble publié d'après un manuscrit du XIIIe siècle par L. Royer et A. Thomas, dans Notices et Extraits des Manuscrits de la Bibliothèque Nationale, t. 42, Paris 1933.
LEGES WISIGOTHORUM. — Monumenta Germaniae Historica, Leges, I, édition K. Zeumer, Hanovre 1902.
LÉON (Saint). — Epistolae, dans Patrologie Latine, t. 54.
LÉON IV. — Epistolae, dans Patrologie Latine, t. 115.
LIBER PONTIFICALIS. — T. II, édition L. Duchesne, Paris 1892.
LO CODI. — Eine Summa Codicis in provenzälicher Sprache aus der Mitte des XII Jahrhunderts, édition H. Fitting et H. Suchier, Halle 1906.

MAI (An). — Scriptorum veterum nova collectio, t. VI, Rome 1832.
MANEGOLD DE LAUTENBACH. — Liber ad Gebehardum, dans Monumenta Germaniae Historica, Libelli de Lite, t. I, édition K. Francke, Hanovre 1891.
MANSI (J.D.). — Sacrorum Conciliorum nova et amplissima Collectio, édition J.B. Martin et L. Petit, Paris depuis 1901, t. III-XXIII.
MARTENE (Dom E.) et DURAND (Dom U.). — Thesaurus novus anecdotorum, t. IV et V, Paris 1717.
MARTENE (Dom E.) et DURAND (Dom U.). — Veterum scriptorum et monumentorum moralium, dogmaticorum, historicum amplissima collectio, 9 vol., Paris 1724-1733.
MARTIN DE BRAGA (Saint). — Canones, dans Patrologie Latine, t. 84.
MATTHIEU DE PARIS. — Chronica Majora, dans Monumenta Germaniae Historica, Scriptores, t. XXVIII, édition F. Liebermann, Hanovre 1888.
MEMORIAE MEDIOLANENSES. — Monumenta Germaniae Historica, Scriptores, t. XVIII, édition G.H. Pertz. Hanovre 1863.

MIGNE (J.P.). — Patrologiae cursus completus, Série Grecque, t. VIII et XII. Série Latine, t. 16 et suivants, Paris, 1844 et années suivantes.

MONUMENTA GERMANIAE HISTORICA. — Scriptores, t. V-IX ; XVI-XX ; XXIII ; XXVI-XXVIII. Libelli de lite imperatorum et pontificum saec. XI et XII conscripti, t. I.-III. Leges : in-folio, t. V ; in-quarto, t. I, IV : Constitutiones et Acta publica... Epistolae, t. I-III ; Epistolae saeculi XIII... Hanovre, Berlin, années 1844 et suivantes.

MORTET (V.). — Recueil de Textes relatifs à l'Histoire de l'architecture en France au Moyen Age, xi-xiie siècles, Paris 1911.

MURATORI (L.A.). — Antiquitates Italicae medii aevi, t. V, Milan 1741.

NICOLAS III. — Registre par J. Gay et S. Vitte, dans Bibliothèque des Ecoles Françaises d'Athènes et de Rome, Paris 1932.

NICOLAS IV. — Registre par E. Langlois, dans Bibliothèque des Ecoles Françaises d'Athènes et de Rome, Paris 1886.

NOTITIA CONCILIABULI APUD SANCTUM FELICEM DE CARAMAN. — Dans Recueil des Historiens des Gaules et de la France, t. XIV.

ORDONNANCES DES ROIS DE FRANCE. — T. I et XII, Paris 1723 et 1776.

ORIGÈNE. — Traité sur le Livre de Josué, dans Patrologie Grecque, t. XII.

OTHON DE FREISING. — Gesta Friderici Imperatoris, dans Monumenta Germaniae Historica, Scriptores, t. XX, édition R. Wilmans, Hanovre 1868.

PARISUIS DE CERETA. — Voir ANNALES VERONENSES.

PAUCAPALEA. — Die Summa des Paucapalea über das Decretum Gratiani, édition J.F. von Schulte Giessen 1890.

PELAGE I. — Epistolae, dans Patrologie Latine, t. 69.

PIERRE CHANTRE. — Verbum abbreviatum, dans Patrologie Latine, t. 205.

PIERRE DES VAUX-DE-CERNAI. — Historia Albigensis, 2 vol., édition P. Guébin et E. Lyon, dans Société de l'Histoire de France, Paris 1926-1930. — Histoire Albigeoise, 1 vol., traduction par P. Guébin et H. Maisonneuve, dans l'Eglise et l'Etat au Moyen Age, Paris 1951.

PIERRE LE VÉNÉRABLE. — Tractatus adversus Petrobrusianos, dans Patrologie Latine, t. 189.

PLACENTIN. — In Codici Domini Justiniani sacratissimi principis ex repetita praelectione libros IX. Summa a Placentino legum interprete excellentissimo, ante 400 ferme annos conscripta, et nunc primum in lucem edita, édition princeps, Mayence 1536.

POTTHAST (A.). — Regesta Pontificum Romanorum inde ab anno post Christum natum MCXCVIII ad annum MCCCIV, 2 vol., Berlin 1874-1875.

QUESNELLIANA. — Patrologie Latine, t. 56.

QUINQUE COMPILATIONES ANTIQUAE necnon collectio canonum lipiensis, édition E. Friedberg, Leipzig 1882.

RAOUL LE GLABRE. — Francorum Historia libri V, édition M. Prou, dans Collection de textes pour servir à l'étude et à l'enseignement de l'Histoire, Paris 1886.

RAYMOND DE PEÑAFORT (Saint). — Summa Raymondiana, Vérone 1744.

RECUEIL DES HISTORIENS DES GAULES ET DE LA FRANCE, t. X-XIX, 1864,1880.

REGINON DE PRÜM. — Libri duo de synodalibus causis et disciplinis ecclesiasticis, dans Patrologie Latine, t. 132.

REMEDIUS DE COIRE. — Capitula, dans Monumenta Germaniae Historica, Leges, t. V, in-folio, édition G. Haenel, Hanovre 1875-1879.

REMEDIUS DE COIRE. — Collection dite de... — dans Patrologie Latine, t. 102.

RICHARD DE SAN GERMANO. — Chronica regni Siciliae, dans Monumenta Germaniae Historica, Scriptores, t. XIX, édition G.H. Pertz, Hanovre 1866.

RIGORD. — Gesta Philippi Augusti, édition Fr. Delaborde, dans Société de l'Histoire de France, Paris 1882.

Robert. — Continuation de Sigebert, dans Recueil des Historiens des Gaules et de la France, t. XIII.
Robert d'Auxerre. — Chronicon, dans Recueil des Historiens des Gaules et de la France, t. XVIII, et dans Monumenta Germaniae Historica, Scriptores, t. XXVI, édition O. Holder-Egger, Hanovre 1882.
Roger de Hoveden. — Chronica, dans Mansi : Amplissima Collectio, t. XXII, et dans Monumenta Germaniae Historica, Scriptores, t. XXVII, édition F. Liebermann et R. Pauli, Hanovre 1885.
Roland Bandinelli. — Stroma Magistri Rolandi Bandinelli, édition F. Thǎner, Innsbrück 1874.
Rufin. — Die Summa Decretorum des Magister Rufinus, édition H. Singer, Paderborn 1902.

Sicard de Cremone. — Summa, inédite. Bibliothèque Nationale, Manuscrit Latin 14996. Bibliothèque Vaticane, Manuscrit Palatinus 653.
Saenz de Aguirre (J.). — Collectio maxima conciliorum Hispaniae atque Novi Orbis, epistolarum, decretalium et aliorum monumentorum, édition J. Catalani, t. V, Rome 1755.
Sigeberti Continuatio Aquicinctina (Anchin). — Monumenta Germaniae Historica, Scriptores, t. VI, édition L. Bethmann, Hanovre 1844.
Statuta Ecclesaie Antiqua. — Patrologie Latine, t. 56.
Stubbs (W.). — Select charters and other illustrations of English constitutional history, Oxford 1876.

Tancrède. — Glossa super Compilatione tertia, dans Commentaria Decretalium, Bibliothèque Municipale de Lille. Manuscrit Latin 697.
Tertullien. — Ad Marcionem, dans Corpus Scriptorum Ecclesiasticorum Latinorum, t. 47.
Teulet (A.). — Layettes du Trésor des Chartes, t. 1 et 2, Paris 1863, 1866.
Thomas d'Aquin (Saint). — Summa Theolociga, Secunda Secundae, édition F. Lachat, t. VII, Paris 1863.
Tiraboschi (H.). — Vetera Monumenta Humiliatorum, t. II, Milan 1766.

Vincent d'Espagne. — Apparatus super Decretales, inédit. Bibliothèque Nationale, Manuscrit Latin 3967.
Vita Vasonis Episcopi. — Patrologie Latine, t. 142.

Walter Map. — De nugis Curialium, dans Monumenta Germaniae Historica, Scriptores, t. XXVII, édition F. Liebermann et R. Pauli, Hanovre 1885.
Wilkins (D.). — Concilia Magnae Brittanniae et Hiberniae, t. I, Londres 1737.

II. OUVRAGES CITÉS

Amanieu (A.). — Article Alger de Liège, dans le Dictionnaire de Droit Canonique.
Amanieu (A.). — Article Anathème, dans le Dictionnaire de Droit Canonique.
Amann (E.). — Article Josépins dans le Dictionnaire de Théologie Catholique.
Amann (E.). — Article Passagiens dans le Dictionnaire de Théologie Catholique.
Antonius Domingues de Sousa Costa, O.F.M. — Animadversiones criticae in vitam et opera canonistae Ioannis de Deo, dans Antonianum, janvier-avril 1958.
Arbois de Jubainville (H. d'). — Etudes sur l'état intérieur des Abbayes cisterciennes, Paris 1858.
Arquillière (H.-X.). — Grégoire VII, Sa conception du Pouvoir Pontifical, dans Collection L'Eglise et l'Etat au Moyen Age, vol. IV, Paris 1934.
Arquillière (H.-X.). — L'Augustinisme Politique, dans Collection L'Eglise et l'Etat au Moyen Age, vol. II, 2e édition, Paris 1955.
Arquillière (H.-X.). — Réflexions sur l'essence de l'Augustinisme Politique, dans Augustinus Magister, Communications au Congrès international augustinien, Paris 1954.

ARQUILLIÈRE (H.-X.). — Sur la formation de la théocratie pontificale, Extrait des Mélanges Ferdinand Lot, Paris 1925.

BALAN (D.P.). — La Chisa Cattolica e gli Slavi, Rome 1885.

BARDY (G.). — Article Afrique, dans le Dictionnaire de Droit Canonique.

BARDY (G.). — Article Manichéisme, dans le Dictionnaire de Théologie Catholique.

BAREILLE (G.). — Article Donatisme, dans le Dictionnaire de Théologie Catholique.

BATTIFOL (P.). — Le Catholicisme de saint Augustin, Paris 1920.

BEAUCHET (L.). — Article Occupatio dans le Dictionnaire des Antiquités grecques et Romaines.

BELPERRON (P.). — La Croisade contre les Albigeois et l'union du Languedoc à la France, 1209-1249, Paris 1942.

BERTHELOT (A.) et DIDIER (J.). — Histoire Intérieure de Rome, d'après les Römische Altertümer de L. Lange, Paris 1888.

BESTA (E.). — Legislazione e scienza giuridica dalla caduta dell' impero romano al secolo decimo sesto, dans Storia dell diritto italiano de Pasquale Del Giudice, t. I, Milan 1923.

BONET-MAURY (G.). — Les Origines du Mouvement Vaudois, dans Comptes Rendus des Séances de l'Académie des Sciences morales et politiques, Paris 1903.

BORDERIE (A. de la). — Histoire de Bretagne, t. III, Paris 1899.

BORST ARNO. — Die Katharer, dans Schriften der Monumenta Germaniae Historica (Deutsches Institut für Erforschung des Mittelalters), vol. 12, Stuttgart 1953.

BOUCHE-LECLERCQ (A.). — L'Intolérance religieuse et la Politique, Paris 1911.

BOURILLY (V.-L.). — Essai sur l'histoire politique de la Commune de Marseille, des origines à la victoire de Charles d'Anjou, dans Annales de la Faculté des Lettres d'Aix, t. XII, Marseille 1919-1920.

BOURILLY (V.-L.) et BUSQUET (R.). — La Provence au Moyen Age, Extrait du t. II de l'Encyclopédie départementale des Bouches-du-Rhône, Marseille 1924.

BOUSSARD (J.). — Le gouvernement d'Henri II Plantegenet, Paris 1956.

BOUSSARD (J.). — Les Mercenaires au XIIe siècle. Henri Plantegenet et les origines de l'armée de métier, dans Bibliothèque de l'Ecole des Chartes, t. CVI, 1945, 1946, tiré à part 1947.

BOUTARIC (Ed.). — Les Institutions militaires de la France, Paris 1863.

BROECKX (E.). — Le Catharisme, études sur les doctrines, la vie religieuse et morale, l'activité littéraire et les vicissitudes de la secte cathare avant la croisade, Hoogstraten 1916.

CAGGESE (R.). — Firenze, della decadenza di Roma al risorgimento d'Italia, t. I : Della origini all'eta di Dante, Florence 1912.

CANGE (Ch, du). — Glossarium Mediae et infimae latinitatis, t. I, V, Paris 1840, 1845.

CARENA (C.). — Tractatus de Officio Sanctissimae Inquisitionis, Crémone 1655.

CAUZONS (Th. de). — Histoire des Tribunaux de l'Inquisition en France, t. I. L'Origine de l'Inquisition, Paris 1909.

CAUZONS (Th. de). — La Magie et la Sorcellerie en France, Paris, s.d.

CHARLES (J.). — Article Arnaud de Brescia, dans le Dictionnaire d'Histoire et Géographie Ecclésiastiques.

CHENON (E.). — L'Hérésie à La Charité-sur-Loire ou les débuts de l'Inquisition Monastique, dans Nouvelle Revue Historique de Droit Français et Etranger, 1917.

CHOLLET (A.). — Article Amaury de Chartres, dans le Dictionnaire de Théologie Catholique.

CLERCQ (C. de). — La Législation religieuse franque de Clovis à Charlemagne, Louvain, Paris 1936.

COMBES (G.). — La Charité d'après saint Augustin, dans Bibliothèque augustinienne, Paris 1934.

COMBES (G.). — La Doctrine Politique de saint Augustin, Paris 1927.

CRISTIANI (L.). — Article Vaudois, dans le Dictionnaire de Théologie Catholique.

DAUNOU (P.C.F.). — Arnaut-Amaury, abbé de Citeaux, puis archevêque de Narbonne, dans Histoire Littéraire de la France, t. XVII, Paris 1832.

DAUVILLIER (J.). — Le Mariage dans le Droit Classique de l'Eglise, Paris 1933.
DAVIDSOHN (R.). — Geschichte von Florenz, Berlin 1896.
DELARUELLE (E.). — La Pieta popolare nel secolo XI, dans Comitato Internazionale di Scienze Storiche. X Congresso Internazionale di Scienze Storiche, Relazioni, vol. III, Florence 1955.
DELEHAYE (H.). — Pierre de Pavie, Légat du Pape Alexandre III, dans Revue des Questions Historiques, t. 49, Paris 1891.
DEVIC (dom Cl.) et VAISSETE (dom J.). — Histoire générale du Languedoc avec des notes et des pièces justificatives, édition E. Dulaurier, Toulouse 1872 et suivantes, 15 vol.
DIDIER (Noël). — Henri de Suse, prieur d'Antibes, prévôt de Grasse, dans Studia Gratiana, t. II, Bologne 1954.
DÖLLINGER (J.). — Berträge zur Sektengeschichte des Mittelalters, Munich 1890.
DONDAINE (A.). — Aux Origines du Valdéisme, une profession de foi de Valdès, dans Archivum fratrum praedicatorum, vol. XVI, Rome 1946.
DONDAINE (A.). — La Hiérarchie cathare en Italie, dans Archivum fratrum praedicatorum, vol. XX, Rome 1950.
DONDAINE (A.). — Les Actes du Concile albigeois de Saint Félix de Caraman, dans Miscellanea Giovanni Mercati, t. V, Cité du Vatican 1946.
DONDAINE (A.). — Le Manuel de l'Inquisiteur, dans Archivum fratrum praedicatorum, vol. XVII, Rome 1947.
DONDAINE (A.). — L'Origine de l'hérésie médiévale, dans Rivista della Storia, della Chiesa in Italia, 1952.
DONDAINE (A.). — Saint Pierre Martyr, dans Archivum fratrum praedicatorum, vol. XXIII, Rome 1953.
DOSSAT (Y.). — Le Chroniqueur Guillaume de Puylaurens était-il chapelain de Raymond VII ou notaire de l'Inquisition toulousaine ? dans Annales du Midi. Hommages à la mémoire de Joseph Calmette, Toulouse 1953.
DOUAIS (C.). — L'Eglise et la Croisade albigeoise, Lyon 1882.
DOUAIS (C.). — La soumission de la Vicomté de Carcassonne, Paris 1884.
DUCHESNE (L.). — Histoire Ancienne de l'Eglise, t. III, Paris 1910.

EYMERIC (N.). — Directorium Inquisitorum cum commentariis Francisci Pegnae. Venise 1607.

FLICHE (A.). — Les Théories germaniques de la Souveraineté, dans Revue Historique, t. 125, 1917.
FLICHE (A.) et MARTIN (V.). — Histoire de l'Eglise, t. IX : Du Ier Concile de Latran à l'avènement d'Innocent III, Paris 1944, 1953, t. X : La Chrétienté Romaine, Paris 1950.
FOREVILLE (R.). — Les grands courants hérétiques et les premières mesures générales de répression, dans Histoire de l'Eglise, collection A. Fliche et V. Martin, t. IX, 2e partie, Paris 1953.
FORG (L.). — Die Ketzerverfolgung in Deutschland unter Gregor IX, dans Historische Studien, fascicule 218, Berlin 1932.
FOUCAULT (M.). — Les Procès de sorcellerie dans l'ancienne France devant les juridictions séculières, Paris 1907.
FOURNIER (P.). — L'œuvre canonique de Réginon de Prüm, dans Bibliothèque de l'Ecole des Chartes, t. LXXXI, 1920.
FOURNIER (P.). — Le Royaume d'Arles et de Vienne, Paris 1891.
FOURNIER (P.) et LE BRAS (G.). — Histoire des Collections Canoniques en Occident depuis les Fausses Décrétales jusqu'au décret de Gratien, 2 vol., Paris 1931, 1932.

GÉRAUD (H.). — Les Routiers au xiie siècle, dans Bibliothèque de l'Ecole des Chartes, t. III, 1841, 1842.
GHELLINCK (J. de). — Le Mouvement Théologique du xiie siècle, 2e édition, Bruges, Bruxelles, Paris 1948.
GLORIEUX (P.). — Candidats à la pourpre en 1178, dans Mélanges de Science Religieuse, Lille 1954.

GORCE (M.M.). — Article Moneta de Crémone, dans le Dictionnaire de Théologie Catholique.
GORCE (M.M.). — Article Raynier Sacconi, dans le Dictionnaire de Théologie Catholique.
GREENAWAY (W.). — Arnold of Brescia, Cambridge 1931.
GREGOROVIUS (Ch.). — Geschichte der Stadt Rom in Mittelalters, Stuttgart 1862.
GRUNDMANN (H.). — Eresie e nuovi ordini religiosi nel secolo XII, dans Comitato Internazionale di Science Storiche. X Congresso Internazionale di Scienze Storiche, vol. III, Florence 1955.
GRUNDMANN (H.). — Religiöse Bewegungen im Mittelalter. Untersuchungen über die geschichtlichen Zusammenhänge zwischen der Ketzerei, den Bettelorden und der religiösen Frauenbewegung im 12 und 13 Jahrhundert und über die geschichtlichen Grundlagen der deutschen Mystik, dans Historische Studien, fascicule 267, Berlin 1935.
GUEBIN (P.). — Le sens du mot « Monarcha » au Concile de Montpellier, dans Revue Historique de Droit Français et Etranger, 1931.
GUIRAUD (J.). — Article Albigeois dans le Dictionnaire d'Histoire et Géographie Ecclésiastiques.
GUIRAUD (J.). — Article Albigeois (croisade contre les) dans le Dictionnaire d'Histoire et Géographie Ecclésiastiques.
GUIRAUD (J.). — Histoire de l'Inquisition au Moyen Age, 2 vol. Paris 1935, 1938.

HALKIN (L.E.). — De l'excommunication au bucher. Extrait de Hommage à Lucien Febvre, Paris 1954.
HALPHEN (L.). — Etudes sur l'administration de Rome au Moyen Age, Paris 1907.
HALPHEN (L.). — L'Essor de l'Europe, Collection Peuples et Civilisations, t. V, Paris 1932.
HAVET (J.). — L'Eglise et le Bras Séculier au Moyen Age jusqu'au XIIIe siècle, dans Bibliothèque de l'Ecole des Chartes, t. XLI, 1880 et Œuvres Complètes, t. II, Paris 1896.
HEFELE (C.J.) et LECLERCQ (H.). — Histoire des Conciles d'après les documents originaux, t. I-V, Paris 1907-1921.
HIGOUNET (Ch.). — Un grand chapitre de l'histoire du XIIe siècle : la rivalité des maisons de Toulouse et de Barcelone pour la prépondérance méridionale, dans Mélanges L. Halphen, Paris 1951.
HOVE (A. van). — Prolegomena ad Codicem Juris Canonici, 2e édition, Malines, Rome 1945.
HUBRECHT (G.). — La « juste guerre » dans le Décret de Gratien, dans Studia Gratiana, t. III, Bologne 1955.
HUMBERT (G.). — Article Infamia, dans le Dictionnaire des Antiquités grecques et romaines.
HUMBERT (G.). — Article Majestas, dans le Dictionnaire des Antiquités grecques et romaines.

ILARINO DA MILANO. — L'eresie di Ugo Speroni nella confutazione del Maestro Vacario. Teste inedito del secolo XII con studio storico dottrinale. Studi e Testi 115. Cité du Vatican 1945.
IRSAY (Stephen d'). — Histoire des Universités françaises et étrangères, t. I, Paris 1933.

JACQUELINE (B.). — Le Droit Pontifical selon saint Bernard, Paris 1953, d'après l'Année Canonique 1953.
JALLA (J.). — Histoire des Vaudois, Pignerol 1912.
JORDAN (E.). — Article Joachim de Flore, dans le Dictionnaire de Théologie Catholique.
JUSTER (J.). — La condition légale des Juifs sous les rois wisigoths, dans Etudes d'Histoire juridique offertes à Frédéric Girard, t. II, Paris 1913.

KREHBIEL (E.). — The Interdict, its history and its operation with spécial attention to the time of pope Innocent III, Washington 1909.

KUBLER. — Article Majestas, dans Real Encyclopädie der Classichen Altertums wissenchaft, Pauly-Wissova.

KÜNNE (G.). — Heinrich von Clairvaux, Tubingue 1909.

KUTTNER (Stephan). — Repertorium der Kanonistik (1140-1234), Prodromus corporis glossarum I dans Studi e Testi 71, Cité du Vatican 1937.

LABRIOLLE (P. de). — De la mort de Théodose à l'avènement de Grégoire le Grand, dans Histoire de l'Eglise, collection A. Fliche et V. Martin, t. IV, Paris 1937.

LAGGER (G. de). — L'Albigeois pendant la crise de l'albigéisme, dans Revue d'Histoire Ecclésiastique, Louvain 1933.

LACOMBE (G.). — La Vie et les Œuvres de Prévôtin, dans Bibliothèque Thomiste, vol. XI, Le Saulchoir 1927.

LANGLOIS (Ch.V.). — Saint Louis, Philippe le Bel, les derniers Capétiens directs (1226-1328), dans Histoire de France depuis les origines jusqu'à la Révolution publiée sous la direction d'Ernest Lavisse, t. 3, 2e partie, Paris 1901.

LEA (H.Ch.). — Histoire de l'Inquisition au Moyen Age, traduction de Salomon Reinach, 2 vol., Paris 1900, 1901.

LE BRAS (G.). — Le Liber de misericordia et justitia d'Alger de Liège, dans Nouvelle Revue Historique de Droit Français et Etranger, 1921.

LE BRAS (G.). — L'immunité réelle. Paris 1920.

LE BRAS (G.). — Histoire des Collections canoniques... Voir FOURNIER (P.) et LE BRAS (G.).

LE BRAS (G.). — Notes pour l'histoire littéraire du Droit Canon, dans Revue de Droit Canonique, Strasbourg 1955.

LEBRETON (J.) et ZEILLER (J.). — L'Eglise Primitive, dans Histoire de l'Eglise, collection A. Fliche et V. Martin, t. I, Paris 1941.

LECLERC (J.). — L'argument des deux glaives dans les controverses publiques du Moyen Age, dans Recherches de Science Religieuse, t. XXI, Paris 1931.

LEFEBVRE (Ch.). — Article Hostiensis, dans le Dictionnaire de Droit Canonique.

LEFEBVRE (Ch.). — Les Pouvoirs du Juge en Droit Canonique, Paris 1938.

LE FOYER (J.). — Exposé du droit pénal normand au XIIIe siècle, Paris 1931.

LEVY (J.Ph.). — Article Cresconius, dans le Dictionnaire de Droit Canonique.

LEVY-ALPHANDERY (P.). — Les Idées Morales chez les hétérodoxes latins au début du XIIIe siècle, Bibliothèque de l'Ecole des Hautes Etudes, Sciences Religieuses, fascicule 16, Paris 1903.

LLORENTE (J.A.). — Historia critica de la Inquisicion en Espagna, t. I, Madrid 1818.

LOT (F.). — Histoire du Moyen Age, Collection Histoire Générale publiée sous la direction de G. Glotz, t. I : Les destinées de l'Empire en Occident de 395 à 888, Paris 1928.

LOT (F.). — Fidèles ou Vassaux ? Essai sur la nature du lien juridique qui unissait les grands vassaux à la royauté, Paris 1904.

LUCHAIRE (A.). — Innocent III et les Ligues de Toscane et de Lombardie, dans Comptes rendus des Séances et Travaux de l'Académie des Sciences Morales et Politiques, Paris 1904.

LUCHAIRE (A.). — Innocent III : La Croisade des Albigeois, Paris 1905.

LUCHAIRE (A.). — Innocent III : Les Royautés vassales, Paris 1908.

LUCHAIRE (A.). — Innocent III : Rome et l'Italie, Paris 1907.

LUCHAIRE (A.). — Innocent III : Le Concile de Latran et la Réforme de l'Eglise, Paris 1908.

MAGNIN (E.). — Article Accurse, dans le Dictionnaire de Droit Canonique.

MAHN (J.B.). — L'Ordre cistercien et son gouvernement des origines au milieu du XIIIe siècle, 1098-1265, Paris 1945.

MAISONNEUVE (H.). — Article Capelli (Jacques de) dans le Dictionnaire d'Histoire et Géographie Ecclésiastiques.

MANDONNET (P.). — Saint Dominique, Paris 1938.

MEERSSMAN (G.). — Etudes sur les anciennes confréries dominicaines : II, les confréries de saint Pierre Martyr, dans Archivum fratrum praedicatorum, vol. XXI, Rome 1951.

MEERSSMAN (G.). — Etudes sur les anciennes confréries dominicaines : IV, les Milices de Jésus-Christ, dans Archivum fratrum praedicatorum, vol. XXIII, Rome 1953.

MICHAUD (M.). — Article Chambre Apostolique, dans le Dictionnaire de Droit Canonique.

MICHEL (A.). — Article Ordalies, dans le Dictionnaire de Théologie Catholique.

MIERLO (J. van). — Lambert li Bèges, Verband met den oorsprong der Begijnenbewegnig, dans Mémoires de l'Académie Royale Flamande, 1926.

MOLINIER (Ch.). — L'Eglise et la Société Cathares, dans Revue Historique, t. 95, 1907.

MOMMSEN (Th.). — Le Droit Pénal Romain, traduction J. Duquesne, t. II, Paris 1907.

MONCEAUX (P.). — Saint Augustin et la Guerre, dans l'Eglise et la Guerre, Paris 1913.

MORGHEN (R.). — Le Origini dell' eresie medievale in Occidente, dans Riserche di Storia religiosa, 1954.

MORGHEN (R.). — Movimenti religiosi popolari nel periodo della riforma della Chiesa, dans Comitato Internazionale di Scienze Storiche. X Congresso Internazionale di Scienze Storiche, Relazioni, vol. III, Florence 1955.

MUNIER (Ch.). — Les Sources Patristiques du Droit de l'Eglise, du VIIIᵉ au XIIIᵉ siècle, Mulhouse 1957.

NAZ (R.). — Avellana Collectio, dans le Dictionnaire de Droit Canonique.

NELLI (R.) avec la collaboration de BRU (Ch.P.), de LAGGER (L.), ROCHE (D.), SOMMARIVA (L.). — Spiritualité de l'Hérésie : Le Catharisme, coll. Nouvelle Recherche, Toulouse 1953.

NICKERSON (H.). — The Inquisition. A political and military study of its établishment, Londres 1932.

ORTOLAN (T.). — Article Guerre dans le Dictionnaire de Théologie Catholique.

PACAUT (M.). — La théocratie : l'Eglise et le pouvoir au moyen âge, Paris 1957.

PACAUT (M.). — L'opposition des canonistes aux doctrines politiques de saint Bernard, dans Mélanges saint Bernard, XXIVᵉ Congrès de l'Association Bourguignonne des Sociétés Savantes, Dijon 1953.

PALANQUE (J.R.). — De la paix constantinienne à la mort de Théodose, dans Histoire de l'Eglise. Collection A. Fliche et V. Martin, t. III, Paris 1936.

PALMIFRI (A.). — Article Bosnie-Herzegovine, dans le Dictionnaire de Théologie Catholique.

PELTIER (H.). — Article Walafrid Strabon, dans le Dictionnaire de Théologie Catholique.

PETREAU-GAY (J.). — Article Bonizo de Sutri, dans le Dictionnaire de Droit Canonique.

PFAFF. — Article Infamia, dans Real Encyclopàdie des Classichen Altertums Wissenschadt, Pauly et Wissova.

PFISTER (Ch.). — Etudes sur le Règne de Robert le Pieux, Paris 1885.

PIERRON (J.B.). — Article Poor Catholics, dans The Catholic Encyclopedia.

PISSARD (H.). — La guerre sainte en pays chrétien, Paris 1912.

PORTALIE (E.). — Article Adoptianisme au XIIᵉ siècle, dans le Dictionnaire de Théologie Catholique.

PORTALIE (E.). — Article Augustin, dans le Dictionnaire de Théologie Catholique.

PUECH (H.Ch.). — Le Manichéisme, son fondateur, sa doctrine, Paris 1949.

RAMBAUD-BUHOT (J.). — Article Denys le Petit, dans le Dictionnaire de Droit Canonique.

REVIER (A.). — L'Université de Bologne et la Première Renaissance de la Science Juridique, dans Nouvelle Revue Historique de Droit Français et Etranger, t. 12, 1883.

RICHARD (P.). — Article Anselme de Lucques, dans le Dictionnaire d'Histoire et Géographie Ecclésiastique.

ROCHE (D.). — Le Catharisme. Institut d'Etudes Occitanes, Toulouse 1947.

ROCHE (D.). — Les Documents Cathares, l'origine manichéenne et les deux principales écoles de catharisme, dans Cahiers d'Etudes Cathares, 1re année, no 1, Toulouse 1949.

ROLAND-GOSSELIN (B.). — La Morale de saint Augustin, Paris 1925.

ROUSSET DE PINA (J.). — Alexandre III et Frédéric Barverousse, dans Histoire de l'Eglise, Collection A. Fliche et V. Martin, t. IX, 2e partie, Paris 1944.

RYAN (E.A.). — The religion of Henry-Charles Lea, Mélanges Joseph de Ghellinck, t. II : Moyen Age, Epoques moderne et contemporaine, Paris 1951.

SABATIER (P.). — Vie de saint François d'Assise, édition définitive, Paris 1931.

SAVIGNY (F.K.). — Geschichte des römischen Rechts im Mittelalter, vol. V, Heidelberg 1851.

SCHMIDT (Ch.). — Histoire et doctrine de la secte des Cathares ou Albigeois, 2 vol. Paris 1849.

SCHULTE (J.F. von). — Die Geschichte der Quellen und Litteratur des Canonischen Rechts von Gratian bis auf die Gegenwart, 3 vol. Stuttgart 1875-1881.

SÉDILLIÈRE (E.). — Histoire des empêchements de disparité de culte et de religion mixte, Thèse dactylographiée, Paris 1931.

SÉJOURNÉ (Dom). — Saint Isidore de Séville, son rôle dans l'Histoire du Droit Canonique, Paris 1929.

SODERBERG (Hans). — La Religion des Cathares. Etude sur le gnosticisme de la basse antiquité et du Moyen Age, Upsal 1949.

SOLAGES (H.). de. — La Théologie de la guerre juste, Paris 1946.

STUBBS (W.). — The Constitutional history of England, traduction Ch. Petit-Dutaillis, Paris 1907.

TANON (L.). — Etude de Littérature Canonique, Rufin et Huguccio, Paris 1889.

TANON (L.). — Histoire des Tribunaux de l'Inquisition en France, Paris 1893.

THERY (G.). — Essai sur David de Dinant, d'après Albert le Grand et saint Thomas, dans Mélanges Thomistes publiés par les dominicains de la Province de France à l'occasion du VIe centenaire de la canonisation de saint Thomas d'Aquin (12 juillet 1323), vol. III, Paris 1931.

THOUZELLIER (Ch.). — Hérésie et Croisade au XIIe siècle, dans Revue d'Histoire Ecclésiastique, Louvain 1954.

THOUZELLIER (Ch.). — La Chrétienté Romaine, dans Histoire de l'Eglise, Collection A. Fliche et V. Martin, t. X, Paris 1950.

TOURNADRE (G. de). — Histoire du comté de Forcalquier, Paris 1931.

TOURTOULON (P. de). — Placentin, sa vie, les œuvres, Paris 1896.

VACANDARD (E.). — Article Arnaud de Brescia, dans Revue des Questions Historiques, t. 35, 1884.

VACANDARD (E.). — Article Arnold of Brescia, dans The Catholic Encyclopedia.

VACANDARD (E.). — Saint Bernard, collection La Pensée Chrétienne, Paris 1904.

VACANDARD (E.). — Article La Date du Concile de Sens, dans Revue des Questions Historiques, t. 50, 1892.

VACANDARD E.). — Article l'Eglise et les Ordalies au XIIe siècle, dans Revue des Questions Historiques, t. 53, 1893.

VACANDARD (E.). — Article Les origines de l'Hérésie Albigeoise, dans Revue des Questions Historiques, t. 55, 1894.

VACANDARD (E.). — Article Inquisition, dans le Dictionnaire de Théologie Catholique.

VACANDARD (E.). — L'Inquisition, Paris 1914.

VACANDARD (E.). — Vie de saint Bernard, Paris 1910.

VACANT (A.). — Article Alexandre de Halès, dans le Dictionnaire de Théologie Catholique.

VANDERPOL (A.). — La doctrine scolastique du droit de guerre, Paris 1919.

VANDERPOL (A.). — Le Droit de guerre d'après les canonistes et les théologiens du Moyen Age, Paris 1911.

VERGOTTINI (Giovanni de). — Studi sulla legislazione imperiale di Frederico II in Italia. Le leggi del 1220, Milan 1952.

VERNET (F.). — Article Arnaud de Brescia, dans le Dictionnaire de Théologie Catholique.

VERNET (F.). — Article Beghards, dans le Dictionnaire de Théologie Catholique.

VERNET (F.). — Article Bogomiles, dans le Dictionnaire de Théologie Catholique.

VERNET (F.). — Article Cathares, dans le Dictionnaire de Théologie Catholique.

VERNET (F.). — Article Circoncellions, dans le Dictionnaire de Théologie Catholique.

VERNET (F.). — Article Eon de l'Etoile, dans le Dictionnaire de Théologie Catholique.

VERNET (F.). — Article Humiliés, dans le Dictionnaire de Théologie Catholique.

VERNET (F.). — Article Pierre de Bruys, dans le Dictionnaire de Théologie Catholique.

VETULANI (A.). — Article Breviatio Canonum, dans le Dictionnaire de Droit Canonique.

VICAIRE (M.H.). — La Sainte Prédication de Narbonnaise, dans P. Mandonnet : Saint Dominique, Paris 1938.

VICAIRE (M.H.). — Saint Dominique en 1207, Notes critiques, dans Archivum fratrum praedicatorum, vol. XXIII, Rome 1953.

VILLIEN (A.). — Note sur le Biennium de Pénitence, dans Revue d'Histoire de l'Eglise de France, 1913.

VOLPE (G.). — Studi sulle instituzioni communali a Pisa (citta e contado consoli e podesta), sec. XII-XIII, Pise 1902.

WARICHEZ (J.). — Etienne de Tournai et son temps, 1128-1203, dans Annales de la Société d'histoire et d'archéologie de Tournai, nouvelle série, t. 20, Tournai 1936.

WASSERSCHLEBEN (F.W.H.). — Die Bussordnungen der abendländischen Kirche, Halle 1851.

WEISS (A.). — Article Edictum, dans le Dictionnaire des Antiquités Grecques et Romaines.

ZEILLER (J.). — L'Eglise et l'Empire Romain, Paris 1928.

PRINCIPALES ABRÉVIATIONS

c. 6, D. XL............	Décret de Gratien, Distinction XL, canon 6.
c. 31, C. XXIV, Q. III...	Décret de Gratien, Cause XXIV, Question III, canon 31.
c. 10-X-V-7.............	Décrétales de Grégoire IX, Livre V, Titre 7, canon 10.
c. 12-V-II-VIe	Sexte de Boniface VIII, Livre V, Titre II, canon 12.
C.J. I, V, 4	Code Justinien, Livre I, Titre V, Loi 4.
C.S.E.L.	Corpus Scriptorum Ecclesiasticorum Latinorum.
C.TH. XVI, V, 3	Code Théodosien, Livre XVI, Titre V, Loi 3.
D.D.C.	Dictionnaire de Droit Canonique.
D.H.G.E.	Dictionnaire d'Histoire et Géographie Ecclésiastiques.
Dig. IV, II, 8	Digeste, Livre IV, Titre II, Décision ou numéro 8.
D.T.C.	Dictionnaire de Théologie Catholique.
Gal. Christ.	Gallia Christiana.
H.F....................	Recueil des Historiens des Gaules et de la France.
H.L....................	Héfelé-Leclercq, Histoire des Conciles.
J......................	Jaffé-Lôwenfeld, Regesta Pontificum Romanorum.
M.G.H. ss	Monumenta Germaniae Historica, Scriptores.
N.R.H.D.F.E.	Nouvelle Revue Historique de Droit Français et Etranger.
P.	Potthast, Regesta Pontificum Romanorum.
P.L. t..................	Patrologie Latine, tome
R.H.E.	Revue d'Histoire Ecclésiastique de Louvain.
R.Q.H. t...............	Revue des Questions Historiques, tome

Chapitre Premier

LA TRADITION IMPÉRIALE
ET LA TRADITION CANONIQUE

* *
*

La répression de l'hérésie au Moyen Age ne présente pas le caractère d'un fait juridique nouveau. L'antiquité chrétienne avait connu des hérésies et des schismes que l'effort conjugué de l'Empire et de l'Eglise était parvenu à réduire, sinon toujours à étouffer. Mais la législation qui fut appliquée aux dissidents n'était pas elle-même tellement originale. Elle retournait contre eux les peines que l'Empire païen avait infligé aux premiers chrétiens. C'est pourquoi nous croyons indispensable, pour comprendre la genèse de l'Inquisition, de remonter aux origines mêmes de l'Eglise.

*
* *

Le Haut-Empire avait persécuté le christianisme, soit au nom du culte impérial[1], soit à cause des actes délictueux que les chrétiens étaient censés commettre dans leurs réunions secrètes[2]. Les deux motifs n'étaient d'ailleurs pas tellement différents l'un de l'autre[3]. Dans les deux cas, les empereurs s'appliquaient à défendre ce qu'on pourrait appeler l'ordre public contre une secte qui leur paraissait dangereuse.

Après la conversion de l'Empire, le christianisme devient religion d'Etat. Dès lors quiconque refuse de sacrifier au Christ est au moins suspect, sinon coupable, envers le nouvel ordre de choses. Le paga-

---

1. J. Zeiller : *L'Eglise et l'Empire Romain*, Paris, 1928, pp. 38 et ss. — A. Bouché-Leclercq : *L'intolérance religieuse et la politique*, Paris 1911.

2. Tacite : *Annales XV*, 44. Pline le Jeune : *Lettre à Trajan*, X, 98.

3. Refuser d'une part de sacrifier au Génie de l'Empereur et à Rome, s'adonner d'autre part à des pratiques cultuelles mystérieuses, c'était s'isoler de la communauté romaine et se déclarer pratiquement « ennemi du genre humain ». Voir J. Lebreton et J. Zeiller : *L'Eglise Primitive*, dans Histoire de l'Eglise, collection Fliche et Martin, t. I, Paris 1941, pp. 293-297.

nisme est condamné à mort[4]. Mais comme on ne détruit pas en quelques années des institutions séculaires, les empereurs chrétiens durent intervenir à plusieurs reprises. Une constitution particulièrement sévère de Valentinien III et de Marcien, datée de 451, constate qu'il existe encore des contempteurs des anciennes lois impériales et inflige aux païens qui seraient accusés devant les tribunaux et condamnés la confiscation totale de leurs biens et le dernier supplice[5].

Après le triomphe de l'orthodoxie nicéenne avec Théodose, et de l'orthodoxie chalcédonienne avec Marcien, les dissidents furent les victimes désignées de la législation impériale. Etrangers à la doctrine officielle, ils ébranlaient la structure religieuse de l'Empire. Peut-être aussi pouvaient-ils présenter, par l'abus des polémiques et le jeu des passions, un élément de trouble intérieur : les Donatistes[6] compromettaient par leurs excès l'ordre public[7]. D'autres, apparemment plus sages, passaient à tort ou à raison, pour compromettre la sécurité même de l'Empire ; les Manichéens, à cause de leurs affinités religieuses avec la Perse, faisaient figure de traîtres[8].

Aussi les Constitutions impériales sont-elles nombreuses dans les Codes Théodosien et Justinien qui condamnent l'hérésie et qui punissent les hérétiques.

Trois constitutions interdisent le recrutement du clergé[9]. Beaucoup d'autres défendent l'exercice du culte hétérodoxe et ordonnent la suppression de ces *conventicula* dont le nom revient si souvent dans les textes et qui désignent aussi bien l'assemblée des hérétiques que leurs lieux de réunion[10].

Deux constitutions de Justinien font un devoir de rechercher les hérétiques. La première ne s'adresse, semble-t-il, qu'aux seuls fonctionnaires. L'empereur leur demande d'appliquer tout leur zèle à

---

4. Loi de Constantin, plutôt de Constance, datée de 342 : « Gladio ultore sternantur », *C. J.*, I, XI, I.

5. « Quisquis autem contra hanc serenitatis nostrae sanctionem et contra interdicta sanctissimarum veterum constitutionum sacrificia exercere tentaverit, apud publicum judicem reus tanti facinoris legitime accusetur, et convictus proscriptionem omnium bonorum suorum et ultimum supplicium subeat », *C.J.*, I, XI, 7.

6. G. Bareille, art. *Donatisme*, dans *D.T.C.*

7. F. Vernet, art. *Circoncellion*, dans *D.T.C.*

8. G. Bardy, art. *Manichéisme*, dans *D.T.C.* Plus récent, H.-Ch. Puech : *Le Manichéisme. Son fondateur, sa doctrine*, Paris 1949.

9. Constitutions de Théodose, Honorius, Arcadius à Victor, Proconsul d'Asie : 15 avril 394, et à Rufin, Préfet du Prétoire : 9 juillet 394 : *C. Th.*, XVI-V, 22 et 24 ; de Valentinien et Marcien à Palladius, Préfet du Prétoire : 455, *C. J.*, I, V, 8.

10. Constitutions de Valens, Gratien, Valentinien à Hespérius, Préfet du Prétoire : 22 avril 376 ; de Gratien, Valentinien, Théodose à Eutrope, Préfet du Prétoire : 10 janvier 381 ; des mêmes à Constantinien, Vicaire du Diocèse du Pont : 20 juin 383 ; des mêmes à Postumianus, Préfet du Prétoire : 25 juillet 383 et à Cynegius, Préfet du Prétoire : 10 mars 388 ; à Trifolius, Préfet du Prétoire : 14 juin 388 ; de Théodose, Arcadius, Honorius à Rufin, Préfet du Prétoire : 9 juillet 394, déjà citée. *C. Th.*, XVI-V, 4, 6, 10, 11, 14, 15, 24. Constitutions d'Arcadius et Honorius à Dominator, vicaire d'Afrique : 17 mai 399 et à Eutychianus, Préfet du Prétoire : 6 juillet 399 : *C. Th.*, XVI, V, 35-36.

s'enquérir de la présence des hérétiques dans leurs milieux respectifs et à dénoncer les coupables sous peine de sanctions, en vertu du principe que nous retrouverons plus tard sous la plume des canonistes, savoir que celui qui se rend complice des hérétiques commet une pareille faute et s'expose par conséquent au même châtiment[11]. La seconde étend à tous les sujets de l'empire cette obligation d'enquête et de dénonciation et punit le coupable de peines variables suivant son degré de culpabilité[12].

Les peines réelles consistent soit en amendes[13], soit dans la confiscation des biens[14], au préjudice de tous les héritiers hérétiques, mais non des héritiers orthodoxes, en ligne directe ou collatérale jusqu'au second degré[15]. Justinien déshérite purement et simplement tous les héritiers hérétiques des Manichéens, quels qu'ils soient, au profit de leurs parents ou alliés catholiques et à leur défaut au profit du trésor public[16].

Les peines personnelles consistent, soit en incapacités, soit dans l'exil, la déportation et la mort.

Plusieurs constitutions déclarent les hérétiques, notamment les Manichéens, incapables de transmettre ou de recevoir une succession[17].

D'autres leur infligent la peine d'infamie. L'infamie consiste dans une déchéance juridique comportant, entr'autres, l'incapacité d'exercer des fonctions publiques et de plaider en justice[18]. Aussi les hérétiques furent-ils exclus de toutes les charges et de tous les honneurs

11. Constitution de Justinien : C. J., I, V, 16 : « Omni autem studio nitantur qui in dignitatibus militiis collegiis constituti sunt, ut perquirant num quis inter ipsos ad hunc interdictum furorem pertineat, et quem invenerint eum denuntient, scientes si quando talis inter ipsos inventus fuerit poenisque subjectus et apparuerit talem illis cognitum fuisse, ne ipsos quidem competentem vindictam evasuros esse, etiamsi non in eodem cum ipso errore fuerint, eadem enim peccare videntur, qui, quem peccare cognoverunt, eum non indicant. »

12. Constitution de Justinien : I, V, 18.

13. Constitutions de Valentinien, Théodose, Arcadius à Tatianus, Préfet du Prétoire : 15 juin 392 ; d'Honorius et Théodose à Séleucus, Préfet du Prétoire, 30 janvier 412 : C. Th., XVI, V, 21, 52.

14. Constitutions de Valentinien et Valens à Ampelius, Préfet de la Ville : 2 mars 372 ; de Valens, Gratien et Valentinien à Hespérius, Préfet du Prétoire, 22 avril 376, à Clicherius, Comte d'Orient, 19 juillet 381 ; à Postumianus, Préfet du Prétoire, 3 septembre 383 ; d'Honorius et Arcadius à Cléarque, Préfet de la Ville, 3 mars 396 ; à Eutychianus, Préfet du Prétoire, 1er avril 397 ; de Théodose et Honorius à Aurélianus, Préfet du Prétoire, 6 novembre 415 : C. Th., XVI, V, 3, 4, 8, 12, 30, 33, 58.

15. Constitution de Théodose, Arcadius et Honorius à Sénator, Préfet du Prétoire, 22 février 407 : C. Th., XVI. V, 40 et C. J., I, V, 4.

16. Constitutions de Justinien : C. J., I, V, 15 et 19. « Quod si nec agnatio nec cognatio recta inveniatur, tunc easdem res fisci nostri viribus vindicari. »

17. Constitutions de Valentinien et Valens à Ampelius, Préfet de la Ville : 2 mars 372 ; de Gratien, Valentinien, Théodose à Eutrope, Préfet du Prétoire, 9 mai 381 et à Florus, Préfet du Prétoire : 31 mars 392 ; de Valentinien, Théodose, Arcadius à Tatianus, Préfet du Prétoire : 5 mai 389. C. Th., XVI, V, 3, 7, 9, 17.

18. G. HUMBERT, Art. Infamia, dans le Dic. des Antiq. Grecq. et Romaines, de Daremberg et Saglio ; Item, PFAFF ; Art. Infamia, dans Real Encyclopädie der Classichen Altertums Wissenschaft, de Pauly-Wissova.

de l'Empire et leur témoignage fut-il considéré comme nul. Constantin frappe les Ariens d'infamie[19]. En 326, il retire aux hérétiques le *Jus Honorum*[20]. En 372, Valentinien et Valens frappent d'infamie les Manichéens[21]. En 381, Gratien, Valentinien et Théodose renouvèlent la peine[22]. Les sanctions des empereurs durent être assez peu efficaces puisqu'en 395 Honorius et Arcadius ordonnent au maître des offices Marcellus d'enquêter sur la présence des hérétiques dans les bureaux et à la cour[23]. En 414, Honorius et Théodose rappellent encore que tous les hérétiques notés d'une infamie perpétuelle doivent être séparés de la communauté des honnêtes gens et de la société des hommes[24].

A ces différentes peines qui atteignent les hérétiques dans la jouissance de leurs droits civils s'ajoutent des sanctions plus graves qui punissent les contempteurs de la majesté romaine.

Le crime de lèse-majesté[25], connu sous la République[26], s'est précisé à partir de Sylla, de César et d'Auguste[27]. Il punit d'une manière générale tout ce qui porte atteinte à la structure et à la dignité de l'Etat, c'est-à-dire : relations coupables avec l'ennemi, renversement de la constitution, atteinte à la personne des magistrats de la cité, manquements aux devoirs de la magistrature et du sacerdoce, aux devoirs civiques et religieux.

Les peines que le droit infligeait aux coupables peuvent à la rigueur se ranger sous les cinq chefs principaux suivants : amendes, confisation des biens et par conséquent intestabilité, exil et déportation, peine de mort, privation de sépulture et condamnation de la mémoire[28].

19. SOCRATE : *Histoire Ecclésiastique* ; t. I, 9, d'après Th. MOMMSEN : *Le Droit Pénal Romain* ; traduction J. Duquesne, t. II, 1907, p. 314, note 3.
20. Constitution de Constantin à Darcilianus : 1er septembre 326 : « Haereticos autem atque schismaticos non solum ab his privilegiis alienos esse volumus, sed etiam diversis muneribus constringi et subici. » *C. Th.*, XVI, V, 1.
21. Constitution de Valentinien et Valens à Ampelius, Préfet de la Ville, 2 mars 372 : « Ubicumque Manichaeorum conventus vel turba hujusmodi repperitur, doctoribus gravi censione mulctatis his quoque qui conveniunt ut infamibus atque probrosis a coetu hominum segregatis, domus et habitacula in quibus profana institutio docetur, fisci nostro viribus indubitander adsciscantur. » *C. Th.*, XVI, V, 3.
22. Constitution de Gratien, Valentinien et Théodose à Eutrope, Préfet du Prétoire, 9 mai 381. *C. Th.*, XVI, V, 7.
23. Constitution du 24 novembre 395 : « Sublimitatem tuam investigare praecipimus an aliqui haereticorum vel in scriniis vel inter agentes in rebus vel inter palatinos, cum legum nostrarum injuria audeant militare. » *C. Th.*, XVI, V, 29.
24. Constitution d'Honorius et Théodose à Julien, Proconsul d'Afrique, 17 juin 414 : « Donatistas atque haereticos quod patientia clementiae nostrae nunc usque servavit competenti constituimus auctoritate percelli, quatenus evidenti praeceptione se agnoscant... perpetua inustos infamia a coetibus honestis et a conventu publico segregandos. » *C. Th.*, XVI, V, 54.
25. KÜBLER ; art. Majestas, dans *Real Encyclopädie...* Pauly-Wissova. *Item*, G. HUMBERT, art. Majestas, dans le *Dic. des Ant. Grecq. et Rom.* ; *Item*, Th. MOMMSEN : *Le Droit pénal romain* : liv. IV, sect. I, p. 233 et suivantes.
26. Lex Gabinia : 139 ? Lex Apuleia : 103 ? Lex Varia : 90. Voir *Histoire intérieure de Rome*, tirée des *Römische Altertümer*, de L. Lange, par A. Berthelot et J. Didier, t. II, Paris, 1888, p. 92, 93, 120 et suivantes.
27. Lex Cornelia : 81 ; Lex Julia : 46 ; Lex Julia : 8. *Hist. inst. de Rome*, t. II, p. 182 et suivantes.
28. Th. MOMMSEN : *Le Droit Pénal Romain* ; t. II, p. 244 et suivantes.

Ces peines eurent un caractère strictement individuel, ne portant aucune atteinte aux capacités juridiques des descendants des coupables, jusqu'au jour où Sylla exclut du *Jus Honorum* les fils et les petits-fils des proscrits[29] : mais cette loi fut abolie par César et pendant toute la durée du principat il n'en fut plus question. Elle reparut dans la fameuse constitution *Quisquis* d'Honorius et d'Arcadius du 4 septembre 397. Après avoir énuméré les deux cas les plus graves de lèse-majesté : intelligence avec l'ennemi et préméditation du meurtre des *Inlustres* et des *Senatores : nam et opsi pars corporis nostri sunt,* les empereurs ajoutent : *Ipse quidem utpote majestatis reus gladio feriatur, bonis omnibus fisco nostro addictis : filii vero ejus, quibus vitam imperatoria specialiter lenitate concedimus, (paterno enim deberent perire supplicio, in quibus paterni, hoc est hereditarii criminis exempla metuentur,) a materna vel avita, omnium etiam proximorum hereditate ac successione habeantur alieni, testamentis extraneorum nihil capiant, sint perpeto egentes et pauperes, infamia eos paterna semper comitetur, ad nullos umquam honores ; nulla prorsus sacramenta perveniant, sint postremo tales ut his in perpetua egestate sordentibus sit et mors solacio et vita supplicio. Denique jubemus etiam eos notabiles esse sine venia qui pro talibus umquam apud nos intervenire temptaverint*[30].

Le christianisme étant depuis Théodose la religion officielle de l'Empire, les hérétiques devenaient coupables du crime de lèse-majesté pour manquements aux devoirs religieux des citoyens. En 379, Gratien, Valentinien et Théodose renouvèlent toutes les condamnations déjà portées contre les hérétiques par les lois divines et les constitutions impériales[31]. En 380, les mêmes empereurs posent comme règle de foi de toutes les églises la foi du Siège Romain « celle de Damase et de Pierre d'Alexandrie », déclarent hérétiques les « insensés » qui ne l'adoptent pas ; ils les menacent de la vindicte divine et impériale[32]. En 381, ils font du *Credo* de Nicée et du dogme de l'*omousia* le critérium de l'orthodoxie : les opposants seront chassés dans les campagnes[33]. Désormais, les constitutions, nombreuses, infligent aux héré-

---

29. Lex Cornelia de Proscriptione ; année 82 ; LANGE, *ouvr. cité,* t. II, p. 175.
30. *C. Th.,* IX, XIV, 3 et *C. J.* ; IX, VIII, 5. Analyse de cette constitution par Kübler, art. cité. Elle est partiellement reproduite dans le Décret de *Gratien* : C, VI ; Q. I ; c. 22.
31. Gratien, Valentinien et Théodose à Hesperius, Préfet du Prétoire : 3 août 379 ; *C. Th.,* XVI, V, 5 et *C. J.,* I, V, 2 : « Omnes vetitae legibus et divinis et imperialibus (constitutionibus) hæreses perpetuo conquiescant. »
32. Gratien, Valentinien, Théodose au peuple de Constantinople : 27 février 380 : *C. Th.,* XVI, I, 2 et *C. J.,* I, I, 1 : «...Hanc legem sequentes christianorum catholicorum nomen jubemus amplecti, reliquos vero dementes vesanosque judicantes haeretici dogmatis infamiam (nec conciliabula eorum ecclesiarum nomen accipere) divina primum vindicta, post etiam motus nostri quem ex coelesti arbitrio sumpserimus, ultione plectendos. »
33. Gratien, Valentinien et Théodose à Eutrope, Préfet du Prétoire : 10 janvier 381 : *C. Th.,* XVI, V, 6 et *C. J.,* I, I, 2 : « Nicaenae fidei dudum a majoribus traditae et divinae religionis testimonio atque adsertione firmatae observantia semper mansura teneatur...

tiques les peines de l'exil et de la déportation[34]. En 407, Arcadius, Honorius et Théodose II font de l'hérésie un crime public — loi *Manichaeos* — parce que toute offense à la religion divine porte un préjudice à la collectivité : *Ac primum quidem volumus esse publicum crimen, quia quod in religione divina committitur in omnium fertur injuriam*[35]. Mais tout crime public porte encore le nom de lèse-majesté : *Majestatis crimen*, écrit Ulpien, *illud est quod adversus populum romanum vol adversus securitatem ejus committitur*[36]. Toutefois, la constitution de 407 mitige les rigueurs de la législation générale de 397, mais laisse tout de même peser sur les hérétiques la menace de mort : *Quos bonorum etiam publicatione persequimur : quae tamen cedere jubemus proximis quibusque personis, ita ut ascendentium vel descendentium vel venientium ex latere cognatorum usque ad secundum gradum velut in successionibus ordo servetur. Quibus ita demum ad capiendas facultates esse jus patimur, si non et ipsi pari conscientia polluuntur. Ipsos quoque volumus amoveri ab omni liberalitate et successione, quolibet titulo veniente. Praeterea non donandi, non postremo contrahendi, cuiquam convicto relinquimus facultatem. In mortem quoque inquisitio tendit. Nam si in criminibus majestatis licet memoriam accusare defuncti, non immerito et hic debet subire supplicium*[37]. En 428, Théodose II et Valentinien III condamnent — loi *Ariani* — les Manichéens à l'exil et peut-être au dernier supplice : *Manichaeis etiam de civitatibus pellendis (et ultimo supplicio tradendis)*[38].

De même, en 455, Valentinien III et Marcien, qui se font les défenseurs de l'orthodoxie chalcédonienne, condamnent les dissidents à l'exil et laissent peser sur eux une menace de mort. *Delenda est enim haec infausta haeresis sicut pridem edictis serenitatis nostrae continetur : omnibus adimus facultatem, quia ultimo supplicio exercebitur quia illicita docere tentaverit.* Les antichalcédoniens deviennent assimilés aux païens : *Ea quoque quae de Paganis per omne Romanum Imperium aequaliter valitura perennitatis nostrae lege decrevimus instantissime in eos exerceantur quos constiterit profanos ritus et simulcrorum impios cultus et interdicta sacrilegia celebrare*[39]. Or, nous avons vu ci-dessus que les

---

34. Constitutions de Gratien, Valentinien et Théodose à Constantianus, Vicaire du Diocèse du Pont : 20 juin 383 et à Postumianus, Préfet du Prétoire 3 septembre 383 ; à Cynegius, Préfet du Prétoire : 21 janvier 384 ; De Valentinien, Théodose, Arcadius à Albinus, Préfet de la Ville, 17 juin 389 ; pour tout l'Empire : 20 mai 391 ; d'Honorius et Arcadius à Cléarque, Préfet de la Ville, 3 mars 396 ; à Césaire, Préfet du Prétoire, 21, 22 avril 396 ; à Eutychianus, Préfet du Prétoire, 1er avril 397 ; 4 mars 398 ; d'Honorius et Théodose à Aurelianus, Préfet du Prétoire, 31 octobre 415 : de Théodose et Valentinien à Faustus, Préfet de la Ville, 17 juillet 425 ; à Bassus, Comte du Trésor Privé : 6 août 425 ; à Florence, Préfet du Prétoire : 30 mai 428 ; C. Th., XVI, V, 10, 12, 13, 18, 20, 30, 31, 32, 33, 34, 57, 62, 64, 65.
35. A Sénator, Préfet du Prétoire : 22 février 407 : C. Th., XVI, V, 40 et C. J., I, V, 4.
36. ULPIEN, liv. VII : De Officio Proconsulis ; *Digeste*, XLVIII, IV, I.
37. C. Th., XVI, V, 40 et C. J., I, V, 4.
38. C. Th., XVI, V, 65 et C. J., I, V, 5 : 30 mai 428. Le texte du C. Th. s'arrête à *pellendis*. Celui du C. J. continue *et ultimo supplicio tradendis*.
39. Valentinien et Marcien à Palladius. Préfet du Prétoire, 455 : C. J., I, V, 8. Texte à compléter par ceux de MANSI, t. VII, c. 506 et n. d ; cc. 517-520.

païens furent condamnés par les mêmes empereurs à la confiscation totale de leurs biens et au dernier supplice.

Quant aux Manichéens, deux constitutions à peu près contemporaines règlent leur sort. La première, d'origine incertaine, probablement de Zénon ou d'Anastase, déclare que tout manichéen qui, nonobstant la loi d'exil à laquelle il est condamné, serait découvert sur le territoire de l'Empire, encourerait la peine capitale. La seconde, de Justin et Justinien, confirmant sans doute la précédente, insiste sur l'obligation de ne tolérer d'aucune manière la présence des manichéens, mais de les exiler, et de condamner ceux qui se réunissent encore — sans doute en conventicules clandestins — au dernier supplice[40].

Sur le genre de mort des manichéens les constitutions des empereurs chrétiens gardent le silence. Mais, dès la fin du iiie siècle, Maximien, Dioclétien et Galère avaient durement frappés les manichéens. Leurs biens à tous seraient entièrement confisqués. Les personnes seraient diversement traitées. Les simples fidèles seraient condamnés, soit aux mines, s'il s'agit de dignitaires de l'Empire, soit à la mort, sans autre précision. Les chefs de la secte seraient brûlés « avec leurs abominables Ecritures » pour en effacer jusqu'au souvenir[41].

Pourquoi la peine du feu ? Plusieurs hypothèses semblent possibles.

Tout d'abord l'affinité religieuse du manichéisme avec le mazdéisme. Brûler les manichéens présentait peut-être le caractère d'une sorte de loi du talion : le feu, en consumant les adorateurs de la Lumière, purifierait l'Empire de la souillure de ses ennemis. Plus simplement, on peut considérer que les réunions clandestines éveillent toujours les soupçons et la peur des non-initiés. Ce qui se trame dans l'ombre des conventicules ne peut être qu'inavouable : pratiques de magie, crimes et autres immoralités qui tendent à la dissolution des structures sociales et politiques. Or, dans le Droit Romain, la peine

---

40. La première constitution est adressée à Boethius, consul. Comme Boethius a été consul en 487 et en 510, l'auteur de la constitution ne peut être que Zénon (474-491) ou Anastase (491-518) : « Sancimus ut qui perniciosum Manicheorum errorem amplectuntur, nullam facultatem aut licentiam habeant in quolibet nostrae reipublicae loco commorari, et, si quando apparuerint vel inventi fuerint, capitali poena plectuntur. » *C. J.*, I, V, 11. La seconde constitution est de 527 : « Sed Manicheos quidem, quemadmodum diximus, ita et expelli oportet neque nomen eorum quemquam tolerare nec praetermittere, si eodem loco cum aliis hac impietate infectus moretur, sed etiam ultimo supplicio subici Manichaeum ubicumque terrarum inventus fuerit. » *C. J.*, I, V, 12.

41. Constitution de Maximien, Dioclétien, Galère à Julien, proconsul d'Afrique, 31 mars 287, dans *Code Grégorien*, édition G. Haenel, Bonn 1842, liv. XIV, t. IV, nᵒ 6 et 7 : « Jubemus namque auctores quidem ac principes una cum abominandis scripturis eorum severiori poena subjici, ita ut flammaeis ignibus exurantur : consentaneos vero et usque adeo contentiosos capite puniri praecipimus et eorum bona fisco nostro vindicari sentimus... Si qui sane etiam honorati aut cujuslibet dignitatis vel majoris personae ad hanc inauditam et turpem atque per omnia infamiam sectam vel ad doctrinam Persarum se transtulerunt, eorum patrimonia fisco nostro associari facies ; ipsos quoque foenensibus vel proconensibus metallis dari. »

des magiciens, c'est le supplice de la croix ou l'exposition aux bêtes ou le feu[42].

La tradition impériale léguait au Moyen Age une idée d'unité religieuse, réalisée sous le Haut-Empire par le culte impérial, et sous le Bas-Empire par le culte chrétien orthodoxe : peut-être aussi une idée d'unité politique en relation avec la première, unité garantie par une religion d'Etat.

Dans cette conception totalitaire d'un monde politico-religieux les dissidents sont évidemment exclus de toute communauté. Les empereurs païens poursuivent les chrétiens, contempteurs du culte impérial, les empereurs chrétiens poursuivent les païens, contempteurs du culte chrétien, les empereurs othodoxes poursuivent les hérétiques, contempteurs de l'orthodoxie nicéenne ou chalcédonienne.

Dans tous les cas, c'est au nom de la Majesté Romaine que les empereurs punissent les délinquants. Les peines sont sévères. Outre la confiscation des biens, il y a l'exil, la déportation, la mort, et pour certains, dont la doctrine et les pratiques peuvent inspirer la crainte et le dégoût, la peine du feu, radicale et purificatrice.

*
* *

Plus nuancée est la doctrine de l'Eglise.

L'Eglise des premiers siècles a défini ses dogmes et créé une discipline. Les opposants sont retranchés de la communauté par l'excommunication ; les fidèles sont préservés par des mesures restrictives qui se résument en une seule obligation : ne pas fréquenter les hérétiques.

Toutefois l'Eglise faillirait à sa mission si elle ne cherchait à reconstituer l'unité chrétienne. Les moyens employés ne varient guère : controverses entre docteurs, réunions conciliaires, parfois orageuses, accompagnées de voies de fait[43], qui témoignent de l'exaspération des passions, mais ne reflètent pas le moins du monde une législation répressive.

Néanmoins, devant certaines violences on envisage la possibilité d'un recours à la puissance temporelle, tant pour maintenir la paix que pour réduire la dissidence. Mais ce recours à la législation impériale pose de graves problèmes.

Autre, en effet, est le point de vue de l'Empire, autre celui de l'Eglise. La doctrine de l'Eglise, comme tout objet de croyance, ne peut qu'être

---

42. Paul, *Sententiae*, liv. V, ch. XXIII : Ad Legem Corneliam de Sicariis et Veneficiis, nº 15 : « Qui sacra impia nocturnave, ut quem obcantarent, defigerent, obligarent fecerint faciendave curaverint, aut cruci suffiguntur aut bestiis objiciuntur », nº 16 : « Qui hominem immolaverint exve ejus sanguine litaverint, fanum templumque polluerint, bestiis objiciuntur, vel, si honestiores sint, capite puniuntur », nº 17 : « Magicae artis conscios summo supplicio adfici placuit, id est bestiis objici aut cruci suffigi. Ipsi autem magi vivi exuruntur. » D'après F. Girard : *Textes de Droit Romain publiés et annotés*, Paris 1913, p. 446.

43. Le « Brigandage d'Ephèse » raconté par L. Duchesne, *Histoire ancienne de l'Eglise*, t. III, Paris 1910, pp. 400 et ss.

proposée à la libre adhésion de l'esprit et ne saurait évidemment s'imposer par la force. En outre, la charité répugne à toute forme de contrainte et à toute espèce de vindicte. Une tradition déjà ancienne avait consacré ces données fondamentales.

Les témoignages abondent. En voici quelques-uns. Saint Paul écrit à Tite, son disciple : « L'homme de parti, évite-le, après un premier et un second avertissement, sachant qu'un tel homme est perverti et qu'il pèche » : *Tite, III, 10, 11*. Tertullien déclare que la religion « doit être embrassée spontanément et non de force » : *Ad Scap. 2.* Lactance proteste que « la religion est affaire de volonté. On ne peut l'imposer par la force. Il n'y a rien de commun entre la torture et la piété, entre les violences et la vérité ». *Inst. Div., V, 20.* « On se contente de frapper du glaive de l'esprit les superbes et les contumaces, proclame saint Cyprien, en les rejetant de l'Eglise » : *ep. 62, 4.* « Il n'est plus permis aux chrétiens, réplique Origène à son contradicteur, de brûler ou de lapider les violateurs de la Loi, comme l'ordonnait la Loi Mosaïque » : *Contra Celsum*, VII, 26. « Ce n'est pas avec des épées et des dards, affirme saint Athanase, que s'annonce la vérité, c'est par persuasion et conseil » : *Ad Sol.* 13. Et saint Hilaire de déclarer très fermement : « Si c'était en faveur de la vérité qu'on employât les violences, les chrétiens instruits et pénétrés de l'esprit de la religion s'efforceraient d'en atténuer le cours. Dieu n'a pas besoin d'hommages forcés » : *Ep. Ad Contantium*, 25[44].

C'est aussi la grande idée maîtresse de saint Augustin. On sait comment saint Augustin eut à faire dès le début de son épiscopat avec le donatisme[45]. Son attitude a toujours été bienveillante, mais, sous la pression des circonstances, elle s'est nuancée de quelque rigueur. On a pu discerner trois moments : de 392 à 405, période de douceur : de 405 à 411, période d'hésitation : de 411 à 430, période de sévérité[46]. Il est évident que ces trois phases ne sauraient être aussi tranchées, mais il est certain qu'elles traduisent justement l'évolution de la pensée augustinienne sur la répression de l'hérésie et des hérétiques.

Saint Augustin ne veut d'abord connaître que l'argumentation théologique, la discussion loyale, l'exhortation fraternelle. Il envisage avec la plus grande faveur la possibilité de conférences entre évêques orthodoxes et évêques donatistes. C'est ainsi qu'il essaie de rejoindre son collègue et adversaire l'évêque donatiste d'Hippone, Proculeianus, mais l'hérétique se dérobe. Il semble plus heureux avec l'évêque donatiste de Thubursicum, Fortunius, mais les conférences décidées de part et d'autre, ou bien ne peuvent avoir lieu, ou bien n'aboutissent pas.

44. D'après G. COMBÈS : *La doctrine politique de saint Augustin*, Paris 1927, pp. 353-354.
45. P. DE LABRIOLLE, le chapitre sur saint Augustin, dans *Histoire de l'Eglise*, coll. Fliche et Martin, t. 4, Paris 1937, pp. 69 et ss. P. BATTIFOL : *Le catholicisme de saint Augustin*, Paris, 1920.
46. E. PORTALIÉ, art. Augustin, dans *D.T.C.* ; G. BAREILLE, art. *Circoncellion*, dans *D.T.C.*

Les donatistes voulaient-ils sincèrement la paix ? On pouvait en douter. Leur opposition n'était pas seulement d'ordre disciplinaire, voire doctrinal. Elle pouvait présenter par voie de conséquence un caractère social, voire politique[47]. Les excès des « circoncellions » ne laissaient pas de créer une situation intérieure capable d'ébranler dans cette partie du monde la puissance de l'Empire. C'était peut-être ce qu'ils voulaient. Dans ces conditions, il ne faut point s'étonner de l'échec des conférences.

Pour réduire les opposants il fallait d'autres méthodes. Les empereurs y pourvurent[48]. Les donatistes crièrent à la persécution. Mais saint Augustin répondit à Parménianus que ceux là seuls sont bienheureux qui souffrent persécution pour la justice. « Ce n'est pas la souffrance, écrit-il, qui fait la justice : c'est la justice qui rend la souffrance glorieuse. Aussi le Seigneur, pour empêcher qu'on ne vit la gloire du martyre dans une condamnation méritée, ne dit pas en général : « Bienheureux ceux qui souffrent persécution », mais, pour bien marquer la différence de la vraie piété et du sacrilège, il ajoute : « pour la justice ». Or, ce n'est pas pour la justice que vous souffrez, vous qui avez divisé l'Eglise du Christ[49]. » Loin d'être des martyrs, les donatistes sont au contraire des fauteurs de désordre. C'est à ce titre qu'ils sont poursuivis par les lois impériales. Saint Augustin, sans renoncer à sa méthode, n'exclut donc pas la légitimité de l'intervention impériale.

Les donatistes sont donc à la fois ennemis de l'Eglise et ennemis de l'Empire. Celle-là essaie de les convaincre, celui-ci veut les réduire. Les deux méthodes, pour différentes qu'elles soient, tendent au même résultat. Elles peuvent très bien coexister. Elles pourraient même se compléter. Les évêques africains, réunis à Carthage dans les années 401-404, réclament l'application des lois[50]. L'évêque d'Hippone voudrait seulement les brandir comme une menace contre les hérétiques, mais, devant l'agitation croissante des donatistes et les excès des circoncellions, il finit par se lasser et il n'est loin de se ranger à l'avis de ses collègues.

Les empereurs, cédant aux doléances des Pères de Carthage et inquiets des troubles sociaux causés par les hérétiques, promulguent en février 405 un Edit d'Union invitant les donatistes à rentrer dans la communauté orthodoxe sous peine, pour eux et leurs complices, d'incapacités, d'amendes et de confiscation[51]. Les résultats furent satisfaisants, trop peut-être. L'évêque d'Hippone ne se fait assurément

---

47. J.R. Palanque : *Les Eglises occidentales vers le milieu du IVᵉ siècle*, dans *Histoire de l'Eglise*, coll. Fliche et Martin, t. 3, Paris 1936, p. 316.

48. Constitutions de Valentinien, Théodose, Arcadius à Tatien, Préfet du Prétoire, 15 juin 392 ; *C. Th.*, XVI, V, 21 ; d'Arcadius et Honorius à Théodore, Préfet du Prétoire, 25 avril 398 : *C. Th.*, XVI, II, 31.

49. Contra Epistolam Parmeniani, I, 15 : *C.S.E.L.*, t. 51, p. 36. Traduction G. Combès, *ouvr. cité*, pp. 373-374.

50. Hefelé-Leclercq, *Histoire des Conciles*, t. II, p. 155.

51. Constitution de Théodose, Honorius et Arcadius, 12 février 405 ; *C. Th.*, XVI, V, 38.

guère illusion sur la sincérité des conversions ainsi obtenues, mais il s'incline devant le fait accompli, il s'en réjouit même et il espère que l'hérésie finira par se réduire et que l'unité de l'Eglise se refera dans les cœurs comme dans la société.

Devant les rigueurs impériales l'hérésie parut s'éteindre et la législation devenir sans objet. L'empereur rendit alors la liberté aux donatistes, mais les excès des circoncellions recommencèrent à tel point que le concile de Carthage de 410 supplia l'empereur de rapporter son Edit de tolérance[52]. Ce qu'il fit[53]. Les donatistes sont déclarés infames. La persécution reprend, terrible. Saint Augustin s'en afflige et en même temps s'en réjouit, car la violence, si elle fait d'inévitables victimes, réussit tout de même à arracher des conversions qui paraissent sincères. Alors il se demande si, en définitive, ces lois impériales n'auraient pas une mission providentielle à remplir et si la contrainte ne serait pas dans les desseins de Dieu une forme de l'amour. Il cherche une justification scripturaire et il la trouve, au soulagement de sa conscience, dans la parabole du Banquet[54]. Aussi bien, désormais le *Compelle intrare* devient-il le thème de sa polémique. Dans une longue épître adressée au comte Boniface, proconsul d'Afrique, il écrit notamment : « L'Eglise persécute ses ennemis et les poursuit jusqu'à ce qu'elle les ait atteints et défaits dans leur orgueil et dans leur vanité... C'est pourquoi si, en vertu du pouvoir que Dieu, au temps voulu, lui a donné par l'intermédiaire des princes religieux et fidèles, l'Eglise fait entrer dans son sein ceux qu'elle trouve dans le schisme et l'hérésie, que ceux qui sont l'objet de cette contrainte ne se plaignent pas d'être forcés, mais considèrent en quoi on les force. Le festin du Seigneur c'est l'unité du Corps de Jésus-Christ, non seulement dans le sacrement de l'autel, mais encore dans le bien de la paix[55]. »

En passant par saint Augustin la législation impériale contre les hérétiques présente un caractère nouveau. Ce n'est plus un code de peines vindicatives, comme on dit en langage canonique, mais de peines médicinales qui ont pour objet la conversion des pécheurs. « La pression, exercée sur la volonté de l'hérétique, écrit justement G. Combès, devient ainsi, malgré les apparences, une forme de la charité... Tout bien examiné, sa victoire a beau commencer par la force, elle s'achève et s'épanouit dans un acte d'amour[56]. »

La doctrine augustinienne de la répression de l'hérésie est désormaix fixée. L'Eglise a le devoir de ramener au bercail les brebis égarées. Si la persuasion est inopérante, la violence devient légitime. Il appartient au « Prince » de l'exercer.

---

52. Hefelé-Leclercq, *Hist. des Conciles*, t. II, p. 159.
53. Constitutions des 25 août 410, 30 janvier 412, 17 juin et 30 août 414 : *C. Th.*, XVI, V, 51, 52, 54, 55.
54. Luc : XVI, 17-24.
55. Ep. 185, *C.S.E.L.*, t. 57, pp. 10 et ss.
56. G. Combès : *La Charité d'après saint Augustin*, Bibliothèque Augustinienne, Paris 1934, pp. 241-242.

C'est peut-être par ce biais que saint Augustin a été conduit à méditer sur la nature du Pouvoir Temporel et sur ses attributions. Qu'est-ce que le Pouvoir Temporel ? Saint Paul le définit dans l'Epître aux Romains : XIII, 1-4 : « Le ministre de Dieu, l'instrument de sa colère contre ceux qui font le mal. » L'auteur de la *Prima Petri* recommande aux fidèles II, 13-14 : « Soyez soumis à toute créature humaine à cause de Dieu, soit au roi comme au chef suprême, soit aux chefs inférieurs envoyés par lui pour le châtiment des méchants et le bonheur des justes. » Sur ces données fondamentales et sur quelques autres saint Augustin a édifié sa théorie du pouvoir politique. Si les deux puissances, spirituelle et temporelle, sont distinctes, elles s'appuient néanmoins l'une sur l'autre, elles se complètent et se pénètrent en quelque sorte au point de n'être plus, semble-t-il, que les deux formes de cette réalité grandiose qu'est la « Cité de Dieu ». Mais elles ne sont point égales. La puissance temporelle ne saurait légitimement s'exercer que dans l'intérêt de la puissance spirituelle en vue de cette « Justice » du Royaume de Dieu qui est la fin suprême des individus et des sociétés. L'Etat est donc subordonné à l'Eglise et il est à la disposition de l'Eglise[57].

Quelques années après saint Augustin le pape saint Léon intervient en plusieurs circonstances contre les hérétiques.

Dans une décrétale de 444 le pape informe les évêques d'Italie que les Manichéens ont été par ses soins découverts à Rome. Ils ont été frappés de peines canoniques. D'aucuns ont abjuré suivant la procédure en usage et ont reçu l'absolution. Les irréductibles ont été condamnés par les tribunaux civils au bannissement perpétuel, conformément à la législation impériale[58]. En terminant, le pape invite les évêques à la vigilance.

Rien de nouveau en tout cela. Le pape, évêque de Rome, remplit son devoir pastoral ; il excommunie les hérétiques, réconcilie les repentants, abandonne les autres à leur sort. Il ne fait aucune théorie du pouvoir, il constate le droit existant et certainement il l'approuve. Nous dirions même qu'il le provoque. Saint Léon a écrit de nombreuses lettres à l'impératrice Pulchérie et à l'empereur Marcien. Il

---

57. H.-X. Arquillière : *L'Augustinisme Politique*, 2e édition, Paris 1954, *passim*. Du même : *Réflexions sur l'essence de l'Augustinisme Politique, Communication au Congrès international augustinien*, Paris 1954. L'auteur rappelle que saint Augustin n'a pas confondu les deux ordres, naturel et surnaturel. Ses « tendances » seront exagérées au Moyen Age.

58. Saint Léon, *J.*, 405, *P. L.*, t. 54, cc. 620-622 : « Plurimos impietatis Manicheae sequaces et doctores in urbe investigatio nostra reperit, vigilantia divulgavit, auctoritas et censura coercuit. Quos potuimus emendare correximus : et ut damnarent Manichaeum cum praedicatoribus et discipulis suis, publica in Ecclesia professione et manus suae subscriptione compulimus, et ita de voragine impietatis suae confessos poenitentiam concedendo levavimus. Aliquanti vero qui ita se demerserunt ut nullum his auxiliantis posset remedium subvenire, subditi legibus secundum Christianerum principum constituta, ne sanctum gregem sua contagione polluerent, per publicos judices perpetuo sunt exilio relegati. »

les félicite et du zèle qu'ils déploient ou déploiront en faveur de l'orthodoxie chalcédonienne et des mesures qu'ils ont prises ou prendront contre les hérétiques, assimilés aux ennemis de l'Empire : *simul et haeretica falsitas et barbara destruatur hostilitas*[59]. Il demande à l'empereur l'exil d'Eutychès[60], puis, comme l'hérétique ne laisse pas de lui causer quelque inquiétude, de le transférer en un lieu secret[61]. Il ne demande rien d'autre, mais les louanges qu'il décerne à Marcien et les encouragements qu'il lui adresse ne sont sans doute pas absolument étrangers à la promulgation des constitutions sévères que nous avons analysées.

Deux siècles plus tard, saint Isidore de Séville se trouve en face d'un grave problème, celui de la présence des Juifs qui étaient nombreux dans le royaume wisigothique, et il se demande quelle attitude prendre à leur égard.

L'évêque de Séville désire assurément leur conversion, mais par la seule puissance de la persuasion. C'est dans cet esprit qu'il écrit le *Contra Judaeos*. Ce n'est point un pamphlet, c'est une œuvre de polémique d'une parfaite sérénité, ou mieux un traité apologétique de la religion chrétienne. L'auteur justifie sa croyance en la présentant par référence à l'Ancien Testament, comme l'accomplissement de la foi d'Israël[62]. Le Judaïsme est maintenant dépassé, il s'épanouit dans le christianisme. Rien en tout cela qui éveille la moindre idée de répression.

Cependant les rois wisigoths entreprennent la conversion des Juifs suivant d'autres méthodes. Reccarède s'efforce d'isoler Israël et de neutraliser sa propagande. Il défend aux Juifs d'acheter ou de recevoir en don un esclave chrétien. Au cas où le maître circoncirait son esclave, il le perdrait, tous ses biens seraient confisqués et l'esclave recouvrerait sa liberté[63]. Sisebut ne se contente pas de confirmer la législation de son prédécesseur. Il l'aggrave par des restrictions d'ordre commercial et aussi familial. Il décide notamment que les enfants nés de mariages mixtes judeo-chrétiens seront obligatoirement baptisés[64]. Finalement il met les Juifs en demeure de choisir entre le Baptême et l'exil, avec confiscation des biens[65].

59. SAINT LÉON, epp. 79 et 82 ; *J.*, 459, 462 ; *P. L.*, t. 54, cc. 910-912 et 917-918.

60. SAINT LÉON, ep. 83 ; *J.*, 463 ; *P. L.*, t. 54, cc. 919-921.

61. SAINT LÉON, ep. 130 ; *J.*, 508 ; *P. L.*, t. 54, cc. 1078-1080 : « Quia vero suggestiones meas pro tranquillitate catholicae fidei libenter accipitis, significatum mihi fratris et coepiscopi mei Juliani sermone cognoscite, Eutychetem impium pro suis quidem meritis exsulare... Plenum itaque rationis existime ut vestra clementia ad longinquiora eum jubeat et secretiora transferri. »

62. SAINT ISIDORE : *Contra Judaeos*, notamment le Livre II ; *P. L.*, t. 83, cc. 409 et ss.

63. K. ZEUMER : *Leges Wisigothorum*, dans *M. G. H. Leges I*, Hanovre, 1902, liv. XII, titre 2, loi 12, p. 417.

64. *M. G. H. Leges I*, XII, 2, 13 et 14, pp. 418-423.

65. J. JUSTER : *La condition légale des Juifs sous les rois wisigoths*, dans *Etudes d'histoire juridique offertes à P. Frédéric Girard*, t. II, Paris 1913, pp. 275 et ss.

La législation de Sisebut posait à la conscience d'Isidore un problème délicat, le même en somme qui s'était posé à la conscience d'Augustin en des circonstances analogues. La réaction est semblable de part et d'autre, plus nuancée chez l'évêque d'Hippone, sans doute parce que notre documentation est plus abondante et permet d'en mieux noter le processus, plus directe peut-être chez l'évêque de Séville qui résume en quelques lignes l'évolution de sa pensée : « Sisebut, écrit-il, a manqué de sagesse. Il a contraint ceux qu'il aurait fallu persuader »[66]. Mais s'il critique la législation séculière, il finit lui aussi par en reconnaître le bien-fondé[67].

Telle est aussi la manière de voir du IVe concile de Tolède de 633 que préside justement saint Isidore[68]. Le texte est important : « C'est par la volonté de son propre arbitre que l'homme qui obéit au serpent périt. De même c'est en répondant à la grâce de Dieu par la conversion de son esprit que tout homme, en croyant, est sauvé. Ce n'est donc point par la violence, mais par le pouvoir de son libre arbitre, c'est par la persuasion plutôt que par la contrainte que les hommes se convertissent[69]. » Aussi bien désormais personne ne sera contraint d'embrasser la religion chrétienne : *Nemini deinceps ad credendum vim inferre*. En attendant, la méthode de Sisebut, pour blâmable qu'elle soit, a tout de même enrichi l'Eglise wisigothique d'un grand nombre de nouveaux convertis : 90.000[70], dont on a quelques raisons de suspecter la sincérité. Il importe donc de prévenir les apostasies[71]. En conséquence, le concile défend aux Juifs convertis d'entretenir des relations avec leurs anciens coreligionnaires, c. 62 ; les relaps seront contraints de réintégrer l'Eglise par *animadversio sacerdotalis*[72]. Il s'agit évidemment de l'excommunication. Mais, comme il est à prévoir que

---

66. *Historia de regibus Gothorum*, 60. *P. L.*, t. 83, c. 1073 : « Sisebutus qui initio regni Judaeos ad fidem christianam permovens, aemulationem quidem habuit, sed non secundum scientiam : potestate enim compulit quos provocare fidei ratione oportuit. »

67. « Sed, sicut est scriptum, sive per occasionem, sive per veritatem, donec Christus annuntiatur », *op. cit.*

68. D. Séjourné : *Saint Isidore de Séville, son rôle dans l'Histoire du Droit Canonique*, Paris 1929, p. 255.

69. « Cui enim vult Deus miseretur et quem vult indurat : non enim tales inviti salvandi sunt, sed volentes, ut integra sit forma justitiae : sicut enim homo proprii arbitrii voluntate serpenti obediens periit, sic vocante gratia Dei propriae mentis conversione homo quisque credendo salvatur. Ergo non vi sed liberi arbitrii facultate ut convertantur suadendi sunt, non potius impellendi. » c. 57 ; Mansi, T. X, c. 633 : Héfelé-Leclercq, t. III, p. 274, c. 57 ; Dans le *Décret de Gratien*, c. 5, D. XLV.

70. F. Lot : *Histoire du Moyen Age*, coll. G. Glotz, t. I, Paris 1928, p. 237.

71. « Qui autem jampridem ad Christianitatem venire coacti sunt, sicut factum est temporibus religiosissimi principis Sisebuti, quia jam constat eos sacramentis divinis associatos et baptismi gratiam suscepisse et chrismate unctos esse et corporis Domini et sanguinis exstisse participes, oportet ut fidem etiam quam vi vel necessitate susceperunt tenere cogantur, ne nomen Domini blasphemetur, et fides quam susceperunt vilis ac contemptabilis habeatur. » c. 57 ; Mansi, t. X, c. 633 : Héfelé-Leclerq, t. III, p. 274 ; Gratien, c. 5, D. XLV.

72. « Ut quos voluntas propria non emendat animadversio sacerdotalis exerceat », c. 59.

l'excommunication sera dans la plupart des cas inopérante, d'autres mesures, moins spirituelles, s'imposent : incapacités de témoigner en justice, de léguer à une descendance non-chrétienne, de remplir des fonctions publiques, d'avoir des esclaves chrétiens, conformément à la législation séculière, cc. 64, 61, 65, 59. Il n'est pas question d'autres peines ni de tradition au Bras Séculier.

Pour ce qui concerne les non-convertis, le concile renforce la législation ecclésiastique précédente et la met en harmonie avec la législation séculière dans le but non avoué, mais certain, de confiner les Juifs dans une solitude civile et sociale au milieu du peuple chrétien à ce point intolérable qu'ils seront amenés à se convertir. Ainsi le IIIe concile de Tolède avait défendu les mariages mixtes, c. 14 : le IVe ne les autorise qu'au cas où le conjoint non chrétien accepterait le baptême, à peine de séparation, c. 63 : en fait, il s'agit d'un divorce justifié par l'application du Privilège Paulin[73]. Le IIIe concile de Tolède voulait que les enfants nés de mariages mixtes fussent baptisés, c. 14 : le IVe étend cette législation à tous les enfants nés de père et de mère israélites : ils seront enlevés à leurs parents et confiés à des couvents ou à des chrétiens offrant toute garantie, c. 60. Le IIIe concile de Tolède avait exclu les Juifs de toutes les fonctions publiques, c. 14 : le IVe renouvelle cette exclusive, il fulmine l'excommunication contre quiconque contredirait à la loi, c. 65, et l'anathème[74] contre quiconque ferait des échanges avec les Juifs, « car il est juste de séparer du Corps du Christ celui qui se fait le défenseur ou le protecteur de ses ennemis : *quia dignum est ut à corpore Christi separetur qui inimicus Christi patronus efficitur* », c. 58.

La loi canonique est assurément plus discrète dans le ton et plus mesurée dans la forme que la loi séculière. Il n'empêche que la méthode de persuasion devient à ce point pressante qu'elle ressemble fort à la contrainte.

Une tradition patristique existe donc, représentée au moins par trois grands noms[75] sur la répression de l'hérésie. Cette tradition veut que, si la persuasion s'avère inopérante, on recourre, sinon à la violence, du moins à une crainte suffisamment grave pour contraindre les pécheurs au repentir ou à la conversion. Ce n'est pas à l'Eglise précisément qu'il appartient d'infliger cette crainte salutaire, — ses armes sont essentiellement spirituelles — c'est l'Etat qui exercera la contrainte.

Comme cette contrainte est ordonnée à la conversion, la peine de mort est évidemment inconcevable. Toutefois on peut se demander quel serait, dans l'hypothèse de la contumace, le sort de l'hérétique.

---

73. E. SÉDILLIÈRE : *Histoire des empêchements de disparité de culte et de religion mixte*, Thèse dactylographiée, Paris 1931, p. 25. Voir le c. 14 du IIIe concile de Tolède dans MANSI, T. IX, c. 996 ; HEFELÉ-LECLERCQ, t. III, p. 227.

74. L'anathème est une forme solennelle de l'excommunication. Voir A. AMANIEU, art. *Anathème*, dans *D.D.C.*

75. Une étude exhaustive du sujet permettrait assurément d'allonger la liste.

La législation séculière y a pourvu[76]. Nous ne voyons pas que l'Eglise l'ait officiellement approuvée.

*
* *

Si nous interrogeons les textes canoniques recueillis dans les diverses collections contemporaines de la fin du monde antique[77], ceux qui pourraient nous intéresser sont à la fois nombreux et décevants. La matière est abondante, mais guère variée. Les mêmes textes se retrouvent, en effet, dans les diverses collections qui se copient les unes les autres avec un bonheur inégal.

Les plus importantes sont les collections de la renaissance gélasienne parce qu'elles sont historiquement les premières et qu'elles ont inspiré la plupart des autres[78].

La *Quesnelliana*[79] d'origine probablement romaine, contient une version latine des conciles orientaux, des Décrétales et des Constitutions. Parmi les conciles orientaux, seul celui de Laodicée de 364 contient une législation relative à la répression de l'hérésie. En fait, il s'agit moins de contraindre l'hérétique que de préserver la foi du chrétien fidèle : défense aux hérétiques d'entrer dans les églises, défense aux orthodoxes de fréquenter les réunions — *conventicula* — des hérétiques, de prier avec eux, de participer à leur liturgie, interdictions des mariages mixtes[80]. Parmi les Décrétales, seule est à retenir la lettre de saint Léon adressée aux évêques d'Italie en 444 relativement aux Manichéens[81]. Plus significatives sont les Constitutions impériales.

Disposées sans ordre chronologique, elles se rapportent toutes au même sujet, celui précisément de la répression de l'hérésie. Un premier groupe comprend trois Constitutions de Gratien, Valentinien et Théodose, puis de Valentinien, Théodose et Arcadius, des années 380, 381, 388. La foi de l'Eglise Romaine y est définie comme la religion officielle de l'Empire[82] c'est-à-dire la foi de Nicée, le dogme de l'*omo-*

76. Voir les Constitutions impériales. On peut ajouter cette loi de Recceswinth, condamnant les apostats au dernier supplice : « Conspiratione et zelo catholicorum tam novis et atrocioribus poenis adflictus morte turpissima (*Sagesse*, II, 20) perimatur, quam orrendum *(sic)* et execrabile malum est quod ab eo constat nequissime perpetratum. Eorum vero bona sibi procul dubio fiscus adsummat, si heredes vel propinquos talium personarum facti hujus error consentiendo commaculet », *M.G.H. Leges I*, XII, 2, 16.

77. A. VAN HOVE : *Commentarium Lovaniense in Codicem Juris Canonici, Prolegomena*, 2e éd. Malines, Rome, 1945, pp. 265 et ss.

78. Voir l'ouvrage capital de P. FOURNIER-G. LE BRAS : *Histoire des Collections Canoniques en Occident*, depuis les Fausses Décrétales jusqu'au Décret de Gratien, t. I, Paris 1931, pp. 21 et ss.

79. *P. L.*, t. 56, cc. 359-747.

80. *Laodicée*, cc. 6, 29. Sur la date et les circonstances du Concile, voir HÉFELÉ-LECLERCQ, t. I, pp. 989 et ss.

81. *P. L.*, t. 56, c. 744.

82. *C. Th.*, XVI, I, 2 : 27 février 380 : *P. L.*, t. 56, c. 681.

ousia ; le mot est dans le texte[83]. Il n'y a donc plus à discuter, à peine d'encourir un châtiment[84], non précisé dans la première et dans la troisième Constitutions, mais défini dans la deuxième comme un exil à l'intérieur[85]. Nous avons déjà mentionné parmi les sources impériales les deux premières Constitutions. Un deuxième groupe comprend deux Constitutions d'Honorius et Théodose II, des années 418, 419, accompagnées d'un Edit du Préfet du Prétoire Palladius, d'une lettre de l'évêque Auxilius de Carthage aux évêques d'Afrique et d'un Edit du Préfet de la Ville Constance. Il s'agit de faire exécuter les décisions du Concile de Carthage de 418 contre les Pélagiens. En conséquence, ceux-ci sont condamnés à l'exil sous menace de mort[86]. Entre le deuxième et le troisième groupe une Constitution de Théodose et Valentinien César adressée à Faustus, Préfet du Prétoire, condamne à l'exil les Manichéens et les Magiciens[87] (ou Schismatiques suivant les différentes lectures). Le troisième groupe comprend deux Constitutions jumelles de Marcien au Préfet du Prétoire Palladius, de l'année 455. L'empereur se fait le champion de Chalcédoine. Il punit également d'exil, sous menace de mort, tous les antichalcédoniens[88]. Nous avons analysé ci-dessus cette double Constitution.

La *Dionysiana*[89] est à notre point de vue moins riche que la collection précédente. On y retrouve les interdictions de Laodicée à quoi il faut ajouter cette précision, tirée des Constitutions Apostoliques, que toute participation liturgique avec les hérétiques entraîne l'excommunication[90] et ce vœu du XVIIe Concile de Carthage de 419 que les Donatistes soient déclarés incapables de transmettre ou de recevoir par legs ou testament[91]. On retrouve parmi les quarante Décrétales celle de saint Léon, déjà citée. Il n'y a aucune Constitution impériale.

Plus étoffée serait au premier abord la collection dite *Avellana*[92]. Dans les 244 pièces officielles qu'elle contient il est souvent question des hérétiques, notamment des anti-chalcédoniens, disciples de Nes-

---

83. *C. Th.*, XVI, V, 6 : 10 janvier 381 : *P. L.*, t. 56, c. 682.

84. *C. Th.*, XVI, IV, 2 : 16 juin 488 : *P. L.*, t. 56, c. 682.

85. Constitutions de 380 : « ultione plectendos » : 388 : « competenti pena et digno supplicio coerceatur » : 381 : « ab ipsis etiam urbium moenibus, exterminato furore, propelli jubemus ».

86. *P. L.*, t. 56, cc. 490 et ss.

87. *C. Th.*, XVI, V, 64 : 6 août 425 : *P. L.*, t. 56, c. 683.

88. *C. J.*, I, V, 8 : *P. L.*, t. 56, cc. 547 et ss.

89. J. RAMBAUD-BUHOT, art. *Denys le Petit*, dans *D.D.C.*, *P. L.*, t. 67, cc. 44 et ss., 136 et ss.

90. Can. 11 et 45 : *P. L.*, t. 67, cc. 142, 146-147.

91. Can. 93 : *P. L.*, t. 67, c. 212 : « Petendum etiam ut lex quae hereticis vel ex donationibus vel ex testamentis aliquid capiendi vel relinquendi denegat facultatem, ab eorum quoque pietate hactenus repetatur ut eis relinquendi vel sumendi jus adimat qui pertinaciae furore caecati in Donatistarum errore perseverare voluerint » : HÉFELÉ-LECLERCQ, t. 2, pp. 201 et ss.

92. Epistulae Imperatorum Pontificum aliorum inde ab a. CCCLXVII usque ad DLIII datae Avellana quae dicitur collectio, ed. Otto Guenther, *C.S.E.L.*, t. 35, Prague, Vienne, Leipzig, Pars I 1895, Pars II 1898. Voir R. NAZ, *Avellana Collectio*, dans *D.D.C.*

torius ou disciples d'Eutychès. Mais il s'agit surtout de controverses théologiques. Si les pontifes romains demandent aux empereurs de faire l'unité de l'Eglise, c'est par l'éloignement des prélats hérétiques et par le retour des orthodoxes.

Dans une lettre aux empereurs Valentinien, Théodose et Arcadius, datée de 383 ou 384, les prêtres orthodoxes Marcellinus et Faustinus rappellent, non sans doute une certaine nostalgie, que dans l'Ancien Testament les faux prophètes étaient mis à mort, et de rappeler les gestes d'Elie et de Jéhu, d'après I Rois : XVIII, 21-40 et II Rois : X, 18-28. Cela était agréable à Dieu ; aujourd'hui ces choses ne sont plus permises[93], mais devant l'insolence des hérétiques et la misère des orthodoxes qui ont été chassés de leurs sièges et qui errent dans un monde indigne : Hebr. XI, 37-38, ils en appellent à la justice de l'empereur.

La conduite à tenir envers les hérétiques est précisément celle que recommandait saint Paul à Tite : III, 9 et ss... Innocent Ier le dit expressément à saint Jérôme[94]. Saint Léon, écrivant au clergé d'Alexandrie, rappelle de son côté le texte de la *II^a Petri* : II, 3-9 et invite à la patience et à la douceur pour ménager le retour des dissidents[95]. Vigile, écrivant à Justinien et à Mène, patriarche de Constantinople, rappelle les anathèmes qui frappent les contempteurs des Quatre Grands Conciles et qui doivent aussi frapper leurs complices, mais il s'agit de peines purement spirituelles et de caractère médicinal, comme nous dirions aujourd'hui, afin de reconstituer l'unité de l'Eglise[96].

Cependant, les peines spirituelles se doublent, ou mieux se traduisent sur le plan civil par des peines temporelles. Saint Léon demande à l'empereur Léon d'exiler le patriarche d'Alexandrie[97]. Sim-

---

93. Ep. 2, p. 26 : « Quae quidem nos non ideo dicimus, quasi qui velimus alicujus sanguinem fundi : absit hoc a votis nostris, hoc enim qui nunc fieri cupit, exorbitat a legibus christianis. »

94. Ep. 42, p. 96 : « Numquam boni aliquid contentionem fecisse in ecclesia testatur apostolus et ideo haereticorum correptiones primas fieri jubet magis quam diuturna duci conlatione, quae regula dum neglegenter aspicitur malum non vitatur, quod cavendum est, sed augetur. » Janvier 417.

95. Ep. 54, p. 122 : « Si quos autem cujuslibet ordinis Christianos impia haereticorum conturbavere mendacia, ad satisfactionis remedia provocate et in spiritu mansuetudinis cum benignitate corripite, quia, sicut ait apostolus Petrus : « Non tardat Dominus promissum sed patienter agit propter nos, nolens aliquos perire sed omnes ad poenitentiam converti (II Petri : II, 3, 9). Agendum ergo est, ne difficultas veniae curationem faciat tardiorem. » 18 août 460.

96. Ep. 92 et 93, pp. 351 et ss, pp. 355 et ss : « Hoc tantummodo, sicut apostolicae moderationi convenit, per omnia reservantes ut, si vel eorum vel quorumlibet errantium quis agnita catholicae fidei veritate poenitentiam agens reverti voluerit et haeresis, in qua volutatur... damnaverit pravitatem et ... anathema dixerit ei qui vel praedictas quattuor synodos in fidei causa non sequitur vel beatae recordationis predecessoris nostri Leonis venerabilia constituta in omnibus non confitetur et non omnibus viribus omnique animi sequitur puritate, tunc communioni nostrae, quam nulli nos negare convenit poenitenti, sub apostolica et canonica, sicut praefati sumus satisfactione modis omnibus aggregetur, qui redemptor noster non venit aliquem perdere sed omnes pro sua pietate salvare. » 17 septembre 540.

97. Ep. 51, p. 118 : « Optissimum gloriae vestrae est ab hoc appetitur illum prorsus excludere. » 17 juin 460.

plice insiste auprès de Zénon dans le même sens[98]. Il n'hésite même pas à envisager de plus graves sanctions contre les assassins de l'évêque d'Antioche : toutefois, comme il vaut mieux prévenir le mal que d'être obligé de le guérir, il supplie l'empereur de chasser hors des frontières tous les perturbateurs des églises[99]. Gélase, écrivant à l'évêque Honorius, constate avec satisfaction que l'hérésie pélagienne a été condamnée, non seulement par les lois de l'Eglise, mais aussi par les lois de l'Empire, et de telle sorte, dit-il, que les pélagiens n'ont plus le droit de vivre sur les terres de l'Empire, ce qui dans le contexte ne signifie pas la mort, mais l'exil des hérétiques[100]. Hormidas enfin, adresse à l'empereur ses félicitations pour avoir rabaissé l'orgueil des ennemis de l'Eglise et exalté l'humilité de ses fidèles, et il lui prodigue ses encouragements[101].

En somme, les trois collections romaines contiennent une doctrine de la répression. Celle-ci sera sans doute spirituelle et médicinale, mais si les résultats espérés ne se produisent pas, elle pourra se traduire par les pénalités d'ordre temporel : l'exil, soit à l'intérieur de l'Empire, soit même hors des frontières. On n'envisage pas directement autre chose, mais les références aux constitutions impériales, voire l'insertion même de plusieurs constitutions menaçant de mort les hérétiques, signifient sans doute qu'on n'exclut pas l'hypothèse d'une répression plus sévère. Nous retrouverions alors, en schématisant un peu, dans l'esprit des collections romaines le processus de la pensée augustinienne, laquelle deviendrait ainsi de quelque manière la pensée officielle de l'Eglise.

Les trois collections africaines ne contiennent aucun élément nouveau. Il n'y a pratiquement rien dans le *Codex Canonum Ecclesiae*

98. Ep. 56, pp. 128-129 : « At vero improbus parricida, qui divinis simul reus est legibus et humanis, reductus eodem, quo jure fuerat ante detrusus, ab innocentium nece retrahatur animarum : procul a regno pietatis vestrae funesti capitis venena discedant... » 10 janvier 476 : Ep. 60, pp. 137-138, 6 avril ou 9 octobre 477 : Ep. 62, p. 141 : « Precor tamen ut... Petrum Alexandrinae ecclesiae pervasorem et ob hoc jure damnatum... ad exteriora transferri piissima praeceptione jubeatis... Longe sint ab innocentibus perniciosa contagia, ut per vos (intret) intra dominici gregis ovile sinceritas, quam sola tenere potest imperialis auctoritas. » 8 mars 478 : Ep. 64, p. 145 : « precor ut... protectionis impendatis auxilium et decernatis piissimis constitutis Petrum sedis ipsius pervasorem... longius a tam praeclara civitate relegari, ne infirmioris fidei aliquos forte seducat et in eadem acclesia, quod absit, quae sopistis scandala rursus exagitet. » 21 octobre 478.

99. Ep. 66, p. 147 : « ... exultantes vobis inesse animum fidelissimi sacerdotis et principis, ut imperialis auctoritas juncta christianae devotioni acceptabilior Deo fieret et appareret integritas, cum hi, qui in episcoporum nece sacrilega caede versati sunt, dignis jubentur suppliciis. » 22 juin 479.

100. Ep. 98, p. 438 : « An fortasse nescitis hanc haeresim, de qua loquimur, et ab apostolica sede... continuis et incessabilibus sententiis fuisse prostratam nec tantum ecclesiae catholicae legibus sed principum quoque romanorum eo tenore damnatam, ut nec usquam terrarum vivendi locum sectatores ejus habere sinerentur ? ».22 juillet 490.

101. Ep. 168, 207, 238, pp. 622, 667, 735 : 9 juillet, 2 septembre 519, 26 mars 521.

Africanae qui fut décidé au Concile de Carthage de 419[102], sinon le vœu relatif aux incapacités des Donatistes que reproduit la *Dionysiana*. La *Breviatio Canonum Ferrandi*[103] contient sur 232 références conciliaires y compris le *Codex Canonum* de 419[104], une vingtaine seulement relatives aux hérétiques, celles de Laodicée[105]. La *Concordia Canonum Cresconii* qui se propose de clarifier et de compléter la collection de Ferrand[106] ne comprend sur ses 301 textes, d'ailleurs tirés de la *Dionysiana*[107] qu'une dizaine seulement relatifs à la répression de l'hérésie, toujours les mêmes[108].

Nous n'avons rien trouvé qui fut digne d'intérêt dans les collections arlésiennes[109], ni d'une façon générale dans la législation conciliaire de l'Eglise mérovingienne, sinon un appel au Bras Séculier lancé par les évêques réunis au IIIᵉ Concile d'Orléans de 538, c. 34, invitant le roi à punir les hérétiques qui dans le royaume burgonde rebaptisaient les catholiques[110].

La moisson canonique est plus abondante, sinon plus variée, en Espagne. Les canons de Saint-Martin de Braga rappellent, sans référence explicite, la législation de Laodicée sur l'excommunication des hérétiques, l'interdiction de participer à leur liturgie et d'une façon générale la défense d'entrer en communion avec tout excommunié à peine d'encourir soi-même l'excommunication[111].

Plus importante est l'*Hispana* qui serait en grande partie l'œuvre de saint Isidore[112]. Dans sa forme actuelle elle comprend 72 Conciles : 11 grecs, 9 africains, 16 francs, 36 espagnols plus deux lettres et 103 Décrétales, de saint Damase à saint Grégoire le Grand, quelques documents séculiers en rapport avec les affaires ecclésiastiques, soit une somme canonique correspondant à quatre siècles d'Histoire : Iᵛᵉ-vIIᵉ siècles[113].

Il y a peu de chose à tirer des Conciles grecs, africains et francs. Nous y retrouvons la législation de Laodicée qui interdit aux catholiques toute participation aux cultes hérétiques, législation en partie reprise par quelques conciles africains et francs[114]. On y trouve aussi

102. G. BARDY, art. *Afrique*, dans *D.D.C.*, c. 292 : J. RAMBAUD-BUHOT, *art. cité* dans *D.D.C.*, c. 1145 *P. L.*, t. 67, cc. 182-230 et t. 88, cc. 817-830.

103. A. VETULANI, art. *Breviatio Canonum Ferrandi*, dans *D.D.C.*

104. *P. L.*, t. 88, cc. 817-830 et t. 67, cc. 942-962.

105. Titres 176, 179, 183, 185 et 192, 180 et 182, correspondant à *Laodicée*, cc. 6, 9, 32, 35 et 31, 30.

106. J.Ph. LEVY, art. *Cresconius*, dans *D.D.C.*

107. *P. L.*, t. 88, cc. 829-942.

108. Titres 45 à 73, correspondant à *Laodicée*, cc. 9, 10 et 31, 32, 33, 37, 6.

109. *Statuta Ecclesiae Antiqua*, *P. L.*, t. 56, cc. 879-889. W. GUNDLACH : *Epistolae Arelatensis genuinae*, dans *M.G.H.*, Epist., t. III, pp. 1-83.

110. C. DE CLERCQ : *La Législation religieuse franque de Clovis à Charlemagne*, Louvain, Paris 1936, p. 26.

111. SAINT-MARTIN DE BRAGA, *P. L.*, t. 84, cc. 574-587, notamment les canons 36, 70, 84, cc. 580, 584, 586.

112. DOM SÉJOURNÉ : *Saint Isidore de Séville, ouvr. cité*, pp. 281 et ss.

113. *P. L.*, t. 84, cc. 93-848.

114. Défense aux hérétiques d'entrer dans les églises : *Laodicée*, c. 6 : défense

toute la législation du IVe concile de Tolède dont nous avons signalé la coïncidence avec la législation wisigothique. Parmi les Décrétales on en compte 37 de saint Léon, dont quatre lettres de félicitations et d'encouragements adressées à Pulchérie et à Marcien au sujet de la répression antichalcédonienne. Suivent les deux Constitutions impériales adressées à Palladius, Préfet du Prétoire, sur les modalités de cette répression[115]. Nous avons déjà mentionné les Décrétales et les Constitutions. Il n'y a pas lieu d'y revenir, mais il est à noter que les unes et les autres se trouvent dans une collection non romaine aussi importante que l'Hispana.

Les collections insulaires[116] ne s'intéressent aux hérétiques que très accidentellement. Toutefois on y rencontre un certain nombre de textes.

D'abord dans le Pénitentiel de Cumméan. L'hérétique est excommunié, il ne peut être réconcilié qu'à la condition de réparer le scandale et de faire pénitence *ad judicium sacerdotis*[117]. Quant au chrétien laïc qui aurait « communiqué » avec les hérétiques — Cumméan résume ici un canon colombanien — ou bien il l'a fait par inadvertance : alors, sa pénitence sera de trois carêmes, passés le premier chez les catéchumènes, les deux autres chez les pénitents ; ou bien il l'a fait consciemmenat, c'est-à-dire malgré une monition sacerdotale, alors sa pénitence sera de trois années, intégrale pendant la première, mitigée pendant les deux autres, peut-être seulement réduite aux trois carêmes annuels[118]. Suivent toujours dans Cumméan quatorze canons, inspirés, voire explicitement tirés de conciles orientaux : Ancyre, c. 9,

---

aux catholiques de prier avec les hérétiques : *Laod.*, c. 33 et *IVe concile de Carthage*, c. 72 ; défense de fréquenter les conventicules des hérétiques : *Laod.*, c. 9 ; défense de participer au culte hérétique : *Laod.*, cc. 32, 34, 37 et *IIe concile de Braga*, c. 70 ; défense des mariages mixtes, sauf espoir de conversion : *Laod.*, cc. 10, 31 : *Agde*, c. 67 : *Elche*, c. 16. *P. L.*, t. 84, cc. 129, 132, 205, 130, 132, 133, 584, 130, 132, 304.

115. *P. L.*, t. 84, cc. 711-724 : 175-178.

116. P. FOURNIER-G. LE BRAS, *ouvr. cité*, pp. 50-65, 84-91, 108-111. A VAN HOVE, *Proleg*, pp. 283-291.

117. F.W.H. WASSERSCHLEBEN : *Die Bussordnungen der abenländischen Kirche*, Halle, 1851. Pénitentiel de Cumméan, ch. XI, c. 5 : « Qui aliam doctrinam extra scripturas vel haeresim praesumit, alienatur ab ecclesia ; si poeniteat, suam publice sententiam damnet et quos decepit ad fidem convertat et jejunet ad judicium sacerdotis », p. 485. Canon reproduit dans le *Pénitentiel de Bigot*, c. 2, p. 458.

118. *Pénitentiel de Colomban*, c. 37 : « Si quis laicus per ignorantiam suam cum Bonosiacis aut ceteris haereticis communicaverit, stet inter catechumenos, id est ab aliis separatus christianis XL diebus et duabus aliis quadragesimis in extremo christianorum ordine, id est inter poenitentes, insanae excommunicationis culpam diluat. Si vero per contemptum hoc fecerit, id est postquam denunciatum illi fuerat a sacerdote ac prohibitum, ne se communione sinistrae partis macularet, anno integro poeniteat et tribus quadragesimis et duobus aliis annis abstineat se a vino et carnibus et ita post manus impositionem catholici episcopi altario jungatur », p. 359. Canon reproduit dans le *Pénitentiel de Cumméan*, écourté, ch. XI, c. 18, p. 486, et dans le *Pénitentiel* en XXXV chapitres, ch. XXVI, c. 2, p. 522.

Nicée, cc. 11 et 12, qui dénoncent la nullité des Sacrements conférés par les hérétiques et défendent toute participation liturgique avec eux. Ce groupe de quatorze se retrouve un peu dispersé dans les *Canones Gregorii*, mais au contraire ordonnés, conformément à Cumméan, dans le *Discipulus*, et reproduits en désordre dans le Pénitentiel en XXXV chapitres[119].

Le problème de la répression est posé d'une manière générale, sauf un texte qui prête à discussion, dans l'Hibernensis[120]. Le Livre XXVII : *De sceleribus et vindictis reorum*, contient aux chapitres 8 et 9 sur la légitimité de la vindicte et sur son caractère[121] des textes de saint Jérôme et de saint Augustin, d'après lesquels c'est faire œuvre de Dieu que de « poursuivre » les méchants et de les frapper de peines. C'est le devoir du Prince, car l'Eglise, dit saint Jérôme, ne punit personne. Ce devoir sera fait au nom de la charité, explique saint Augustin, telle la correction qu'un père inflige à son fils pour l'amener à résipiscence, conformément à la théorie de la vindicte analysée plus haut. Le Livre XXXVII : *De Principatu*, contient aux chapitres 34 et 35 deux canons non-identifiés sur le rejet — nous dirions volontiers la déposition — des princes hérétiques[122]. Le Livre XL : *De Excommunicatione*, insiste aux chapitres 13 et 15 sur l'obligation de ne point « communiquer » avec les hérétiques : exemples bibliques de Lot arraché à Sodome par les anges, de Moïse et Aaron chargés par Dieu de faire sortir d'Egypte les Hébreux : exemples patristiques, tirés de l'Histoire Ecclésiastique d'Eusèbe, III, 25 : saint Jean fuyant la présence de Cérinthe, saint Polycarpe apostrophant Marcion : exemples canoniques, d'après les Statuta Ecclesiae Antiqua, canons 70 et 72, défendant aux clercs de fréquenter les réunions des hérétiques et de prier avec eux, suivant la formule du concile de Laodicée[123]. Le Livre

119. *Cumméan*, ch. XI, cc. 19-32, pp. 486-488 : *Canones Gregorii*, cc. 26, 28, 48, 48, 49, 27, 50, 51, 51, 51, 52, 53, 53, 45, pp. 163-167 ; *Discipulus*, Liv. I, ch. V-cc. 1-14, pp. 188-190 : *Pénitentiel* en XXXV chapitres, ch. XXVI, c. I, p. 520, 522.

120. H. WASSERSCHLEBEN : *Die Irische Kanonensammlung*, Leipzig, 1885.

121. H. WASSERSCHLEBEN, pp. 85-94, notamment saint Jérôme : Commentaire sur Ezechiel, t. III, 9 et non V, I : « Qui percutit malos in eo quod mali sint, et habet vasa interfectionis, ut percutiat pessimos, minister Domini est... Rex coerceat inimicos et constringat et puniat quia Ecclesia neminem punit », cf. *P. L.*, t. 25, c. 85. Du même : Commentaire sur Jérémie, IV, 22 : « Homicidas et sacrilegos punire non est effusio sanguinis, sed legum Dei ministerium est... » *P. L.*, t. 24, c. 811. De même saint Augustin : De sermone Domini in monte : « Neque hic ea vindicta prohibetur quae vadit etiam ad correptionem. Ipsa enim pertinet ad misericordiam nec impedit illud propositum... Non enim metuendum est ne odisse parvulum filium parentes videantur, cum ab eis vapulatur peccans ut non peccet amplius », Liv. I, ch. XX, n° 63, *P. L.*, t. 34, c. 1261-1262. *Décret de Gratien*, c. 51, C. XXIII, Q. IV.

122. H. WASSERSCHLEBEN, pp. 139-140, c. 34 : « Superbus angelus de coelo ejectus est ; Adam post peccatum de paradiso in terram ejectus est. » c. 35 : « Hieroboam rex iniquus a decem tribubus deseritur. Omnes heretici, quamvis magnarum urbium principes sint, damnata eorum heresi, a cathedris suis consensu sinodi ejecti sunt. » Ce dernier texte dont la provenance n'est pas indiquée et qui paraît en avance de quatre siècles, pose un problème.

123. H. WASSERSCHLEBEN, pp. 156. Le canon 15, celui des exemple bibliques,

LVII est exclusivement consacré aux hérétiques. Il comprend six canons tirés de saint Jérôme et de saint Augustin et des Statuta Ecclesiae Antiqua. Ces canons ne présentent qu'un intérêt très secondaire : étymologie du mot hérésie, définition de l'hérétique et nécessité de le fuir ou même de ne pas l'éviter pour le combattre[124].

La tradition canonique de l'Antiquité chrétienne ne s'est jamais perdue. La Dionysiana notamment et l'Hispana furent les deux principales sources de la législation ecclésiastique dans le haut Moyen Age. La première, remaniée et enrichie, fut remise à Charlemagne en 774 par Hadrien I : ce fut la Dionysio-Hadriana. La seconde fut apportée en pays franc par des clercs espagnols fuyant l'invasion musulmane. Elle aussi fut remaniée, parfois altérée, surtout ordonnée de manière systématique. Les deux collections fusionnèrent : ce fut la Dacheriana[125].

La législation contre les hérétiques fut ainsi transmise au Moyen Age, mais sans portée immédiate. Les hérésies de l'époque romaine sont éteintes. La chrétienté occidentale ne connaît pas encore de dissidence religieuse. Ce qui préoccupe les clercs, c'est avant tout le rétablissement de la discipline et la restauration du temporel. Mais ce double souci conduit les gens d'Eglise à rappeler les règles traditionnelles de l'excommunication. Ce qui est fulminé contre les contempteurs de la discipline atteindra naturellement les contempteurs de la foi.

* *
*

Les idées réformatrices inspirent, on le sait, les auteurs des collections Pseudo-Isidoriennes.

Ils ont exploité les textes traditionnels authentiques, provenant en grande partie de l'Hispana dite d'Autun, qui reproduit à peu près fidèlement son modèle wisigothique, mais aussi de la Quesnelliana et de la Dionysiana[126].

On y retrouve par conséquent la série des conciles et des décrétales de la collection espagnole et des collections romaines.

---

contient un texte qui serait passé, d'après Wasserschleben, dans le *Décret de Gratien*, c. 4, C. XXIII, Q. VIII. En fait, il s'agit dans le Décret d'un capitulaire d'Hérard d'Autun, c. 50, *P. L.*, t. 121, c. 767, sur l'interdiction faite aux évêques de porter les armes, ce qui n'a qu'un rapport assez lointain avec le sujet du c. 15 de l'Hibernensis. Ce détail pourrait appuyer l'hypothèse de G. Le Bras que le ms utilisé par Wasserschleben ne serait qu'un abrégé de l'Hibernensis primitive, cf. *Hist. des Coll.* Can. : I, 62.

124. Notamment le canon 4 : *De heretico vitando post correctionem*. Après la référence au texte de saint Paul déjà cité : Tite : III, 10, 11, on lit : « Sinodus ait : Definimus hereticum esse vitandum, sicut enim cancer serpit per membra, ita doctrina ejus serpit in animas. Item : Omnis heresis suadibilis est et valde dulcis, unde quasi ignis vitanda est. »

125. P. Fournier-G. Le Bras : *Hist. des Coll.*, I, pp. 95-107 ; A. van Hove : *Proleg.*, pp. 292-294.

126. P. Fournier-G. Le Bras : *Hist. des Coll.*, I, pp. 127-233 ; A. Van Hove : *Proleg.*, pp. 305-311. P. Hinschius : *Decretales Pseudo-Isidorianae et Capitula Angilramni*, Leipzig, 1863.

Parmi les conciles figurent celui de Laodicée contenant la défense de pratiquer au culte hérétique, et avec le texte de Chalcédoine les constitutions sévères de Valentinien et Marcien à Palladius que nous avons analysées. Viennent encore sept conciles de Carthage et treize de Tolède, donc ce quatrième concile qui n'est pas loin d'approuver, nous l'avons vu, la législation wisigothique contre les judéo-chrétiens[127]. Quant aux décrétales qui concernent l'hérésie, elles sont nombreuses. Il y a lieu de noter entr'autres la correspondance d'Innocent I avec Exupère de Toulouse sur l'exercice du pouvoir qui a été donné par Dieu aux princes pour contraindre les méchants[128], avec Rusticus de Narbonne sur les effets posthumes de l'excommunication[129] et avec le concile de Milève sur le devoir de retrancher du troupeau ceux qui « veulent pervertir l'Evangile du Christ » et leurs disciples[130]. De toutes les décrétales, celles de saint Léon sont les plus nombreuses. On y retrouve la lettre aux évêques d'Italie sur les Manichéens, surtout la correspondance du pape avec les empereurs et avec l'impératrice Pulchérie sur la répression de l'opposition antichalcédonienne[131]. Importante également est la correspondance de Gélase avec les évêques de Dardanie et avec l'empereur Anatase au sujet du schisme acacien[132].

Les réformateurs isidoriens ont aussi inventé une série impressionnante de décrétales, de saint Clément à Melchiade, qui affirment la primauté au siège Apostolique et son indéfectibilité. L'Eglise Romaine est la mesure de l'orthodoxie. Entr'autres décrétales, mentionnons celle du pape Lucius adressée aux évêques d'Occident, exaltant « l'Eglise sainte et apostolique, mère de toutes les églises, que la grâce du Dieu Tout-Puissant a maintenu dans la ligne de la tradition apostolique et préservé de toute chute dans la dépravation de l'hérésie », conformément à la promesse du Christ : « Pierre, voici que Satan va vous cribler comme on passe au crible le froment, mais j'ai prié pour toi afin que ta foi ne défaille pas et que tu confirmes tes frères dans la foi » : Luc : XXII, 31, 32. Ce texte important est reproduit dans une lettre de Félix à l'évêque Bénignius et dans une autre de Marc à Athanase[133]. Une autre décrétale, du pape Marcel, adressée aux évêques d'Orient, rappelle cette règle fondamentale que l'Eglise Romaine est la norme de la foi. « Nous vous prions donc, frères, de ne rien ensei-

---

127. P. HINSCHIUS, *ouvr. cité*, pp. 275, 288-291, 371.

128. « Meminerant autem a Deo potestates fuisse concessas et propter vindictam noxiorum gladium fuisse permissum et Dei ministrum esse datum in hujusmodi vindicem », item, p. 532, III ; c. 45, C. XXIII, Q. IV.

129. « ...Nos autem quibus viventibus non communicavimus, mortuis communicare non possumus », item, p. 617, VI; c. 31, C. XXIII, Q. VIII.

130. « ...Abscidendi sunt enim qui nos conturbant et volunt pervertere evangelium Christi », p. 539.

131. P. HINSCHIUS, pp. 596, 601-610.

132. Item, pp. 639-645. Voir également la lettre de Gélase aux évêques de Dardanie, dans l'Avellana, *C.S.E.L.*, t. 35, pp. 774-790.

133. « Haec sancta et apostolica mater omnium ecclesiarum Christi ecclesia que per Dei omnipotentis gratiam a tramite apostolicae traditionis numquam errasse probabitur nec hereticis novitatibus depravanda subcubuit... » P. HINSCHIUS, pp. 179, 205-206, 454.

gner ni de rien concevoir qui n'ait été transmis par le bienheureux apôtre Pierre, par les autres apôtres et par les Pères » conformément, ici encore, à la parole du Christ : « Tu es Pierre et sur cette pierre je bâtirai mon Eglise »... Matt. : XVI, 18...[134]. Ce texte est passé dans le Corpus Juris canonici : c. 15, C. XXIV, Q. I.

De ces affirmations solennelles il est évidemment facile de conclure que tout ce qui n'est pas en plein accord avec l'Eglise Romaine est hérétique. Mais il serait vain de chercher dans le Pseudo-Isidore une doctrine de la répression.

Toutefois, on peut encore signaler quelques décrétales qui posent plus ou moins directement le problème. Corneille invite les évêques à convertir les hérétiques suivant une méthode de persuasion[135]. Callixte et Marcellin déclarent qu'il n'est permis à aucun empereur ni à quiconque a la charge du bien public de faire quoi que ce soit contre l'ordre divin, c'est-à-dire, précise Marcellin, contre la tradition de l'Evangile ou des Prophètes ou des Apôtres ou des Pères, et de conclure à la nullité de tout ce qui serait fait à l'encontre de ces traditions[136]. Libère, écrivant à Athanase et aux évêques égyptiens, fulmine contre les hérétiques un certain nombre de peines. Outre le jugement terrible de Dieu, ils encourent l'indignation du prince : les clercs sont déposés, les moines chassés de leur couvent, les officiers publics déchus, les simples particuliers dépouillés de leurs biens, s'ils sont nobles, ou, s'ils ne le sont pas, battus de verges et condamnés à un exil perpétuel. Ainsi, conclut le pape, la crainte de Dieu et des justes châtiments les obligeront à respecter « la paix immuable des saintes églises de Dieu »[137]. L'essentiel de la pseudo-décrétale est passé dans le Corpus Juris Canonici : c. 32, C. XXIV, Q. I.

---

134. « Rogamus ergo vos, fratres, ut non aliud doceatis neque sentiatis quam quod a beato Petro apostolo et a reliquis apostolis et patribus accepistis... » P. HINSCHIUS, p. 223-224.

135. « Quapropter, karissimi, hortamur vos et deprecamur per D.N.J.C. ut et praedictos hereticos et omnes quos a recta fide et doctrina apostatare cognoveritis, exortationibus et bonis studiis vestris ad catholicam fidem et rectam doctrinam convertere contendite, et in Dei voluntate persistere suadete... », item, p. 171.

136. « Non licet ergo imperatori vel cuiquam pietatem custodienti aliquid contra mandata divina praesumere, nec quicquam quod evangelicis prophetisque et apostolicis regulis obviatur. Injustum enim judicium et definitio injusta regis metu aut jussu a judicibus ordinata non valeat, nec quicquam quod contra evangelicae vel propheticae aut apostolicae, doctrinae constitutionem sive sanctorum patrum actum fuerit, stabit », item, pp. 137, 222-223.

137. « ...ita ut qui haec praesumpserint praevaricari, primum quidem subjaceant judicio terribili omnipotentis Dei, deinde autem qualemcumque regalem indignationem revereantur, per quam si quidem episcopi aut clerici sunt, a sui sacerdotii sive sui cleri ordine modis omnibus excedant ; si autem monachi sunt, segregentur et alieni sint de suis locis ; si autem dignitatem aut cingulum aut militiam habeant, nudentur de eis. Si autem sunt privati, si quidem nobiles consistunt suarum substantiarum prescriptionem patiantur ; si autem ignobiles consistunt, non solum in corpore verberentur, sed et exilio perpetuo castigentur, ut omnes timore Dei compressi et comminata eis digna supplitia reverentes immobilem et sine turbatione pacem sanctarum ecclesiarum custodiant », item, p. 478.

En même temps que les Fausses Décrétales, les capitulaires des évêques francs s'appliquent eux aussi, avec moins de luxe et d'imagination, à rétablir la discipline dans leurs églises : ce qui les conduit à rappeler certaines exigences, sans doute plus ou moins oubliées, de l'excommunication.

Hérard de Tours, c. 69, défend de « communiquer » avec les excommuniés et autres perturbateurs de l'Eglise[138]. Hincmar de Reims aborde plus directement le problème de l'hérésie dans son *De Praedestinatione Dei et libero arbitrio, posterior dissertatio adversus Gothescalcum et coeteros Praedestinatianos*[139]. L'intérêt de ce traité consiste uniquement en ce qu'il est un recueil de textes, authentiques, tirés du Pseudo-Isidore pour la plupart. On y relève, entr'autres décrétales, celle d'Innocent I au concile de Milève, celles, nombreuses, de saint Léon aux évêques d'Italie sur les Manichéens, à Rusticus de Narbonne et aux empereurs sur la répression de l'opposition antichalcédonienne[140]. A cela s'ajoutent quatre constitutions impériales, ci-dessus mentionnées : l'une menace les hérétiques de la colère divine et de la colère impériale, les autres interdisent les réunions clandestines, infligent aux hérétiques des amendes et les frappent d'incapacités sans préjudice de peines plus graves[141]. Ce dossier ne contient aucun élément nouveau. Hincmar n'a même pas cherché à en tirer une doctrine cohérente. Les textes sont jetés par fragments, sans ordre, ni analyse ni critique. Ils ont évidemment pour but d'accabler sous le poids de la tradition qu'ils représentent l'hérétique et ses complices.

Il n'y a rien à noter dans les Capitulaires de Gauthier d'Orléans et d'Isaac de Langres, sinon l'insistance qu'ils mettent à rappeler au nom de l'Ecriture : IIe épître de saint Jean, v. 10 — l'obligation qui s'impose au fidèle de ne pas « communiquer » avec l'excommunié, si ce n'est pour le convertir, à peine d'encourir lui-même l'excommunication, et de s'exposer pareillement à la privation de sépulture[142].

---

138. Cap. 69 : « Ut excommunicatis nemo communicet, nec perturbatoribus Ecclesiarum se misceat. » Mansi, t. XVII B, c. 1291.

139. Ch. XXXVII *passim*, dans *P. L.*, t. 125, cc. 393-417.

140. D'après le Pseudo Isidore, cf. P. Hinschius, pp. 539, 596, 617, 601, 610.

141. Gratien, Valentinien et Théodose au peuple de Constantinople : 27 février 380 ; *C. Th.*, XVI, I, 2 et *C. J.*, I, I, 1 ; Valentinien, Théodose et Arcadius à Tatianus, Préfet du Prétoire : 15 juin 392 ; *C. Th.*, XVI, V, 21 ; Gratien, Valentinien et Théodose à Eutrope, Préfet du Prétoire : 10 janvier 381 ; *C. Th.*, XVI, V, 6 ; Valentinien et Marcien à Palladius, Préfet du Prétoire : 455 ; *C. J.*, I, V, 8, et dans Hinschius, p. 290 : « Oportet (enim) ut sit numerosa severitas sanctionum, ubi est licentia crebra culparum custodienda... »

142. Gauthier d'Orléans, cap. 22 : « Ut nemo cum excommunicatis et praedonibus manifestis, sive raptoribus seu homicidis et sacrilegis communicet, nec missam cantet nec Ave in via ei dicat : sepulturam non praebeat, nec ullo modo, nisi corrigendi caussa, cum eis loquatur. » Mansi, t. XV, c. 507. — Isaac de Langres. Tit. IX : De excommunicatis, cap. I : « Cum excommunicatis non licere communicare nec cum his qui per domos conveniunt, devitantes orationes Ecclesiae, simul orandum est... cap. III : ut qui cum excommunicato praesumptiose communicaverit, excommunicetur et ipse. » Mansi, t. XVII B, c. 1273.

Même et fastidieux rappel de cette discipline dans l'Anselmo-Dedicata, d'après Léon à Rusticus ; dans la collection dite de Remedius de Coire — qu'il ne faut pas confondre avec les *Capitula* dont nous parlons plus loin — d'après Callixte ; dans le *Capitulare* d'Atton de Verceil, d'après le canon 11 des Apôtres : autant de reproductions fidèles, mot pour mot, des textes pseudo-isidoriens[143].

Les collections germaniques offrent un tout autre intérêt.

Les capitulaires de Remedius de Coire, qui datent des toutes premières années du IXe siècle, sont à notre point de vue particulièrement remarquables[144]. Le chapitre 2 : *De maleficiis vel sacrilegia (sic)* et le chapitre 4 : *De perjuriis,* concernent indirectement les hérétiques. Le méchant, le sacrilège ou le parjure qui seraient découverts : *Ut si... in populo inventus fuerit... Si quis inventus fuerit...,* doivent être rasés. On leur verse de la poix sur la tête. Ensuite, le méchant et le sacrilège sont assis sur un âne, promenés dans les villages et frappés tout le temps de la promenade. A la première récidive, on leur coupe la langue et le nez ; à la seconde récidive, ils passent en jugement : *in potestate stet judicum et laicorum.* On ne dit rien de la procédure ni de la peine. Quant au parjure, s'il ne connaît pas l'humiliation de la promenade à âne, il n'échappe cependant pas à la bastonnade. A la première récidive, il est marqué au fer rouge sur le front et emprisonné aussi longtemps qu'il plaira aux anciens : *senioribus,* de l'y maintenir et déclaré incapable de témoigner en justice ; à la seconde récidive, il passe en jugement *potestas de eo sit judicum et laicorum*[145].

La procédure ici indiquée est sans doute accusatoire, suivant la formule en usage dans les pays germaniques : quiconque estimerait un individu malfaisant, sacrilège ou parjure serait tenu de le dénoncer aux autorités. Quelles autorités ? Les expressions *senioribus, judicum et laicorum* désignent évidemment une assemblée. Peut-être s'agit-il de l'assemblée synodale et de ces témoins synodaux qui apparaîtront en pleine lumière, exactement un siècle plus tard, dans l'œuvre de Réginon de Prüm.

Les peines se retrouveront aussi, beaucoup plus tard, dans les textes et les usages. Un concile de Reims de 1157 infligera aux hérétiques la triple peine de la marque au fer rouge, de la prison et de l'inca-

---

143. Anselmo-Dedicata, VII, 94, d'après c. 1, C. XXIV, Q. II ; Remedius de Coire, *P. L.,* t. 102, c. 1108, cap. XLIV ; Capitulare d'Atton de Verceil, cap. LXVII, *P. L.,* t. 134, c. 41 ; d'après Hinschius, pp. 617, 138, 28.

144. *M.G.H. Leges V,* in-folio, pp. 180-184.

145. Cap. 2 : « Ut si maleficus vel sacrilegus in populo inventus fuerit, primum scalvetur, mittatur pice capiti ejus, ponatur super asinum et batendo ducatur circiter per vicos. Si secundo hoc fecerit, excidatur ei linguam et nasum. Si usque tertio perpetraverit, in potestate stet judicum et laicorum. » Cap. 4 : « Si quis in perjurio cupiditatis aut infidelitatis inventus fuerit, primum fiat battutus et decalvatus, missa pice. Si secundo hoc fecerit, vapulet, notetur eum in fronte cum calido ferro et recludatur in carcere, quamdiu placuerit senioribus, et deinceps non recipiatur eum in testimonio. Si tertio perpetraverit, potestas de eo sit judicum et laicorum. »

pacité de témoigner en justice ; une constitution de Frédéric II de 1224 condamnera les hérétiques dont les juges épargneraient la vie à l'excision de la langue ; la terrible inquisition de Conrad de Marbourg, vers 1230, rasera les coupables — disons plutôt les accusés — avant de les jeter au feu[146].

Ces coïncidences, si elles n'autorisent pas à exagérer l'importance des capitulaires de Remedius, permettent néanmoins de constater l'existence, dès le début du ixe siècle, de cette tradition germanique dont l'influence sera considérable sur la future législation inquisitoriale.

Reginon de Prüm, dans ses deux livres : *Libri duo de synodalibus causis et disciplinis ecclesiasticis*, n'écrit qu'un manuel de procédure, mais les précisions qu'il donne sont importantes. « Les prélats de Germanie et du pays mosellan, écrit à ce sujet P. Fournier, imaginèrent de créer des témoins synodaux, c'est-à-dire d'instituer dans chaque localité importante des personnages d'abord ecclésiastiques, plus tard ecclésiastiques et laïques, chargés, en vertu du serment exigé d'eux, de dénoncer à l'autorité spirituelle tous les crimes, tous les désordres, tous les scandales dont ils auraient connaissance : cette dénonciation devait se faire périodiquement à l'occasion de la tenue du synode[147]. » C'est pour aider les témoins synodaux, précisément, que Réginon a composé ses deux livres *de synodalibus causis et disciplinis ecclesiasticis*[148]. Il y décrit ce que doit être une visite épiscopale : la convocation du peuple, la désignation des témoins synodaux, sept en principe, choisis parmi les plus sages, les plus honnêtes, les plus dignes de foi d'entre les paroissiens[149], la prestation du serment, l'allocution de l'évêque et l'interrogatoire des témoins. Il n'est point question des hérétiques, mais d'une façon générale des excommuniés et aussi de la défense traditionnelle faite à quiconque de « communiquer avec un excommunié » à peine d'encourir une pareille censure[150].

Quand les papes et les conciles des xiie et xiiie siècles rappelleront aux évêques l'urgences de la visite canonique, ils leur feront une obligation de s'entourer de clercs et de laïques qui seront spécialement chargés de rechercher les hérétiques et de les dénoncer, voire de les capturer, et ultérieurement d'exécuter les sentences des tribunaux ecclésiastiques. Les législateurs de l'Eglise ne créeront point d'institution absolument nouvelle, ils se référeront, sans le dire ni sans doute même y penser, au vieil usage que les deux livres de Réginon décrivent.

Le Décret de Burchard de Worms n'est pas un manuel de procédure ; c'est un traité de Droit Canonique[151]. Aucun livre n'est spécia-

146. Voir infra, pp. 244, 260.
147. P. FOURNIER : *L'œuvre canonique de Réginon de Prüm*, dans *Biblioth. de l'Ec. des Chartes*, t. 81, 1920, p. 6, *op. cit.*
148. *P. L.*, t. 132. cc. 175-455.
149. « Maturiores, honestiores atque veraciores in medio debet evocare. » Liv. II, ch. 2, *P. L.*, t. 132, c. 281.
150. Liv. II, ch. 5, can. 58, 391, *P. L.*, t. 132, cc. 285, 356.
151. P. FOUENIER et G. LE BRAS : *Hist. des Coll.*, t. I, pp. 364-426. *P. L.*, t. 140, cc. 537-1090.

lement consacré aux hérétiques, mais de nombreux textes, notamment dans le livre XI : *De excommunicatione*, et dans le livre XV : *De laïcis*, permettent d'élaborer une théorie, encore succincte il est vrai, de la vindicte et du pouvoir séculier. La plupart de ces textes sont d'origine pseudo-isidorienne.

Les idées sont les suivantes :

Tout ce qui est contraire à l'Ecriture, à la tradition des Apôtres et aux règles canoniques est nul de plein droit. Burchard reproduit ici purement et simplement la fausse décrétale de Marcellin[152] aux évêques orientaux sur la nullité de tout acte posé contre la tradition scripturaire et patristique.

Tout contempteur des canons est en principe excommunié. En fait, il appartient aux évêques de ne point excommunier à la légère, mais de suivre l'exemple de Dieu qui descendit à Sodome pour se rendre compte par lui-même de l'état des choses : Gen. : XVIII, 21, et la tradition canonique, représentée par le pape Evariste, les conciles de Meaux et d'Agde[153].

La contrainte des méchants est légitime, d'après saint Jérôme dans ses commentaires sur Ezéchiel et Jérémie ; ce sont les textes mêmes de l'Hibernensis[154]. Mais l'Eglise ne verse pas le sang : *Reos sanguinis non defendat Ecclesia ne effusione sanguinis particeps fiat*, suivant le célèbre axiome de saint Grégoire[155]. Ce sont les princes qui interviendront pour elle, conformément à la mission qu'ils ont reçue de Dieu de défendre l'Eglise. Les textes justificatifs abondent : décrétales d'Innocent I à Exupère et à Gennadius, d'Anastase à l'empereur Anastase, de saint Grégoire à Gennadius et à Brunehaut, extrait du VIᵉ concile de Tolède, canons 14, 16, 17, 18, célébrant les mérites du roi Chintila : la plupart de ces textes proviennent du Pseudo-Isidore[156] ; nombreux extraits des Sentences de saint Isidore sur les qualités et les devoirs des rois : on y relève entr'autres cette affirmation que la raison d'être du « prince » est d'imposer par la terreur de la discipline ce que l'enseignement du « prêtre » n'arrive pas à opérer : *Caeterum intra Ecclesiam potestates necessariae non essent, nisi ut quod non praevalet sacerdos efficere per doctrinae sermonem potestas hoc impe-*

---

152. La décrétale est attribuée au pape Hadrien : Liv. XV, c. 8. *P. L.*, t. 140, c. 896.

153. Livre XI : cc. 9, 10, 11 ; *P. L.*, t. 140, cc. 861, 862.

154. Livre VI : c. 43 ; *P. L.*, t. 140, c. 775-776 ; deux textes passés dans Gratien, cc. 29, 31. C. XXIII, Q. V.

155. Livre XIX, c. 109 ; *P. L.*, t. 140, c. 1006. Ce canon, passé dans Gratien : c. 7, C. XXIII, Q. V, résumerait, d'après Friedberg, le c. 4, C. XIV, Q. VI, extrait d'une lettre de saint Grégoire à Romanus, Défenseur de l'Eglise romaine en Sicile, décembre 598, dans *M.G.H.* Epist., t. II, Gregorii 1 Reg. IX, 79, p. 95, interdisant aux clercs de plaider la cause des voleurs publics, afin de ne pas compromettre l'Eglise dans un procès pouvant conduire au prononcé d'une sentence capitale ; cf. Th. MOMMSEN : *Le Droit Pénal romain*, traduction J. Duquesne, t. III, Paris 1917, p. 81 et ss.

156. Livre XV, c. 15 et ss. ; *P. L.*, t. 140, cc. 897-900 ; dans P. HINSCHIUS : Innocent I à Exupère, p. 532 ; Anastase, p. 656 ; VIᵉ concile de Tolède, pp. 379-380 ; Saint Grégoire : *M.G.H.*, *Epist.* Greg. I Reg., t. I, p. 93, t. II, pp. 318-319.

ret per disciplinae terrorem. Tout le texte est passé dans le Décret de Gratien : c. 20, C. XXIII, Q. V[157].

A partir de la Réforme Grégorienne les querelles au sujet de la simonie et de l'investiture posent de nouveau le problème de l'hérésie.

Les Grégoriens qui exaltent la monarchie pontificale usent évidemment des collections pseudo-isidoriennes, mais ils savent aussi recourir aux sources, c'est-à-dire aux Archives du Latran. Surtout ils utilisent abondamment les textes patristiques. Saint Augustin notamment occupe une place prépondérante dans la littérature canonique et dans les polémiques de ce temps[158].

Le *Capitulare* du cardinal Atton n'est qu'un résumé de décrétales plus ou moins authentiques conçu dans l'esprit et suivant le plan du Pseudo-Isidore pour affirmer l'autorité de l'Eglise Romaine[159].

Beaucoup plus importantes sont les œuvres d'Anselme de Lucques : Collection canonique et *Liber contra Wicbertum et sequaces ejus.*

Les livres I, V, VI, VII de la Collection contiennent quelques décrétales, apocryphes ou authentiques, et extraits patristiques, notamment de Lucius, Marcel, Libère, Jules, Innocent, Léon, Cyprien, Ambroise, Augustin, d'après lesquels l'Eglise, particulièrement l'Eglise Romaine, est la règle et la gardienne de la foi et de la discipline. Le livre XII : *De Excommunicatione,* et le livre XIII : *De vindicta et justa persecutione,* exposent la théorie de l'hérésie et de la contrainte des méchants. Des textes sévères de Pélage au patrice Narsès, de saint Grégoire au patrice Gennadius et au Maître de la milice Velox pressent les représentants du pouvoir séculier d'intervenir contre les hérétiques[160]. D'autres textes, aussi nombreux, de saint Augustin, corrigent la rigueur des premiers suivant la méthode et l'esprit que nous connaissons[161].

---

157. Livre XV, cc. 38-43 ; *P. L.*, t. 140, cc. 905-908 ; Saint Isidore, *Sentences,* Livre III, ch. 48-51, dans *P. L.*, t. 83, cc. 719-724. Le c. 43 de Burchard : Principes saeculi... credidit, qui reproduit Isidore, *Sentences* : III, n. 4-6, est passé tel quel dans Gratien : c. 20, C. XXIII, Q. V.

158. Ch. Munier : *Les Sources Patristiques du Droit de l'Eglise, du VIIIe au XIIIe siècle,* Mulhouse 1957, pp. 36 et suivantes.

159. Atton de Saint-Marc ou Atton de Milan, sans doute un seul et même personnage. Voir P. Fournier-G. Le Bras : *Hist. des Coll.,* II, pp. 21 et ss. A. Van Hove : *Proleg.,* p. 323. Le Capitulare se trouve dans A. Mai : *Scriptorum veterum nova collectio,* VI, 2e partie, Rome 1832, pp. 60-100.

160. P. Richard, art. *Anselme de Lucques,* dans *D.H.G.E.* Sur les sources, voir P. Fournier-G. Le Bras : *Hist. des Coll.,* II, pp. 29-33 ; d'après O. Guenther, Anselme de Lucques aurait utilisé certains passages de textes, voire des textes entiers, de l'Avellana : *C.S.E.L.,* t. 35, pp. lxxiv-lxxv. F. Thaner : *Anselmi episcopi Lucensis collectio una cum collectione minore,* Innsbruck, 1906-1915, incomplet. Nous avons essayé de reconstituer, tant bien que mal, d'après les tables de concordance de Friedberg et les indications trop sommaires de *P. L.*, t. 149, cc. 485-568, la matière des livres et des canons d'Anselme de Lucques. Sur les réserves à faire, cf. Ch. Munier, *ouvr. cité,* p. 48, n. 71.

161. D'après Ch. Munier, pp. 36-37, la Collection d'Anselme de Lucques contient 180 textes patristiques dont 115 de saint Augustin. Nous avons relevé suivant la méthode imparfaite indiquée ci-dessus, que le livre XII d'Anselme aurait

Les mêmes idées et les mêmes textes se retrouvent, mieux ramassés peut-être, dans le *Liber*[162]. Ici réapparaît le fameux *Compelle intrare* — ou *Compellite intrare* — de la parabole du Banquet qui avait apaisé les scrupules de saint Augustin. Les autres textes sont tirés de la correspondance de l'évêque d'Hippone avec Donat, Marcellin, Publicola, avec le comte Boniface. Suivent les références aux papes Pélage et Grégoire[163]. Et Anselme de conclure dans l'esprit de saint Augustin : « Ce n'est pas sans une grande douleur que le chirurgien se résigne à opérer ; c'est avec beaucoup de larmes qu'un père de famille se voit obligé de lier son fils dément. Ainsi le juste rend gloire à Dieu quand la vindicte s'exerce, mais il ressent en lui les souffrances des pécheurs[164]. »

Les idées d'Anselme de Lucques se retrouvent dans la collection du cardinal Deusdedit et le *Libellus contra invasores et simoniacos* du même auteur[165]. Mêmes textes de saint Augustin, mêmes arguments : le père qui corrige son fils et l'exemple de Nabuchodonosor qui défendit de blasphémer contre le Dieu d'Israël ; mêmes décrétales de Pélage et de saint Grégoire. On conclut à la nécessité d'une répression sévère « voulue par les lois humaines et divines qui punissent les méchants et donnent aux bons de justes récompenses »[166].

Bonizon de Sutri, grégorien passionné, justifie dans son *Liber ad amicum*[167], le seul qui nous intéresse ici, la guerre menée contre les perturbateurs de l'Eglise, simoniaques et autres hérétiques. Les exemples donnés ne sont pas toujours heureux, mais ils sont éloquents. Exemple inattendu de saint Hilaire qui se serait manifesté à Clovis, d'après

---

fourni sur 68 chapitres la matière de 25 canons au Décret de Gratien, notamment les décrétales de Pélage, la lettre de Gélase aux évêques de Dardanie, peut-être tirée de l'Avellana, et 12 extraits de saint Augustin. De même le livre XIII d'Anselme aurait fourni sur 28 chapitres la matière de 21 canons au Décret de Gratien, entr'autres les décrétales de saint Grégoire et 11 extraits de saint Augustin.

162. Edition E. Bernheim, dans *M.G.H. Libelli de Lite*, t. II, pp. 517-528.

163. Saint Augustin à Donat, Publicola, aux comtes Marcellin et Boniface : Collectio, liv. XII, 57 et XIII, 12 ; XIII, 18 ; XIII, 10 et 11 ; XII, 59 et 61 ; XIII, 14 et 15 ; Liber, p. 523. Pélage au patrice Narsès : Collectio, liv. VI, 196 et XII, 46 et 47 ; Liber, p. 523. Saint Grégoire à Vélox, à Maurice et Vitalien : Collectio, liv. XIII, 6 et 8 ; Liber, p. 523.

164. « Cum multo siquidem dolore secat pius medicus, ni secaret, moriturum ; cum multis lacrimis ligat pater filium freneticum. Dans denique gloriam nomini Domini laetabitur justus, cum videt vindictam, sed tamen animum ejus semper cruciat pereuntium multa » : allusion à Ps. 57, v. 10. Liber, p. 525.

165. P. FOURNIER-G. LE BRAS : *Hist. des Coll.*, t. II. pp. 37 et ss. Libellus contra invasores et simoniacos, *M.G.H. Libelli de Lite*, t. II, pp. 292-365.

166. « Multa exempla et constitutiones sunt quibus evidenter agnoscitur ut faciens scissuras in sancta ecclesia non solum exiliis sed et proscriptione rerum et dura custodia per publicas potestates debeant coerceri... Nam si, ut quidam putant, nemo nec reprimendus a malo, nec retrahendus ad bonum est, humanas ac divines lages necesse est enervari, quae et malis poenam et bonis praemia justitia suadente constituunt. Malum autem schisma est etiam per extraneas potestates obprimendum », Liber, p. 325.

167. J. PETREAU-GAY, art. Bonizo de Sutri, *D.D.C.* Liber ad Amicum, dans *M.G.H. Libelli de Lite*, I, pp. 568-620.

Grégoire de Tours, dans la basilique de Poitiers pour inviter le roi des Francs à combattre les Ariens[168] ; exemples de saint Augustin, tirés de la fameuse correspondance avec le comte Boniface, de saint Jérôme, concluant d'après le Deutéronome et Jérémie à la mort des pécheurs, de saint Grégoire, invitant les autorités séculières à sévir contre les hérétiques ; de Léon IX enfin s'appuyant sur les Normands contre ses adversaires et de la comtesse Mathilde, « fille du bienheureux Pierre », qui fut l'adversaire acharnée de l'hérésie[169]. Le livre s'achève par des évocations bibliques sur la Vigne de Dieu que ravagent le sanglier de la forêt et la bête des champs et sur l'extermination des impies : Ps. LXXIX, 14, 17 et LXXXII, 11.

Les collections qui se réclament de l'autorité d'Yves de Chartres contiennent une doctrine cohérente et complète de l'hérésie et de la vindicte. Le Prologue du Décret pose le principe du pouvoir coercitif de l'Eglise d'après les théories de saint Augustin. Le Décret lui-même, s'il ne comprend pas de livre spécialement consacré aux hérétiques, contient cependant un grand nombre de textes au livre X sur l'homicide et au livre XIV sur l'excommunication qui se rapportent à notre sujet. Les textes patristiques abondent. Beaucoup viennent de Burchard de Worms ou d'Anselme de Lucques. D'autres viennent sans doute pour la plupart de ces florilèges, si nombreux au Moyen Age, où d'ailleurs puisèrent également Anselme et les polémistes grégoriens[170]. On retrouve ainsi quelques définitions de saint Isidore, des extraits des commentaires de saint Jérôme sur les prophètes et les évangélistes, surtout de très nombreux passages de saint Augustin, tirés des sermons, traités, de la polémique donatiste et de la correspondance, notamment avec le comte Boniface, enfin quelques extraits des œuvres morales de saint Grégoire[171]. Les décrétales sont peut-être moins nombreuses ; elles ne sont pas moins significatives : principe de saint Léon sur la « communication », repris et commenté par Urbain II ; textes de Nicolas I, Alexandre II sur un thème analogue ; consultation de Nicolas I aux Bulgares, lettres de Jean VIII au duc des Slaves et d'Alexandre II aux évêques espagnols sur la légitimité de la guerre, voire sa nécessité, contre les adversaires de l'Eglise ; lettre d'Innocent I à Exupère sur l'exercice du pouvoir civil ; appels de saint Grégoire au Maître de la Milice Velox et au Patrice Gennadius pour défendre l'Eglise nécessairement désarmée qui ne saurait verser le sang ; appels multiples de Léon IV aux empereurs Louis et Lothaire contre

168. Liber, p. 618 — d'après Grégoire de Tours : *Historia Francorum*, lib. II, ch. 37, dans *M.G.H. Scriptores Rerum Merovingicarum*, t. I, ed. Wilh.Arndt, Hanovre 1885, p. 100.
169. Liber, pp. 619-620 — d'après saint Augustin, dans *C.S.E.L.*, t. 57, ep. 185, 189, pp. 8, 133, 135 ; d'après saint Grégoire, dans *M.G.H.* Ep. I, part. 1, pp. 105-106 et 129-130.
170. P. Fournier-G. Le Bras : *Hist. des Coll.*, II, p. 79. *P.L.*, t. 161, *passim*.
171. Saint Isidore : X, 116 ; saint Jérôme : X, 65, 72, 111-115 ; saint Augustin : X, 1, 4, 11, 59-64, 75-80, 99-110, 119, 125, 126 ; saint Grégoire : X, 67 ; XIV, 4, 5 : *P.L.*, t. 161, cc. 689 et suivantes.

l'insolence des Sarrasins[172]. Les canons des Conciles sont beaucoup moins nombreux et ne se rapportent qu'indirectement à la question. Les deux textes les plus intéressants sont du IVe et du XIe conciles de Tolède. Ils viennent de Burchard et défendent aux clercs de siéger dans les Tribunaux civils là où il n'y aurait pas à prononcer de sentence de pardon, parce que les ministres des sacrements ne sauraient porter des jugements de sang[173].

La plupart de ces textes, ceux notamment du livre X sur l'homicide, où se trouvent les plus larges extraits de saint Augustin, sont passés tels quels et suivant le même ordre, dans la troisième partie de la Tripartita et dans le livre VIII de la Panormie[174]. Nous les retrouverons dans le Décret de Gratien.

La collection d'Alger de Liège se caractérise moins par la nouveauté des textes qu'elle apporte que par la méthode d'interprétation qu'elle propose. Le *Liber de Misericordia et Justitia* contient une doctrine très précise, d'après Gélase[175], et de la primauté romaine et de la subordination des Princes. Bien que l'hérésie — il s'agit notamment de la simonie — soit d'une telle gravité qu'elle puisse entraîner la mort : exemples de Judas et de Simon le Magicien, la contrainte doit néanmoins s'exercer, si les preuves de culpabilité sont nettement établies, avec mesure et discrétion. Dans tous les cas, elle doit exclure toute idée de pure vengeance et n'avoir d'autre but que la correction des coupables. Les textes sont de saint Augustin, mais aussi de saint Grégoire, et du pape Anaclet invitant à jeter un voile pudique, à l'encontre de Cham, sur les fautes des pasteurs de l'Eglise[176].

Les idées de tolérance et de mesure dans l'exercice de la vindicte ne sont pas nouvelles. On les retrouve également sous la plume des Grégoriens parce que ce sont les idées mêmes de saint Augustin. Si dans l'ardeur de la polémique l'esprit de tolérance et de mesure s'efface devant l'esprit de vengeance — Bonizon de Sutri en fournit la preuve—, quand les passions s'apaisent, le premier reprend sa juste place dans une théorie sereine qui s'efforce de faire concorder les exigences du Droit avec celles de la conscience, la justice avec la miséricorde.

172. Saint Léon et Urbain II : XIV, 60, 68 ; Nicolas I : XIV, 38, 49, 59 ; Alexandre II : XIV, 57 ; Nicolas I aux Bulgares : X, 93 ; Jean VIII : X, 70 ; Alexandre II aux évêques espagnols : XIII, 114 ; Innocent I : X, 94 ; saint Grégoire : X, 90 ; XV, 121 ; XVI, 19 ; Léon IV : X, 83, 84, 87 ; *P.L.*, t. 161, cc. 719 ss.
173. Yves : V, 315 et VI, 222, d'après Burchard : I, 201 et II, 149.
174. La Tripartita, inédite, serait dans sa troisième partie un résumé du Décret et la Panormie un abrégé du Décret : cf. A. VAN HOVE : *Proleg.*, p. 332. Sur la discussion au sujet du rapport entre elles des trois collections, voir P. FOURNIER-G. LE BRAS : *Hist. des Coll.*, II, pp. 65, 85 et suivantes.
175. A. AMANIEU, art. *Alger de Liège*, dans *D.D.C.* s'inspire de l'article de G. LE BRAS sur le Liber de Misericordia et Justitia, dans *N.R.H.D.F.E.*, 1921, pp. 80-118 ; *P. L.*, t. 180, cc. 859-968. Sur Gélase : 3e Partie, cap. 70 ss : cc. 961 ss ; d'après Ps. Isid. dans P. HINSCHIUS, pp. 639, 644, 642.
176. Saint Augustin : Ire Partie, cap. 41-44 ; 83, 87 ; saint Grégoire : Ire Partie, cap. 28, 35-37 ; Anaclet à tous les évêques : Ire Partie, cap. 38, dans P. HINSCHIUS, p. 85, XXXVIII, XXXIX ; *P. L.*, t. 180, cc. 868-896.

*
* *

Si le Droit Romain n'était pas oublié — les constitutions insérées dans le Pseudo-Isidore et dans le traité d'Hincmar en sont la preuve — il n'était guère utilisé par les canonistes. Avec la Renaissance bolonaise[177] il apporte au monde occidental la notion retrouvée de la Chose Publique et le concept de Majesté dont les canonistes de l'âge classique feront usage pour justifier l'Inquisition.

Le premier des Maîtres Bolonais, Irnérius ou Warnerius qui enseignait dans la première moitié du XIIe siècle[178], rappelle simplement dans sa *Summa* les dispositions essentielles de la législation impériale[179]. En premier lieu, la prohibition de l'hérésie, comportant l'interdiction de l'enseignement hétérodoxe. Irnérius précise que les lieux de réunion, quel qu'en soit le caractère, *sive sub nomine ecclesie, sive forte in privatis aedificiis*, doivent être vendus aux églises auxquelles ils portent préjudice et que le propriétaire ou tenancier est passible de sanction[180]. Ensuite, la punition des hérétiques. Les peines personnelles se résument toutes dans la peine d'infamie : *infames fiunt*. Elles comportent par conséquent l'incapacité de témoigner en justice[181] et toutes les autres incapacités, comme de faire un testament ou de recevoir une succession, ce qui entraîne la peine de confiscation des biens de tout hérétique dépourvu de toute espèce de parenté catholique, conformément aux constitutions justiniennes que nous avons analysées[182].

Cependant, Irnerius reconnaît que les hérétiques sont passibles de beaucoup d'autres peines que précisent, écrit-il, les lois anciennes et les lois récentes : *Has poenas et alias multas, que tam veteribus quam*

177. A. Revier : *L'Université de Bologne et la Première Renaissance de la Science Juridique*, dans *N.R.H.D.F.E.*, t. 12, 1883. pp. 298-302. De même Stephen d'Irsay : *Histoire des Universités françaises et étrangères*, t. I, Paris 1933, pp. 78 et ss. E. Besta : *Fonti : legislazione e scienza giuridica dalla caduta dell' Impero romano al secolo decimo sesto*, dans Pasquale del Giudice, *Storia del diritto italiano*, t. I, Milan 1923, pp. 373 et ss, 791 et ss.

178. Vers 1080, d'après A. van Hove : *Proleg.*, p. 458. Il mourut après 1125, d'après Van Hove, p. 459, avant 1140, d'après J. de Ghellinck : *Le mouvement théologique du XIIe siècle*, 2e éd., Bruges, Bruxelles, Paris 1948, p. 207.

179. *Summa Codicis des Irnerius*, éd. H. Fitting, Berlin 1894, liv. I, titre V : *De Haereticis*.

180. « Loca quoque coadunandi interdicta sunt... locis quidem in quibus hujusmodi haeresis exercetur... venerabilibus ecclesiis ad quarum contumeliam hoc factum est vindicandis, domino quoque seu procuratore in cujus loco hoc perpetratum est poenam (h)abituro » : I, V, 3, 4 ; p. 11, l. 28 ; p. 12, l. 1.

181. « A testimonio juditiali prohibentur » : I, V, 3 ; p. 11, l. 27.

182. « Item faccio testamenti eis prohibita est tam per testationem quam etiam ne ex alterius elogio aliquid capiant. Et generaliter neque inter vivos quolibet modo seu titulo aliquid transferre possunt, nec causa mortis relinquere, item ne ipsi accipere possunt : successores quoque ab intestato nec existere nec habere possunt, nisi habeant liberos orthodoxae fidei, vel (si) his defitientibus devolvitur successio ad eorum cognatos ejusdem fidei. His omnibus non extantibus, si clerici fuerint, ecclesiae vindicatur, vel, si clerici inter annum petere supersederint vel si laici fuerint, fisco applicatur » : I, V, 3 ; p. 11, l. 15-24.

novis sanctionibus continentur, hii qui a catholica fide deviant patiantur. A quelles peines Irnérius peut-il faire allusion ? Nous avons vu en commentant les Constitutions impériales que les Manichéens avaient été condamnés à l'exil, à la déportation, à la mort, au feu[183]. Nous verrons ultérieurement qu'à l'époque d'Irnerius le Manichéisme avait fait en Occident sa réapparition et qu'il avait été durement réprimé, soit par les conciles, soit par le pouvoir temporel, soit par le peuple lui-même. C'est peut-être à cette législation à la fois antique et récente qu'Irnérius ferait allusion.

A la fin du xiiᵉ siècle, Placentin[184] insiste peu dans sa *Summa* sur la répression du culte hérétique[185], mais davantage sur la punition des hérétiques : *His omnibus legitimus actus interdictus est, omnis ligitima conversatio adempta, his nihil ex moribus, nihil ex legibus est commune cum ceteris* — cette remarque reproduit mot à mot le considérant de la constitution *Manichaeos* — *horum bona publicantur. Hi non a parente nec a parentibus aliquid quocumque titulo percipere poterunt, non in alium conferre : forte in filios catholicos aliosve homines orthodoxos. Ergo horum bona aut filii catholici et consimiles cognati habebunt, aut forte minime tamquam in majestatis crimine.* Ce texte est important. Les hérétiques sont hors la loi. Il n'est pas question de peines personnelles, mais uniquement de la confiscation des biens. Cette confiscation est à ce point radicale qu'elle peut affecter même la descendance catholique, par analogie avec les peines qui frappent les criminels de lèse-majesté. Placentin écrit dans son commentaire de la *Lex Julia Majestatis* : IX, 8 : *Eo tamen crimine naturali interitu non liberatur, hereditas filiis aufertur.* La similitude de la peine réelle peut conduire à une similitude de la peine personnelle : la mort.

Aux incapacités de caractère privé, Placentin ajoute les incapacités de caractère public, l'une ecclésiastique, l'autre séculière : *Haeretici non sunt creandi ministri ecclesiae nec ipsi creabunt* — la chose est évidente — *Ad regimen reipublicae promoveri non debent.* Ce qui est l'expression résumée de la législation impériale, peut-être aussi l'écho des traditions grégoriennes en vertu desquelles celui qui n'est pas fidèle à Dieu n'a plus droit à la fidélité de ses sujets.

Vers la fin du xiiᵉ siècle, l'hérésie est un crime de lèse-majesté. Cette idée sera très nettement formulée par Innocent III dans la célèbre décrétale *Vergentis in senium* qui paraît dans la dernière année du siècle.

La Somme du Code[186], composition anonyme d'origine dauphinoise

183. Voir ci-dessus, p. 35.
184. P. DE TOURTOULON : *Placentin, la vie, les œuvres*, Paris 1895.
185. Summa Codicis, édition princeps, Mayence 1536, Titre De Haereticis : « Si convenerint ut haeresim doceant, loca in quibus convenient, sive fuerint eorum sive aliorum, convenienter ecclesie adjiciuntur », p. 12.
186. *Lo Codi eine Summa Codicis in provenzälischer Sprache aus der Mitte des XII Jahrhunderts*, édition H. Fitting et H. Suchier, Halle 1906.

ou provençale[187], traduite en latin par un certain Richard de Pise, se contente de rappeler la double défense des *conventicula* et de l'enseignement hétérodoxe, la note d'infamie et toutes les incapacités[188]. La Somme fait aussi allusion à d'autres peines que les hérétiques doivent souffrir : *Istas penas et alias debent sustinere illi qui sunt heretici*. De quelles autres peines s'agit-il ? La Somme du Code serait contemporaine des événements qui agitèrent le Dauphiné et la Provence à la suite de quoi l'hérétique Pierre de Bruys, dont nous parlons plus loin, fut expulsé de plusieurs diocèses et finalement brûlé. Y aurait-il quelque rapport entre la remarque de la Somme et l'exécution de Pierre de Bruys ?

S'il n'y a rien à retenir de la *Lectura* d'Azon[189] on retrouve dans sa *Summa*, au titre *De Haereticis*[190], un bref résumé de la législation romaine. Azon rappelle dans le style de Placentin que les hérétiques les plus fameux, il s'agit notamment des Manichéens, sont exclus de tous les actes légitimes, d'après les constitutions *Quicumque* et *Quoniam multi*, C.J : I, V, 8, 21, car ils n'ont rien de commun avec les autres hommes, ni dans leurs lois, ni dans leurs mœurs. Ils ne peuvent ni contracter entre vifs ni laisser par testament quoi que ce soit à personne, pas même à leurs fils. Ils sont assimilés aux criminels de lèse-majesté : *quia omnino tamquam crimine lesae majestatis tenentur*. Leur succession revient au fisc. Ici, Azon rejette la doctrine de Placentin qui exclut de la succession même la descendance catholique. Il se fonde sur une clause de la constitution *Manichaeos* qui corrige précisément en faveur de la descendance catholique la rigueur de la *Lex Julia Majestatis*[191].

Tous les hérétiques, conclut Azon, peuvent donc tester en faveur de leurs enfants fidèles (à l'orthodoxie), pas envers les autres. Néanmoins ceux-ci, au cas où ils se convertiraient, pourront récupérer leurs

---

187. *La Somme du Code.* Texte dauphinois de la région de Grenoble, incomplet, publié d'après un mss. du xiiie siècle par L. Royer et A. Thomas, dans *Notices et Extraits des Manuscrits de la Bibliothèque Nationale*, Paris 1933, t. 42.

188. « Non habeant locum ubi teneant suam haeresim, nec debent habere scolas de sua falsa scientia, et ille qui faceret contra hoc quod est prohibitium potest sic accusari quod erit infamis ; nec possunt facere testamenta, nec recipere possunt aliquid de testamento aliorum hominum, nec possunt habere heredem nec in testamento nec sine testamento, nisi habeant filios qui teneant bonam fidem et veram », p. 8.

189. *Azonis Lectura sive Commentaria in codicem justinianeum*, Paris 1611.

190. *Summa Azonis*, Lyon 1540, Liber Primus : *De Haereticis et Manichaeis et Samaritis*.

191. « Est autem sciendum quod hereticorum quidam predicant turpiosa et in maximo sunt errore ut Manichaei et Samaritani... quibus omnibus omnis legitimus actus est interdictus ut C. Quicumque et Quoniam multi, § idcirco, et cum aliis hominibus nihil ex legibus vel moribus habent commune : hi nec inter vivos pacisci, nec in ultima voluntate aliquid alicui relinquere possunt, etiam filiis quia omnino tanquam crimine lesae majestatis tenentur : et ideo in bona eorum succedit fiscus, nisi filios habeant fideles, licet Pla. etiam in filios fideles dixerit eos non posse testari, lex tamen infra eo. 1. Manichaeos dicit contra... », fol. IV, vo b.

biens, mais avec cette réserve : *sine fructibus et sine administrationis gubernatione*[192]. Azon se réfère, sans le dire, à une Novelle CXV, ch. III, § 14, insérée partiellement dans le Code : I, V, après la loi 19, qui déclare que les fils convertis recouvrent leur part, mais sans usufruit ni gestion[193]. Du moins, ils la recouvrent, contrairement à la doctrine qui a la préférence de Placentin.

Anselmus ab Orto, contemporain de Placentin, écrit dans son *De instrumento actionum* ou *Juris civilis instrumentum*, sous la rubrique *Crimen hereseos : Hoc crimen crimini majestatis similte est et iisdem modis punitur, nisi quod in hoc crimine delicti venia penitentibus non denegatur, ut C. de Hereticis et Manicheis, L. Manichaeos et L. Ariani*[194]. Ces deux constitutions du Code Théodosien : XVI, V, 40, 65, reproduites dans le Code Justinien : I, V, 4, 5, reviennent à chaque instant sous la plume des Romanistes, nous venons de le voir, et des Canonistes, nous le verrons plus loin. La première, analysée ci-dessus, fait de l'hérésie un *Publicum crimen*. La seconde, mentionnée ci-dessus, condamne les Manichéens à l'exil et à la mort.

* *

Tandis que les Romanistes assimilent, conformément à la tradition impériale, l'hérésie à la lèse-majesté, Gratien, dans son Décret, pose le problème de la répression de l'hérésie d'une manière suffisamment complète pour qu'il soit possible d'en tirer, sinon un code de procédure — l'expression ne convient guère — du moins une théorie générale qui, en s'imposant aux législateurs, inspirera la discipline de l'Inquisition.

Nous utilisons la Cause XXIII et la Cause XXIV.

Le problème est posé, Cause XXIII, non pas *in abstracto*, mais sous la forme de cas concrets, peut-être simplement imaginaires, peut-être aussi réels. « Certains évêques, écrit Gratien, sont tombés dans l'hérésie avec le troupeau qui leur était confié. Ils commencèrent à obliger les catholiques de la région, par des menaces et des peines, à embrasser l'hérésie. Ce que voyant, le pape ordonna aux évêques voisins qui

---

192. « Omnes ergo heretici testari possunt in filios fideles non in infideles, si tamen postea resipiscant, repetunt partem suam sine fructibus et sine administrationis gubernatione. Si autem filii omnes perversi sunt perfidioribus hereticis succedit fiscus ut dictum est », item fol. IV, v° b.

193. Novelle CXV, ch. III, § 14, d'après *C. J.*, I, V, après la loi 19 : « Idem de Nestorianis et Acephalis... Si vero permixti sunt, portio infidelium interim resideat penes orthodoxos : ipsis, si conversi fuerint, restituenda quidem sed absque ratione fructuum et administrationis. Permanebit autem apud orthodoxos, si ipsi perseverent in nequitia... »

194. Anselmus ab Orto : Juris civilis instrumentum, C. LXXXI : Crimen hereseos, éd. V. Scialoja, dans A. GAUDENZI : *Bibliotheca juridica medii aevi, Scripta anecdota glossatarum*, vol. 2, Bologne, 2ᵉ éd. 1914, p. 114. Sur Anselmus, voir F.K. SAVIGNY : *Geschichte des römisches Rechts im Mittelalter*, t. V, Heidelberg 1851, pp. 169-172.

5

avaient reçu de l'empereur la juridiction civile de défendre les catholiques contre les hérétiques et de les obliger par tous les moyens à
revenir à l'unité de la foi. Les évêques, au reçu des lettres pontificales,
réunirent officiellement leurs troupes et commencèrent à combattre
les hérétiques par des embûches. Les uns furent tués en grand nombre,
les autres furent condamnés à la prison. Les hérétiques se virent alors
contraints de revenir à l'unité de la foi catholique. »

Ces données posent à leur tour un certain nombre de questions :
1º Est-ce un péché de faire la guerre ?
2º La guerre peut-elle être juste ?
3º Faut-il repousser l'injustice par les armes ?
4º Faut-il exercer la « vindicte » ?
5º Est-ce un péché pour le juge de livrer à la mort les coupables ?
6º Faut-il contraindre les méchants à faire le bien ?
7º Faut-il dépouiller les hérétiques de leurs biens et des biens d'Eglise
qu'ils possèdent, et peut-on dire que celui qui possède des biens des
hérétiques possède des biens étrangers ?
8º Les évêques et les clercs, soit en vertu de leur propre autorité
ou par ordre du pape ou de l'empereur, peuvent-ils porter les armes ?

A ces questions, Gratien s'efforce de répondre, suivant la tradition
canonique, en invoquant des textes bien connus et en utilisant une
méthode de concordance des textes contradictoires.

La Cause XXIII comprend 166 canons. Près des trois quarts sont
d'origine patristique, notamment de saint Augustin. Le reste comprend une vingtaine de décrétales, la plupart authentiques, une douzaine de canons conciliaires, trois textes médiévaux[197], une triple constitution impériale[198] et un capitulaire[199].

---

195. St. D'IRSAY, *ouvr. cité*, pp. 87 et ss. A. Van Hove : pp. 339 et ss. J. DE
GHELLINCK : *Le Mouvement Théologique...*, 2e éd., pp. 203 et ss. Voir H. PIS-
SARD : *La guerre sainte en pays chrétien*, Paris, 1912, *passim*.
196. Dictum Gratiani, avant le canon 1 de la Question I.
197. 1 canon d'Hérard de Tours, 1 d'Eginhard, 1 de Haymon de Halberstadt,
et non de Remi d'Autun ; comm. sur saint Paul : ep. XIII ; *P. L.*, t. 117, c.
481. C. XXIII, Q. VIII, c. 4, c. 10 et Q. V, c. 39.
198. Le même canon contient trois constitutions : une de Constance et Constant aux habitants d'Antioche : 14 février 361 ; une de Gratien, Valentinien et
Théodose à Tuscien, Comte d'Orient : 31 mars 381 ; une de Justinien à Démos-
thène, Préfet du Prétoire : 529 ; *C. Th.*, XVI, II, 16, 26 et *C. J.*, I, II, 22, dans
c. 23, C. XXIII, Q. VIII.
199. D'après la collection des Capitulaires d'Anségise, liv. I, ch. 85; *M. G.
H. Legum*, II : *Capitularia Regum Francorum* : I, p. 407, dans c. 25, C. XXIII,
Q. VIII.

En voici le détail :

C.XXIII	Q. 1	Q. 2	Q. 3	Q. 4	Q. 5	Q. 6	Q. 7	Q. 8		
Saint Augustin	3	2	5	34	22	3	4	1	=	74
» Grégoire	1	—	—	8	1	1	—	4	=	15
» Jérôme	—	—	1	1	9	—	—	1	=	12
» Ambroise ...	—	—	2	2	1	—	—	1	=	6
» Cyprien......	—	—	—	—	2	—	—	—	=	2
» Isidore.......	—	1	—	—	1	—	—	—	=	2
» Léon	—	—	—	—	1	—	—	—	=	1
» Jean Chrys. .	—	—	—	—	—	—	—	1	=	1
Origène	1	—	—	—	—	—	—	—	=	1
Décrétales........	—	—	2	4	6	—	—	9	=	21
Conciles	—	—	1	—	3	—	—	10	=	14
Divers	2	—	—	5	3	—	—	7	=	17
	7	3	11	54	49	4	4	34		166

La Cause XXIV envisage le problème de l'hérésie sous un aspect différent. « Certain évêque, tombé dans l'hérésie, a privé de leur office quelques-uns de ses prêtres et il les a excommuniés. Après sa mort, il fut accusé d'hérésie et condamné comme tel avec tous ses partisans et toute sa famille. » De là trois questions :

1. – Un hérétique peut-il priver d'un office et fulminer une censure ?

2. – Peut-il être excommunié après sa mort ?

3. – Pour le péché d'un seul toute une famille peut-être être excommuniée ?

La Cause XXIV comprend 87 canons, dont la moitié d'origine patristique, surtout de saint Augustin, une dizaine de décrétales, authentiques et fausses, cinq canons conciliaires et quatre textes médiévaux.

En voici le détail :

Cause XXIV	Q. 1	Q. 2	Q. 3		
Saint Augustin	7	—	6	=	13
» Grégoire	2	—	3	=	5
» Jérôme	2	—	5	=	7
» Ambroise	5	—	—	=	5
» Cyprien.	3	—	—	=	3
» Isidore...............	—	—	1	=	1
» Léon	2	2	2	=	6
» Origène	—	—	5	=	5
Décrétales	17	3	4	=	24
Conciles	—	1	7	=	8
Divers	4	—	6	=	10
	42	6	39		87

Par quelles voies Gratien a-t-il connu les textes dont il s'est servi ? Il est assurément facile d'en faire le relevé d'après les notes de Friedberg. En fait, les références ne sont pas toujours données, ni toujours sûres. Elles se recouvrent souvent les unes les autres, de telle sorte qu'il n'est pas toujours aisé d'identifier la source. Compte tenu de

ces réserves et de bien d'autres encore[200], Gratien aurait consulté,
parmi les collections pour nous les mieux connues et les plus acces-
sibles, la collection d'Anselme et les collections chartraines.

Voici quelques exemples :

Gratien	Anselme	Yves : Décret	Panormie	Tripartita	Objet
C.XXIII. Q. IV, c. 7		II, 101			Saint Augustin
— c. 8		II, 102			la tolérance
— c. 9		II, 103			méchants.
— c. 48	XIII, 29				Saint Grégoire
— c. 49	XIII, 30				Gennadius.
— c. 51		X, 60		III, 20, 21, 20	Saint Augustin
— c. 52		X, 61		III, 20, 21, 20	la nécessité de
— c. 53		X, 62		III, 20, 21, 20	vindicte.
Q. V, c. 1	XIII, 10				Saint Augustin
— c. 2	XIII, 11				l'esprit de la v
— c. 3	XIII, 12				dicte.
— c. 16		X, 106		III, 20, 21, 36	»
— c. 17		X, 107		III, 20, 21, 37	»
— c. 18		X, 108		III, 20, 21, 37	»
— c. 19		X, 108		III, 20, 21, 37	»
— c. 27		X, 111	VIII, 48	III, 20, 21, 39	Saint Jérôme
— c. 28		X, 112	VIII, 49	III, 20, 21, 40	Commentaires
— c. 29		X, 114	VIII, 51	III, 20, 21, 42	
— c. 30		X, 115	VIII, 52	III, 20, 21, 43	
— c. 31		X, 116	VIII, 53	III, 20, 21, 44	
— c. 33		X, 75		III, 20, 21, 25	Saint Augustin
— c. 34		X, 75		III, 20, 21, 25	la nécessité de
— c. 35		X, 75		III, 20, 21, 25	vindicte.
— c. 37		X, 77		III, 20, 21, 27	»
— c. 38		X, 79		III, 20, 21, 28	»
— c. 44	XII, 46				Pélage à Nars
— c. 45	XII, 47				
Q. VIII, c. 7		X, 83	VIII, 27		Léon IV aux e
— c. 8		X, 84	VIII, 28		pereurs.
— c. 17	XIII, 6				Saint Grégoire
— c. 18	XIII, 8				Velox, Maurice
					Vitalien.
C.XXIV. Q. I, c. 9	I, 35				Fausses décré
— c. 10	I, 36				les de Lucius
					Sixte.
— c. 19	V, 2				Saint Cyprien
— c. 20	V, 3				Saint Augusti
					sur l'unité d
					l'Eglise.
— c. 33	XII, 42				Pélage et les
— c. 34	XII, 44				schismatiques.

200. Sur la délicate question des sources de Gratien, voir Ch. MUNIER, *ouvr
cité*, pp. 125-146.

Ces quelques exemples montrent évidemment quelles sources Gratien a utilisées ; mais on voit aussi quel découpage il a fait dans la série des canons d'Anselme ou d'Yves. On se demande, par exemple, pourquoi le canon d'Yves : Décret : X, 113 = Pan : VIII, 50 = Tri : III, 20, 21, 41 : au lieu de se retrouver dans la série de saint Jérôme à laquelle il appartient naturellement, est reporté au c. 6 de la Q. III. On peut aussi se demander pourquoi le canon d'Yves : Décret : X, 59 = Tri III, 20, 21 19, qui rapporte des extraits de la correspondance de saint Augustin avec le comte Boniface, a été découpé en trois tronsons, formant dans la Cause XXIII les c. 2, Q. III ; c. 48. Q. V ; c. 1. Q. VI. De même, le canon d'Anselme : XII, 68, qui rapporte les extraits de la longue épître de Gélase aux évêques de Dardanie, est divisé en deux parties qui se trouvent c. 2, C. XXIV, Q. I et c. 36. C. XXIV, Q. III.

Quoi qu'il en soit de ce découpage des textes, la méthode de Gratien, dans la Cause XXIII notamment, la plus importante, suit un processus logique et les données contraires des canons sont discutées dans l'esprit d'Yves de Chartres et d'Alger de Liège.

Comme il serait fastidieux de faire l'analyse successive de chacune des Questions, nous croyons préférable de diviser cette étude en deux parties : La théorie de la Guerre ; La théorie de l'hérésie.

La guerre[201] peut se définir : une action collective ayant pour objet la transgression d'un droit ou le châtiment d'une injustice[202]. Nous pouvons distinguer par conséquent la guerre offensive et la guerre défensive. La première est toujours immorale, mais la seconde ne l'est pas nécessairement. Si l'on s'en tient aux données de l'Ancien et du Nouveau Testament[203], on conclut que *militare* est toujours un péché et on explique avec Origène que les guerres[204] de l'Ancien Testament sont la figure du combat spirituel que tout chrétien doit mener contre les embûches du démon. Mais à cette intransigeance, Gratien apporte quelques tempéraments. La guerre se justifie à une double condition : condition de fond et condition de forme.

La guerre se justifie en premier lieu par le motif qui l'inspire. D'après saint Augustin, la doctrine de la non-résistance au mal peut s'entendre en un sens purement spirituel. Il y a donc possibilité de divorce entre les sentiments de l'âme et l'attitude du corps, tel un père qui corrige son fils sans préjudice de son amour paternel[205]. C'est en vertu de ce

201. *Militare* signifie d'une façon générale : remplir un service, s'acquitter d'une fonction, qui peut être religieuse, civile ou militaire. Ici *militare* veut dire : le port des armes, l'institution militaire et par extension la guerre.
202. C. XXIII, Q. I, D. Gr. avant le c. 1 : Omnis militia vel ob injuriam propulsandam, vel propter vindictam inferendam est instituta.
203. Deut. XXXII, 35 ; Matth. V, 39, 41 ; VII, 1 ; XIII, 30 ; XXVI, 52 ; Rom. XII, 19 ; XIV, 4.
204. C. XXIII, Q. I, c. 1 ; texte faussement attribué à saint Grégoire par Gratien. Il est en réalité d'Origène, *Livre sur Josué* ; Hom. 15, n° 1. *Patr. Grecq.*, t. XII, c. 897.
205. C. XXIII, Q. V, c. 36 : saint Augustin : sup. ep. Johannis ad Parthos :

principe que l'Etat chrétien fait la guerre pour ramener les hommes au respect de la justice et de la piété, car, ajoute saint Augustin, « il n'y a rien de plus pernicieux que la félicité des pécheurs[206]... La justification suprême de la guerre, dit-il encore en termes équivalents, c'est l'acquisition de la paix[207]. »

La guerre se justifie en second lieu par l'autorité qui la déclare. D'après saint Isidore, la guerre est juste *quod ex edicto geritur* ; or, l'édit « désigne d'une manière générale tout acte officiel publié par une autorité ayant qualité à cet effet »[208]. Cette autorité peut être humaine : celle de l'Etat, ou divine : celle de Dieu. Connaissant toutes choses, Dieu peut en effet commander une guerre. Dans ce cas le chef de l'armée n'est que le lieutenant de Dieu[209].

La théorie de Gratien sur la guerre n'est qu'une introduction à l'étude de l'hérésie qui fait l'objet de cette deuxième partie.

Tract. VII, n⁰ 11, *P. L.*, t. 35 : c. 2034, 2035 ; item, Q. IV, c. 44 ; saint Augustin contra Faustum : Liv. XXII n⁰ 79, *C.S.E.L.*, t. 25, p. 680, 681 ; citation de saint Paul : *Tradidit hominem Sathane in interitum carnis*, I, Cor. V, 5 ; It. St. Aug., C. XI, Q. III, c. 32 : Caput incertum.

206. C. XXIII ; Q. I, c. 2. Ad Marcellinum, n⁰ 14, ep. 138 : *P. L.*, t. 33, c. 531 ; *C.S.E.L.*, t. 44, p. 140. Voir P. Battifol, *Le catholicisme de saint Augustin*, Paris, 1920, t. II, p. 331 à 349. Item, G. Combés, *ouvr. cité*, p. 301 et suivantes.

207. C. XXIII, Q. I, c. 3 : Saint Augustin ad Bonifacium, ep. 185, *C.S.E.L.*, t. 57, p. 135. C'était déjà la théorie de Cicéron : *De Officiis* : I, 2 : « Sunt autem quaedam officia etiam adversus eos servanda a quibus injuriam acceperis. Est enim ulciscendi et puniendi modus. Atque in republica maxime conservanda sunt jura belli. Nam, cum sint duo genera decertandi, unum per disceptationem, alterum per vim, cumque illud proprium sit hominis, hoc belluarum, confugiendum est ad posterius si uti non licet superiore. Quare suscipienda quidem bella sunt ob eam causam, ut sine injuria in pace vivatur.... Ex quo intelligi potest nullum bellum esse justum nisi quod aut rebus repetitis geratur, aut denunciatum ante sit et indictum. »

208. A. Weiss : art. Edictum, dans le *Dict. des Ant. Grecq. et Rom.*

209. C. XXIII, Q. II, c. 1. Deux textes de saint Isidore : Justum bellum est quod ex edicto geritur de rebus repetundis aut propulsandorum causa. Ici, s'arrête le texte de Gratien, mais saint Isidore continue : Injustum bellum est quod de furore, non de legitima ratione initur. De quo in Republica dicit Cicero. Illa injusta bella sunt quae sunt sine causa suscepta. Item : Judex dictus quia jus dictat populo sive quod jure disceptet. Jure autem disceptare est juste judicare. Non enim est judex si non est justitia in eo. *Etymologies*, liv. XVIII, ch. I : De bellis ; ch. I, n⁰ 2 et ch. XV ; De foro, n⁰ 6, *P. L.*, t. 82, c. 639 et 650. Item : C. XXIII, Q. II, c. 2 : Justa autem bella solent diffiniri que ulciscuntur injurias, sic gens et civitas petenda est, que vel vindicare neglexerit quos a suis improbe factum est, vel reddere quod per injurias ablatum est. Sedet hoc genus belli sine dubio justum est quod Deus imperat apud quem non est iniquitas et qui novit quid cuique fieri debeat ; in quo bello ductor exercitus vel ipse populus non tam auctor belli quam minister judicandus est. St. Aug. *Quaestiones* : liv. VI, Q. X. *C.S.E.L.*, t. 28, (sect. III, Par. 3) p. 428, 429. Voir Paul Monceaux : « Saint Augustin et la guerre », dans *L'Eglise et la Guerre*, Paris, 1913, ch. II. Item : A. Vanderpol : *Le droit de guerre d'après les canonistes et les théologiens du Moyen Age*, Paris, 1911 ; du même : *La doctrine scolastique du droit de guerre*, Paris, 1919 ; T. Ortolan : art. Guerre dans le *D.T.C.* ; H. de Solages : *La théologie de la guerre juste*, Paris, 1946, pp. 27-46 ; G. Hubrecht : La « juste guerre » dans le Décret de Gratien. *Studia Gratiana*, t. III, Bologne, 1955, pp. 161-177 : étude critique sur les canons utilisés par Gratien.

L'hérésie se définit par rapport à l'orthodoxie. Or, le critérium de l'orthodoxie, c'est l'Eglise Romaine. La fausse décrétale, attribuée au pape Marcel, ordonne aux évêques orientaux de ne rien enseigner, de ne rien « concevoir » — *sentire* — qu'ils n'aient reçu de Pierre, des autres Apôtres et des Pères[210] ; à ce sujet, la décrétale rappelle le texte fameux : *Tu es Petrus, et super hanc petram aedificabo Ecclesiam meam*[211]. Ecrivant aux Pères du Concile de Milève, Innocent Ier réclame le droit d'instruire toutes les questions de foi de toutes les Eglises du monde[212]. Ainsi, l'hérésie se présente d'elle-même comme le rejet partiel ou total de l'enseignement officiel et traditionnel de l'Eglise Romaine. L'hérésie, écrit saint Jérôme, est une perversion du dogme[213] ; son nom, d'origine grecque signifie : élection. Elle caractérise, en effet, l'acte de l'individu qui choisit pour soi-même une discipline qu'il juge meilleure[214]. Est hérétique, écrit saint Augustin, celui qui reçoit ou embrasse des croyances fausses et nouvelles[215]. Ailleurs, il précise : « Ceux qui dans l'Eglise du Christ donnent leur assentiment affectif : *sapiunt*, à quelque chose de morbide et de mauvais, et qui, après correction destinée à les détourner de leurs erreurs refusent d'amender leurs croyances mortelles et s'obstinent à les défendre, ceux-là sont hérétiques[216]. » L'hérésie est donc constitué par un élément intellectuel et moral : une corruption dogmatique et une obstination prolongée. Il est inutile de faire remarquer tout le danger que la présence des hérétiques cause à la société chrétienne. Quelle attitude faut-il adopter à leur égard ? C'est tout le problème de la répression.

Dans l'Ancien Testament la Loi était sévère : « Je suis le Seigneur Dieu vengeur qui poursuit les péchés des pères dans leurs enfants jusqu'à la troisième et quatrième génération[217] ; mais le Nouveau Testament enseigne l'amour : « Bienheureux les doux, bienheureux les miséricordieux... Il y a plus de joie dans le ciel pour un pécheur qui fait pénitence que pour quatre-vingt-dix-neuf qui persévèrent... Je ne

210. C. XXIV, Q. I, c. 15 : « Rogamus vos... ut non aliud doceatis neque sentiatis quam quod a Beato Petro apostolo et reliquis apostolis et Patribus accepistis. » Jaffé : n° 160, Mansi, t. I, col. 1262, *P. L.*, t. 7, c. 1092-1093.

211. Matthieu, XVI, v. 18.

212. C. XXIV, Q. I, c. 12 : « Quotiens fidei ratio ventilatur, arbitror omnes fratres et coepiscopos nostros nonnisi ad Petrum, id est sui honoris et nominis auctoritatem refere debere, » J, n° 322. Mansi : t. III, c. 1075, *P. L.*, t. 20, c. 590. Hinschius, p. 538.

213. C. XXIV, Q. III, c. 26 : Comm. de St Jérôme sur l'Epître à Tite : ch. 3, v. 10 et 11. *P. L.*, t. 25, c. 598.

214. C. XXIV, Q. III, c. 27 : Comm. de St. Jérôme sur l'Epître aux Galates : ch. 5, v. 19-21, *P. L.*, t. 26, c. 417.

215. C. XXIV, Q. III, c. 28 : Liber de utilitate credendi ; c. I, *P. L.*, t. 42, c. 65, *C.S.E.L.*, t. 25, p. 3.

216. C. XXIV, Q. III, c. 31 : « Qui in Ecclesia Christi morbidum aliquid pravumque sapiunt, si correcti, ut sanum rectumque sapiant, resistunt contumaciter, suaque pestifera et mortifera dogmata emendare nolunt, sed defensare persistunt, heretici sunt. » Saint Augustin, *De Civitate Dei*, XVIII, 51 ; *C.S.E.L.*, t. 40, vol. II, p. 351-352. Le texte ajoute : « et foras exeuntes habentur in exercentibus inimicis. »

217. Exode, XX, 5 ; dans *Dictum Gratiani*, avant le canon 16, C. XXIII, Q. IV.

suis pas venu appeler les justes, mais les pécheurs... Ne résistez pas
au mal, aimez vos ennemis, faites du bien à ceux qui vous persécutent,
afin que vous soyez les fils de votre Père qui fait lever son soleil sur
les bons et les méchants et fait tomber la pluie sur les justes et les
pécheurs[218]. » « Si ton ennemi a faim, écrit saint Paul, donne-lui à
manger ; s'il a soif, donne-lui à boire[219]. » Il faut donc supporter les
méchants, éviter leur contact moral[220], fuir leurs assemblées[221], mais
s'appliquer à les convertir en des colloques intimes tout empreints de
charité évangélique. Mais ici encore, la doctrine de la non-résistance
au mal souffre quelques exceptions. Il faut laisser à Dieu la sanction
du péché, écrit Gratien[222], mais quand nous ne pouvons pas faire autrement, c'est-à-dire :

1º Quand les pécheurs ne ressortissent pas à notre juridiction : les
infidèles par exemple[223].

2º Quand les péchés ne sont pas des délits ; d'où la nécessité des
preuves[224].

3º Quand le peuple ou son chef est plongé dans le mal et qu'on ne
saurait les punir sans danger pour la paix de l'Eglise[225].

4º Quand l'injure est personnelle[226].

En dehors de ces quatre cas, le péché est donc légitimement sanctionné par l'Eglise[227].

218. Matthieu, V, 3 ; Luc, XII, 7 ; Matth., IX, 13 et V, 39.
219. Rom., XII, 20 ; *D. Gratiani* avant le canon 16, C.XXIII, Q. IV.
220. C. XXIII, Q. IX, c. 1 à 15 ; sur la discussion avec l'hérétique : c. 8.
221. C. XXIV, Q. I, c. 26 : Saint Ambroise : Comm. sur saint Luc, liv. 6,
nº 67 (Luc, IX, 5). *C.S.E.L.*, t. 32, Par. IIII p. 259-260. Item : C. XXIV, Q. III, c. 35 :
« Clericus haereticorum aut schismaticorum tam convivia quam sodalitates evitet equaliter. Eorum conventicula non ecclesia, sed conciliabula sunt appellanda.
Cum eis neque orandum est neque psallendum. » Ce texte n'est pas du IVe Concile de Carthage, comme le prétend Gratien, mais de la collection africaine *Statuta Ecclesiae antiqua*, c. 80-82, *P. L.*, t. 56, cc. 886-887.
222. *Dict. Gratiani* après le c. 16, C. XXIII, Q. IV : « Sed eorum vindicta
divino examini tantum est reservanda, quando in deliquentes disciplinam videlicet exercere non possumus. »
223. C. XXIII, Q. IV c. 17. Saint Augustin n'entend pas exclure tout commerce avec les infidèles à l'exemple du Christ qui mangeait avec les publicains
et les pécheurs. Il veut dire que la juridiction ecclésiastique ne s'exerce pas sur
eux. Allusion à Luc, ch. V, 30, 31.
224. *Dict. Grat.* après le c. 30 : « Quod vero peccata que publicis indiciis de-
seruntur punienda non sunt ; illo exemplo probatur quo Christus qui Judam solus
furem noverat ; non abjecisse, sed patienter tolerasse asseritur. » Sur les preuves,
c. 31, texte attribué à saint Ambroise ; comm. sur I Cor : V, 2 ; *P. L.*, t. 17,
cc. 207-208.
225. C. XXIII, Q. IV, c. 18 : Saint Augustin : Liber de fide et operibus ; c.
4, 5, *P. L.*, t. 40, c. 201-202.
226. C. XXIII, Q. IV, c. 27 : Saint Grégoire le Grand à l'évêque Janvier :
août 512 ; *J.*, nº 1201 : Registre : II, 47 ; dans *M. G. H. Hist. Gregorii Papae
Registrum*, t. I, p. 148.
227. C. XXIII, Q. IV, c. 38 : St. Aug. ad Donatum ; ann. 416 ; ep. 173, nº
I. Texte à peu près intégralement cité par Gratien, *C.S.E.L.*, t. 44, p. 640 et
suivantes ; nº 1, 2, 3, 4, 5, 10. Item. ; c. 40 : contra Petilianum : liv. II, c. 79,
82, 10, 19 et : De Unitate Ecclesiae, c. 20, nº 53 : *C.S.E.L.*, t. 52, p. 109, 112,
33, 34, 44 ; item, *P. L.*, t. 43, c. 432, n. 53. Item, c. 42 : St. Aug. ad Bonifacium,

Mais par quels moyens ? Nous avons précisé avec saint Augustin le caractère intellectuel et moral de l'hérésie : corruption du dogme et obstination prolongée. La correction revêt une conséqence un caractère intellectuel et moral : éclairer l'intelligence de l'hérétique et vaincre son obstination.

On y pourvoit en premier lieu par l'argumentation, la discussion prônées par saint Augustin où les catholiques exposent leurs croyances et s'efforcent de réfuter les erreurs de leurs adversaires. Cette phase peut durer plus ou moins longtemps suivant les circonstances. Si l'hérétique se soumet, on le recevra sans autre formalité dans la communauté catholique ; s'il résiste, il faudra le contraindre[228] par des sanctions canoniques et même, s'il y a lieu, par des peines corporelles.

Les sanctions canoniques sont de deux sortes : la monition, répétée jusqu'à trois fois[229], et, s'il y a lieu, l'excommunication[230]. « On doit briser les hérétiques par le fer de l'excommunication, comme on arrache les parties gangrenées pour éviter la corruption de toute la masse »[231], écrit saint Jérôme.

Si les sanctions canoniques sont inefficaces, l'Eglise recourt à des peines temporelles. Mais l'Ecriture interdit aux clercs le port des armes[232] : « Remets ton épée dans le fourreau, dit le Christ à saint Pierre ; quiconque se servira de l'épée périra par l'épée[233]. » « Ne vous

ann. 417 ; ep. 185, n° 11 et 19 : *C.S.E.L.*, t. 57, p. 9, 10 et 17. Item, c. 44 : St. Aug. contra Faustum : liv. 22, c. 79 : *C.S.E.L.*, t. 25, p. 680-682 : texte abrégé dans Gratien. Item, c. 50 : St. Grégoire ad Martinianum et Benenatum ; ann. 593 : Reg. III, 27 ; *J.*, n° 1231 : *M. G. H. Epist. Greg. Pap. Reg.*, t. I, p. 184-185. Item, c. 51 : St. Aug. : De sermone Domini ; ch. 20, n° 63, 64 : *P. L.*, t. 34, c. 1261-1262. Item, c. 52 : St. Aug. contra Cresconium, liv. III, c. 51, n° 57 : *C.S.E.L.*, t. 52, p. 463. Item, c. 53 : St. Aug. ad Macedonium, ep. 155, n° 15, ann. 414 : *C.S.E.L.*, t. 44, p. 446. Item, c. 54 (Palea) St. Aug. ad Donatum, ep. 173 ; « Mali sunt prohibendi a malo et cogendi ad bonum» : formule résumée de la lettre de saint Augustin : *C.S.E.L.*, t. 44, pp. 640 ss. Item, C. XXIV, Q. III, c. 12 : St. Grégoire *in moralia*, liv. IV, c. 1, in Job : III, 1-3 : deux textes : *P. L.*, t. 75, c. 639 et 638.

228. *Dict. Grat.* après le c. 32, C. XXIII, Q. IV : « Poenitentibus, ut dictum est, misericordes esse jubemur, sic impoenitentibus et obstinatis in malo impendere prohibemur misericordiam. »

229. C. XXIV, Q. III, c. 14 : Ps. Isidore (Pape Anaclet) ; P. Hinschius, p. 85. Item, c. 15 : St. Grégoire : liv. II, ep. 50 ; *J.*, n° 1204 « Reg. II, 50 ; *M. G. H. Hist. Greg. Pap. Reg.*, I, p. 152 et suivantes. Item, c. 29 : St. Augustin à Glorius, Eleusius... ep. 43 ; n° 1 : ann. 397 ; *C.S.E.L.*, t. 34, p. 85.

230. C. XXIV, Q. III, c. 13 : Fragment de Pélage I ; *J.*, n° 1032 ; Item, c. 14 : Ps. Isidore. Cf. note précédente.

231. C. XXIV, Q. III, c. 16 : « Secandae sunt carnes putridae et scabiosa a caulis ovis repellenda, ne tota domus, massa, corpus et pecoraardeat, corrupatur, putrescar, intereat » : St. Jérôme : comm. sur ep. aux Galates : ch. V, v. 8 ; *P. L.*, t. 26, c. 403 ; item, c. 18 : « Quod si nec sic quiedm equanimiter susinentis ac pie increpantis medela processerit in eis qui diu portati et salubriterobjugati corrigi noluerint, tamquam putridae corporis partes devent ferro excommunicationis abscidi, ne, sicut caro morbis emortua, si abscissa non fuerit, salutem reliquae carnis putredinis suae contagione corrumpit. » Texte faussement attribué par Gratien à St. Prosper ; en réalité de Julianus Pomerius : Liber de Vita Contemplativa : II, ch. VII, n° 2 ; *P. L.*, t. 59, c. 451.

232. C. XXIII, Q. VIII. *passim* ; *Dict. Grat.* avant le c. 1.

233. Matthieu, XXVI, v. 52 ; *Dict. Grat.* avant le c. 1.

défendez pas vous-mêmes », dit l'Apôtre[234]. « Les armes de l'évêque,
dit saint Amboise, sont les larmes et la prière[235]. » Le clerc qui a porté
les armes est dégradé et enfermé dans un monastère, déclarent le
IVᵉ concile de Tolède et le concile de Meaux[236]. « Celui qui meurt
dans la guerre ou une querelle quelconque est privé de la sépulture
ecclésiastique et on ne priera pas pour lui[237]. »

Mais si les clercs ne portent pas les armes, ils peuvent encourager
les laïcs à les défendre et à combattre les ennemis de Dieu, à l'exemple
de saint Grégoire le Grand[238], d'Hadrien Iᵉʳ implorant contre les Lombards l'appui de Charlemagne[239], de Léon IV, défenseur de son troupeau, commandant au peuple de s'opposer aux Sarrasins[240], de Nicolas Iᵉʳ, écrivant aux Bulgares qu'on peut faire la guerre pendant le
carême, si les nécessités l'exigent[241]. Il s'agit ici des ennemis extérieurs de l'Eglise, mais le principe vaut également contre les ennemis
intérieurs : les hérétiques. Ecrivant au comte Boniface, saint Augustin félicite un évêque qui demanda le secours de l'empereur pour la
défense de son Eglise : s'il ne l'eût pas fait, il eût été coupable[242]. C'est
donc une obligation, et cette obligation, s'impose à tous les catholiques. Celui qui ne venge pas l'injure faite à son prochain est semblable à celui qui l'a faite[243] ; il consent à l'injure[244], il la commet[245].

234. Rom. XII, v. 19 ; *Dict. Grat.* avant le c. 1.
235. C. XXIII, Q. VIII, c. 3 : « Dolor, fletus, orationes, lacrimae fuerunt mihi
arma adversus milites, Talia enim munimenta sunt sacerdotis. » Palea tiré en
partie de St. Ambroise : Oratio contra Auxentium ; n° 2 ; *P. L.*, t. 16, c. 1008.
236. C. XXIII, Q. VIII, c. 5 et 6 ; IVᵉ Concile de Tolède ; année 633, c. 45.
MANSI, t. X, c. 630. Item : Concile de Meaux ; année 845, c. 37. MANSI, t. XIV,
c. 827 : Quicumque ex clero videntur esse, arma militaria non sumant, nec armati
incedant... Quod si contempserint, tamquam sacrorum canonum contemptores et
ecclesiasticae auctoritatis profanatores proprii gradus amissione mulctentur, quia
non possunt simul Deo et saeculo militare. »
237. C. XXIII, Q. VIII, c. 4. Non pas du Concile de Tribur, mais d'après les
canons d'Hérard de Tours, c. 50 : « Ut presbyteri et diaconi, si in bella cum armis pro-
cesserint, ita deponantur nec laicam communionem habeant. » *P. L.*, t. 121 col. 767.
238. C. XXIII, Q. VIII, c. 17 : St. Grégoire à Velox, Maître de la milice :
liv. II, ep. 3 ; ann. 591 ; *J.*, n° 1152 ; Reg. II, 7. *M. G. H. Hist. Greg. Pap.
Reg.*, t. I, p. 106. Item, c. 18, du même à Maurice et Vitalien : ann. 592 ; *J.*,
n° 1188. Reg : II, 33, *M. G. H.*, item, t. I, p. 129-130.
239. C. XXIII, Q. VIII, c. 10. Texte faussement attribué à Alcuin ; en réalité
d'Eginhard, *Vita Caroli*, c. 6 ; Ed. Halphen, dans *Les Classiques de l'Histoire de
France au Moyen Age*, Paris, 1923, p. 18.
240. C. XXIII, Q. VIII, c. 7 : Léon IV à Louis II ; ann. 852, fragment. *J.*,
n° 2620 ; *P. L.*, t. 115, c. 669 ; MANSI, t. XIV, c. 888. Du même, c. 8 au Duc
Georges ; *J.* n° 2627 ; MANSI, item.
241. C. XXIII, Q. VIII, c. 15 : Nicolas I aux Bulgares c. 46 ; ann. 866 ;
J., n° 2812 ; *P. L.*, t. 119, c. 998 ; MANSI, t. XV, c. 418.
242. C. XXIII, Q. III, c. 2 : « Quod si praetermisisset [episcopus Vagiensis
(Bagiensis)] non ejus fuisset laudenda patientia, sed negligentia merito culpanda. »
St. Aug. ad Bonifacium ; ep. 185, n° 28 ; ann. 417 . *C.S.E.L.*, t. 57, p. 26, 27.
243. C. XXIII, Q. III, c. 7 : Qui non repellit a socio injuriam, si potest, tam
est in vicio quam ille qui facit » St. Ambroise : De Officiis ; liv. I, ch. XXXVI,
n° 178 ; *P. L.*, t. 16, c. 75.
244. C. XXIII, Q. III, c. 11 : « Qui desinit obviare, cum potest, consentit. » Texte
inspiré de saint Augustin : Comm. in Psalm. 81, v. 4 ; *P. L.*, t. 36, c. 1049, n° 4.
245. C. XXIII, Q. VIII, c. 12 : « Qui crimina qui potest emendare non corri-

Aussi l'Eglise appelle-t-elle légitimement le Bras Séculier pour la défendre, et à l'appel de l'Eglise le Bras Séculier doit répondre. Sur ce sujet, nous avons trois séries de textes très importants : patristiques, conciliaires, pontificaux.

Les textes patristiques sont de saint Cyprien, de saint Augustin, de saint Isidore de Séville.

Saint Cyprien rappelle le texte du Deutéronome qui ordonne la mort des impies et l'incendie de leurs cités[246] pour satisfaire à la colère divine et attirer sur soi les miséricordes du Seigneur. Il évoque le souvenir de Mathatias[247], l'ennemi irréconciliable de l'idolâtrie, et termine par ces paroles : « Si avant la venue du Christ on devait observer sur le culte de Dieu et le mépris des idoles de pareils commandements, à plus forte raison doit-on les observer depuis la venue du Christ qui nous encourage, non seulement par ses parole, mais par ses exemples[248]. » Saint Augustin écrit de son côté : « La Royauté, la justice, l'armée, la loi, toutes ces institutions ont leur raison d'être la contrainte des méchants et la tranquillité des justes[249]. » L'argumentation de saint Augustin repose sur l'exemple de Nabuchodonosor, figure prophétique des temps apostoliques et des temps actuels. Le roi chaldéen contraignit jadis les Juifs pieux et justes à pratiquer l'idolâtrie. Les rebelles étaient jetés au feu. Mais après le miracle des jeunes Hébreux dans la fournaise, le roi, s'étant converti, promulgua un édit d'après lequel quiconque blasphémerait le Dieu de Sidrach, de Misach et d'Abdenago serait puni suivant le degré de sa culpabilité. Le règne de Nabuchodonosor comprend donc deux parties : l'une et l'autre historique et prophétique, signifiant le temps de la persécution des justes sous les rois infidèles et le temps de la persécution des impies sous les rois fidèles. C'est pour saint Augustin l'occasion de faire l'éloge de la législation impériale contre les sacrifices des païens[250]. Saint Isidore écrit à son tour : « Ce que les justes ne peuvent obtenir par l'enseignement de la doctrine, il faut que le pouvoir séculier le réalise par la terreur de la discipline... Que les princes du siècle, dit-il encore, sachent qu'ils sont justiciables devant Dieu de leur conduite envers l'Eglise qu'ils ont mission de protéger[251]. »

---

git ipse committit. » Jean VIII au Duc Demangol des Slaves ; *J.*, n° 2998 ; ann. 874-875.

246. Deutéronome, XIII, v. 12 à 18.

247. Macchabées, II, v. 42 à 48.

248. C. XXIII, Q. V, c. 32 : Saint Cyprien : De Exhortatione martyrii, ad Fortunatam, c. 5 ; *C.S.E.L.*, t. 3, p. 325-326.

249. C. XXIII, Q. V, c. 18 : « Non frustra sunt instituta potestas regis et cognitoris jus, ungulae carnificis, arma militis, disciplina dominantis, severitas etiam boni patris : habent omnia modos suos, causas, rationes, utilitates : haec cum timentur, et mali coercentur, et boni quieti inter malos vivunt. » Saint Augustin ad Macedonium ; ep. 153, n° 16 ; ann. 414 ; *C.S.E.L.*, t. 44, p. 413-414.

250. C. XXIII, Q. IV, c. 41 : St. Augustin ad Vincentium ; ep. 93, n° 9 et 10 ; année 408, *C.S.E.L.*, t. 34, p. 453-454 ; du même, c. 42 ad Bonifacium ; ep, 185, n° 11 et 19 ; année 417 ; *C.S.E.L.*, t. 57, p. 9 et 10 et p. 17.

251. C. XXIII, Q. V, c. 20 : « Intra Ecclesiam, potestates necessariae non essent, nisi ut quod non praevalent sacerdotes efficere per doctrinae sermonem,

Les textes conciliaires enseignent la même doctrine. Le IIIᵉ concile de Tours, tenu en 813, en son canon 41, déclare que le pouvoir séculier doit corriger ceux que la monition sacerdotale laisse indifférents, et le concile de Ravenne de l'année 817 en son canon 13, dit encore que « les tenants des dignités séculières doivent examiner les dolances des évêques et, s'il y a lieu, pourvoir à leurs satisfactions »[252].

C'est aussi la doctrine des papes. « On ne poursuit que les méchants », dit Pélage[253], c'est-à-dire les hérétiques et les schismatiques[254]. « Les lois divines et humaines, dit-il encore, ont établi que tous ceux qui sont séparés de l'Eglise et ne craignent pas d'en troubler la paix, seraient contraints par les puissances séculières à venir à résipiscence[255]. »

La contrainte peut s'exercer sur les personnes et sur les choses : elle peut être personnelle et réelle.

La contrainte personnelle s'exprime de deux manières : par des peines corporelles : *flagellis*, ou même par la mort. Les premières sont légitimes : un texte attribué au pape Libère — en réalité une fausse décrétale — prévoit deux séries de peines : la dégradation, ou, selon la qualité du coupable, l'épreuve des verges et l'exil[256]. La peine de mort est interdite. L'Ancien Testament aussi bien que le Nouveau s'y opposent. « Tu ne tueras pas[257] — Quiconque se servira de l'épée périra par l'épée[258]. » Saint Augustin formule la même défense au nom même de la charité, pour éviter aux pécheurs les supplices éternels[259]. Mais à l'Ecriture Gratien oppose l'Ecriture elle-même : « Tu

potestas hoc imperet per disciplinae terrorem. » St. Isidore : Sententiae : liv. III, ch. 51 : « Quod principes legibus teneantur » ; nᵒ 4, 5, 6 ; P. L., t. 83, c. 723-724.

252. C. XXIII, Q. V, c. 22 : IIIᵉ Concile de Tours, c. 41 ; ann. 813, Mansi, t. XIV, c. 89, et non pas IVᵉ Concile de Tours, comme le dit la note de Friedberg. Item, c. 26 : « Amministratores plane saecularium dignitatum qui ad Ecclesiam tuitronem... constitui esse procudubio debent, quotiens ab episcopis et ecclesiasticis viris converti fuerint, eorum querimonias attentius audiant, et secundum quod necessitas expatierit absque negligentia examinent et diligenti studio corrigant. » Texte faussement attribué par Gratien à Jean VIII ; il est en réalité du Concile de Ravenne : ann. 877, c. 13 ; Mansi, t. XVII A, c. 339.

253. C. XXIII, Q. V, c. 42 : « Non persequitur, nisi qui ad malum cogit. » Pélage au Patrice Valère ; J., nᵒ 1038 ; ann. 558-560 ; P. L., t. 69, c. 394-395.

254. C. XXIII, Q. V, c. 43 : du même : lettre au Patrice Narsés ; J., nᵒ 1019 ; ann. 558-560 ; P. L., t. 69, c. 395-396.

255. C. XXIII, Q. V, c. 44 : « Hoc enim et divinae et humanae leges statuerunt ut ab Ecclesiae unitati divisi et ejus pacem iniquissime perturbantes, a saecularibus etiam potestatibus comprimantur. » Item, à Narsés : P. L., t. 69, c. 393-394. Item, c. 45 ; J., nᵒ 1012 ; P. L., t. 69, c. 396-397.

256. C. XXIV, Q. I, c. 32 : « Qui contra pacem Ecclesiae sunt, si dignitatem aut cingulum militiae habent nudentur eis. » J., nᵒ 222 ; P. L., t. 8 ; c. 1408 ; Mansi, t. III, c. 224. P. Hinschius, p. 478.

257. Exode, XX, v. 13. *Dict. Grat.* avant c. 1, C. XXIII, Q. V.

258. Matthieu, XXVI, v. 52. *Dict. Grat.*, item.

259. C. XXIII, Q. V, c. 1 : St. Augustin ad Marcellinum ; ep. 133, nᵒ 1 et 2 ; ann. 412 ; C.S.É.L., t. 44, p. 81-82. Item ; c. 2 : du même ad Marcellinum, ep. 139, nᵒ 2 ; ann. 412 ; C.S.É.L., t. 44, p. 150. Item : c. 3 ad Donatum, proconsul d'Afrique : ep. 100, nᵒ 1 ; ann. 408 : « Ex occasione terribilium judicum

ne supporteras pas que les méchants vivent », dit le Seigneur à Moïse, et Moïse d'ordonner la mort des adultères et des idolâtres[260]. L'Ancien Testament est d'ailleurs plein des faits et gestes de ces personnages, responsables de morts et de massacres, qui ont été considérés comme les défenseurs et non comme les transgresseurs de la Loi. On en conclut avec saint Augustin[261] que la peine de mort est légitime à une double condition : que celui qui l'applique soit revêtu de l'autorité publique, et qu'il agisse pour le bien général. Il ne s'ensuit pas qu'il faille supprimer les hérétiques ; mais il suffit de rapprocher les deux séries de textes sur la légitimité de la peine de mort et sur le rôle fondamental de l'Etat, tel qu'il ressort de la théorie de la guerre, pour tirer de telles prémisses une conclusion qui nous paraît s'imposer.

Sans approuver explicitement la mort des hérétiques, le pape Urbain II ne la condamne pas non plus : « Nous ne considérons pas comme homicides, dit-il, ceux qui, brûlant pour la défense de l'Eglise Catholique, leur mère, mettent à mort des excommuniés[262]. » Léon IV en ferait même une œuvre méritoire : « Quiconque meurt dans la guerre sainte, écrit-il, acquiert le Royaume de Dieu[263]. » En réalité, Léon IV ne proclame pas ici la guerre sainte contre les hérétiques, mais contre les Sarrasins de Sicile qui en 846 étaient venus piller la Basilique de saint Pierre. Néanmoins la place de ce texte dans le Décret de Gratien, à la Question V relative à la peine de mort, montre que l'idée de croisade intérieure contre l'hérétique se fait jour, par analogie avec la croisade extérieure contre l'infidèle ; le Décret de Gratien reconnaîtrait alors quoique indirectement, la légitimité de la peine de mort pour cause d'hérésie.

La contrainte est également réelle. Saint Augustin fait à ce sujet

et legum, ne eterni judicii penas luant corrigi eos cupimus, non necari,, nec disciplinam circa eos negligi volumus nec suppliciis quibus sunt digni coherceri. » Texte abrégé de St. Augustin. L'évêque d'Hippone déplore en réalité la nécessité où il se trouve de recourir au bras séculier. *C.S.E.L.*, t. 34, p. 536.

260. Exode, XXII, v. 17. *Dict. Grat.* avant le canon 8.

261. C. XXIII, Q. V, c. 8 : « De occidendis hominibus ne ab eis quisque occidatur non mihi placet consilium, nisi forte sit miles aut publica functione teneatur, est non pro se hoc faciat, sed pro aliis, vel pro civitate ubi etiam ipse est accepta legitima potestate, si ejus congruit personae. » St. Augustin ad Publicolam ; ep. 47, nº 5. *C.S.E.L.*, t. 34, p. 135-136. Item, c. 13 : St. Aug. *De Civitate Dei* : liv. I, c. 26. *C.S.E.L.*, t. 40, p. 46. Item, c. 14 : St. Aug. De Quaestionibus Exodi : Q. XXXIX, *C.S.E.L.*, t. 28, p. 112. Item, c. 15 : St. Aug. contra Faustum ; liv. XXII, c. 73 ; *C.S.E.L.*, t. 25, p. 670-671. Le texte de Gratien reproduit plus ou moins fidèlement le texte de saint Augustin. De tous ces textes, Gratien tire la condamnation du suicide ; c. 9 : St. Aug., *De Civitate Dei* : liv. I, c. 17, 20, 21, 26. *C.S.E.L.*, t. 40, p. 31, 32 ; p. 37, 38, 39, 40 ; p. 47.n Item, c. 10 : St. Aug. contra Petilianum, II, c. 49, nº 114. *C.S.E.L.*, t. 52, p. 87. Item, c. 11 ; St. Jérôme : In Jona Propheta ; c. 1, v. 12. *P. L.*, t. 25, c. 1129. Item. c. 12 : Concile de Braga ; ann. 563, c. 16 ; Mansi, t. IX, c. 779.

262. C. XXIII, Q. V, c. 47 ; *J.*, nº 5536 ; ann. 1088-1095 ; *P. L.*, t. 151, c. 394 ; Mansi, t. XX, c. 713.

263. C. XXIII, Q. V, c. 46 : « Quisquis in hoc belli certamine fideliter mortuus fuerit, regna illi coelestia minime negabuntur. » *J.*, nº 2642 ; ann. 848 ; *P. L.*, t. 115, c. 657. Mansi, t. XIV, c. 888. Texte faussement attribué par Gratien à Nicolas Iᵉʳ.

une théorie du droit de propriété[264]. La propriété d'un bien quelconque se fonde sur le Droit Divin, en vertu duquel tout appartient aux justes, et sur le Droit Humain qui est fait par les rois de la terre, c'est-à-dire ici par les empereurs. Or, les empereurs ont édicté contre les hérétiques toute une série de peines qui les privent entre autres de leur patrimoine et de leurs biens d'Eglise, au profit des seuls catholiques[265]. Il résulte que les hérétiques n'ont pas le droit de propriété ; la terre qu'ils possèdent est en réalité *nullius* et n'importe quel catholique peut légitimement s'en emparer[266]. La parole du Christ : « Le Royaume de Dieu vous sera enlevé et donné au peuple qui pratique la justice »[267] vaut pour tous les impies, écrit saint Augustin. « Est-elle vaine cette parole de l'Ecriture, les justes profiteront du labeur des impies ?[268]... Etonnez-vous donc au contraire, conclut-il, de posséder plus que vous avez perdu. » Ailleurs, saint Augustin démontre que « l'homme séparé du Corps du Christ, source du droit ou de la justice, ne possède pas plus en soi-même le principe du droit ou de la justice que le membre isolé ne possède encore un principe de vie »[269]. Nous concluons avec Gratien à la légitimité d'expropriation pour cause d'hérésie.

Cet exposé appelle quelques remarques. D'abord il n'est pas absolument certain que les textes patristiques signifient dans leur contexte ce que Gratien leur fait dire. Ainsi, le texte de saint Cyprien, c. 32, C. XXIII, Q. V, est en réalité une invitation très pressante à ne pas succomber aux séductions de l'idolâtrie. S'il évoque les souvenirs belliqueux de l'Ancien Testament, ce n'est pas pour exciter les chrétiens contre les païens ni pour les lancer dans une manière de guerre sainte, ce qui eut été d'ailleurs absurde, c'est pour leur montrer à quel point Dieu déteste l'idolâtrie, et pour les soutenir par l'espérance des divines récompenses dans les épreuves de la persécution.

---

264. Sur les idées de saint Augustin en matière du droit de propriété, voir : B. ROLAND-GOSSELIN : *La morale de saint Augustin*, Paris, 1925, p. 168 à 219.

265. C. XXIII, Q. VII, c. 1 ; Saint Augustin ad Vincentium ; ep. 93, n° 50 ; ann. 408 ; *C.S.E.L.*, t. 34, p. 493-494. Références à la Constitution impériale d'Honorius et Théodose II, du 15 novembre 408 : *C. Th.*, XVI, V, 43, et *C. J.*, I, IX, 12 « ... ut aedificia quoque vel horum vel coelicolarum etiam, qui nescio cujus dogmatis novi conventus habent, ecclesiis vindicentur », il ne peut s'agir des Constitutions 52 et 54, comme le dit Friedberg ; ces Constitutions sont en effet du 30 janvier 412 et du 17 juin 414 ; or, la lettre de saint Augustin, d'après le même Friedberg, est de l'année 408.

266. C. XXIII, Q. VII, c. 2 ; St. Augustin contra Petilianum ; II, c. 43 et 59. *C.S.E.L.*, t. 52, p. 80 et 94-95. Item, c. 3 : St. Augustin ad Bonifacium, ep. 185, n° 35 et 36 ; ann. 417 ; *C.S.E.L.*, t. 57, p. 31-32.

267. Matthieu, XXI, v. 43.

268. Proverbes, XIII, v. 22.

269. C. XXIII, Q. VII, c. 4 : « Quemadmodum membrum, si precidatur ab hominis viri corpore non potest tenere spiritum vitae, sic homo qui preciditur de Christi justi corpore, nullo modo potest tenere spiritum justiciae, etiamsi figuram membri teneat, quam sumpsit de corpore. » Texte faussement attribué jadis à saint Augustin ad Vincentium ; en réalité, ce texte continue celui du c. 3 : ad Bonifacium ; ep. 185, n° 42, 43, 37, 40, 42 ; *C.S.E.L.*, t. 57, p. 36, 37, 33, 35, 36.

Au contraire, dans le Décret, il paraît sonner la charge contre les hérétiques. De même, nous avons vu quelles ont été les réticences de saint Augustin relativement à la contrainte des hérétiques. Dans le Décret, au contraire, les textes isolés se présentent sous un autre jour et l'on est pas loin de penser que saint Augustin serait partisan de la mort des hérétiques, ce qui n'est pas vrai.

Ces réserves faites, trois idées principales, nous semble-t-il, se dégagent de l'analyse ci-dessus. D'abord, une idée de salut public. On punit le péché dans la mesure où il est un délit, c'est-à-dire une atteinte grave à la structure dogmatique et sociale de l'Eglise. Ensuite, une idée de sujétion du Pouvoir Temporel au Pouvoir Spirituel, sujétion même si entière que l'Etat semble n'être que le serviteur de l'Eglise. Tous deux ont les mêmes intérêts, les mêmes ennemis, par conséquent doivent avoir les mêmes réflexes de défense. Enfin, une idée de croisade. L'hérétique étant assimilé à l'infidèle, la guerre qui lui est faite est sainte et méritoire, la mort du chrétien sur un tel champ de bataille ressemble à un martyre et elle lui ouvre le Royaume des Cieux.

*
* *

Bien qu'il n'ait jamais eu de caractère officiel, le Décret de Gratien a exercé une influence considérable. Pendant un siècle les Canonistes l'ont commenté[270], précisé, enrichi quelquefois de réflexions personnelles. Aussi bien, le Décret a-t-il inspiré dans ses grandes lignes les législateurs des Décrétales et les pères des Conciles d'où est sortie l'Inquisition.

Le premier commentateur de Gratien, Paucapalea[271], son disciple, n'apporte aucun élément nouveau : il invite seulement avec insistance les catholiques à poursuivre les hérétiques et à les contraindre au bien. C'est le but de son commentaire. Il écrit en effet au commencement de la Cause XXIII : *Ne videretur dici posse quod mali non sint compellendi ad bonum, Causam haereticorum subnectit in qua exemplis et auctoritate malos ad bonum cogendos esse ostendit.*

Roland Bandinelli[272], futur Alexandre III, estime avec Gratien que l'exercice des armes est légitime, mais avec deux restrictions relatives d'une part aux clercs majeurs et aux personnes constituées dans l'état canonique de perfection[273], d'autre part aux conditions de fond et

270. St. Kuttner : *Repertorium der Kanonistik (1140-1234) Prodromus corporis glossarum*, I, dans *Studi e testi*, 71 Citta del Vaticano 1937.

271. J.F. Von Schulte : *Die Geschichte der Quellen und Litteratur des Canonischen Rechts*, Stuttgart, 1875 ; vol. I, p. 109 et suivantes. Du même : *Die Summa des Pauca r a ea über das Decretum Gratiani*, Giessen, 1890.

272. J.F. Von Schulte : *Die Geschichte der Quellen...*, t. I, p. 114-118, F. Thaner : *Stroma Magistri Rolandi Bandinelli*, Innsbruck, 1874.

273. « Illicitum est (militare) his quod in sacris ordinibus constat existere vel perfectionis iter arripuisse. Ceteris vero judicis auctoritate licere non dubito. » C. XXXIII, Q. I : F. Thaner, p. 88. « Clericorum alii sunt regulares, ut mo-

de forme que nous avons déjà rencontrées dans le Décret. Le rejet de la force par la force, estime Roland, est un droit naturel ; mais ce droit ne peut être exercé que par l'autorité et pour la correction des coupables[274] « afin, dit-il, qu'aux mauvais soit arraché le pouvoir de commettre des délits et aux bons soit facilité le pouvoir de défendre librement l'Eglise »[275].

L'application de ces principes à la répression de l'hérésie nous conduit à examiner les idées de Roland sur l'obligation et le caractère de la vindicte. Devant les textes contradictoires de l'Ecriture et des Pères, en particulier de saint Augustin, Roland tire une double conclusion, également contradictoire, mais il échappe à la contradiction par la même distinction qui justifie la guerre : « Autre chose, dit-il, est d'exercer la vindicte avec le seul souci de venger une injure ; autre chose de l'exercer par amour de la correction (des coupables) et de la délivrance des affligés » ; et il conclut : dans le premier cas, la vindicte est défendue ; dans le second, elle est permise[276]. Il faut donc contraindre les méchants à faire le bien. Roland ne se fait guère d'illusion sur le résultat de cette contrainte, mais considérant avec saint Augustin que « la crainte de la Géhenne détourne l'homme du péché », il estime que cela seul suffit à la rigueur à justifier la coaction[277]. Au reste, il ne s'agit pas tant ici du bien particulier de l'hérétique que du bien général de la société chrétienne.

Les caractères de la vindicte sont de deux sortes : personnels et réels. La peine personnelle ici visée est la peine de mort. Elle est tout

nachi, heremitae, canonici regulares atque professi, horum nulli sua auctoritates vel alterius licet arma movere. Aliorum vero, alii sunt in sacris ordinibus constituti, alii vero minime. Constitutis in sacris ordinibus arma movere semper erit illicitum, aliis vero, etsi sua auctoritate non liceat, mandante principe vel ordinario judice, eis licere non dubitatur. Nam ; cum eis licet matrimonium contrahere atque ad saecularem conversionem redire, non est dubium quod mandante principe vel summo pontifice liceant eis etiam arma movere. » C. XXIII, Q. VIII ; F. THANER, p. 98.

274. « Ut vis si repellatur, quod et lege naturae licitum esse non dubitatur. » C. XXIII, Q. II ; F. THANER, p. 88.

275. « Quibus inhibitum est arma movere sociorum injuriam armis propulsare non licet. Ceteris vero licet non zelo ultionis, sed amore correctionis, ut malis facultas delinquendi adimatur et bonis facultas libere consulendi Ecclesiae ministretur juxta illud Calisti : Justum est ut qui divina... (Gratien : C. XXIII, Q. III, c. 9) C. XXIII. Q. III : F. THANER, p. 89.

276. « Ad quod notandum quod aliud est vindictam zelo propriae ultionis inferre atque aliud amore correctionis et afflictorum liberationi. Zelo propriae ultionis vindictam irrogare non licet, sicut ex superiorum decretorum serie manifeste coniicitur. Verum est ut delinquens corrigatur atque innocens liberetur vindicta est irroganda. Capitula igitur quae vindictae illationem prohibent secundum primam interpretationem accipimus : quae vero jubent prout secundo loco expositum est, intelligantur. » C. XXIII, Q. IV, F. THANER, p. 91.

277. « His omnibus patenter ostenditur malos ad bonum fore cogendos. Ad hoc licet bonum quod est tantum coactionis et non voluntatis, Deo minime placeat, sunt tamen mali ad bonum cogendi ut quod primo fuerat necessitatis fiat quoque liberae voluntatis juxta illud Augustini : « Cum per Gehennae timorem continet se homo a peccato... » (Comm. in ps. 127 ; D. G.), C. XXIII, Q. VI, F. THANER, p. 94-95.

à fait légitime quand elle est décrétée par l'autorité publique ou par ses mandataires, non pour satisfaire une vengeance, mais pour corriger les méchants et d'une manière générale, semble-t-il, pour la justice elle-même[278]. Ce serait même une œuvre méritoire : *Causa vero correctionis et justitiae malos interficere Deo vere est ministrare.* La peine réelle consiste dans la confiscation des biens. Elle se justifie non seulement en Droit divin, mais encore en Droit positif, par les constitutions impériales auxquelles saint Augustin fait allusion dans son argumentation contre les hérétiques et que Roland Bandinelli rappelle dans son commentaire[279].

Mais quelles que soient ses formes, la vindicte doit s'inspirer non pas d'un sentiment de vengeance qui autoriserait tous les excès, mais au contraire de l'esprit de justice et d'amour. « *Judex vero haereticos puniendo vel suis rebus expoliando, non malum pro malo, sed bonum pro malo justumque pro injusto reddere non dubitatur*[280]. »

Les idées de Paucapalea et de Roland Bandinelli se retrouvent à peu près telles quelles dans la Summa d'Etienne de Tournay. Il n'y a donc pas lieu d'insister sur ce décrétiste[281].

Rufin, futur évêque d'Assise[282], écrit son commentaire de la Cause XXIII pour démontrer que les hérétiques peuvent être contraints, même par les armes, à revenir à la foi catholique[283]. Cette déclaration

278. « Ad hoc sciendum est quod judicium alii habent potestatem gladii, alii non habent ; non habentibus igitur potestatem gladii nec eis ministrantibus reos occidere non licet ; habentibus vero potestatem vel eis ministrantibus suscepto mandato nocentes occidere licet. Omnia igitur capitula quae reos occidi vetant, eos solos a malorum morte prohibent, quos constiterit gladii potestate minime decoratos ; vel prohibentur etiam potestatem habentes a malorum hominum morte ne videlicet zelo ultionis sed amore correctionis reos puniant juxta illud Augustini... », c. 13, 14, 16, 19. C. XXIII, Q. V ; F. THANER, p. 92-93.

279. « Quidquid vero possidetur jure divino vel humano possidetur. Sed jure divino, nihil ab aliquo possidetur, sed sunt omnia communia, juxta illud : « Domini est terra et plenitudo ejus » : Ps. 23, v. 1 ; vel, si quis ab aliquo possidetur, justorum tantum debet esse possessio pro quibus et omnia facta fore leguntur. Jure autem humano, haereticos nihil vere possidere probatur. Imperatorum siquidem jure statutum est ut quicumque a catholica unitate inventus fuerit deviare, suarum rerum debeat omnimodam praescriptionem perferre sicut ex principio illius capituli Augustini perpenditur C. XXIII, Q. VII, c. 1 : *C. Th.*, XVI, V, 43... Expoliandos igitur haereticos a judicibus vel judiciali auctoritate suis rebus fore sancimus ; ab aliis vero minime. » C. XXIII, Q. VII ; F. THANER, p. 96.

280. Stroma : C. XXIII, Q. VII ; F. THANER, p. 96.

281. J.F. Von SCHULTE : *Die Summa des Stephanus Tornacensis uber das Decretum Gratiani*, Giessen, 1891.

282. J.F. Von SCHULTE : *Geschichte der Quellen und Literatur...*, t. I, p. 121 et suivantes.

283. « Ne per hoc putaretur nullos etiam ad bonum cogendos, ideo congruenter aliam causam de haereticis apponit, ostendens quomodo haeretici, ut ad fidem catholicam redeant, armis etiam compellendi sunt. » Voir H. SINGER : *Die Summa Decretorum des Magister Rufinus*, Paderborn, 1902, p. 403. Plus loin à la Question IV, p. 411, Rufin précise sa pensée : Quod autem queritur an mali sin-

initiale rappelle la déclaration semblable de Paucapalea et témoigne par conséquent d'une même pensée. Mais Paucapalea ne donnait aucune précision ; Rufin, au contraire, ne craint pas d'écrire : *armis etiam compellendi sunt.* Sa théorie de la guerre est traditionnelle : il fonde la légitimité de la guerre sur la double condition de fond et de forme que nous avons étudiée dans le Décret de Gratien. A ce sujet, il fait une théorie du pouvoir et pose en principe que le pouvoir exige les deux conditions suivantes : *Legitima institutio et Justitiae moderatio*[284]. Ces distinctions ne se rapportent pas directement à la répression de l'hérésie. Elles ont surtout pour but de rappeler les privilèges des clercs et, par la même occasion, la dépendance du pouvoir civil envers l'Eglise. Aussi bien, Rufin rejette-t-il l'opinion de Roland Bandinelli qui autorisait les clers mineurs à porter les armes[285].

Puisqu'il affirme qu'il faut contraindre les hérétiques *armis etiam*, Rufin reconnaît donc implicitement la légitimité de la peine de mort. Il garde néanmoins quelque réserve au sujet de son application. *Ille autem qui habet potestatem gladii interficere potest hominem, si reum cognoverit, ultimo secundum leges supplicio puniendum. Est tamen, quando reum judex vel potestas tenetur occidere, et est quando hoc fieri vel non fieri in sua ponitur libertate. Quippe si reus in eo crimine jam frequenter fuerat deprehensus nec emendatus nec de eo spes ulla correctionis habetur, tunc mortis supplicio secundum legis tenorem puniendus est vel membris debilitandus est... Si vero sit talis reus, qui semel vel raro in eo crimine vel talis inventus sit, et speratur ejus emendatio futura, tunc non tenetur potestas eum occidere vel membris deformare : in quo casu intelliguntur quattuor suffecta capitula in quibus Augustinus non indicit, sed supplicat ne rei mortis supplicio vel membrorum praecisione punientur*[286].

La confiscation des biens présente un caractère plus médicinal que vindicatif et par conséquent conditionnel : *Heretici ab his quorum interest rebus suis et Ecclesie debent expoliari, donec ad fidem catholicam revertantur*[287]. Rufin ne dit pas si les hérétiques ont encore la capacité de tester et si leurs descendants sont capables d'hériter.

cogendi ad bonum, breviter respondentes dicimus quia mali non sunt cogend-ad bonum quod numquam elegerunt, sed compellendi ad bonum quod relique i runt. » Distinction par laquelle Rufin réserve la contrainte *armis etiam* aux seuls hérétiques, à l'exclusion des Musulmans et des païens. Il ne faudrait pas voir dans ce texte la condamnation de la Croisade de Terre Sainte, car cette croisade a moins pour but la conversion des Infidèles que la délivrance du Tombeau du Christ.

284. « Institutio legitima circa tres versatur, videlicet circa instituentem, institutum et eos super quos instituitur... Justitiae vero moderatio quinque articulis determinatur : secundum personam... secundum causam... secundum mensuram... secundum locum... secundum tempus. » C. XXIII, Q. I, c. 4. H. SINGER, p. 404-405.

285. « Quidam de antecessoribus nostris magis ebriose quam sobrie distinguere nitebantur, qui clericorum arma possunt movere, et qui non, dicentes clericos in sacris ordinibus constitutos non posse arma movere, reliquos vero posse. Sed certe unum ex eis concedimus, alterum vehementissime negamus. » Rufin appuie son argumentation sur le Concile de Chalcédoine : 451, c. 3. H. SINGER, p. 412.

286. C. XXIII, Q. V ; H. SINGER, p. 408.

287. C. XXIII, Q. VII ; H. SINGER, p. 412.

Les idées de Rufin se retrouvent dans le commentaire de Jean de Feënza, Joannes Faventinus. Sa Summa n'est d'ailleurs qu'une compilation de Rufin et d'Etienne de Tournay, lequel renvoie, nous l'avons vu, à Paucapalea et à Roland Bandinelli[288]. Aussi bien, sa doctrine ne présente-t-elle aucune espèce d'originalité. L'Eglise, dit-il, ne veut pas la mort des hérétiques, mais à la condition qu'ils se repentent, suivant les idées ci-dessus exprimées de Rufin.

Le plus remarquable de tous les Décrétistes est Huguccio de Pise, professeur de Droit canonique à Bologne et Maître d'Innocent III[289]. Huguccio devint évêque de Ferrare en 1190. Il eut toute la confiance de Célestin III et d'Innocent III qui le chargèrent de différentes missions[290]. Il mourut en 1210[291] et l'année suivante, Innocent III chargea Sicard de Crémone et l'évêque d'Albano de pourvoir à sa succession[292].

La *Summa* d'Huguccio représente un travail considérable, mais néanmoins incomplet. D'après le Manuscrit du Vatican, Huguccio n'aurait pu achever son travail. Il aurait commenté la Cause XXIII jusqu'à la Question IV inclusivement, c. 33[293]. D'autre part, le manuscrit de la Bibliothèque Nationale 3892 comporte les commentaires de tous les canons des 4 premières questions, jusqu'au canon 33. Néanmoins, il y a une suite, mais cette suite présente un caractère différent. Le procédé d'Huguccio qui consiste à analyser chaque canon fait place à un texte uniforme qui commence par ces mots : *Cum peccat*[294] dans lequel Huguccio est nommé à la troisième personne. Ce texte, Von Schulte l'avait attribué à Joannes de Deo[295]. Tanon ne le pense pas. Joannes de Deo a écrit en effet un commentaire, d'ailleurs succinct,

---

288. J.F. Von Schulte : p. 137 et suivantes. La *Summa* de Jean de Faenza est inédite.

289. J.F. Von Schulte : p. 156 à 170. — Lettre d'Innocent III : 1er mai 1199, P. 684 ; *P. L.*, t. 214, c. 588 ; 7, X, IV, 19. « Quanto te magis novimus in canonico jure peritum tanto fraternitatem tuam amplius in Domino commendamus... ut opinio quam in eis (dubiis articulis) quondam habueras, dum alios canonici juris peritiam edoceres vel corrigatur per Sedem Apostolicam vel probatur. » Innocent III répond dans cette lettre à une consultation d'Huguccio. L'évêque de Ferrare lui avait demandé si le passage d'un catholique à la « perfection cathare » pouvait rompre le mariage et autoriser l'autre conjoint *ad secunda vota transire... et filios procreare*. Déjà Célestin III avait résolu par l'affirmative un cas de cette espèce en appliquant en faveur du conjoint catholique le privilège paulin. Innocent III n'est pas de cet avis. Bien que le conjoint fidèle soit privé de son droit, il n'y a pas lieu de dirimer le mariage, autrement, remarque-t-il, beaucoup se diraient hérétiques pour assouvir leurs passions. Voir J. Dauvillier : *Le Mariage dans le Droit classique de l'Eglise*, Paris, 1933, p. 336.

290. Notamment à Trévise : Lettre d'Innocent III : 26 mars 1199, *P. L.*, t. 214, c. 655 et suivantes.

291. En 1203, d'après J. de Ghellinck : *Le mouvement théologique, ouvr. cité*, p. 205, n. 1.

292. Lettre du 7 juin 1211 ; *P. L.*, t. 216, c. 438, P. 4263.

293. L. Tanon : *Étude de Littérature Canonique : Rufin et Huguccio*, Paris, 1889, pp. 15 ss.

294. Ms. lat. 3892, fol. 265, vº, c. 2 et suivantes.

295. D'après le Ms. du Vatican : Lat. 2280, fol. 388, b, l. 3 : « Explicit per-

de la Cause XXIII, mais ce commentaire se trouve en appendice à la Summa[296]. Il commence par ces mots : *Venerabili viro dilecto filio prefecti Urbis Rome ac magistris et scolaribus universis bonis commorantibus Magister Johannes de Deo Yspanus doctor Decretorum canonicorum jure...* Il porte sur les Questions 3, 4, 5, 6, 7, 8 ; mais il est sensiblement différent du texte qui fait suite, dans le corps même de la Summa, au canon 33 de la Question IV. Ce dernier texte serait donc l'œuvre d'un continuateur anonyme, héritier de la pensée d'Huguccio. Nous aurions par conséquent dans un même manuscrit deux commentaires de la Cause XXIII : le premier et le plus important, intercalé à sa place dans le corps de la *Summa*, composé de deux textes : le premier d'Huguccio et complet, s'arrêtant au canon 33 de la Question IV ; le second incomplet et anonyme : commençant par ces mots : *Cum peccat*. Le deuxième commentaire, en appendice, incomplet, serait l'œuvre de Joannes de Deo. D'autres critiques estiment qu'il n'y a pas lieu de supposer l'existence d'un continuateur anonyme. Il y aurait plutôt des versions ou des formes différentes, données par le maître lui-même, d'une seule et même « œuvre accomplie par degrés »[297] suivant les circonstances de l'enseignement.

Les théories d'Huguccio sur la répression de l'hérésie sont d'autant plus intéressantes qu'elles se réfèrent constamment au Droit Romain.

Tout d'abord, Huguccio commente comme ses prédécesseurs et dans le même esprit les questions relatives à la guerre et à la légitimité de la vindicte. Il reconnaît avec Rufin contre Roland que le port des armes est interdit à tous les clercs et n'est permis aux laïcs que dans certaines conditions : *Pro Patria tuenda, pro lege sive fide servanda... pro vindicta inferenda, pro injuria sua vel alterius repellenda, vel pro aliqua justa causa,* et il conclut, dans l'esprit de saint Augustin : *Est militandi ut pax et salus acquiratur et conservetur, non ut... divitie accumulentur... ad ultimum auctoritate principis, id est imperatoris sive regis vel apostolici est exercenda militia*[298]. Nous retrouvons ici la double condition de fond et de forme qui a été posée dans le Décret de Gratien. Quel que soit le « Prince » qui déclare la guerre : Empereur, Roi ou Pape, le caractère de but à atteindre est toujours le même : *Non celo* (sic) *ultionis, sed correctionis amore et justicie, ut et a malis facultas delinquendi adimatur et bonis facultas libere consulendi Ecclesie cum Reipublice ministretur*[299].

Ces principes posés, Huguccio se demande s'il y a lieu de les appliquer aux hérétiques, et dans quelles conditions. Faut-il exercer la

fectio summe Hug. (uccionis) Ferrariensis Episcopi completa a Magistro Joanne de Deo doctore Decretorum canonico Ulixbonensi super IIII causis, scilicet XXIII causa, XXIIII causa, XXV causa, XXVI causa », *op. cit.*

296. Ms. lat. 3892, f. 405. Voir l'article du P. ANTONIUS DOMINGUES DE SOUSA COSTA, O.F.M. : Animadversiones criticae in vitam et opera canonistae Ioannis de Deo, dans Antonianum, janv.-avril 1958, pp. 99-101.

297. G. LE BRAS, Notes pour l'histoire littéraire du Droit Canon, dans Revue de Droit Canonique, Strasbourg 1955, p. 138.

298. Ms. lat. 3892, fol. 265, v°.

299. Ms. lat., 3892, fol. 267, v°.

vindicte ? En principe, non. Huguccio, commentant conformément à
l'esprit de saint Augustin les paroles d'Isaïe : *Recedite, exite inde et
immundum ne tetigeritis*, estime qu'il faut tolérer les hérétiques, mais
les éviter spirituellement, et dans la mesure du possible, s'efforcer de
les convertir[300]. Il reconnaît toutefois, au nom de l'ordre public, que
l'hérétique peut être chassé de l'Eglise[301] ; s'agit-il d'une simple vindicte spirituelle, excommunication ou anathème, ou d'une vindicte
temporelle ? La première certainement : peut-être aussi la seconde :
Huguccio en reconnaît du moins, semble-t-il, la possibilité. De deux
choses l'une, en effet : ou bien l'on exerce la vindicte *ex odio et celo*
(sic) *ultionis*, ou bien *ex amore correctionis et afflictorum liberationis*.
Dans le premier cas, elle est toujours interdite ; dans le second, elle
peut être permise, mais à la condition toutefois que les délits à venger
ne soient pas trop généralisés[302].

La nature de la peine suit le caractère de la faute. L'hérétique est
un voleur sacrilège, parce que, tel un nouveau Judas, il vole, non
plus le Christ, mais son Corps Mytique, ou l'Eglise[303]. « On appelle
voleur, dit en effet Huguccio, celui qui dérobe un bien particulier et
pareillement celui qui s'empare d'un bien public ; celui-ci est puni
plus sévèrement que celui-là. Combien plus encore doit-il être puni

300. c. 4 : « Verba Isaïe, scilicet : Recedite, exite inde et immundum ne tetigeritis, intelligunt de recessu et exitu et tactu corporis unde dicunt (heretici) malos non esse tollerandos, sed corporaliter ab eis recedendum esse ; sed econtra
Augustinus dicit verba predicta esse accipienda de recessu et exitu et tactu cordis, non corporis, et secundum hoc exponit ea et dicit quod recedere a malis
est societatem eorum saltem in animo improbare, exire de eis est corripere et
redarguere, non tangere est, non consentire voluntate. Heretici intelligunt corporaliter, nos scilicet ego et alii catholici spiritualiter, de recessu et exitu et tactu
spirituali et cordis, non corporis. » Plus loin ; c. 6. : « Duobus modis inquiratur
quis ex societate malorum, scilicet : si committit aliquid cum eis, vel si favet
eis. Si vero neutrum illorum facit, sine peccato sociatur malis, scilicet si nec committit, nec favet. Si vero plus facit, scilicet ut corripiat et arguat et removeat a
communione vel ab aliquo officio, plenum officium exercet. Si hoc non potest,
saltem illa duo faciat ut nec committat nec faveat, et securus erit in societate
malorum. » Ms. lat. 3892, fol. 268, v°.
301. « Si tu es judex legitime constitutus et accedatur (hereticus) coram te
vel confitetur, tunc potes eum punire et de Ecclesia pellere. » Ms. lat. 3892, fol.
269, v°.
302. « Quaeritur an vindicta sit inferenda, sed notandum quod vindicta quandoque infertur ex odio et celo ultionis et non justicie, quandoque infertur amore
correctionis et afflictorum liberationis. Primo modo non est inferenda secundum
quem modum intelliguntur canones que vindicte illationes prohibent ; secundo
modo licite infertur secundum quem modum intelliguntur canones que vindicte
illationes jubent et poterit alter distingui criminum quedam sunt occulta, quedam manifesta. Super criminibus occultis non est inferenda vindicta, in quo casu
intelliguntur omnes canones que vindicte prohibent illationes. Super manifestis
vero criminibus vindicta est inferenda, quo casu intelliguntur que vindicte perci-
piunt. Est inferenda dico, nisi quando multitudo est in scelere et nisi quando
ille qui committit sociam habet multitudinem. » Ms. lat 3892, fol. 268, r°, col. 2.
303. Q. IV, c. 3 : « Quid ergo. Ad quid Christus Judam malum et furem inter
bonos apostolos esse tolleravit, ostendit scilicet ut suo exemplo malos in Ecclesia
tolleremus ; postea ostendit quod Judas erat fur non qualiscumque, sed sacrilegus, quia res Domini furabatur. Unum, scilicet Judam, perditum, id est dignum
eterna perdicione. » Ms. lat. 3892, fol. 268, v° col. 1.

celui qui vole les biens de l'Eglise et de Dieu ![304] » Or, le voleur de biens privés est condamné à la restitution du double ou même du quadruple à la partie lésée[305]. Quant au voleur de biens publics ou concussionnaire[306], il encourt la peine du péculat, c'est-à-dire l'exil, la déportation, la confiscation des biens. Huguccio donne lui-même la référence de cette législation, au Digeste : Liv. XLVIII, Titre XIII : *Ad legem Juliam peculatus et de sacrilegiis et de residuis.* C'est là précisément que les jurisconsultes du Haut-Empire ont défini le caractère du péculat[307] et la nature de la peine qui l'accompagne : les expressions d'Huguccio sont à peu près identiques à celles d'Ulpien[308].

Le voleur sacrilège est plus sévèrement puni. C'est au juge, écrit Ulpien, d'apprécier suivant la personne, la nature de l'objet volé, les circonstances de temps, d'âge, de sexe, la qualité du délit. Mais d'une façon générale, la jurisprudence est sévère. « Beaucoup à ma connaissance, ajoute Ulpien, furent condamnés aux bêtes, beaucoup furent brûlés vifs, d'autres pendus. » Mais tel n'est pas le sentiment d'Ulpien : il invite au contraire le juge à adoucir la peine et à la réduire, soit aux travaux forcés, soit à la déportation[309]. L'hérétique étant

304. « Dicitur fur qui furatur rem privati et iste similiter qui rem publicam, et si hic magis punitur quam ille, quanto fortius sacrilegus debet dici fur, et est magis puniendus, cum res Ecclesie etsi Dei furetur. » Ms. lat. 3892, fol. 268, vᵒ. Cette assimilation de l'hérétique au voleur ne nous permet pas de penser que le Canoniste vise ici la profession strictement personnelle d'hérésie, puisqu'en vertu d'une distinction précédente, le crime occulte ne doit pas être vengé. Huguccio n'envisage ici, croyons-nous, que la seule propagande hérétique. Il avait d'ailleurs des raisons personnelles d'y songer. Nous savons par sa correspondance que les hérétiques étaient si nombreux à Ferrare que la ville fut mise en interdit. Lettre d'Innocent III aux podestat, consuls et peuple de Ferrare : 9 nov. 1206, P. 2911 ; *P. L.*, t. 215, c. 1020 ; du même, lettre à Huguccio : 28 mars 1207, P. 3065 ; février 1209, P. 3666 ; *P. L.*, t. 215, c. 1582, c. 43, X, V, 39.

305. « Pena furti autem pecunia in duplum vel in quadruplum aut corporali extraordinaria ut furtum castigatum. » Ms. lat. 3892, fol. 268, vᵒ. Item : « Furtum et sacrilegium erat unum peccatum. Sed aggravatur propter furtum rei sacre, et ita idem peccatum furtum et sacrilegium rei private dupli vel quadrupli secundum tenorem furti publici pena deportationis. » Ms. lat. 15397, fol. 47, vᵒ.

306. « Sed peculatus tenetur qui pecuniam publicam vel sacramentum vel religiosam auffert et intercipit. Sed et si dicatum Deo auffert et intercipit peculatus pena tenetur. » Ms. lat. 3892, fol. 268, vᵒ.

307. ULPIEN : Liv. 44 ad Sabinum : « Lege Julia peculatus cavetur, ne quis ex pecunia sacra religiosa publicave auferat neve intercipiat neve in rem suam vertat, neve faciat, quo quis auferat, intercipiat vel in rem suam vertat, nisi cui utique lege licebit ; neve quis in aurum argentum aes publicum quid indat neve immisceat neve quo quid indatur immisceatur faciat sciens dolo malo, quo id pejus fiat », *Digeste* : Liv. XLVIII, Titre XIII : Ad Legem Juliam peculatus et de sacrilegiis et de residuis, l. 1.

308. ULPIEN : Liv. I de Adulteriis : « Peculatus poena aquae et ignis interdictionem, in quam hodie successit deportatio, continet. Porro qui in eum statum deducitur, sicut omnia pristina jura, ita et bona amittit », dans le *Dig.* L. XLVIII, t. XIII, l. 3. Item, Huguccio : « Pena peculatus aqua et igni interdiccio, in qua hodie successit deportatio et omnium bonorum amissio. Hiis tamen qui tempore administrationis crimen peculatus ut ad legem Juliam peculatus et c. de crimine peculatus, lege I. Ms. lat. 3892, fol. 268 vᵒ.

309. ULPIEN : Liv. VII de Officio Proconsulis : « Sacrilegii poenam debebit proconsul pro qualitate personae proque rei condicione et temporis et aetatis et

assimilé au sacrilège, la peine du sacrilège doit donc retomber sur l'hérétique. Huguccio ne va pas si loin. Il se contente, semble-t-il, de brandir comme une menace la législation romaine, dans l'espérance de ramener l'hérétique à la communion des fidèles. Le grand canoniste serait mort avant d'aborder le commentaire de la Question V du Décret de Gratien.

Que le Maître ait laissé à quelque disciple le soin de commenter la suite du Décret ou qu'il y ait personnellement pourvu, dans l'un et l'autre cas, nous pouvons être assuré de connaître la pensée d'Huguccio.

Au c. 39 : *Quando vult*, C. XXIII, Q. IV, saint Augustin justifie par l'exemple de Nabuchodonosor, converti après le miracle de la fournaise ardente, la persécution des hérétiques et autres perturbateurs de l'Eglise. « Voyez, conclut saint Augustin, ce qu'ils font, et ce qu'ils souffrent : ils tuent les âmes, ils sont affligés dans leurs corps : ils provoquent des morts éternelles, et ils se plaignent d'endurer des morts temporelles[310]. » S'agit-il du dernier supplice ? Huguccio ne le pense pas. Il s'agirait plutôt de peines spirituelles : excommunication ou anathème, par référence à un canon mal défini qui pourrait être le c. 19 : *Cum quisque*, C. XXIII, Q. IV, où le même Augustin n'envisage d'autre sanction contre un crime « notoire et exécrable » que la « sévérité de la discipline » ecclésiastique. Il s'agirait peut-être encore des peines temporelles autres que la mort que les « autres lois » du titre De haereticis — les Constitutions Impériales — infligent aux irréductibles ; la confiscation des biens et, ajouterons-nous, l'exil qui accompagne toujours la confiscation des biens. Néanmoins, il y a menace de mort : l'exemple relativement récent d'Arnaud de Brescia qui fut dégradé par le pape, pendu à un grand chêne et brûlé, en fournit la preuve[311]. Arnaud de Brescia, avait eu plusieurs fois la possibilité de s'amender, — nous le verrons ultérieurement — mais il était devenu « incorrigible ». Ce qui est digne de mort, ce n'est donc pas tant le fait de l'hérésie que le fait de l'impénitence. Cette impénitence, il est vrai, est, au témoignage de saint Augustin, c. 31, C. XXIV, Q. III, le signe même ou le critère suprême de l'hérésie. Huguccio le

---

sexus vel severius vel clementius statuere. Et scio multos et ad bestias damnasse sacrilegos, nonnullos etiam vivos exussisse, alios vero in furca suspendisse. Sed moderanda poena est usque ad bestiarum damnationem eorum, qui manu facta templum effregerunt et dona Dei in noctu tulerunt. Ceterum si qui interdiu modicum aliquid de templo tulit, poena metalli coercendus est, aut, si honestiore loco natus sit, deportandus in insulam est. » *Dig.*, L. XLVIII, t. XIII, l. 7 (6).

310. Nam videte qualia faciunt et qualia patiuntur : occidunt animas, affliguntur in corpore : sempiternas mortes faciunt et temporales se perpeti conqueruntur, c. 39, C. XXIII, Q. IV, *in fine. P. L.*, t. 35, c. 1483.

311. Quando vult temporales mortes, id est poenas. Vel proprie distinguere quod primo debent admoneri et deinde, si pertinaciter resistere voluerint et incorrigibiles exstiterint, poterunt affici. Nam in eodem dicitur quod ultimum supplicium patiuntur in c. illa « Ariani ». Et ita loquitur Augustinus secundum alias leges que loquuntur de ultimo eterno supplicio, inferendo intelligendas esse in eodem casu in quo loquitur quaedam lex, in eodem : de apostaticis ; « cum qui », nam et multae aliae leges, in titulo de haereticis, non mortem, sed bonorum publicationem inferunt. Et secundum hanc distinctionem solvitur haec contrarietas.

constate et, à propos du c. 41 *Non invenitur*, C. XXIII, Q. IV où saint Augustin rappelle l'exemple de Nabuchodonosor, il conclut : *Non invenitur : Innuit quod pro sola heresi non sint morte puniendi... solve ut hic prius : quando enim sunt incorrigibiles, ultimo supplicio feruntur, aliter non, ut de Arnaldo Brisciensi factum est*[312]. Cette constatation n'est pas nécessairement une approbation. Si les principes sont rigoureux les applications peuvent et doivent être discrètes. Trois crimes exigent un châtiment : l'homicide et la simonie qui relèvent du for ecclésiastique, et la lèse-majesté qui relève du fer séculier. Encore appartient-il au juge de tenir compte des circonstances qui peuvent qualifier le crime et qualifier le criminel[313], et dans tous les cas de juger avec sérénité : *Noli ergo atrocius judicare.*

Les mêmes principes valent à propos de la confiscation des biens qui punit les voleurs de biens publics, à plus forte raison les voleurs sacrilèges. Elle est absolue et définitive à la double condition qu'elle soit prononcée par le juge ou par celui qui a juridiction sur les coupables, et dans un esprit, non de haine mais de justice, sinon la sentence est nulle et il y a pour les spoliateurs obligation de restituer[314].

Ces quelques remarques permettent d'entrevoir toute la richesse canonique de la Somme d'Huguccio. Les références au Droit Romain, l'allusion au crime de lèse-majesté, qui est peut-être reprise, voire développée, en d'autres passages, fournirent sans doute à l'élève le plus illustre du Maître la matière de ses réflexions et de ses futures décrétales. C'est peut-être pour avoir assimilé l'enseignement d'Huguccio qu'Innocent III a fait de l'hérésie un crime de lèse-majesté, et qu'en appliquant à l'Eglise Romaine le concept romain de la Majesté, il a établi sur de solides fondements juridiques ce qu'on appelle la théocratie pontificale.

Les idées de Sicard de Crémone[315] ne présentent pas une bien grande originalité. Sicard affirme, suivant le Décret de Gratien, la légitimité de la vindicte ; moyennant les conditions de fond et de forme que nous avons analysées[316]. Il reconnaît à tous les clercs, même consti-

---

Arnoldus tamen Brisiensis a papa Adrianus degradatus, suspensus fuit in altissima quercu, et postea concrematus. Ms. lat. 15397, f. 49, r⁰.

312. Ms. lat. 3892, fol. 292, v⁰. Sur Arnaud de Brescia, voir ch. II, p. 143.

313. Nos dicamus quod duo crimina inveniuntur in quibus judex ecclesiasticus penam non potest remittere, scilicet homicidium et symoniam... Iudex vero secularis similiter potest penam remittere, nisi specialiter prohibeatur a lege ut de crimine majestatis, inspecta tamen qualitate criminis et personae. Ms. lat. 3892, fol. 293 r⁰.

314. Si sunt spoliati bonis suis a judice vel ab eo qui jurisdictionem habet, non dico propter odium, sed propter justitiam... non est eis restituenda bona. Si autem ab aliis aut ab iis non servato ordine juris restituendi sunt... quia ex odio et non amore justitiae hoc fecerunt. » Ms. lat. 15397, f. 51, v⁰.

315. Bibliothèque Vaticane ; Ms. Palatinus 653, f. 96 et suiv. Bibl Nat. Ms. lat. 14996, f. 102 et suiv...

316. « Militare indifferens est quia quantum in se est, nec bonum, nec malum est. Affectus vero tuus militie tue nomen imponit. Nam militare propter praedam, malum est, propter justitiam, bonum. Prohibetur ergo, non propter se, sed prop-

tués dans les Ordres Majeurs, semble-t-il, puisqu'il ne fait pas la distinction, le droit de porter les armes pour la défense de la foi : « *Injuria propulsatur aut vi privata, aut vi publica. Vi privata, sine armis. Quomodo cuilibet lege permittitur injuriam propulsare a se et a socio, flagrante adhuc maleficio cum moderamine in culpa... Vi publica, cum armis, quomodo non licet clericis propulsare quia nec arma movere nisi forte pro fide tuenda ut sit alicui terrarum. Permittitur autem laïcis a se et a sociis. Et hec omnia non zelo ultionis, sed amore correctionis.* »

Ce principe posé, Sicard de Crémone se demande à quelles conditions la vindicte peut être exercée. Il en compte deux, suivant qu'il s'agit de la personne ou de la manière. *Ut cognoscatur an vindicta sit inferenda, notabis personam et modum. Persona, alia vindicantis, alia ejus in quem transfertur. In persona vindicantis notentur potestas et animus. In eo in quem vindicatur, persone qualitas et societas. Modus circa tria notandus, circa crimen, si sit occultum aut manifestum ; circa cognitionem, si servetur ordo judiciarius vel non, et circa punicionem... Circa quam, notandum quod alia est corporalis, alia spiritualis... Corporalis est in sanguinis effusione que fit morte vel membrorum amputatione : haec tantum civilis et in corporis cohertione. Que sit verberibus, vinculis, servitute, et hec est communis. Spiritualis est penitentie, excommunicationis, suspensionis, depositionis et degradationis... Ergo, si vindicans potestatem habet in eum in quem vindicatur, si zelum Dei, si pro persona in quam vindicatur, non scandalizatur ecclesia, si crimen est manifestum, si juditiarius ordo servatur, recte judex vindicabit ea pena que a tali judice tali culpa debetur*[317].

Il résulte de ce texte que Sicard reconnaît la légitimité de la peine de mort, infligée par le pouvoir temporel. Les conditions de cette légitimité sont à envisager, soit du côté du juge, soit du côté du coupable : *Si ergo persona judicis est idonea, ut laïcalis, et habet sanguinis potestatem, ut rex, vel a potestate licentiam, ut minister, habetque bonum affectum, et si reus est convictus, vel confessus, vel deprehensus, si legis auctoritatem exercet in improbos, immunis erit a culpa*[318]. » Sicard ne dit pas avec l'énergie de Roland que le meurtre des hérétiques est agréable à Dieu ; il ne blâme pas non plus ceux qui croient devoir supprimer les méchants. Sa réserve néanmoins ne paraît pas exempte d'une certaine préférence pour les solutions les plus douces : *Mali coguntur ad bonum*, écrit-il dans l'esprit de saint Augustin, *ut malo*

ter aliud... Ut belli justitia cognascatur, duo sunt maxime consideranda : persona scilicet, et causa. Persona autem est indicantis bellum, vide si habeat potestatem, ut principis ; autem agentis ; vide si clericus vel laïcus, ut militis ; autem patientis ; vide si meruerit impugnari ut hostis. Causa quoque autem est justa aut injusta. Justa pro vindicta, pro tutela corporis et patrie, fidei et pacis. Injusta pro cupiditate, crudelitate et ambicione. Ergo justum bellum est quod princeps gerit, vel ejus edicto geritur a persona cui congruat adversus eum qui meruit pro justa causa et debito fine, scilicet ut pax acquiratur. » Vat. Pal. 653, f. 96, c. d.

317. Vat. Pal. Ms. 653, f. 97 a. Biblioth. Nation. Ms. lat. 14996, f. 103, v° et 104, r°.

318. Vat. Pal. Ms. lat. 653, f. 97 a et b. Biblioth. Nation. Ms. lat. 14996, f. 104, v°.

desueto bonum ex consuetudine dulcescat, et quod prius fuerat necessitatis fiat demum voluntatis[319].

Sur la confiscation des biens, la pensée de Sicard de Crémone ne paraît pas très nette. S'il reconnaît, certes, la légitimité de l'expropriation pour cause d'hérésie, il paraît en contradiction avec lui-même, quand il se demande, suivant toujours la Question VII de Gratien, si celui qui possède des biens des hérétiques peut être appelé, ou non, possesseur de bien étrangers. *Videtur quod non, quia qui, pretore auctore, possidet tutus esse videtur... Contra, quia non videtur quis id capere quod alteri tenetur restituere. Hoc autem tenemur reddere hereticis, si convertantur ad fidem... Respondetur : tutus est et jure possidet, nec umquam reddere tenetur, nisi velit consilio perfectionis quia nititur auctoritate et ducitur zelo justitie*[320]. De cette argumentation, nous pouvons à notre tour tirer la conclusion suivante. La confiscation des biens des hérétiques est définitive, sauf si le possesseur estime préférable de ne pas user de son droit.

*
* *

La tradition impériale et la tradition patristique, pour différentes qu'elles soient dans leur esprit, se sont néanmoins rencontrées dès le temps de saint Augustin. De leur rencontre est sortie une théorie de la vindicte.

Cette théorie ne s'est pas constituée sous l'unique influence de la pure spéculation théologique ou juridique. Elle s'est dégagée peu à peu, suivant les circonstances politiques et religieuses qui intéressaient à la fois les intérêts de l'Empire et les intérêts de l'Eglise en Afrique du Nord.

Il a paru au génie de saint Augustin que l'Eglise ne pouvait « poursuivre » les dissidents que pour les ramener au bercail de l'orthodoxie ; que, dans cette entreprise, elle se devait de procéder par voie de persuasion et de conseil suivant sa nature ; que, dans le cas où ses efforts se heurteraient à une obstination irréductible, elle pouvait infliger des peines purement spirituelles qui présenteraient le double avantage d'amener les coupables à resipiscence et de préserver de l'erreur la partie fidèle du troupeau ; que si, néanmoins, le comportement, des hérétiques était de nature à ébranler les structures de l'Eglise, l'Eglise pourrait inviter les Chefs de la Cité à intervenir pour elle au nom de la justice et de la paix, mais qu'en toute hypothèse les peines des perturbateurs seraient limitées à la durée de leur contumace.

D'autres Pères de l'Eglise — nous avons mentionné saint Léon et saint Isidore — ou bien ont fait appel au Bras Séculier pour qu'il réduise la dissidence, ou bien, s'ils n'ont pas justifié les méthodes de contrainte, ils ont du moins approuvé les résultats obtenus. Mais aucun n'a cru devoir justifier ses réflexes de défense avec autant de plénitude que saint Augustin.

319, Vat. Pal. Ms. 653, f. 97 c. Biblioth. Nation. Ms. lat. 14996, f. 105, v°.
320. Vat. Pal. Ms. 653, f. 97, c. Biblioth. Nation. Ms. lat. 14996, f. 105, v°.

Avec saint Léon, la tradition patristique est officielle ou canonique. Mais il existe bien d'autres traditions canoniques : celle des conciles, celle des papes, voire de clerc isolé, traditions recueillies dans les collections de ce temps, surtout romaines et espagnoles, qui témoignent d'un même courant de pensée, au reste tout naturel dans un monde où l'on ne conçoit pas d'Etat sans Religion, ni sans doute de Religion — l'orthodoxie nicéenne, puis chalcédonienne — sans Etat pour la défendre.

C'est en pleine période d'anarchie carolingienne que la théorie de la vindicte réapparaît, mais incidemment et sans consistance, dans le Pseudo-Isidore et dans le traité d'Hincmar de Reims.

En même temps se dessine une tradition germanique de caractère procédurier tout ensemble et pénal. Elle est encore sans importance, mais elle est appelée à compléter quant à la procédure la théorie augustinienne et même à la supplanter quant à l'esprit de la vindicte et aux peines qu'elle inflige aux dissidents. Nous la verrons ultérieurement s'exprimer en termes canoniques dans les pays austrasiens et se répandre à l'entour dans une zone de plus en plus étendue jusqu'à s'imposer dans le Droit de l'Eglise Universelle.

Pour le moment, la Réforme Grégorienne, dans sa lutte contre la simonie, retrouve les textes les plus fameux de saint Augustin, et elle les brandit comme une menace, encore dépourvue, il est vrai, de toute efficacité immédiate, en l'absence d'un pouvoir séculier docile et puissant qui assumerait auprès de l'Eglise le rôle jadis tenu par les empereurs romains, mais susceptible de réalisation, suivant le jeu des circonstances politiques.

Avec la Renaissance du Droit à Bologne, Romanistes et Canonistes retrouvent, les uns, la tradition impériale dans sa forme la plus juridique et la plus rigoureuse, les autres toute la tradition augustinienne et la tradition canonique. A partir de ces éléments une doctrine s'élabore de l'hérésie et de la vindicte, un système de contrainte se crée qui prévoit des peines spirituelles, mais aussi des peines temporelles, de caractère personnel et réel, contre les hérétiques. Ces peines — on ne cesse de le dire — ne sont pas destinées à satisfaire un esprit de vengeance, mais à procurer l'amendement des coupables : *non zelo ultionis, sed amore correctionis*. Toutefois il ne paraît pas exclu qu'on ne puisse recourir, en cas d'obstination irréductible ou de danger grave, à la guerre sainte, donc à la peine capitale.

Les Chefs de l'Eglise n'auront qu'à s'inspirer de la doctrine et à utiliser, dans la mesure où ils le pourront, le système de contrainte pour en tirer l'Inquisition.

Chapitre II

LA RENAISSANCE DE L'HÉRÉSIE

Le siècle de la Réforme Grégorienne voit aussi renaître l'hérésie. Que faut-il entendre par là ?

L'hérésie du xie siècle n'est pas un système théologique. Son inconsistance doctrinale n'autoriserait même pas qu'on l'appelât hérésie, au sens technique de ce terme suivant les définitions patristiques, si l'usage de le faire ne s'était imposé. Ses manifestations ne permettent pas de voir en elle une église organisée qui opposerait sa hiérarchie et ses rites au sacerdoce et à la liturgie catholiques.

Au xie siècle la société chrétienne traverse une crise religieuse. Elle cherche à s'affranchir d'un clergé dont la médiocrité l'indispose et à retrouver, au delà des institutions traditionnelles, les charismes des communautés primitives. Sur cet « humus spirituel » des formations religieuses prolifèrent. Les unes, de caractère nettement ascétique, s'établissent en marge de la hiérarchie, suivant la formule monastique, mais restent dans le sein de l'Eglise qu'elles purifient et régénèrent. Elles contribuent activement à l'œuvre réformatrice. Les autres se constituent en marge de l'Eglise, souvent même en révolte contre les structures doctrinales et canoniques. De là des réunions clandestines. L'esprit, en contact direct avec l'Ecriture, traduite en langue vulgaire, s'émancipait des servitudes dogmatiques ; la chair aussi, disent les chroniqueurs, se libérait des contraintes morales, comme si l'affranchissement de l'esprit s'accompagnait nécessairement du dérèglement des mœurs[1].

L'hérésie du xie siècle peut se caractériser par son iconoclasme radical qui ne condamne pas seulement les images, mais encore les sacrements et ceux qui les administrent. Elle est antisacerdotale ou

1. Sur les problèmes soulevés par la crise religieuse, les hérésies et les nouveaux ordres religieux aux xi-xiie siècles, voir les études récentes de E. Delaruelle : *La pieta popolare nel secolo XI* ; R. Morghen : *movimenti religiosi popolari nel periodo della riforma della Ghiesa* ; H. Grundmann : *eresie e nuovi ordini religiosi nel secolo XII* ; dans *Comitato Internazionale di Scienze Storiche X Congresso Internationale di Scienze Storiche*, Roma 4-11 Septembre 1955, Relazioni, vol. III : *Storia del Medioevo, Movimenti religiosi popolari ed eresie del medioevo*, I, II, III, pp. 309-402, Florence, 1955.

antisacerdotaliste, suivant une expression reçue qui a l'avantage de bien mettre en évidence son aspect négatif. Elle est autochtone ou indigène et aussi populaire, en ce sens qu'elle se recrute à l'origine parmi les petites gens, souvent illettrés et de très modeste condition. Elle est semblable à elle-même à peu près partout où on la rencontre, justement parce qu'elle traduit un malaise spirituel commun, et cependant diverse par l'absence initiale de lien entre les communautés.

Ce sont peut-être les missionnaires cathares qui, en apportant aux communautés dissidentes les principes du dualisme bogomile, auraient organisé en même temps les premières églises cathares de l'Europe occidentale[2].

D'où venait le catharisme ?

L'hypothèse généralement admise, celle de Ch. Schmidt, lui donne pour origine les pays balkaniques, au temps de la prédication des saints Cyrille et Méthode et de la première organisation de l'Eglise morave. « Les peuples slaves qui acceptèrent le baptême, écrit Ch. Schmidt, ne purent se dépouiller tout d'un coup de leur paganisme. Des superstitions et des usages païens se mêlèrent pour longtemps encore à leurs croyances chrétiennes[3]. » De là, le dualisme se serait répandu en Orient vers la Thrace, la Macédoine et la Grèce, et en Occident vers la Bosnie et la Dalmatie d'où il aurait gagné l'Italie et s'y serait épanoui avec une facilité d'autant plus grande qu'il y trouvait un terrain mieux préparé.

D'autres, tout en reconnaissant l'origine orientale du catharisme, lui font suivre un trajet différent. Il aurait d'abord gagné le nord de la France, puis le midi d'où il serait passé en Italie et en Dalmatie[4].

Quoi qu'il en soit du catharisme, et de ses origines et de son itinéraire vers le monde occidental, un fait est certain : le dualisme s'est infiltré en France et s'est imposé dans certains milieux à partir du XIIe siècle. Quelles croyances apporte-t-il aux populations, quelle expérience religieuse vient-il leur proposer ?

Il est bien difficile de le dire. On ne connaissait autrefois le dualisme médiéval que par la réfutation de ses adversaires et par les documents de l'Inquisition. On le connaît mieux de nos jours grâce aux découvertes et aux publications de textes d'origine cathare. Mais ces textes sont encore trop rares et surtout trop disparates pour qu'il soit possible d'en tirer une synthèse complète et cohérente des conceptions dualistes. Voici, néanmoins, ce qu'on peut dire[5].

2. Sur l'influence du bogomilisme en Occident les historiens ne sont pas d'accord, voir R. MORGHEN, *art. cité*, pp. 350-355.

3. Ch. SCHMIDT : *Histoire et Doctrine de la Secte des Cathares ou Albigeois*, Paris, 1849, t. I, pp. IV et ss.

4. Ch. PFISTER : *Études sur le règne de Robert le Pieux*, Paris, 1885, pp. 326 et ss.

5. Voir notamment J. GUIRAUD, art. Albigeois, dans *D.H. G. E.* Paris, 1912 ; du même, *Histoire de l'Inquisition au Moyen Age*, t. I : *Origine de l'Inquisition dans le midi de la France* ; *Cathares et Vaudois*, Paris, 1935, pp. 33 et ss. ; Hans SÖDERBERG, *La Religion des Cathares*, Upsal, 1949 ; R. NELLI, avec la collaboration de Ch. P. BRU, L. DE LACGER, D. ROCHÉ, L. SOMMARIVA, *Spiritualité de*

Le dualisme se caractérise avant tout par une conception mani-chéenne d'après laquelle il existe un Dieu Bon et un Dieu Mauvais en opposition constante et irréductible. Mais ce dualisme fondamental se présente de deux manières ou mieux sous une double forme, l'une absolue et l'autre mitigée.

Pour les dualistes absolus, le Dieu Bon est le créateur des esprits, le Dieu Mauvais, au contraire, est le créateur des choses visibles[6]. Les deux Principes et les deux créations vivaient en paix lorsque Satan, le Dieu Mauvais, fit irruption dans le domaine du Dieu Bon ; il séduisit les esprits en leur promettant terres, richesses, puissance et femmes. A la vue d'une femme plusieurs le suivirent. Satan créa pour eux un ciel de verre que le Dieu Bon fit éclater. Alors Satan les emprisonna dans des corps humains. Pour délivrer les esprits empri-sonnés dans la matière, Dieu leur envoya l'Homme Primordial, iden-tifié avec saint Michel, vainqueur du Démon, et avec le Christ. « Saint Michel est le combattant du commencement des temps, le Christ est le vainqueur des temps apocalyptiques[7]. » Après la rédemption des esprits, la dualité demeure.

Au contraire, pour les dualistes mitigés, il n'y a qu'un seul prin-cipe, Dieu, créateur des esprits et des éléments. Le drame commence par la révolte de Satan et la séduction des anges. Ceux-ci, déchus, sont emprisonnés dans des corps, ceux d'Adam et d'Eve. Ils se mul-tiplient par génération[8]. Ce sont les âmes des hommes. Ces âmes, oublieuses de leur origine céleste, s'affligent néanmoins dans leur pri-son de chair. Un esprit individuel heureusement les assiste, comme leur « moi » ou leur « double ». C'est un compagnon, un gardien, un guide, un serviteur qui éveille en elle le souvenir de ce qu'elles furent et la nostalgie de leur délivrance[9].

Cette délivrance est l'œuvre du Christ, mais le Christ n'est pas le Fils de Dieu ; c'est un ange qui s'incarna dans Marie. Incarnation très improprement dite, car le corps du Christ n'était qu'apparence. Apparentes aussi furent sa vie, sa passion et sa mort. A son Baptême, l'Esprit descendit en lui et y demeura en quelque sorte captif jusqu'à sa glorification. Libéré l'Esprit descendit alors sur les Apôtres selon la remarque de saint Jean : VII, 39. « Il (Jésus) disait cela de l'Esprit

---

l'hérésie : La Catharisme, collection Nouvelle Recherche, Toulouse, 1953 ; Arno Borst, Die Katharer, dans Schriften der Monumenta Germaniae Historica, vol. 12, Stuttgart, 1953.

6. L'origine de cette conception serait à chercher dans le Marcionisme. D'après Saint Irénée, adv. Haer. III, 12, 12, P. G., VIII, c. 906, Marcion opposait au Dieu du Nouveau Testament celui de l'Ancien, créateur du monde à partir ou au moyen de la matière éternelle. De même Tertullien, Ad Marcionem, dans C. S. É. L., t. 47. Voir H. Söderberg, pp. 57 et ss.

7. H. Söderberg, p. 57.

8. « De même que tous les corps viennent du premier corps humain, de même toutes les âmes viennent de son âme. » H. Söderberg, p. 155.

9. Sur le problème du mal et du salut d'après les mythes gnostique et mani-chéens, voir D. Roché, dans R. Nelli, ouvr. cité, pp. 174 et ss.

que devaient recevoir ceux qui croyaient en lui, car l'Esprit n'était pas encore venu, parce que Jésus n'avait pas encore été glorifié[10]. »

La participation à l'Esprit de Jésus libérateur se fait par le Baptême. Le Baptême dualiste n'est point un baptême d'eau, lequel est une invention de Jean-Baptiste, lui-même instrument du démon. C'est d'abord un exorcisme suivi du chant du *Pater*, tandis que l'Evangile de saint Jean est posé sur la tête du catéchumène ; vient ensuite l'imposition des mains qui est le rite essentiel ou *Consolamentum*, en vertu de quoi la délivrance est déjà commencée[11]. Pour consommer cette délivrance, des fanatiques s'adonnaient à une ascèse mortelle, l'*Endura*, qui leur permettait de mourir purs. Le Baptême conférait aux ministres ou « Parfaits » une impeccabilité de principe. Les « Croyants », au contraire, pouvaient pécher, mais ils pouvaient être réconciliés par une sorte de Pénitence dite *Apparellamentum*.

A la mort, l'âme consolée, délivrée de sa prison charnelle, retrouvait sa condition angélique au Paradis de Dieu, mais elle pouvait se réincarner et connaître des vies successives. La résurrection des corps n'a évidemment aucun sens.

A la fin du monde, les démons et les damnés seront anéantis et Dieu remportera la victoire totale[12].

Telle est dans ses grandes lignes la doctrine dualiste. Elle s'apparente à la gnose[13] et, comme la gnose, elle se rattache à la philosophie platonicienne et pythagoricienne par sa conception tripartite de l'homme et sa croyance à la métempsycose. Son dualisme absolu est évidemment de tradition manichéenne. Par sa négation de la Trinité et de la réalité charnelle du Sauveur elle rejoint le monarchianisme et le docétisme. Elle enseigne enfin le traducianisme et chez les cathares mitigés une eschatologie analogue à l'apocatastase d'Origène. Il est inutile de faire remarquer le danger que le catharisme faisait courir à la société chrétienne.

*
* *

Les premières manifestations de l'hérésie auraient eu pour théâtre l'Italie. Raoul le Glabre raconte dans ses « Histoires » l'aventure d'un certain Vilgard qui demeurait sans doute dans la région de Ravenne.

---

10. Sur le mystère de la déchéance de l'âme, voir R. NELLI, *ouvr. cité*, pp. 134 et ss.

11. « La Consolation n'était pas un sacrement, mais le signe de l'expérience de l'Esprit que faisait l'initié après des abstinences et un effort sincère, décisif, de pureté. La Consolation des mourants, donnée sur la promesse de bien faire à l'avenir, était un enseignement, un avertissement de l'expérience de l'esprit par laquelle l'âme allait passer après la mort. » D. ROCHÉ : *Le Catharisme*, éd. 1947, Toulouse, Institut d'Etudes Occitanes, p. 28.

12. Voir dans A. BORST, *ouvr. cité*, pp. 143-190, un exposé de la théologie cathare d'après les sources et les documents de l'Inquisition.

13. D. ROCHÉ : *Les Documents Cathares*, l'origine manichéenne et les deux principales écoles du catharisme, dans *Cahiers des Etudes Cathares*, 1re année, n° 1, Toulouse, janvier-mars 1949, pp. 35-45. H. SÖDERBERG, p. 203.

Ce personnage aurait été corrompu par les démons qui se présentèrent à lui sous les traits de Virgile, d'Horace, de Juvénal ! Sans doute faut-il entendre par là que la connaissance des Lettres Antiques n'était pas sans danger pour la foi simple des chrétiens. « Vilgard, écrit Raoul le Glabre, prenait au sérieux les fables des poètes, il se mit à propager beaucoup de choses contraires à la foi sainte[14]. » Il fut condamné par Pierre, évêque de Ravenne. Notre chroniqueur n'en dit pas davantage. Cependant Vilgard aurait fait des disciples qui se multiplièrent en Italie et en Sardaigne et passèrent en Espagne. Mais ils périrent par le fer et par le feu. C'est peut-être alors que s'allumèrent les bûcher de Milan où périrent les hérétiques de Monteforte[15]. D'autres, semble-t-il, furent expulsés[16]. Certains durent passer en France.

Raoul le Glabre raconte encore l'anecdote suivante. Vers la fin de l'an mille *circa finem millesimi anni*, un laïc champenois, nommé Leutard, qui habitait le bourg de Vertus, en Champagne[17], quitta sa femme, brisa la croix, refusa de payer la dîme. Condamné par l'évêque de Châlons, Jébuin, *vir erudissimus*, il fut expulsé ; il se jeta dans un puits[18]. Cette aventure serait insignifiante, n'était sa ressemblance avec des faits divers analogues et sa relation à tout le moins géographique avec le château de Mont-Wimer, proche de Vertus précisément, qui était un foyer d'hérésie et de propagande hérétique[19].

Nous avons sur les hérétiques d'Orléans des renseignements plus circonstanciés.

Un prêtre de Rouen, Héribert, de la maison d'Aréfast, chevalier de Richard II, duc de Normandie, était venu à Orléans pour y faire des études. Il s'était lié avec deux autres prêtres, tout à fait éminents[20] : Etienne, supérieur de la Collégiale de Saint Pierre le Puellier, confesseur de la reine, et Lisois, du Chapitre de la cathédrale Sainte-Croix. Ces deux personnages faisaient beaucoup de propagande à la ville et dans la campagne en faveur d'une hérésie qui aurait été apportée

14. Raoul DE GLABRE, *Francorum Historia*, liv. II, ch. XII, n. 23 : « cœpit multa turgide docere fidei sacre contraria, dicti poetarum per omnia credenda esse asserebat. » Ed. M. Prou, dans *Collection de textes pour servir à l'étude et à l'enseignement de l'Histoire*, Paris, 1886, p. 50.

15. LANDULPHE : *Historia Mediolanensis*, liv. II, ch. XXVII, dans *M. G. H.* ss. VIII, pp. 65-66. Voir Ch. SCHMIDT : I, pp. 21-23. Henri-Charles LEA : *Histoire de l'Inquisition au Moyen Age*, trad. S. REINACH, t. I : *Origine et procédure de l'Inquisition*, Paris, 1900, pp. 123-124. A. BORST, pp. 77-78.

16. « Aut gladiis aut incendiis perierunt... a viris catholicis exterminati sunt », Raoul DE GLABRE, *op. cit.* Peut-être le verbe *externinari* veut-il dire simplement tuer en relation avec ce qui précède.

17. Chef-lieu de canton de la Marne.

18. Raoul DE GLABRE, liv. III, ch. VIII, n. 26-31, pp. 49-50.

19. D'après une lettre de l'Eglise de Liège à Lucius II. *P. L.*, t. 179, c. 937. MIGNE reproduit l'erreur de Dom MARTÈNE : *Amplissima Collectio*, t. I, c. 177, qui confond Mont-Wimer dans le diocèse de Châlons avec Montélimar en Dauphiné. Voir E. VACANDARD : *Les Origines de l'hérésie albigeoise*, dans *R. Q. H.*, t. 55, 1894, p. 53, n. 1.

20. « Omnes sapientia clari, sanctitate seu religione magnifici, eleemosynis largi. », dans *Gesta Synodi Aurelianensis*, H. F., X, 536.

d'Italie par une certaine femme[21]. Etienne et Lisois « pensaient autrement que l'Eglise ». Ils rejetaient, autant qu'on en peut juger, les dogmes de la Trinité et de l'Incarnation, par conséquent la Rédemption et les Sacrements. Ils enseignaient l'éternité de la matière, l'inutilité des œuvres, l'impossibilité de la damnation pour les péchés de la chair. Les adeptes se réunissaient la nuit et se livraient, dit-on, à toutes sortes de débauches.

Il est assurément difficile d'apprécier sur de si faibles indices la doctrine des hérétiques d'Orléans. Quant à l'ambiance de mystère et de sensualité des réunions clandestines, elle était peut-être réelle ; c'était peut-être aussi une crétion de l'imagination populaire pour qui la clandestinité n'a guère d'autre justification qu'une débauche à caractère d'envoûtement et de maléfice[22]. Telles avaient été jadis les réactions païennes contre l'Eglise des catacombes et les réactions des orthodoxes contre les hérétiques et les derniers païens[23].

Héribert s'agrégea à la secte. Mais de retour dans son pays, il parla de son aventure au chevalier Aréfast qui avertit le duc Richard et le roi Robert. Aréfast décida de faire personnellement une enquête. Passant à Chartres dont l'évêque, Fulbert, était à Rome, il s'entretint de l'hérésie avec le prêtre-sacristain de la cathédrale, un nommé Ebrard, qui lui donna le conseil de se présenter aux deux hérétiques d'Orléans comme s'il voulait entrer dans la secte. Ce qui fut fait. Etienne et Lisois tombèrent dans le piège d'Aréfast. Le lendemain, Robert de Pieux[24] réunit dans la cathédrale une assemblée d'évêques, d'abbés, de seigneurs. Aréfast avoua le motif qui l'avait conduit à Orléans. Les hérétiques, notamment Etienne et Lisois, exposèrent leur doctrine. Les évêques firent ensuite une profession de foi et excommunièrent les coupables. Cependant le peuple attendait à la porte de la cathédrale. La reine Constance, disent les *Gesta*, frappa de son sceptre son ancien confesseur Etienne et lui blessa un œil au moment où il sortait. Enfin, Robert le Pieux fit allumer non loin de la ville un grand feu où furent jetés les hérétiques[25].

Le concile d'Orléans eut un retentissement immense[26]. C'était peut-être la première fois depuis l'antiquité que des hérétiques condamnés par l'Eglise étaient livrés à la mort et à la mort par le feu. Etait-ce en vertu d'une loi que Robert le Pieux aurait promulguée pour la cir-

---

21. Raoul LE GLABRE, liv. III, ch. VIII, n. 26-31, pp. 49-50.
22. M. FOUCAULT : *Les procès de sorcellerie dans l'ancienne France devant les juridictions séculières*, Paris, 1907, pp. 21 et 26. De même P. LÉVY-ALPHANSÉRY : *Les idées morales chez les hétérodoxes latins au début du XIIIe siècle*, Paris, 1903, la longue note de la p. 102 et sa conclusion. De même Th. de CAUZONS : *La magie et la sorcellerie en France*, Paris, s.d. t. II, p. 154.
23. Voir Chapitre Premier, pp. 29-36.
24. « Ut erat doctissimus et christianissimus, tristis ac moerens nimium effectus, quoniam et ruinam patrie, revera et animarum metuebat interitum. » D'après Raoul LE GLABRE, *op. cit.*
25. Sur cette affaire, voir Ch. PFISTER, *ouvr. cité*, pp. 326 et ss.
26. Lettre de Jean, moine de Fleury-sur-Loire à l'abbé Oliba, évêque de Vich, dans *H. F.*, X, 498. Item, H. L., t. IV, p. 933.

constance ? On pense aux vieilles lois romaines. Mais rien n'indique
que le roi y ait songé. Nous voyons là plus simplement et plus justement, croyons-nous, un réflexe populaire de conjuration du maléfice.
Les méchants, réduits en cendres, ne feront plus jamais peur.

L'autodafé d'Orléans invita les hérétiques à la prudence.

Trois années après, en 1025, l'évêque de Cambrai-Arras, Gérard,
apprit que des hérétiques, se disant originaires d'Italie, enseignaient
une doctrine aussi radicalement négative que naguère ceux d'Orléans.
Il les fit arrêter et comparaître devant un synode dans la cathédrale
d'Arras[27]. Comme à Orléans, les hérétiques exposèrent leur croyance,
l'évêque et son clergé firent une profession de foi. Les hérétiques reconnurent leurs erreurs et souscrivirent à la profession de foi. Et tous
de rendre grâces à Dieu. D'après le même Gérard de Cambrai, des
hérétiques auraient été aussi appréhendés au pays de Liège et ils se
seraient soumis à l'évêque Renaud. Mais ces conversions trop faciles
n'apaisaient aucunement les inquiétudes de Gérard qui conclut : *tenore supplicii specimen religionis mentiebantur.*

Il n'avait sans doute pas tort. Un concile de Reims, du 4 octobre
1049, dénonce l'existence de « nouveaux hérétiques » qui « émergent
un peu partout en France ». Il les excommunie et excommunie avec
eux tous leurs fauteurs[28] ; mais il n'envisage contre eux aucune autre
procédure que la procédure traditionnelle accusatoire. Si par le hasard
d'une dénonciation un hérétique est amené devant la justice épiscopale, il est excommunié et brûlé. A Arras, un « manichéen » est traduit devant le tribunal de l'évêque, il est excommunié, saisi par les
« hommes » de l'évêque et jeté au feu[29]. A Châlons, la foule, particulièrement ardente et « enragée », brûle les hérétiques[30].

Plus au nord, dans la région rhénane, en Saxe impériale, à Goslar,
des hérétiques obstinés furent condamnés au dernier supplice par
l'empereur Henri III et « avec le consentement de tous » ils furent
pendus, Noël 1052[31].

Ces exécutions tous les évêques ne les approuvaient pas. Celui de
Châlons, Roger, est partagé entre deux sentiments : il lui répugne de
livrer les hérétiques à la puissance séculière, mais il craint, en ne les
livrant pas, de manquer à son devoir, de laisser corrompre la masse

27. *Acta Synodi Atrebatensis,* dans Mansi, t. XIX, c. 423. *P. L.,* t. 142, cc. 1270
et ss. *H. F.,* X, 540.

28. « Et quia novi heretici in Gallicanis partibus emerserant, eos excommunicavit, illis addictis qui ab eis aliquod munus vel servitium acciperent aut quod-
libet defensionis patrocinium illis impenderent », Mansi, t. XIX, c. 742.

29. Chronique de Saint André de Cambrai : III, 3, dans *M. G. H.* ss. t. VII,
p. 540.

30. « Praecipitem Francigenarum rabiem », d'après Anselme : *Gesta Epis-
coparum Leodiensium,* ch. LXIII, dans *M. G. H.* ss. t. VII, p. 228.

31. « Imperator... quosdam haereticos... consensu cunctorum... in patibulo sus-
pensi jussit », d'après la *Chronique d'Hériman de Reicheinau (Augiensis),* ann.
1052, dans *M. G. H.* ss., t. V, p. 130.

par un mauvais ferment. Il demande conseil à l'évêque de Liège, Wason[32].

La consultation de Wason est importante. Développant le thème de la Parabole de l'Ivraie il en tire une leçon de patience : il faut attendre la moisson. Il cite à ce sujet avec plus ou moins d'à-propos l'exemple de saint Etienne priant pour ceux qui le lapidaient, et de conclure : « Nous évêques, nous devons nous souvenir que nous n'avons pas reçu le glaive pour ce qui est de l'ordre de la puissance séculière. C'est pourquoi nous sommes invités, non à donner la mort, mais plutôt, avec le concours de Dieu, à donner la vie[33]. » Interprétant la pensée de l'évêque, son biographe dénonce le scandale des exécutions récentes de Goslar. Qu'avait-on à reprocher aux victimes ? Rien d'autre que le refus d'obéir à un évêque qui leur ordonnait de tuer un poulet ! Wason, s'il eut été là, n'aurait jamais approuvé la sentence, à l'exemple du Bienheureux Martin qui préféra souffrir plutôt que de s'associer aux intrigues de prêtres dépravés dans la persécution des Priscillianistes[34].

*
* *

Au début du xiie siècle l'hérésie réapparaît brusquement et à peu près simultanément en plusieurs régions d'Europe occidentale, sous des formes diverses, depuis la simple opposition antisacerdotaliste, nous dirions volontiers anticléricale, voire antichrétienne, jusqu'au catharisme mitigé de certaines communautés. La société chrétienne réagit diversement suivant les régions.

Tanchelm, ou Tancelin, était-il moine apostat, on ne saurait l'affirmer. Il paraît soudain à Anvers qui n'avait pour tout pasteur qu'un seul prêtre, incestueux, desservant la paroisse de Saint-Michel. Tanchelm exerça tout de suite une séduction étrange[35]. Il enseignait des

32. « Quid de talibus praest et agendum anxius praesul certum sapientiae consuluit secretarium, an terrenae potestatis gladio in eos sit animadvertendum, necne : modico fermento nisi exterminentur, totam massam posse corrumpi », dans *Vita Vasonis episcopi*, ch. 24, *P. L.*, t. 142, c. 751.

33. « Interim nikilominus meminisse debemus quod nos qui episcopi dicimur gladium in ordinatione quod est saecularis potentiae non accepimus ; ideoque non ad mortificandum, sed potius ad vivificandum auctore Deo injungimur », item, c. 753.

34. « Cujus discussionis ordinem cum diligenter sciscitaremur, non aliam condamnationis eorum causam cognoscere potuimus, quam quia cuilibet episcoporum jubenti ut pullum occiderent inobedientes exstiterant. Vere fatebor enim nec silebo, Wasonem nostrum, si haec tempora contigisset, huic sententiae assensum nequaquam praebiturum, exemplo beati Martini, qui ut intercederet pro Priscillianistis, maximi imperatoris turpiter adulantium sacerdotum consilio depravati edicto damnatis, maluit excellentissimae virtutis suae detrimentum incurrere, quam eripiendis etiam haereticis non consulere », item, cc. 753-754. Le refus de tuer, d'après l'exposé qui précède, était considéré comme un signe d'hérésie.

35. « Unde contigit ut haereticus quidam, mirae subtilitatis et versutiae, seductor, Tanchelinus nomine, ibi adveniens, in eadem gente suae seductionis locum inveniret. » Vita S. NORBERTI, dans *Acta Sanctorum*, t. XXI, Paris, 1867, p. 831, n. 79. — P. FRÉDÉRICQ, *Corpus Documentorum Inquisitionis haereticae pravitatis Neerlandicae*, t. I, Gand, 1889, no 14 à 23.

doctrines subversives et une morale relâchée. Se faisant peut-être l'écho des controverses relatives à la validité des sacrements conférés par des clers nicolaïtes, il déclarait que la valeur des sacrements dépendait de la foi et de celui qui les administre et de celui qui les reçoit. Il disait encore que la hiérarchie était sans justification et sans valeur. Comme la plupart des « inspirés » il se substituait au magistère. Il avait reçu la plénitude du Saint-Esprit. On lui prêtait des paroles étranges et des gestes insensés, tel celui de mettre sa main dans la main d'une statue de la Sainte Vierge et de déclarer ses fiançailles avec la Vierge Marie. Enfin, sous prétexte que les œuvres de chair étaient moralement indifférentes, il lâchait la bride à toutes les passions[36].

Son succès fut prodigieux. Ses fidèles, fanatisés, allaient jusqu'à boire l'eau de son bain. On cite parmi ses disciples le prêtre apostat Evermacher et le forgeron Manasses. On attribue au premier un projet de division de l'évêché d'Utrecht et au second la fondation d'une « Gilde », sorte de confrérie de douze hommes et d'une femme incarnant Marie. Les sectaires, organisés militairement, tinrent en échec, au nombre de trois mille, tous les pouvoirs ecclésiastiques et séculiers[37]. Néanmoins Tanchelm fut emprisonné par l'archevêque de Cologne. Il réussit à s'échapper, s'enfuit à Bruges où il mourut de mort violente, tué par un prêtre, en 1115.

L'agitation qu'il avait provoquée ne disparut pas avec lui. Le prêtre incestueux de Saint-Michel demanda des secours. On lui adjoignit une douzaine de clercs. Mais c'est seulement dix ans plus tard, grâce à l'apostolat des Prémontrés, que la population d'Anvers revint peu à peu à l'Eglise catholique[38]. D'autres hérétiques furent moins heureux que l'empereur Lothaire fit brûler en 1135 à Utrecht et à Trèves[39]. Malgré ces rigueurs l'hérésie ne fut point éteinte. Elle parut même évoluer au cours des années suivantes dans un sens de plus en plus « manichéen ».

Guibert de Nogent[40] fait connaître l'existence d'un groupe de petites gens illettrés qui habitaient le bourg de Bucy[41]. Il donne le nom de deux frères, Ebrard et Clément qui étaient les protégés du comte Jean de Soissons. Ces hérétiques ne croyaient pas à la réalité de l'Incarnation Rédemptrice ni à la valeur des sacrements. Ils avaient no-

---

36. D'après une lettre de l'Eglise d'Utrecht à Frédéric, archevêque de Cologne : *Acta Sanctorum*, t. XXI, pp. 832-833.

37. « Credebant ei et sequebantur eum circiter tria millia pugnatorum, nec erat dux aut episcopus vel quilibet princeps qui auderet ei resistere vel occurrere nec ante eum, nisi sectam ejus sequeretur, apparere. » Vita S. Norberti, *op. cit.*

38. Vita S. Norberti, H.Ch. Lea, *ouvr. cité*, t. I, pp. 72-73.

39. P. Frédéricq, *Corpus*, I, n° 27 et 28. Sans doute faut-il identifier avec l'empereur ce Lothaire qui aurait encore brûlé à Trèves et à Utrecht beaucoup d'hérétiques, disciples de Tanchelm, dates données 1163, 1164 : P. Frédéricq, n° 44.

40. Guibert de Nogent, *De Vita sua seu monodiarum libri tres*, édition G. Bourgin, dans *Collection de Textes...*, Paris, 1907, liv. III, ch. XVII, pp. 212-215.

41. Bucy-le-Long, Aisne.

tamment horreur de l'Eucharistie. Ils répugnaient à manger de tout
ce qui provenait *ex coïtu*, sans doute parce qu'ils pensaient que la
matière était mauvaise. On les accusait de sodomie et de secrètes
débauches[42], voire de meurtre rituel. Ils allument, disait-on, un grand
feu, ils y jettent un enfant, ils en recueillent les cendres. Chacun en
reçoit une part et l'absorbe comme une « eucharistie ». Après quoi,
il est presque impossible de les convertir[43].

Que penser de ces on-dit ? Guibert de Nogent, qui a lu saint Augustin, note une ressemblance entre la secte soissonnaise et l'ancien
manichéisme[44]. La remarque est d'autant plus importante qu'elle provient d'un chroniqueur dont il serait injuste de suspecter la probité[45].
Le témoignage de Guibert est encore précieux parce qu'il nous dit
comment se propageait l'hérésie : à la manière d'un reptile qui avance
sans bruit : il est insaisissable et on le découvre partout[46].

En 1120, l'évêque Lisiard fit arrêter plusieurs hérétiques. Il les soumit à l'épreuve de l'eau. L'un d'eux fut condamné. Comme on ne savait qu'en faire, on décida d'en discuter dans un concile de Beauvais.
Mais, tandis que l'évêque était en route, le peuple s'empara des autres
hérétiques et les brûla en dehors de la ville.

En 1144, le clergé de Liège écrit au pape Lucius II pour lui demander conseil sur la conduite à tenir envers des hérétiques[47]. On a découvert « chez nous » dit le texte des sectateurs de l'hérésie. Ils ont
avoué[48]. On aimerait avoir quelques précisions sur le caractère de
cette découverte, la composition du tribunal, la nature de la discussion. Le texte donne avec une telle évidence l'impression d'un clergé
pris au dépourvu qu'il n'y a pas lieu de supposer l'existence d'une
législation spéciale contre l'hérésie. Un hasard quelconque dut être
l'occasion de la découverte, le tribunal de l'évêque s'est réuni ; la
preuve dut être double : le témoignage et la confession judiciaire.

Par contre nous sommes bien renseignés sur la doctrine et sur l'organisation de la secte liégeoise. La doctrine est ici encore toute négative : inefficacité du Baptême, absurdité de l'Eucharistie, nullité de
l'Ordre, condamnation du mariage et du serment. Cependant les hérétiques continuent de vivre dans le cadre de l'Eglise et de fréquenter

42. « Conventicula faciunt in (h)ypogeis aut pennalibus (penetralibus) additis,
sexus simul indifferens... chaos undecumque conclamant, et cum ea quae ad manum venerit prima quisque coit », *op. cit.*, p. 213.

43. « Ignis multus accenditur, a circumsedentibus puer de manu in manum
per flammas jacitur, donec extinguitur ; deinde in cineres redigitur ; ex cinere
panis conficitur, cuique pars tribuitur, qua assumpta numquam pene ab háeresi
ipsa resipiscitur », *op. cit.*, p. 213.

44. « Si relegas haereses ab Augustino digestas, nulli magis quam Manicheorum repereies convenire », *op. cit.*

45. G. BOURGIN, pp. xxii-xxxiv.

46. « Haeresis autem ea est, non quae palam dogma suum defendat, sed quae
perpetim damnata susurris clandestina serpat », *op. cit.*

47. Lettre au pape Lucius II, dans P. FRÉDÉRICQ, *Corpus*, t. I, n° 30. Item,
H. F. XV, 418, *P. L.*, t. 179, c. 937.

48. « Apud nos sectatores quidam detecti, convicti et confessi sunt », *op. cit.*

les Sacrements « pour couvrir leur iniquité ». C'était évidemment une mesure de prudence et on s'explique d'autant mieux l'émotion considérable que leur découverte a pu susciter L'organisation paraît être hiérarchique : auditeurs, croyants, prêtres, prélats, mais cette hiérarchie n'est pas bien sûre, soit à cause de la confusion des sectes, soit à cause du manque d'information du clergé de Liège.

Le tribunal siégeait encore lorsque la foule impatiente tenta d'enlever les hérétiques pour les brûler. Les juges, au contraire, « pleins de la miséricorde du Seigneur » et dans l'espérance d'une conversion possible, parvinrent difficilement à les soustraire à la fureur du peuple[49]. La plupart furent enfermés dans les monastères de la région, en attendant le jugement du pape[50]. Un seul hérétique, Aimery, fut envoyé à Rome sur sa demande, en accomplissement d'un vœu qu'il avait fait de visiter le tombeau des Apôtres s'il obtenait par leur intercession la grâce d'être délivré de la secte. Que signifie cette déposition ? Ou bien, elle constitue un alibi pour échapper à la détention, ou bien il faut supposer, si Aimery était sincère, qu'il n'avait pas la liberté de quitter la secte à laquelle il s'était fait ou on l'avait fait inscrire, et pourquoi, sinon vraisemblablement parce que les chefs craignaient l'indiscrétion du néophyte ? Simple mesure de discipline et de prudence. Nous ne connaissons pas la réponse de Lucius II si tant est qu'il en ait donné une : il est mort l'année suivante et son successeur eut fort à faire dès le commencement de son pontificat avec Arnaud de Brescia et les Romains.

La même année, Ebersin, prévôt du monastère de Steinfeld, près de Cologne, demanda au sujet d'une affaire semblable les conseils de saint Bernard[51]. On avait découvert des hérétiques dans la région, on les avait traduit devant le tribunal de l'archevêque qu'entourait une véritable cour de clercs et de laïcs[52]. On les avait convaincus d'erreur. Beaucoup avaient abjuré, mais deux autres, dont l'un se disait évêque, avaient défendu leur doctrine au nom de l'Evangile et des Epitres. Voyant sans doute qu'ils perdaient la partie, ils avaient demandé un délai pour consulter leurs docteurs, s'engageant à revenir avec ces mêmes docteurs et à se convertir ou à subir le martyre, suivant le résultat de la conférence théologique. Le tribunal ayant accepté, les hérétiques revinrent à la date convenue et pendant trois jours discutèrent avec les catholiques. Mais ils ne parvinrent pas à s'entendre.

49. « Nos turba turbulenta raptos incendio tradere deputavit, sed nos, Dei Favente misericordia, pene omnes ab instanti supplicio, de ipsis meliora sperantes, vix tamen eripimus », *op. cit.*

50. « ...alios vero hujus erroris participes per religiosa loca divisimus quid super eis ad correctionem agendum sit a vobis expectantes », *op. cit.*

51. Epistola Eversini Steinfeldensis praepositi ad S. Bernardum : *P. L.*, t. 182, c. 677 et ss.

52. L'affaire à laquelle Ebersin fait allusion nous est connue par les *Annales Brunwilarenses*, dans *M. G. H.* ss. XVI, p. 727, année 1143. La lettre d'Ebersin serait donc légèrement postérieure à cette date. Voir E. VACANDARD, *art. cité*, p. 51, n. 1.

Alors, la foule, malgré les efforts du clergé, arracha les hérétiques, alluma un grand feu et les y jeta. Or, chose étonnante, remarque Ebersin, ils subirent leur supplice, non seulement avec résignation, mais encore avec joie[53].

L'impression dut être vive à Cologne. On apprit alors les choses les plus extraordinaires sur la doctrine de la secte : pratique de la pauvreté totale, exclusion de toute nourriture qui provient *ex coïtu*, le laitage par exemple, rejet de l'Eucharistie, de la Pénitence, du Mariage, de la Liturgie, de la croyance au Purgatoire, nécessité d'un second baptême, le Baptême de l'Esprit, qui s'administre par l'imposition des mains. De leur côté, les convertis et les « martyrs » donnèrent quelques précisions sur l'origine, l'extension et l'organisation de la secte : elle remonte aux premiers siècles de l'Eglise, elle a végété pendant longtemps en Orient, surtout en Grèce, mais aujourd'hui elle est répandue sur toute la terre. Beaucoup de clercs et de moines de Cologne y sont affiliés. Elle comprend des « élus » et des « croyants », « des apôtres », accompagnés de femmes — soi-disant continentes, insinue Ebersin — toutes missionnaires de l'hérésie, un chef suprême enfin, un pape qui s'oppose, bien entendu, au Pontife Romain. Ebersin en est tout bouleversé et demande les lumières de saint Bernard[54].

La réponse de saint Bernard est plus doctrinale et morale que juridique. Commentant le texte du Cantique des Cantiques, ch. II, v. 16 : *Capite nobis vulpes parvulas quae demoliuntur vineas, nam vinea nostra floruit*[55], les vignes, dit-il, sont les églises et les renards les hérétiques. Il faut donc prendre les hérétiques ; mais par quels moyens ? « Non par les armes, mais par des arguments qui réfutent leurs erreurs et permettent par conséquent, si la chose est possible, de les réconcilier avec l'Eglise catholique et de les ramener à la vraie foi[56]. » Telle est, en effet, la volonté de celui qui veut que tous les hommes soient sauvés et parviennent à la connaissance de la vérité. Pratiquement tout homme qui discute avec un hérétique doit avoir l'intention de le convertir et se rappeler les paroles de saint Jacques : « Celui qui convertit un pécheur sauve en même temps son âme de la mort et recouvre la multitude de ses péchés. » Si l'hérétique ne veut pas reconnaître ses erreurs, il subira deux monitions, et, s'il refuse encore, il deviendra anathème, comme dit l'Apôtre. Mieux vaut excommunier l'hérétique que de le laisser détruire les vignes du Seigneur. Saint Bernard reconnaît avec saint Augustin qu'il y a trois stades ou trois degrés de répres-

---

53. « Quo audito, cum per triduum essent admoniti et resipiscere noluissent, rapti sunt a populis nimio zelo permotis, nobis tamen invitis et in ignem positi atque cremati, et, quod magis mirabile est, ipsi tormentum ignis non solum patientia, sed et cum laetitia introierunt et sustinuerunt », *op. cit.*

54. « Contra haec tam multiformia mala rogamus, sancte pater, ut evigilet sollicitudo vestra et contra feras arundinis stilum dirigatis », *op. cit. P. L.*, t. 182, c. 679, n. 6.

55. Sermones in Cantica 64, 65, 66, dans *P. L.* t. 183, cc. 1083, 1086, 1102.

56. « Capiantur non armis, sed argumentis quibus refellantur errores eorum, ipsi vero, si fieri potest, reconcilientur Ecclesiae Catholicae, revocentur ad veram fidem », Ep. 64, c. 1086.

sion : l'argumentation, la monition, l'excommunication[57] : répression plutôt négative en ce sens que désormais il n'y aura plus d'équivoque, on ne verra plus de ces gens dénoncés par Ebersin, laïcs, clercs, moines, fidèles encore aux pratiques extérieures du culte catholique, mais apostats dans leur cœur. Un hérétique reconnu, dit en effet saint Bernard, est beaucoup moins nuisible qu'un faux catholique[58].

Mais, si l'excommunication ne porte pas ses fruits, et s'il est vrai, comme le dit Ebersin avec une exagération évidente, que l'hérésie a rempli toute la terre, une répression plus directe et plus efficace s'impose, mais laquelle ? Faisant allusion à l'exécution récente des hérétiques de Cologne, saint Bernard écrit : « Ces gens-là on ne les convainc pas par des raisonnements, car ils ne les comprennent pas, on ne les corrige pas par des autorités, ils ne les acceptent pas, on ne les fléchit pas par la persuasion, ils sont endurcis. La preuve est faite : ils aiment mieux mourir que de se convertir, ce qui les attend, c'est le bûcher[59]. » Simple constatation. « Nous approuvons le zèle du peuple, dit-il, mais nous ne conseillons pas ce qu'il a fait, car la foi est une œuvre de persuasion, elle ne s'impose pas par la force[60]. » Mais autres sont les questions de conscience, autres les questions de discipline et de défense de la société chrétienne, et, puisqu'il faut une sanction, saint Bernard admet que l'Eglise recourre au Bras Séculier. « Mieux vaut contraindre les hérétiques par le glaive... que de tolérer leurs ravages[61]. » C'est un droit pour l'Eglise, et pour le prince temporel c'est un devoir : « L'un et l'autre glaive, dit-il ailleurs, appartiennent à l'Eglise, et le glaive spirituel et le glaive matériel, l'un doit être tiré pour elle, l'autre par elle, l'un par la main du prêtre, l'autre par la main du chevalier, mais sur la demande du prêtre et par ordre de l'empereur[62]. » La pensée de saint Bernard rejoint ici la pensée de

57. I Timothée, ch. II, v. 4 ; Jacques, ch. V, v. 20 ; Tite, ch. III, v. 10 ; Décret de Gratien, cc. 1 à 15, C. XXIII, Q. IV et cc. 13, 14, 15, 29, C. XXIV, Q. III.

58. « Longe plus nocet falsus catholicus quam si verus appareret haereticus », Sermo 65, n. 4, item Sermo 64, n. 9, 65, n. 8 et 66, n. 4.

59. « Probatum est : mori magis diligunt quam converti. Horum finis interitus, horum novissima incendium manet », sermo 64, n. 12. E. VACANDARD, Saint Bernard, Paris, 1904, pp. 120, 121 ; item, Vie de Saint Bernard, Paris, 1910.

60. « Approbamus zelum, sed factum non suademus, quia fides suadenda est, non imponenda ». Sermo 66, n.12. Sur la contrainte, voir GRATIEN, C. XXIII, Q. VII : An mali sint cogendi ad bonum ?

61. « Quoniam melius proculdubio gladio coercentur, illius videlicet qui non sine causa gladium portat quam in suum errorem multos trajecere permittantur », sermo 66, n. 12.

62. De Consideratione : IV, 3, 7, P. L., t. 182, c. 776. Gratien, C. XXIII, Q. IV, cc. 41 et 42, Q. V, cc. 18, 20, 22, 26, 32, 42, 43, 44. Sur la théorie des deux glaives, renouvelée au XIIe siècle par Saint Bernard, voir J. LECLERC, L'argument des deux glaives dans les controverses publiques du Moyen Age, dans Recherches de Science Religieuse, t. XXI, juin 1931, n. 3, pp. 312, 313. De même B. JACQUELINE, Le Droit Pontifical selon Saint Bernard, Paris, 1953, d'après l'Année Canonique, t. II, 1953, pp. 197-201. La pensée de Saint Bernard sur la nature du pouvoir temporel reste imprécise, voir M. PACAUT : L'opposition des canonistes aux doctrines politiques de Saint Bernard, dans Mélanges saint Bernard, XXIVe Congrès de l'Association Bourguignonne des Sociétés Savantes, Dijon, 1953.

saint Augustin et aboutit aux mêmes conclusions : si les peines canoniques sont insuffisantes, il faudra recourir à la force.

C'est une aventure étrange que celle d'Eon de l'Etoile. Ce curieux
personnage, né à Loudéac dans les premières années du xiie siècle[63],
était au témoignage de ses contemporains un illettré, un idiot, un
sorcier indigne du nom même d'hérétique[64]. Ce qui donne la mesure
de sa sottise, c'est l'application qu'il se faisait à lui-même des formules liturgiques : *Per eumdem D. N. J. C... Per eum qui venturus est
judicare vivos et mortuos et saeculum per ignem*, s'imaginant qu'il était,
lui, Eon, le Fils de Dieu, justicier des vivants et des morts, justicier
du siècle, c'est-à-dire pratiquement de la société féodale.

Eon de l'Etoile révéla d'abord sa mission aux artisans de son pays
natal[65], puis le mouvement éonite s'étendit à tout le diocèse d'Aleth[66],
gagna toute la Bretagne, et même, s'il faut en croire la Chronique
Bretonne et Othon de Freising, d'autres provinces occidentales.

Comment expliquer un pareil succès ? La condition, la simplicité,
la convoitise des pauvres gens ont agi certainement beaucoup plus
que le prestige personnel d'Eon. Retirés dans les forêts et dans les
landes désertes, les éonites opéraient, en effet, sous couleur de justice
divine de fructueuses razzias dans les campagnes, les églises et les monastères qui s'étaient considérablement multipliés depuis le xie siècle[67].
Dans la forêt de Brocéliande, notamment, ils tuent les ermites et incendient leurs cabanes[68]. Mais les contemporains y ont vu autre chose.
« Eon, dit Guillaume de Newburgh, prenait les esprits comme les arai-
gnées prennent les mouches » et il ajoute « par des procédés diaboliques ». Là-dessus, Guillaume raconte toutes sortes d'histoires. Eon et ses
disciples se nourrissent d'aliments éthérés et magiques. Quiconque en
mange devient en quelque sorte le commensal du démon. Ou bien,
ils s'en vont à travers le monde avec une rapidité incroyable et ils
obtiennent tout ce qu'ils veulent : pains, viandes, poissons. Nous
sommes en pleine sorcellerie.

Ces phénomènes sont-ils réels ? Guillaume de Newburgh les rap-

---

63. « Eudo erat nomine de pago Lodiacense ortus », dans *Chronique Bretonne*,
H. F., XII, 558.

64. « Eudo is dicebatur natione Brito, agnomen habens de Stella, homo illiteratus et idiota », Guillaume DE NEWBURGH, *De Rebus Anglicanis*, liv. I, ch. 19,
dans *H. F.*, XIII, 97. « Eon, vir rusticanus et illiteratus, nec haeretici nomine
dignus », Othon DE FREISING, *De Rebus Friderici I*, liv. I, ch. 55, dans *M. G. H.*,
ss. XX, p. 382.

65. A. DE LA BORDERIE, *Histoire de Bretagne*, Paris, 1899, t. III, p. 211.

66. « Praesertim in Aletensi episcopatu », *Chronique Bretonne*, *H. F.*, XII, 558.
A partir de 1146 le siège d'Aleth fut transféré à Saint-Malo par l'évêque Jean
de Chatillon, A. DE LA BORDERIE, t. III, p. 206-210.

67. « Ecclesiis maxime monasteriisque infestus... erumpebat improvisus ecclesiarum ac monasteriorum infestator », Guillaume DE NEWBURGH, *op. cit.*, A. DE
LA BORDERIE, t. III, p. 185 et suivantes.

68. « Cremantur quibusdam inhabitantium gladio et fame peremptis, multae
heremitarum mansiones in Brescilien et aliis forestis a quodam haeretico ipsas
forestas cum multis sequacibus habitante », *Chronique Bretonne*, *op. cit.*

porte comme des on-dit[69]. Othon de Freising affirme sans preuve qu'Eon de l'Etoile était le jouet du démon. Peut-être les dévastations multiples et soudaines des églises et des couvents, peut-être aussi la souplesse des éonites qui échappaient à toutes les poursuites[70], en échauffant les imaginations, ont-elles forgé des légendes sataniques ? Elles recouvriraient alors simplement des actes de brigandage. Mais on a dit encore qu'Eon de l'Etoile était affilié à la secte manichéenne[71]. Il y avait, parmi ses disciples une hiérarchie d'anges et d'apôtres[72]. Tel s'appelait Sagesse et tel autre Jugement. Dans son traité contre les hérétiques bretons, Hugues d'Amiens, archevêque de Rouen, réfute en effet des théories sur le Baptême et le Mariage qui se rapprochent de l'enseignement manichéen. L'archevêque, il est vrai, ne mentionne pas les éonites ; on est donc réduit sur ce point à des conjectures[73].

Quoiqu'il en soit, en 1145, le légat Henri-Albéric, cardinal-évêque d'Ostie[74], venu à Nantes à l'occasion de la réception solennelle des reliques des martyrs Donatien et Rogatien, prêcha contre les hérétiques[75]. Eon serait ensuite descendu sur la Gascogne. Si cela est vrai, il y séjourna peu de temps, puisque nous le retrouvons en 1148 en Champagne à la tête d'une bande de fanatiques. Tous furent emprisonnés par les gens de Samson, archevêque de Reims[76].

69. Per quoddam audivimus ludificatione daemonum », Guill. NEWB., *op. cit.*
70. « Saepius a principibus ad vestigandum et persequendum eum exercitus frustra mittebatur. Quaesitus enim non inveniebatur », Guill. NEWB., *op. cit.*
71. J. DÖLLINGER, *Berträge zur Sektengeschichte des Mittelalters*, Munich, 1890, t. I, pp. 102-104 et la réfutation qu'en a donné Ch. MOLINIER, dans *Revue Historique*, 1894, t. 54, p. 161. D'après H.Ch. LEA, I, p. 66 : « Eon n'était qu'un fou pris pour chef par une troupe de bandits qui donnaient ainsi à leurs crimes une couleur de revendications religieuses. »
72. « De suis quosdam quidem angelos, alios autem apostolos faciebat et propriis angelorum seu apostolorum nominibus appellabat [quo plane signo et ipsum ex Manicheorum officina prodiisse, possumus intelligere ex iis quae dicta sunt suo loco de Manichaeis »], d'après Robert ABOLANT, *Continuation de Sigebert*, H. F., XIII, 332.
73. « Digna sedet mihi memoria reminisci, qualiter in finibus Galliarum prope mare Britannicum civitate Nannetensi meruimus assistere tibi... ibi quidem coram orthodoxa praedicatione tua plebs haeretica stare non poterat. Eorum haeresiarches pertimuit, nec apparere praesumpsit. Proinde placuit tibi super haeresibus insurgentibus nos aliqua scribere... » *P. L.*, t. 192, cc. 1255-1256. L'hérétique dont il s'agit ne peut être qu'Eon, H. Ch. LEA, I, p. 74. Ce serait donc principalement contre lui que le légat aurait dirigé sa prédication, et, comme le traité d'Hugues d'Amiens se réfère à ses discours, on peut conclure, croyons-nous, qu'il vise principalement les éonites. Nous disons principalement, car le pluriel : *super haeresibus insurgentibus*, paraît bien indiquer que le traité d'Hugues d'Amiens vise d'autres hérésies, celle probablement des henricianistes.
74. D'après la lettre d'Hugues d'Amiens. C'est également en 1145 que le cardinal Henri-Albéric invita saint Bernard à prêcher contre Henri de Lausanne ; voir ci-dessous.
75. Voir la lettre d'Hugues d'AMIENS : *Tractatus adversus Haereticos*, dans *P. L.*, 192, cc. 1131-1138.
76. « Tandem vero fraudatus ope daemonium, cum non amplius per illum debacchari sineretur (non enim nisi a superioribus potestatibus justo Dei judicio relaxantur) levi negotio a Remensi archiepiscopo comprehensus est, et populus quidem stolitus qui eum sequebatur dilapsus est », Guill. NEWB., *op. cit.*

On rapporte qu'au concile de Reims de 1148[77], qui se tient sous
la présidence d'Eugène III, un évêque breton, probablement Jean de
Châtillon, mit le pape au courant de la vie et des mœurs d'Eon[78].
Celui-ci comparut appuyé sur un bâton fourchu qu'il disait posséder
une vertu magique, ce qui fit rire toute l'assemblée. Il fut condamné
à la prison, sous la garde de l'archevêque de Reims[79]. D'autres disent
qu'il fut confié à Suger, abbé de Saint-Denis[80]. Il mourut peu de temps
après. Ses partisans s'obstinèrent, malgré toutes les bonnes raisons
qu'on dut leur faire valoir. Devant leur résistance, le concile les livra
au Bras Séculier qui les condamna au supplice du feu[81]. Les Eonites
restés en Bretagne, ceux du diocèse d'Aleth principalement, berceau
de la secte, subirent un pareil châtiment[82].

Pourquoi cette différence de traitement entre le « maître » et les
disciples ? Absence de législation, a-t-on dit[83]. Il ne semble pas. Sans
aucun doute, le concile a regardé Eon comme un fou. Cette folie, qu'il
a peut-être simulée[84] pour éviter le dernier supplice, aura été son
excuse. Les disciples, au contraire, ont été brûlés, non par ordre du
concile, mais par ordre du prince — on ne dit pas lequel — qui les
livra aux flammes.

*
* *

Quelques années après le concile de Reims de 1148 un autre concile
de Reims, en 1157, témoigne des progrès de l'hérésie dans le nord-
ouest européen et organise une procédure.

L'hérésie qui avait trouvé créance auprès des clercs d'Orléans apparaît maintenant dans la région flamande. L'évêque de Cambrai-Arras,

77. MANSI, t. XXI, cc. 718, et ss.
78. *Ex auctario Gemblacensi, H. F.*, XII, 274.
79. « Ex decreto concilii... diligenter custodiri », Guill. NEWB., *op. cit.* D'après
Pierre CHANTRE, *Verbum abbreviatum, P. L.*, t. 205, c. 545, Samson garda Eon
de l'Etoile dans une prison où il le nourrissait au pain et à l'eau.
80. « Ac pro contumacia sua puniendus Sugerio Abbati Sancti Dionysii... Com-
missus, ab eoque arctae custodiae mancipatur, vitam in brevi finivit », Othon DE
FREISING, *op. cit.*
81. « Discipuli vero... cum sanam doctrinam nulla ratione reciperent, sed potius obstinatissime de falsis gloriarentur vocabulis, in tantum ut ille qui « Judicium » dicebatur suis detentoribus ultricem infelici fiducia comminaretur sententiam, curiae prius et postea ignibus traditi, ardere potius quam ad vitam corrigi
maluerunt », Gull. NEWB., *op. cit.*
82. « Multi per diversas provincias, praesertim in Aletensi episcopatu diversa
usque ad mortem pertulere supplicia », *Chronique Bretonne, op. cit.*
83. Th. DE CAUZONS, *Histoire de l'Inquisition en France*, t. I : *L'Origine de l'Inquisition*, Paris 1909, p. 239, n. 1 : « Ce qui nous intéresse ici, écrit-il, c'est l'arbitraire
des sentences. Tandis que le novateur sera seulement condamné à la prison par
les évêques et le pape, ses sectateurs seront punis par le bucher ou par d'autres
supplices, nouvel exemple sans doute de la douceur relative des jugements ecclésiastiques, mais signe incontestable que chacun faisait des hérétiques ce qui lui
semblait bon ». Ce jugement est peut-être un peu hâtif. Nous croyons plutôt que
la condamnation à la peine du feu a été régulière et qu'elle aurait évidemment
frappé Eon lui-même sans la circonstance atténuante de sa « folie ».
84. F. VERNET, art. Eon de l'Etoile, dans *D. T. C.*

Godescalc[85] avait dû fulminer des excommunications contre des clercs ; les censures avaient créé un vif malaise dans le clergé. Ce dut être grave ; Godescalc écrivit à ce sujet à Eugène III. Celui-ci réprimanda sévèrement les clercs indociles[86] et leur ordonna de se soumettre entièrement à leur évêque[87].

Le même Godescalc, instruisant un procès entre deux religieux, Hildebrand et Jonas, apprit que ledit Jonas avait été excommunié par les archevêques Arnold de Cologne et Hillin de Trêves, et deux autres évêques, pour avoir été convaincu de catharisme[88]. Cette cause incidente arrêta net la procédure. Jonas fut retranché « comme un membre pourri du corps du Christ » — l'expression est de saint Jérôme, dans le Décret de Gratien c. 16, C. XXIV, Q. III — et déclaré indigne de tous bénéfices ecclésiastiques[89].

L'hérésie se répand encore dans les milieux industriels et commerçants, chez les tisserands des Flandres tout le long de la voie commerciale que suivaient les marchands entre les régions industrielles des Pays-Bas et les foires de Champagne. La propagande est active, mais occulte. Guibert de Nogent avait déjà dénoncé, trente ans auparavant, son cheminement reptilien. Le mal n'avait fait qu'empirer. On comprend l'inquiétude et l'exaspération du clergé qui se traduisent très nettement dans le style du concile de Reims de 1157[90]. On y dénonce dans une langue pleine de superlatifs et de termes violents le processus de l'hérésie manichéenne : « secte très impure aux apparences de religion capable de corrompre les âmes simples et confiantes, propagée par de très abjects tisserands qui voyagent beaucoup sous des noms d'emprunt, accompagnés de femmes » que le concile appelle en termes pauliniens « des femmes perdues de vices »[91]. Ebersin avait

85. Godescalc, ex-abbé Prémontré de Mont Saint-Martin : *Gal. Christ*, III, c. 194 : « Vir fuit sanctus ». Evêque d'Arras : 1150-1170 ou 1172. Item, *Gal. Christ.*, c. 326.

86. Lettre du 5 février 1153. P. Frédéricq, I, nº 32 ; J, nº 9688. *P. L.* t. 180, c. 1579.

87. « Inter coetera enim idem frater (noster) nobis suggerit quod non sine gravi gemitu nostri cordis referimus : nuntiavit si quidem nobis quod adeo quorumdam pravorum in commissa sibi ecclesia malitia creverit ut haereticae sint pravitatis laqueo irretiti : qui etiam non verentur cum quibusdam aliis tendiculas haereticorum extendere, ut suae perditionis plures socios habeant et secum multorum animas condemnent... Sane illis ecclesiasticae severitatis rigor est districtus opponendus. Et ideo sententiam quam in eos praedictus frater noster episcopus vester, religiosorum virorum consilio, promulgaverit, nos, auctore Deo, ratione habebimus et ut ipsam firmiter observetis vobis omnino injungimus... »

88. « Quod in curia ipsorum de Cattorum haeresi convictus et anathemate damnatus fuit, nobis significatum et probatum est » : P. Frédéricq, I, nº 33 : probablement entre 1152 et 1156. En effet, Arnold a occupé le siège de Cologne de 1151 à 1156 : *Gal. Chris.*, III, 675, et Hillin celui de Trêves, de 1152 à 1169 : *Gal. Chris.*, XIII, 429.

89. « Praefatum Jonam tamquam putridum membrum de Corpore Christi abscisum et ideo omnibus ecclesiasticis beneficiis indignum », *op. cit.*

90. P. Frédéricq, I, nº 34, Mansi, t. XXI, 843 ; H. L. : V, p. 913.

91. « Quoniam impurissima Manichaeorum secta tergiversatione lubrica sub specie religionis apud imperitissimos se occultans, simplicium animas perditum ire molitur et per abjectissimos textores qui saepe de loco fugiunt ad locum nominaque

déjà parlé, treize ans plus tôt, de ces femmes missionnaires sur la vertu desquelles il émettait quelques doutes. Devant un si grand danger des mesures draconiennes s'imposaient.

La police épiscopale qui cueillit neuf ans plus tôt les éonites est devenue sans doute insuffisante. C'est pourquoi le concile autorise les catholiques à s'assurer des hérétiques en quelque lieu qu'ils les découvriraient[92]. Le prévenu est conduit devant le tribunal. La procédure n'est pas encore bien déterminée, mais on peut considérer qu'il y a trois sortes de preuves : l'ordalie du fer rouge, facultative au gré du prévenu[93], la confession judiciaire et la preuve qu'on pourrait appeler au sens large testimoniale[94]. Les peines communes à tous les hérétiques sont l'excommunication et, s'il y a lieu, en cas de contumace, la confiscation des biens[95]. Les *Majores* ou chefs de la secte seront en outre condamnés à la prison perpétuelle, sous réserve des peines plus graves que le concile et plus particulièrement l'archevêque de Reims se proposent, s'ils le jugent opportun, de leur infliger[96]. Les *Sequaces* ou disciples pourront revenir à récipiscence — faculté qui ne semble pas appartenir aux premiers — sinon ils seront marqués au fer rouge sur le front et le visage et expulsés[97].

Que faut-il penser de cette législation ? Tout d'abord elle représente — et c'est beaucoup — un essai d'organisation. Jusqu'ici, nous l'avons noté, la répression de l'hérésie présentait un caractère sporadique. La découverte était fortuite. Les évêques ne savaient trop que faire. Le peuple réagissait suivant son instinct. Désormais chacun est habilité à seconder la police épiscopale. Peut-on dire que le concile invite les catholiques à rechercher les hérétiques, comme s'il y avait dans cette invitation un commencement de procédure inquisitoriale au lieu de la vieille procédure accusatoire en usage ? Nous ne le croyons pas. Il y a là tout simplement extension du droit de police à toute la population en raison même du danger qui la menace. Maintenant, que l'extension de ce droit policier invite à la recherche, c'est peut-être

---

commutarunt, captivas (dans le sens de « caïtif : mauvais », d'après P. Lévy-Alphandéry, *ouvr. cit*, p. 74, n. 4) docunt mulierculas oneratas peccatis » citation textuelle de saint Paul : II *Tim.*, III, 6.

92. « Quique eos postmodum ubicumque reperit, libere capiat. » *Op. cit.*

93. « Si quis vero de hac impurissima secta, infamis fuerit »... (il ne faut pas attribuer, semble-t-il, au mot « infamis » une valeur juridique, puisque le jugement a précisément pour but de manifester ou non la culpabilité du prévenu)... et quasi innocens se purgare voluerit ». Sur ce sujet, voir : E. Vacandard : « L'Eglise et les Ordalies au xiie siècle », dans *R. Q. H.*, t. 53 ; ann. 1893, p. 185. Item, L. Tanon : *Histoires des Tribunaux de l'Inquisition en France*, Paris, 1893, p. 295 et suiv... Item : A. Michel : art. Ordalies, dans *D. T. C.*

94. « Si confessi fuerint vel convicti ». *Op. cit.*

95. « Quod si nec ita destitarint, bona eorum publicentur. » *Op. cit.*

96. « Majores vero quibus alli seducuntur (voir la lettre de l'Eglise de Liége : habet enim auditores qui ad errorem initiantur, habet credentes qui jam decepti sunt) si confessi fuerit vel convicti carcere perpetuo, nisi gravius aliquid mihi *(sic)* eis fieri debere visum fuerit, recludentur. » Le concile fait peut-être allusion à la peine de mort.

97. « Sequaces vero... his exceptis qui ab eis seducti correptique facile recipiscent, ferro calido frontem et facies signati pelluntur. »

bien dans le contexte. Est-ce là une nouveauté ? Oui et non. C'est peut-être la première fois que les laïcs, tous les laïcs, sont habilités officiellement à seconder l'évêque dans l'exercice sur un point précis de sa charge pastorale. mais il n'est peut-être pas téméraire de rattacher cette nouveauté à l'institution carolingienne des assemblées synodales. Les témoins synodaux n'étaient pas toujours des clercs, c'étaient aussi des laïcs à qui incombaient la mission « de dénoncer tous les désordres, tous les crimes, tous les scandales dont ils auraient connaissance »[98]. Quant à la procédure, elle exclut, au moins pour les *Majores*, toute tentative de persuasion. Il n'est point question d'amener les *Majores* à reconnaître leurs erreurs au terme d'un interrogatoire plus ou moins prolongé. La procédure accusatoire s'affirme au contraire dans toute sa rigueur. Le prévenu est coupable *a priori*. Il lui appartient de se justifier. Ou plutôt Dieu lui-même y pourvoira par l'ordalie, ce qui est de pure tradition germanique. Quant aux peines, elles présentent, croyons-nous, un mélange de traditions. La confiscation des biens et l'exil sont peut-être de tradition romaine. La marque au fer rouge, réserve faite de l'authenticité du texte[99], rappelle les Capitula de Remedius de Coire[100]. Enfin, l'hypothèse de la peine de mort n'est pas exclue, et cela nous paraît important.

Quelle a été l'influence du concile de 1157 ? La suite de l'histoire nous permettra peut-être de répondre.

Cinq ou six ans après le concile un petit groupe de cathares était découvert à Cologne. Ils étaient une dizaine, hommes et femmes. Ils venaient de Flandre et s'étaient réfugiés tant bien que mal aux portes de Cologne, se cachant le plus possible pour éviter sans doute des indiscrétions dangereuses. Mais, comme ils ne fréquentaient pas l'église et s'abstenaient d'assister aux offices le dimanche, ils attirèrent l'attention de leurs voisins qui les appréhendèrent et les conduisirent dans la ville. C'était le vendredi 2 août 1163[101]. Les *Annales Hirsaugienses* disent que les trois principaux hérétiques, Arnoldus, Marsilius, Theodoricus étaient, quoique laïcs, fort instruits dans les Ecritures[102]. Pour les confondre, on fit venir le célèbre Ecbert qui n'était pas encore abbé de Scŏhnaugen[103]. La controverse théologique porta sur les questions suivantes, à moins que le chroniqueur ait simplement voulu

98. P. Fournier et G. Le Bras : *Hist. des coll.*, t. I, p. 245, *op. cit.*

99. J. Havet : *L'hérésie et le bras séculier au Moyen Age jusqu'au XIIIe siècle*, dans *Bibl. Ecole des Chartes*, t. XLI, 1880, p. 509 ss. De même, dans *Œuvres complètes*, Paris, 1896, t. II, p. 137.

100. Voir ch. I, p. 55.

101. P. Frédéricq, I, n° 40.

102. « Inter quos ad disputandum auctiores fuerunt Arnoldus, Marsilius, Theodoricus, qui, etsi essent laïci, latini tamen sermonis satis fuerunt periti et divinae Scripturae voluminibus plurimum legendo intenti. » *Annales Hirsaugienses* : I, 450-452, d'après P. Frédéricq : I, n° 41.

103. Ecbert de Schŏnaugen (diocèse de Trèves) mort en 1185, auteur de Sermones XIII contra Catharos, dédiés à Reynold, archevêque de Cologne, mort en 1167 ; *P. L.*, t. 195, c. 13-102 ; voir E. Broeckx : *Le Catharisme*, Hoogstratem, 1916, p. 209.

caractériser en quelques mots la doctrine des hérétiques : l'Eglise, les Sacrements. A ce sujet, les *Annales* se font l'écho de toutes les histoires qui circulaient sur l'immoralité des sectes. La conférence fut publique, elle se fit en présence de tout le clergé et de la majorité du peuple de Cologne. Le dernier mot resta au champion de l'orthodoxie. Alors, dit le texte, tous les hommes doctes s'efforcèrent par des prières et par des menaces de convertir les hérétiques à la vraie foi. Devant leur résistance le tribunal les condamna comme hérétiques et les livra au Bras Séculier, probablement aux magistrats de la ville de Cologne[104]. Ceux-ci les condamnèrent à la peine du feu[105]. Ils furent alors conduits hors de la ville, près du cimetière des Juifs. Comme ils marchaient au supplice, le chef de la secte, Arnoldus, demanda de l'eau, de la cendre et du pain pour faire une sorte d'eucharistie sacrilège en manière de viatique[106]. Arrivé au lieu de l'exécution, il imposa les mains à ses frères, releva leur courage, et tous se jetèrent avec joie dans les flammes, y compris une jeune fille qu'en raison de sa beauté les juges avaient voulu sauver. C'était le 5 août 1163.

Vers le même temps[107], deux missionnaires « cathares » arrivèrent à Besançon. L'austérité de leur vie leur assura bientôt la vénération du peuple, ils commencèrent à prêcher et à faire des prodiges[108]. L'évêque s'en émut, mais devant la résistance des hérétiques qui s'affirmaient disciples du démon[109], il imagina de guérir le mal par

---

104. « Magno conatu omnes viri docti pro eorum conversione ad rectam fidem studiosissime rogando, monendo et exhortando diutius laborabant, sed frustra... Unde cum persuadere eis nemo posset ut perniciosum revocarent errorem, de Ecclesia tamquam haeretici contumaces projecti sunt. »

105. « A judicibus, a populo civitatis... igne cremati sunt. » « A judicibus ad hoc deputatis ad ignem per sententiam condemnati. » « In manus laïcorum traditi. » « Per judicium saeculare damnati sunt. » P. FRÉDÉRICQ, I, no 40, 41, 42, 43.

106. Noter l'analogie avec les hérétiques de Soissons, d'après Guibert DE NOGENT, ci-dessus.

107. Relatant plus loin la condamnation des hérétiques de Cologne, Césaire de HEISTERBACH, *Dialogus Miraculorum* ; *Dist.* V, ch. XVIII ; ed. J. Strange, Cologne, Bonn, Bruxelles, 1851, p. 296, écrit : *Circa illa tempora*, en liaison avec ce qui précède. Nous croyons donc que la date des événements ici rapportés peut se fixer aux environs de l'année 1163, d'accord avec Ch. SCHMIDT, t. I, p. 89, contre H. Ch. LEA : *ouvr. cité*, I, p. 219 et III, p. 501 qui assigne la date de 1170, peut-être un peu tardive, contre Julien HAVET : « L'Eglise et le Bras Séculier au Moyen Age jusqu'au XIIIe siècle », dans *Biblioth. de l'Ecole de Chartres*, t. XLI : ann. 1880, p. 515, qui donne la date de 1220 ; contre Th. de CAUZONS : *Histoire de l'Inquisition en France*, t. I : *L'Origine de l'Inquisition* ; Paris, 1909, p. 282, no 7, qui indique la date de 1222.

108. « Erant autem pallidi et macilenti, nudis pedibus incedentes, et quotidie jejunantes ; matutinis sollemnibus ecclesiae majoris nulla nocte defuerunt nec aliquid ab aliquo praeter victum tenuem receperunt. Cum tali hypocrisi totius populi in se provocassent affectum, tunc primum coeperunt latens virus evomere et novas inauditas haereses rudibus praedicare... super aquas gradientes non poterant mergi ; tuguria etiam super se facientes incendi, postquam in cinerem sunt redacta, egressi sunt illaesi. » Césaire de HEISTERBACH, *op. cit.*

109. « Audiens talia, episcopus et clerus turbati sunt valde. Et cum eis vellent resistere, haereticos et deceptores diabolique ministros illos affirmantes, vix evaserunt, ut non a populo lapidarentur. »

le mal. Appelant un clerc versé dans la nécromancie, il lui ordonna d'interpeller le démon sur l'origine des deux missionnaires, leur caractère, et la cause de leur puissance miraculeuse. Le clerc se défendit alléguant qu'il avait depuis longtemps renoncé à son art. L'évêque insista[110]. Le clerc obéit. L'expérience fut concluante. Le démon répondit que les hérétiques tiraient toute leur puissance du signe démoniaque qu'ils portaient inscrit dans leur chair sous les aisselles. De fait, on remarqua sous leurs bras des cicatrices, on les ouvrit, on tira de petits rouleaux magiques[111]. L'évêque réunit le peuple. On décida de faire une dernière expérience. On alluma un bûcher au cœur de la ville, probablement sur la grand'place. On amena les deux hérétiques, l'évêque les invita à entrer dans le feu comme ils faisaient sans se brûler. Mais eux se troublèrent : « Nous ne pouvons pas entrer », dirent-ils, Alors l'évêque dévoila tous les secrets de leur prétendue puissance. Il produisit les talismans et la foule, indignée, poussa dans les flammes ceux qu'elle avait tant admirés. L'hérésie disparut avec eux, conclut le chroniqueur et le peuple, qui avait été séduit et corrompu, se purifia dans la pénitence[112].

Aux histoires de Césaire de Heisterbach peuvent se rattacher les aventures non moins étranges que rapporte Aubry de Trois-Fontaines[113]. Le schisme de Frédéric Barberousse aurait favorisé en Allemagne, dit le chroniqueur, l'éclosion d'une secte « jusqu'ici inconnue » ; la description qu'il nous en fait l'apparente à des histoires de sorcellerie. On voyait des légions entières d'âmes malfaisantes et de démons, avec leurs tentes, leurs campements, leurs apôtres qui prêchaient, faisaient des miracles et conviaient à des banquets mystérieux. « Quiconque, écrit Aubry, avait une fois subi leur charme et goûté à leur festin ne pouvait presque jamais recouvrer l'intégrité de son esprit et de sa foi[114]. » Les évêques mirent en garde le peuple contre cette folie démoniaque. Ce fut en vain. Le prince catholique de la région — Aubry ne cite aucun nom, ni d'homme, ni de pays — fut invité à prendre part à un banquet de cette espèce ; on lui servit des plats de viande, des oiseaux, des poissons, des gâteaux ; mais le prince s'était muni

110. « Rogo te ut investiges a diabolo per artem tuam qui sint, unde veniant vel qua virtute tanta ac tam stupenda operentur miracula. » *Op. cit.*
111. « Milites vero, sicut ab episcopo fuerant praemoniti, brachia eis levantes, et sub ascellis cicatrices obducto notantes, cutellis illas ruperunt chartulas insutos inde extrahentes. » *Op. cit.*
112. « Quibus acceptis, episcopus cum haereticis ad populum exiens, facto silentio, clamavit valide : Modo prophetae vestri ingrediantur ignem, et si laesi non fuerint, credam eis. Miseris trepidantibus et dicentibus : Non possumus modo intrare, episcopo recitante, malicia eorum detecta est populo, et ostensa cyrographa. Tunc universi furentes, diaboli ministros cum diabolo in ignibus aeternis cruciandos, in ignem praeparatum projicerunt. Sicque per Dei gratiam et episcopi industriam haeresis invalescens est extincta, et plebs seducta atque corrupta per poenitentiam mundata ». *Op. cit.*
113. Aubry de Trois-Fontaines : *Chronicon* : M. G. H., ss. XXIII, p. 845.
114. « Qui autem semel deceptus gustasset de illorum convivio, vix postea numquam reverti poterat ad mentis integritatem et fidem. » *Op. cit.*

sur le conseil de l'évêque d'une relique de la vraie Croix ; il la sortit. Alors, « les viandes se changèrent en excréments et les vins en urine nauséabonde ». Et ainsi, conclut le chroniqueur, fut confondue la malice des démons. Le prince fit décapiter la plupart des sectaires et l'hérésie disparut avec eux, du moins pour quelque temps[115].

C'est peut-être une conséquence de la répression organisée par le Concile de Reims que cet exode des « Poplicains »[116] en Angleterre. Ils étaient trente environ, hommes et femmes, généralement non cultivés, à l'exception de leur chef, un certain Gérard. S'ils s'abstenaient de tout prosélytisme dans ce pays étranger, ils réussirent tout de même à convertir une femme, on ne sait trop par quels moyens, d'aucuns disent par des prodiges plus ou moins diaboliques[117]. Ce fut l'occasion de leur perte. Cette conversion, cette ambiance de magie attirèrent sur eux l'attention du pouvoir. « Comme on recherchait avec beaucoup de soin les sectes étrangères, écrit Guillaume de Newburgh, on finit par les découvrir et on les jeta dans les prisons publiques[118] ».

La recherche des hérétiques est ici affaire d'Etat. Le tribunal qui les juge est un tribunal d'Etat au premier chef, puisque c'est le roi lui-même qui en assume la présidence. Le tribunal siège à Oxford et comprend, si l'on en croit Matthieu de Paris[119], les évêques du royaume, ce qui paraît beaucoup pour une trentaine d'illettrés. Ceux-ci, invités à s'expliquer sur leur croyance, affirmèrent tout d'abord être chrétiens et professer la doctrine apostolique. Mais des interrogatoires plus minutieux révélèrent au concile qu'ils professaient au contraire sur les sacrements et le mariage des théories manichéennes. Les évêques les déclarèrent alors hérétiques et les livrèrent au « Prince Catholique »[120]. Henri II leur infligea une double peine ; la marque au fer rouge sur le front[121] et l'expulsion de la ville à coups de verges, en présence de tout le peuple qui avait reçu l'interdiction formelle de leur

115. « Cum ergo princeps ille catholicus cum suis fere omnes detruncasset, ita adnikilati sunt quod ex tunc latuerunt, sed ex eorum reliquiis creditur excrevisse ista nova haeresis que nostris diebus (ann. 1223) graviter Alemanniam infecit. » *Op. cit.*

116. Sur l'origine du mot « Poplicains » qui serait une corruption du mot « Pauliciens », faite par les Croisés, voir H. Ch. LEA, I, p. 130, note, et A. BORST, *ouvr. cité*, p. 247.

117. Guillaume de NEWBURGH : *De Rebus Anglicanis* ; liv. II, ch. 13, dans *H. F.*, XIII, 108-109 et dans P. FRÉDÉRICQ, II, n° 9 et 10. « Aliquandiu in Anglia morantes unam tantum mulierculam venenatis circumventan susurris, et quibusdam, ut dicitur, fascinatam praestigiis suo coetui aggregaverunt » ; *op. cit.*

118. « Non enim diu latere potuerunt, sed quibusdam curiose indigantibus quod peregrinae essent sectae, deprehensi tentique sunt in custodia publica » ; *op. cit.*

119. Cité dans D. WILKINS : *Concilia Magnae Britaniae et Hiberniae*, Londres, 1737, t. I, p. 439.

120. « Tunc episcopi, ne virus haereticum latius serperet praecave ntes, eosdem publice pronuntiatos haereticos, corporali disciplinae subdendos ca thoico principi tradiderunt. » *Op. cit.*

121. « Gérard, en qualité de chef, fut marqué au front et sur le bas du visage : « circa mentum ». *Op. cit.*

donner asile ou de leur fournir un secours quelconque. Ce qui fut fait. Les hérétiques, nus jusqu'à la ceinture, furent chassés dans la campagne ; comme on était en hiver, ils périrent misérablement[122]. Guillaume de Newburgh remarque en passant que leur adepte anglaise abjura par crainte des supplices et fut admise à la réconciliation.

Le double châtiment corporel : marque au fer rouge et expulsion, infligé par le roi aux hérétiques présente une curieuse analogie avec les sanctions du concile de Reims. Si l'on excepte le fouet, mode d'expulsion barbare[123], et d'ailleurs destiné plus, semble-t-il, à impressionner le peuple qu'à châtier les hérétiques[124], il semble bien que la législation du concile de Reims est officiellement reconnue comme une loi de l'Etat.

En 1166 l'Assise de Clarendon[125] enregistra officiellement les actes du concile d'Oxford. « Quiconque, dit l'article 21, se permet de recevoir un membre de la secte de ces renégats excommuniés et marqués au fer rouge par le concile d'Oxford, devient la chose du roi[126]. La maison qui abrite de tels hérétiques est transportée dans la campagne et brûlée[127]. Enfin, les shériffs doivent jurer et faire jurer à tous leurs subordonnés, aux intendants des barons, à tous les chevaliers, aux possesseurs des terres franches, dans le ressort de leurs comtés respectifs, d'observer le présent article[128]. « Depuis la fin de l'Empire Romain, conclut Lea, c'était la première fois qu'une loi contre l'hérésie était insérée dans un recueil de Statuts[129]. »

A l'aventure des « Poplicains » d'Angleterre on peut rattacher peut-être celle des « Publicains » de Vézelay[130]. Découverts en 1167, con-

---

122. Porro detestandum illud collegium, cauteriatis frontibus, justae severitati subjacuit... scissisque cingulo tenus vestibus publice cæsi, et flagris resonantibus urbe ejecti, algoris intolerantia (hiems quippe erat) nomine vel exiguum misericordiae impendente, misere interierunt ».

123. Sur la peine de la flagellation, voir J. LE FOYER, *Exposé du Droit pénal normand au XIIIᵉ siècle*, Paris, 1931, p. 242.

124. « Et spectante populo, vergis coercitos urbe depelli ». *Op. cit.*

129. Sur l'Assise de Clarendon, voir W. STUBBS : *The Constitutional history of England*, t. III, Oxford 1896 ; traduction par Ch. Petit-Dutaillis ; Paris, 1907, t. I, p. 569 et suivantes. Le texte lui-même est édité par W. STUBBS : *Select charters and others illustrations of english constitutional history*, Oxford, 1876, p. 145-146.

126. « Prohibet etiam dominus Rex, quod nullus in tota Anglia receptet in terra sua vel soca sua vel domo sub se aliquem de secta illorum renegatorum qui excommunicati et signati fuerunt apud Oxeneforde. Et si quis eos receperit, ipse erit in misericordia regis. » *Select charters*, art. 21, p. 145. Sur l'expression : « misericordia regis », voir J. LE FOYER, p. 245-346.

127. « Domus in qua illi fuerint portetur extra villam et comburatur. » *Op. cit.*.

128. « Hoc jurabit unusquisque vicecomes quod hoc tenebit, et hoc jurare faciet omnes ministros suos et dapiferos baronum et omnes milites et franco-tenentes de comitatibus. »

129. H. Ch. LEA, *op. cit*, t. I, p. 129.

130. *Historia Vizeliacensis Monasterii*, par Hugues de POITIERS : liv. IV, p. 560, dans *H. F.*, XII, 343. Ch. SCHMIDT, *ouvr. cité*, t. I, p. 86-89, dit que l'hérésie aurait été apportée par un homme du Midi : Hugues de Saint-Pierre. Celui-ci aurait en outre cherché à soustraire le peuple à la juridiction de l'abbé de Vézelay et

duits vraisemblablement devant le tribunal de l'abbé, ils essayèrent d'abord de se disculper, mais l'abbé les fit mettre en prison, chacun dans sa cellule, pendant au moins deux mois, au cours desquels ils furent fréquemment amenés devant leurs juges qui s'efforcèrent de les convertir[131]. Finalement, le tribunal se réunit sous la présidence des archevêques et évêques de Lyon, de Narbonne et de Nevers, et accusa les « Publicains » de rejeter les sacrements, le mariage, le culte et la hiérarchie. Le jour de Pâques approchait. Deux hérétiques, ayant appris qu'on devait les brûler, demandèrent à subir l'épreuve de l'eau. Alors, au cours de la procession du jour de Pâques, en présence de la foule, on les amena devant l'archevêque de Lyon, les évêques de Nevers et de Laon et l'abbé de Vézelay. A toutes les questions qui leur furent posées sur la foi catholique, sur l'hérésie, sur la sincérité de leur conversion, ils donnèrent une réponse satisfaisante et tout le peuple s'écria : *Deo gratias*. Mais le lendemain, ils furent invités à subir leur épreuve. L'un d'eux s'en tira sain et sauf ; beaucoup cependant, remarque le texte, doutèrent de la valeur de l'épreuve. L'autre au contraire, fut condamné, mais, comme on avait des doutes, on recommença l'opération, sur la demande d'ailleurs de l'inculpé, et, une seconde fois, il fut condamné. Mais l'abbé le fit simplement fustiger et bannir. Les autres hérétiques furent condamnés par la voix populaire à la peine du feu. Au cours de la procession pascale, l'abbé ayant demandé à la foule ce qu'il fallait faire des hérétiques, la foule s'écria : « Qu'ils soient brûlés, qu'ils soient brûlés. » Alors, on éleva un bûcher dans la vallée d'Ecouan, et sept hérétiques périrent dans les flammes[132].

Ce sont encore des « Poplicains » que découvre vers 1162 le nouvel archevêque de Reims, Henri, frère de Louis VII, en tournée dans les diocèses de sa province. Nous ne savons pas comment l'archevêque les a découverts, mais il est permis de penser que ce dut être conformément à la législation du concile de 1157. Un texte, très postérieur il est vrai, dit expressément que beaucoup d'hérétiques furent accusés « sur les instances d'une certaine femme ». On peut supposer que dès 1162 de telles indicatrices aient pu exister. Celle que les « Poplicains » d'Angleterre avaient convertie jouait peut-être aussi un rôle.

Les hérétiques appartiennent à un milieu social aisé. D'abord ils

à créer une véritable commune semblable aux communes du Languedoc. Elle fut dissoute par Louis VII en 1155. Alors, les habitants de Vézelay, « contraints, ajoute Schmidt, de renoncer à la liberté civile dont ils avaient à peine eu le temps de goûter la paix... se réfugièrent dans le domaine de la liberté spirituelle que les leçons du meunier méridional avait ouvert devant eux ».

131. « Fueruntque detenti fere per sexaginta vel eo amplius dies et frequenter adducebantur in medium ; et tunc minis, nunc blandimentis, de fide catholica inquirebantur. » *Op. cit.*

132. « Abbas dixit omnibus qui aderant : Quid ergo, fratres, vobis videtur faciendum de his qui adhuc in sua perseverant obstinatione ? Responderunt omnes : Comburantur, comburantur... Ceteri autem numero septem igni traditi exusti sunt in valle Esconii... » *Op. cit.*

peuvent réunir une somme assez considérable — 600 marcs d'argent —
dans l'intention de corrompre l'archevêque. Celui-ci, ayant rejeté le
marchandage, se disposait sans doute à commencer la procédure — par
ordalies vraisemblablement — lorsque les hérétiques en appelèrent au
pape[133].

Cet appel nous paraît très significatif. D'abord il suppose que les
« Poplicains » flamands ne sont pas des illéttrés sans défense, qu'ils
ont peut-être aussi des relations avec les membres du clergé. Sans
doute n'ignoraient-ils pas que le nouveau pape Alexandre III était
l'ami de Henri de Reims[134] et ils comptaient sur cette amitié, soit
pour gagner du temps, soit pour calmer le zèle de l'archevêque. Ensuite et surtout, qu'elle qu'ait été l'intention des hérétiques, l'appel
au Souverain Pontife que nous rencontrons ici pour la première fois
est peut-être le point de départ de ce long processus tendant à substituer aux évêques dans la connaissance de l'hérésie la magistrature
suprême de l'Eglise.

Quoi qu'il en soit, les hérétiques avaient bien misé. Alexandre III
qui se trouvait dans le midi de la France, rappelle à Henri de Reims,
en date du 23 décembre 1162[135] « qu'il vaut mieux absoudre des coupables que de condamner des innocents », ce qui est une invitation
à la prudence[136]. En réponse à une lettre de Louis VII l'invitant à
sévir[137], Alexandre III informe le roi, en date du 11 janvier 1163 que
les hérétiques se sont présentés devant lui à Tours et ont affirmé leur
innocence. Il a voulu les renvoyer à l'archevêque de Reims, mais en
vain. Il instruira donc leur cause, mais, on le sent, à contre-cœur et
en tout cas avec le concours du roi, de l'archevêque et d'autres *religiosi viri*[138]. Le 7 juillet[139], revenant sur cette affaire qui visiblement
lui répugne, et considérant qu'il est de son devoir de pape de veiller
à ce que les coupables soient punis et les innocents absous[140], il mande
à l'archevêque de faire là-dessus une enquête[141] et de lui envoyer les
dossiers. Il s'engage à prendre l'avis de l'archevêque, de son clergé

133. P. FRÉDÉRICQ, I, n° 36, 37, 38.
134. J. ROUSSET DE PINA : *Alexandre III et Frédéric Barberousse*, dans *Histoire de l'Eglise*, coll. Fliche et Martin, t. 9, 2e partie, Paris, 1953, p. 64.
135. P. FRÉDÉRICQ, I, n. 36 : *H. F.*, XV, 790, J, n° 10797, *P. L.*, t. 200, c. 187.
136. « Scire autem debet tuae discretionis prudentia quia cautius et minus malum est nocentes et condemnatos absolvere quam vitam innocentiam severitate
eccleciastica condemnare. »
137. « Sed rem tam venenosam, tam perniciosam attendat diligentius vestra
sapientia, et velitis ut tanta pestis potius evellatur quam pullulet... et si aliter
egeritis, non expedit fidelium mentibus quorum murmur non se dabitur facile
et in blasphemiam vestram et sanctae Romanae Ecclesiae ora quam plurimorum
aperietis. » P. FRÉDÉRICQ, I, n° 37. *H. F.*, XV, 790.
138. J, n° 10797, P. FRÉDÉRICQ, I, n° 36, *H. F.*, XV, 790, *P. L.*, t. 200, c. 187.
Les *religiosi viri* ne désignent pas nécessairement les cardinaux.
139. J, n° 10903, *H. F.*, XV, 799. *P. L.*, t. 200, c. 247.
140. « Quia tamen nobis summopere praecavendum est ne noventes solvamus
et innoxios condemnemus », *op. cit.*
141. « Per alias personas quibus ipsorum civium vita et conversatio innotant »,
op. cit.

et des autres évêques. Après délibération, lui-même prononcera la sentence. En attendant, Henri devra veiller à ce que les prévenus ne subissent aucun tort ni sans leurs personnes ni dans leurs biens[142].

Nous ignorons malheureusement la suite de cette affaire. Peu importe. Deux points semblent acquis : l'appel du Souverain Pontife et la substitution aux dénonciations plus ou moins arbitraires et désordonnées, sources inévitables de méprises, instituées, au moins suggérées, par le concile de Reims, du principe de l'enquête canonique, à tout le moins le contrôle des dénonciations par une procédure plus humaine et plus canonique que celle des ordalies.

Il ne s'agit pas là-seulement d'un cas particulier, mais d'une mesure générale. A l'occasion de l'hérésie christologique des néo-adoptianistes[143] qu'on enseignait dans les écoles épiscopales, Alexandre, considérant sa mission de défenseur de la foi et constatant la négligence des évêques qui fait le jeu de l'hérésie[144] ordonne par lettres collectives du 2 juin 1170 aux archevêques de Bourges, Reims, Tours et Rouen et à leurs suffragants de s'adjoindre pour l'instruction de cette affaire des « hommes prudents et religieux ».

L'intervention d'Alexandre III a peut-être sauvé les hérétiques flamands qui avaient fait appel à son tribunal. Elle ne s'est pas maintenue. Dans les années suivantes la législation du concile de Reims s'applique dans toute sa rigueur.

En 1172 à Arras une discussion relative à l'Eucharistie s'élève entre un clerc, nommé Robert, et un chevalier. L'évêque d'Arras invite l'archevêque de Reims — c'est toujours le frère de Louis VII — à connaître de cette affaire. Là-dessus, on apprend que Robert est hérétique et qu'il fait de la propagande. Soumis à l'épreuve du fer rouge[145] il se brûle aux mains, aux pieds, sur les côtés, la poitrine et le ventre. Il est alors condamné par l'archevêque au supplice du feu. La sentence est exécutée[146].

Il n'y a rien à dire au sujet de l'ordalie. Elle est devenue moyen de preuve canonique dans cette région. Quant à la peine du feu, infligée expressément par l'archevêque, *ex mandati archiepiscopi* dit le texte, elle nous paraît tout à fait dans la logique de ces « peines plus

---

142. « Fraternitati tuae mandamus quatinus convicibus suis mandando significes ne in personas vel bona ipsorum detrimentum praesumant vel gravamen inferre », *op. cit.*

143. E. Portalié, art. *Adoptianisme au XIIe siècle*, dans *D. T. C.* Les *H. F.* disent que cette doctrine a été condamnée au concile de Tours de 1163. Mais aucun canon de ce concile ne fait allusion au néo-adoptianisme. La seule hérésie condamnée est le manichéisme languedocien. Il s'agirait plutôt du concile de Sens de 1164 ; J. no 11084. Voir la Décrétale du 18 février 1177, dans *Gratien*, c. 7-X-V-7.

144. J, no 11089, P. Frédéricq, I, no 45 : « Quia negligentiae praelatorum Ecclesiae posset attribui, si non curarent evellere quae sunt ab universis fidelibus penitus resecanda. »

145. P. Frédéricq, I, no 46 : Purgare ergo famam suam de objecta haeresi judicio candentis ferri frustra proponens. »

146. « Unde ex mandati archiepiscopi igni iniectus et combustus. »

graves » que la prison perpétuelle dont le concile de Reims menaçait les hérétiques. Nous pourrions même ajouter ceci. Le concile semblait bien réserver au seul archevêque le soin de décider de l'opportunité de ces « peines plns graves». Le texte, il est vrai, n'avait peut-être qu'une valeur de circonstance : le pronom personnel, au reste assez inattendu[147] en réduisait singulièrement la portée. La décision de Henri de Reims lui donnerait au contraire une valeur absolue.

Dix ans plus tard, quatre hérétiques furent encore découverts à Arras[148]. Le texte ne dit pas par quels moyens ni dans quelles circonstances ils le furent, par contre il donne deux noms : *Adam litteratus... Radulphus eloquentissimus laïcus.* Tous deux furent emprisonnés par l'évêque Frumald. Mais leur détention dura peu de temps. L'évêque, en raison de son grand âge, *jam paradisi laborans*[149], et suivant l'exemple de son prédécesseur, remit au nouvel archevêque de Reims, Guillaume, le soin de juger les hérétiques. L'année suivante, après les fêtes de Noël, Guillaume de Reims vint à Arras. Jusqu'ici l'analogie avec les événements de 1172 est frappante. Il y a plus. L'archevêque rencontra le comte de Flandre Philippe d'Alsace avec qui il eut un mystérieux entretien[150]. S'agit-il des hérétiques ? Aussitôt après avoir mentionné leur délibération secrète, la Continuation de Sigebert ajoute : « Beaucoup d'hérétiques ont été découverts sur toute la terre du comte par une certaine femme[151]. » Les Annales Gallo-Flamandes sont encore plus explicites : « Et alors sur les instances d'une certaine femme beaucoup d'hérétiques répandus sur les domaines du comte ont été accusés[152]. » Ce sont des Manichéens, des Cataphrygiens, des Ariens ou Patarins ! Mais quelles que soient leurs différences nominatives ou doctrinales ils se rencontrent tous dans une opposition commune envers l'Eglise catholique. Cette opposition est d'autant plus dangereuse qu'ils appartiennent à toutes les classes de la société. On rencontre encore des vilains et des paysans, mais il y a en outre des nobles, des chevaliers et des clercs. Les femmes sont nombreuses.

Le tribunal se compose de l'archevêque et du comte. Ils siègent ensemble, instruisent la cause ensemble et condamnent ensemble. On n'avait encore jamais vu collaboration plus étroite, sauf en Angleterre, entre les deux pouvoirs spirituel et temporel. La connaissance

147. C'est pourquoi l'authenticité de ce texte a été rejetée par J. HAVET, *Œuvres complètes*, t. II, p. 137.
148. *Sigeberti continuatio Aquicinctina* : M. G. H. ss. VI, p. 421 ; P. FRÉDÉRICQ : I, n° 48.
149. Il mourut le, 19 avril 1183 : « Obiit Frumaldus episcopus Atrebatensis XIII Kal. Maii » ; *M. G. H.* ss. VI, p. 421.
150. « De secretis suis locuturi conveniunt », P. FRÉDÉRICQ : I, n° 48. « Venit Atrebatum Remensis Pontifex Willelmus multaque occulte cum Philippo Comite disseruit .» P. FRÉDÉRICQ : I, n° 54.
151. « Ibi multarum haeresium fraudes per quandam mulierem in terra comitis sunt detectae. » *Op. cit.*, n° 48.
152. « Et tunc mulieris cujusdam indicio multi per ditiones comitis haereses accusati sunt » ; *op. cit.*, n° 54.

de l'hérésie se fait, semble-t-il, ou par la confession judiciaire ou par l'ordalie. Les textes ne sont pas absolument d'accord sur le caractère de la preuve. La Continuation de Sigebert affirme l'excellence de la confession qui a permis à beaucoup d'hérétiques de sortir indemnes de l'épreuve du fer rouge et de l'eau[153]. Les Annales Gallo-Flamandes ne parlent pas de la confession, mais affirment que les hérétiques ont été condamnés après l'épreuve du fer rouge et de l'eau bouillante[154]. La peine est personnelle et réelle : peine du feu et confiscation des biens, au profit de l'archevêque et du comte[155].

Des faits à peu près semblables se déroulèrent à Ypres, dans la plupart des villes de Flandre et d'une manière générale dans toute la région du nord[156].

Que penser de ces événements ? La procédure accusatoire par accusateur ou plutôt accusatrice officielle, la confession judiciaire, les ordalies, la confiscation des biens, tout cela est pleinement conforme à la législation du concile de Reims. Quant à la peine du feu, appliquée par Henri de Reims, elle reçoit en quelque sorte une consécration canonique. Au terme d'un long processus, le clergé se comporte comme le peuple et les princes. Il brûle les hérétiques.

Un événement à peu près contemporain[157] de ceux dont nous venons de parler en fournit une preuve directe. Comme l'archevêque de Reims, Guillaume[158], se promenait à cheval avec ses clercs dans la campagne, un jeune chanoine, Gervais de Tilbury, aperçut une jeune fille qui marchait au milieu des vignes. Il lui fit des propositions deshonnêtes. La jeune fille refusa. L'intempérant chanoine crut comprendre ses raisons : la perte de sa virginité constituerait un péché irrémiscible, comme si l'acte charnel était en soi radicalement mau-

---

153. « Hic apparuit praeclara virtus confessionis. Nam, ut ab his qui interfuerunt veraciter probatum est, multi ante in haeresi culpabiles per Dei misericordem gratiam (per Dei misericordiam et gratiam : H. F., XVIII, 536) a ferri cauterio et aquae periculo evaserunt incolumes. » P. FRÉDÉRICQ : I, n° 48.

154. « Compertique post aquae bullientis ignitique ferri judicium. » P. FRÉDÉRICQ, I, n° 54.

155. « Tunc decretalis sententia ab archiepiscopo et comite praefixa est ut deprehensi incendio traderentur, substantiae vero eorum sacerdoti et principi resignarentur », P. FRÉDÉRICQ, I, n° 48.

156. « Anno tertio regis Philippi, in regno ejus haeretici multi sunt deprehensi. » Non seulement dans le Comté de Flandre, mais en France même sans doute dans la province ecclésiastique de Reims. Voir P. FRÉDÉRICQ, I, n° 48, 49, 50, 51, 52, 53, 54, 55.

157. D'après Ch. SCHMIDT, I, p. 90, cette aventure serait de 1170. Julien HAVET, art. cité, p. 512, la situe entre 1176 et 1180. H.-Ch. Lea, I, p. 126, en 1186. P.FRÉDÉRICQ, I, n° 61, aux environs de l'an 1200. Nous croyons que ce jugement est à peu près contemporain de celui des hérétiques d'Arras. Le texte dit en effet : « ...de illa impiissima secta Publicanorum qui illo tempore ubique exquirebantur et perimebantur, sed maxime a Philipo comite Flandrensium, qui, justa crudelitate immisericorditer puniebat. »

158. Guillaume, frère de son prédécesseur Henri et de Louis VII, créé Cardinal-Prêtre du titre de Sainte-Sabine par Alexandre III au Concile de Latran : Roger de HOVEDEN, Chronica, dans M. G. H. ss. t. XXVII, p. 144 ; item, dans MANSI, t. XXII, c. 234 ; Gal. Christ., IX, 95-101. Il fut archevêque de 1176 à 1202.

vais. Proposition de caractère hérétique sous sa vertueuse apparence ! Gervais, plus soucieux d'orthodoxie que de morale, crut devoir en informer son archevêque. Pressée de questions, la jeune fille ne sut que répondre, mais indiqua l'adresse d'une vieille femme qui avait été son institutrice. Celle-ci, convoquée à son tour, étonna ses juges par ses connaissances vraiment extraordinaires de l'Ecriture. L'une et l'autre furent emprisonnées. Elles comparurent le lendemain devant le tribunal archiépiscopal. Elles s'entêtèrent, furent condamnées au feu[159] ; la vieille cathare s'en tira par un tour diabolique, mais la jeune fille subit courageusement son « martyre »[160].

*
* *

Dans le Midi de la France, au contraire, la société chrétienne ne réagissait plus. Aux populations farouchement croyantes du nord s'opposent ici des populations indifférentes que l'hérésie n'effraie pas. Faut-il en accuser les troubadours et leur poésie courtoise ? Il est sans doute plus exact de dire que la poésie courtoise n'a été que l'expression d'une société déliquescente[161]. Dans ces conditions l'hérésie avait beau jeu. Le dualisme cathare qui abolit les notions de péché et d'enfer et qui assure à tout « croyant » un salut facile moyennant la réception *in extremis* du *Consolamenum* pouvait trouver créance et droit de cité[162].

Ses itinéraires demeurent inconnus, mais il se trouvait dès la seconde moitié du XIᵉ siècle suffisamment répandu dans le Languedoc pour inquiéter les évêques. Un concile de Toulouse du 13 septembre 1056, tenu sous la présidence de Victor II, dénonce en son canon 13 ceux qui ont partie liée avec les hérétiques : il les excommunie comme fauteurs, à moins que leurs fréquentations suspectes ne se justifient par l'intention de convertir les hérétiques[163]. Un demi-siècle plus tard, un autre concile de Toulouse, sous la présidence de Calixte II, 8 juillet

159. « Quae coram archiepiscopo et omni clero ac in presentia nobiliorum virorum in aula archiepiscopali in crastino revocatae, pluribus tamen allegationibus de abrenuntiando errore publicae conveniuntur ; quae, cum salutaribus monitis nulla ratione adquievissent, sed in errore jam semel concepto immobiliter pertissent, communi concilio decretum est ut flammaeis concremarentur. » *Op. cit.*

160. « Puella vero... omne conflagrantis incendii tormentum constanter et alacriter perferret, instar martyrum Christi, sed disparili causa, qui olim pro christiana religione a Paganis trucidebantur », *op. cit.* Julien HAVET, *art. cité*, p. 512, nᵒ 1, remarque que cette jeune fille n'aurait pas dû, aux termes du concile de Reims, subir la peine du feu. Pour les raisons exposées ci-dessus, nous ne sommes pas de cet avis.

161. P. BELPERRON : *La Croisade contre les Albigeois*, Paris, 1942, pp. 41 et ss.

162. Dans quelle mesure le dualisme cathare peut-il être considéré comme une protestation contre le monde « agraire-féodal » envisagé comme « mauvais » ? Voir sur ce sujet les hypothèses de Ch.P. BRU : *Sociologie du catharisme occitan*, dans R. NELLI, *ouvrage cité*, pp. 23-59.

163. Toulouse, can. 13 : « Cum haereticis et excommunicatis ullam participationem vel societatem habentem excommunicamus : nisi correctionis vel admonitionis causa, ut ad fidem redeant catholicam » ; MANSI, t. XIX, c. 849. *H. L.*, t. IV, pp. 1123.

1119, dénonce en termes plus sévères, canon 3, les contempteurs des sacrements et du mariage et réclame l'intervention du pouvoir séculier. Vingt ans après, le IIe concile de Latran, sous Innocent II, rappelle à peu près textuellement, canon 11, la législation de Toulouse et invite pareillement les princes à sévir[164].

Tandis que le « catharisme » s'épanouissait dans le Languedoc, une hérésie, à la vérité assez mal qualifiée, se répandait en Provence. Au commencement du xiie siècle, le « prêtre » Pierre de Bruys[165], expulsé de son diocèse pour des motifs que nous ne connaissons pas[166], enseignait une doctrine antisacramentelle, antiliturgique, antihiérarchique[167]. Cette hérésie fut combattue par l'archevêque d'Embrun, les évêques de Gap et de Die, mais avec peine, semble-t-il, et par des moyens que nous ignorons[168]. Elle pénétra dans Arles vers 1140[169], puis elle passa

164. Toulouse, can. 3 et IIe Latran, can. 23. Les deux textes sont à peu près identiques. « Eos qui religionis (IIe Latran : religiositatis) speciem simulantes Dominici corporis et sanguinis Sacramentum, baptisma puerorum, sacerdotium et coeteros ecclesiasticos ordines et legitimarum foedera nuptiarum, tamquam haereticos et Ecclesia Dei pellimus et damnamus et per potestates exteras coerceri praecipimus. Defensores quoque ipsorum ejusdem damnationis vinculo (IIe Latran : donec recipuerint) innodamus ». Mansi, t. XXI, cc. 226, 532. H. L., t. V, pp. 570, 732.

165. « Petrus presbyter nuper in Provincia. » Voir Abelard : Introductio in Theologiam, liv. II, ch. 4, P. L., t. 178, c. 1056.

166. Pierre le Vénérable dit que Pierre de Bruys a été chassé pour des motifs qu'il connaît bien, mais il ne nous dit pas lesquels, Pierre le Vénérable, Tractatus adversus Petrobrusianos, P. L., t. 189, c. 790.

167. Voir F. Vernet, art. Pierre de Bruys, dans D. T. C. Item, P. Levy-Alphandéry, Les idées morales..., ouvr. cité, pp. 107-112. La doctrine de Pierre de Bruys nous est connue par la réfutation qu'en a donné Pierre le Vénérable dans son traité.

168. « Dogma cum suis authoribus a provincii illis expulsum reperi... Gratias Deo qui laborem vestrum non omnino irritum fecit, sed idcirco hostes salutis humanae vestris sudoribus pene delevit », Pierre le Vénérable, op. cit., c. 723, 725. L'hérésie aurait été chassée tant par la puissance des évêques que grâce à l'appui du pouvoir séculier, cf. F. Vernet, art. cité. H.Ch. Lea déclare de son côté, I, p. 76, que « les évêques finirent par s'adresser au roi », mais Pierre le Vénérable n'en parle pas. D'autre part, on affirme que le concile de Toulouse de 1119 dans son c. 3 et le IIe Concile de Latran dans son c. 23, désignent les Pétrobrusiens. Nous ne pensons pas que ces canons visent les Pétrobrusiens, parce que la doctrine hérétique à laquelle ils font allusion ne répond pas entièrement aux théories pétrobrusiennes, telles que Pierre le Vénérable nous les fait connaître, et aussi parce que la prédication de Pierre de Bruys a commencé seulement vers 1117-1120, d'après F. Vernet, art. cité, et a gardé, semble-t-il, jusque vers 1140 un caractère local, cf. Pierre le Vénérable, cc. 721, 727. Les textes conciliaires désignent plutôt des sectes manichéennes parce que la condamnation du mariage à laquelle ces textes font allusion constitue « un des traits essentiels de la doctrine morale des cathares », d'après P. Lévy-Alphandéry, ouvr. cité, p. 63. Voir aussi, E. Brœckx, Le catharisme, Hoogstraten, 1916.

169. La date de 1140 est donnée indirectement par Pierre le Vénérable. Son premier écrit, le Traité, est de 1139 ou 1140, d'après E. Vacandard : Les Origines de l'hérésie albigeoise, dans R. Q. H., t. 55, p. 70, n. 2. Or, il ne s'adresse qu'aux seuls archevêque et évêques d'Embrun, de Gap et de Dié. Mais dans son deuxième écrit, la préface du Traité légèrement postérieure : « Scripsi nuper epistolam », c. 719, il s'adresse en outre à l'archevêque d'Arles. Donc l'hérésie dut s'introduire dans ce diocèse vers 1140.

dans le Languedoc et s'y épanouit[170]. Mais Pierre de Bruys dut rester dans la région du Rhône[171]. Il profanait et brûlait tant de croix que le peuple, excédé, le brûla lui-même à Saint-Gilles, en 1140 environ[172].

Pierre le Vénérable ne porte aucun jugement sur cette exécution, mais il ne l'approuve certainement pas. Il dit, en effet, aux archevêques d'Arles et d'Embrun qu'il leur appartient de veiller au salut de l'Eglise de Dieu par la prédication, et, s'il le faut, par le recours aux armes des laïcs, sans plus[173]. Pierre le Vénérable estime sans doute que l'hérésie vient principalement de l'ignorance du peuple et qu'il suffit par conséquent d'enseigner les vérités religieuses pour arrêter du même coup l'extension de l'hérésie. Il prévoit en second lieu, comme une mesure extrême, le recours au Bras Séculier. Il ne nous dit pas dans quel sens, mais le contexte est suffisamment clair : il s'agit d'une mesure d'expulsion. En somme, Pierre le Vénérable se contente d'approuver le zèle des évêques.

L'enseignement de Pierre de Bruys fut repris par son disciple, Henri de Lausanne[174]. C'était peut-être un ancien moine de Cluny[175]. Comment vint-il dans l'ouest de la France, nous l'ignorons. Les *Gesta Pontificum Cenomannensium* raconte comment il arriva au Mans, précédé de deux disciples, vers le mercredi des Cendres 1101. L'évêque, Hildebert de Lavardin, lui fit le meilleur accueil[176]. Mais l'évêque dut quitter Le Mans pour aller à Rome. Pendant ce temps Henri souleva la population contre le clergé à tel point que le comte et les *optimates* durent intervenir au moins deux fois pour protéger la vie des clercs « plus par la force que par la raison », dit le chroniqueur. A son retour, l'évêque se heurta à l'hostilité de ses diocésains, mais il

170. « In quibus partibus nunc se timore occultans, nunc de ipsis audacia assumpta prodicus, quos potest, décipit, quos potest, corrumpit et nunc istis, nunc illis, lethalia venena propinat », Pierre le VÉNÉRABLE, *op. cit.*

171. H.Ch. LEA, I, p. 76, affirme cependant que « Pierre, chassé de son pays, se réfugia en Gascogne ». Cette affirmation ne nous paraît pas justifiée. Pierre le Vénérable dit seulement que l'hérétique s'est réfugié dans la province de Narbonne : « Anguis lubriens de regionibus vestris elapsus, imo vobis prosequentibus expulsus, ad Narbonensem provinciam sese contulerit, et quos apud vos in desertis et villulis cum timore sibilabat, nunc in magis conventibus et populosis urbibus audacter praedicabat. », c. 726, 727. Lea aura confondu l'expansion de l'hérésie avec les pérégrinations de son auteur.

172. Dom DEVIC et Dom VAISSÈTE, *Histoire du Languedoc*, édition Privat, Toulouse, 1872, t. III, p. 742. La date approximative est donnée indirectement par Pierre le Vénérable. cf. E. VACANDARD, *art. cit.* p. 67, n° 6 et H.Ch. LEA, p. 76, lequel place l'exécution de Pierre de Bruys en 1126.

173. « Vestrum est, inquam, et a laicis illis, in quibus se latibula unvenisse gaudet, et praedicatione, et etiam, si necesse fuerit, vi armata per laicos exturbare » *op. cit.*, p. 721.

174. « Heres nequitiae ejus Henricus, cum nescio quibus aliis, doctrinam diabolicam non quidem emandavit, sed immutavit », Pierre le VÉNÉRABLE, c. 723.

175. D'après saint Bernard, Henri serait un moine apostat, ep. 241, *P. L.*, t. 182, c. 435.

176. « Hos idem Pontifex, vi maxime pietatis, minus Argolici equi formidans insidias, blande recipit et devote, eisque hilarem frontis gratiam exhibuit et liberalitatis », *H. F.*, XII, 545.

put rejoindre l'hérétique dans un faubourg du Mans, le confondre et l'expulser.

Une lettre de saint Bernard au comte de Toulouse permet de suivre l'itinéraire d'Henri. Il passa à Poitiers, puis à Bordeaux d'où il fut chassé, semble-t-il, probablement pour les mêmes motifs et dans des circonstances semblables. Il traversa le Languedoc et arriva en Provence[177], mais il fut pris par l'archevêque d'Arles, Bernard, comparut devant un concile de Pise[178], abjura ses erreurs et fut invité, condamné peut-être, à rentrer dans un cloître. Saint Bernard lui offrit en vain une retraite à Clairvaux[179]. C'est alors qu'il rencontra Pierre de Bruys. Il prêcha avec un tel succès que le cardinal-évêque d'Ostie, Henri-Albéric, légat du pape, s'en émut et sollicita l'intervention de saint Bernard.

L'abbé de Clairvaux quitta son monastère en mai 1145 et après un voyage pénible[180] arriva à Bordeaux le 1er juin. Il y rencontra le légat et les deux évêques de Chartres et d'Agen. Ils organisèrent ensemble une mission. Comme le comte de Toulouse, Alphonse-Jourdain, avait pris l'hérétique sous sa protection[181], saint Bernard lui écrivit une lettre dans laquelle il décrit tous les ravages de l'henricianisme : basiliques sans fidèles, fidèles sans prêtres, prêtres sans honneur[182] et il l'invita à seconder les missionnaires « selon, dit-il, le pouvoir qui vous a été donné d'En-Haut », conformément à la théorie des deux glaives. La réponse du comte de Toulouse dut être à peu près satisfaisante, puisque les missionnaires se décidèrent à partir[183].

Deux séries de faits résument à eux seuls la mission de 1145. Tout d'abord à Toulouse, le légat cita les henriciens devant son tribunal. Ils refusèrent de comparaître, ils furent alors excommuniés et déclarés incapables de témoigner en justice, première expression de la peine des incapacités civiles. De son côté, saint Bernard retourna la population et par la chaleur de son éloquence[184] et par une guérison miraculeuse, celle d'un chanoine de Saint-Sernin qui était paralysé, ce qui acheva, paraît-il, de détacher d'Henri le comte de Toulouse. Les missionnaires passèrent ensuite à Albi. Le légat y arriva le 27 juin et fut mal accueilli, mais saint Bernard fut acclamé le 28. Le lendemain, le peuple s'écrasait dans la cathédrale pour assister à la messe

177. D. Vaissete, t. III, p. 741.

178. H. L., t. V, p. 710 et suivantes.

179. Geoffroy d'Auxerre, *Vita Prima*, liv. III, ch. III, n. 5. *P. L.*, t. 185, c. 412.

180. Pour le détail, voir E. Vacandard, *Les Origines de l'hérésie...*, pp. 72 et suivantes.

181. Il aurait été excommunié à cause d'Henri au concile de Pise, H. L., t. V, p. 713.

182. *P. L.*, t. 182, cc. 435-436.

183. La mission n'eut pas lieu, comme le suppose D. Vaissète, III, p. 141 et ss... en 1147, mais en 1145, comme l'affirme expressément le texte de Geoffroy, inséré dans *Gallia Christiana*, t. II, p. 814.

184. « (Bernardus) multos in fide simplices instruens, nutantes laborans, errantes revocans, subversos reparans, subversores et obstinatos auctoritate sua premens et opprimens », *Vita Prima*, liv. III, ch. VI, n° 17, *P. L.*, t. 185, c. 313.

solennelle du légat et jurait sur l'invitation pressante de saint Bernard de rentrer dans le sein de l'Eglise[185]. Il en fut ainsi à peu près partout, sauf à Verfeil « siège de Satan » qui pour ce refus encourut la malédiction de saint Bernard[186]. Mais dans l'ensemble les résultats furent satisfaisants. Obligés cependant de rentrer à Clairvaux où l'appelaient des affaires urgentes, saint Bernard dut partir à la fin d'août et laisser inachevée une œuvre qui promettait les plus belles espérances et qui de ce chef se trouva compromise quelque temps après[187].

Pour éviter précisément le retour possible de l'hérésie, saint Bernard écrivit de Clairvaux aux Toulousains pour leur exprimer sa gratitude de l'accueil qu'ils lui avaient fait et aussi pour leur recommander deux choses : de se saisir des hérétiques ou tout au moins de les chasser, et de ne recevoir jamais de prédicateur étranger qui n'ait reçu mission du Souverain Pontife ou obtenu l'autorisation de l'évêque du lieu, conformément à l'enseignement de l'Apôtre : *Quomodo praedicabunt, nisi mittantur ?*[188].

Quelque temps après, Henri de Lausanne fut emprisonné par l'évêque de Toulouse[189] mais un de ses disciples probablement, un nommé Pons, organisa à Périgueux une communauté d'hérétiques[190].

Les conseils de saint Bernard reçurent la consécration officielle du concile de Reims de 1148. Le canon 18 ne vise pas directement les hérétiques, mais leurs protecteurs[191]. L'interdiction de recevoir un

185. *Vita Prima, P. L.*, t. 185, cc. 414-415.
186. « Sedes Sathanae », *Vita Prima*, c. 414. Sur la malédiction de saint Bernard : « Viride folium, dissiccet te Deus », voir Guillaume de PUYLAURENS, *Chronicon*, ch. I, édition J. Beyssier, dans la la *Bibliothèque de la Faculté des Lettres de Paris*, fasc. 18, p. 120, Paris, 1904.
187. « Accepit ergo a Clara-Valle multis hinc inde litteris, cum omni festinatione revertetur, et credimus, annuente Deo, quod non longe post octavam Assumptionis Mariae visuri sitis desiderium, merito desiderabilem virum... Terra tam multiplicibus errorum doctrinis seducta opus haberet longa predicatione. » *Vita Prima*, c. 142.
188. « Deprehensae vulpes quae demoliebantur pretiosissimam vineam Domini, civitatem vestram : deprehensae, sed non comprehensae. Propterea, dilectissimi, persequimini et comprehendite eos et nolite desistere, donec penitus deprecant et diffugiant de cunctis finibus vestris, quia non tutum dormire vicinis serpentibus... Hoc etiam moneo vos, charissimi, quod et dicebam vobis cum praesens essem, ut nullum extraneum sive ignotum praedicatorem recipiatis, nisi qui missus a Summo seu a vestro Pontifice praedicaverit. Quomodo, inquit... » *Rom.*, X, 15. Ep., 242, *P. L.*, t. 182, c. 436.
189. « Haereticus ille... tandem captus et catenatus episcopo traderetur », d'après ALAIN, *Vita Secunda*, ch. XXIV, n° 72, *P. L.*, t. 185, cc. 514-515. Item, GEOFFROY, *Vita Prima*, liv. III, ch. VI, n° 17, *P. L.*, t. 185, c. 313.
190. D'après une lettre du moine HÉRIBERT, *Epistola de haereticis petragoricis*, dans *P. L.*, t. 181, cc. 1721-1722.
191. « Praesentis decreti auctoritate praecipimus ut nullus omnino hominum haeresiarcham et eorum sequaces, qui in partibus Guasconiae aut Provinciae vel alibi commorantur, manuteneat vel defendat, nec aliquis eis in terra sua receptaculum praebeat. Si quis autem vel eos de coetero retinere vel ad alias partes proficiscentes eorum errori consentiens recipere forte praesumpserit, quo iratus Deus animas percutit anathemate feriatur et in terris eorum, donec condigne satisfaciant, divina celebrari officia interdicimus. » MANSI, t. XXI, 718 ; P. FRÉDÉRICQ, I, n. 31.

hérétique sur sa terre ne peut valoir que pour un seigneur, et par conséquent sans doute vise le comte de Toulouse. C'est l'application du principe canonique de la complicité en matière d'hérésie. Dans le cas particulier l'application fut d'autant plus facile que le comte de Toulouse était déjà soumis. Mais on peut prévoir quelles difficultés se présenteront le jour où un autre comte de Toulouse précisément, fauteur des hérétiques, refusera de s'incliner devant les injonctions de l'Eglise.

*
* *

Les recommandations adressées aux princes en 1148 s'étaient avérées sans doute inopérantes. Une quinzaine d'années plus tard le concile de Montpellier, tenu sous la présidence d'Alexandre III, en mai 1162, rappela aux princes séculiers leurs devoirs envers l'Eglise sous peine d'anathème[192]. Un an après, Alexandre III réunit un autre concile à Tours, en mai 1163. Bien que l'objet du concile fut d'affirmer la légitimité d'Alexandre et par conséquent d'affermir sa position en face de son rival[193], on s'occupa sérieusement des hérétiques.

Le concile dénonce tout d'abord la propagande. Pour être moins hargneux que les termes du concile de Reims, ceux du concile de Tours sont aussi forts. « Dans le pays de Toulouse une hérésie condamnable s'est élevée depuis longtemps. Elle a gagné à la manière d'un chancre les contrées voisines : la Gascogne et d'autres provinces ; elle a contaminé beaucoup de personnes. Comme elle progresse à la manière des serpents, elle ravage dans les âmes simples la vigne du Seigneur avec un danger d'autant plus grand que ses menées sont plus occultes. » Plus loin, le concile dénonce les *conventicula* ou conciliabules qui n'ont d'autres raisons « qu'une communion de croyances »[194]. L'hérésie est donc bien vivace, mais, tandis qu'autrefois elle se manifestait sous la forme de communautés plus ou moins étrangères les unes aux autres, elle paraît aujourd'hui par l'effet de la concentration des sectes plus une et par conséquent plus dangereuse[195].

Quels remèdes apporter ?

Le devoir des évêques et des prêtres est double : veiller sur les agissements des sectes, s'enquérir principalement de l'existence et de la

192. « Constituit etiam ut quicumque princeps saecularis ab ecclesiastico monitus, jurisdictionem temporalem in eos non curavit exercere, sit cum eis simul vinculo anathematis innodatus, quemadmodum statutum est in Concilio Lateranensi. » P. Frédéricq, I, n° 36. Mansi, t. XXI, 1159.

193. J. Rousset de Pina, *Histoire de l'Eglise*, coll. A. Fliche et V. Martin, t. 9, 2e partie, Paris, 1953, p. 72.

194. « In partibus Tholosae damnanda haeresis dudum emersit, quae paulatim more cancri ad vicina loca se diffundens per Guasconiam et alias provincias quamplurimos jam infecit. Quae dum in modum serpentis intra suas evolutiones absconditur, quanto serpit occultius tanto gravius dominicam vineam in simplicibus demolitur... Et, quoniam de diversis partibus in unum latibulum crebro conveniunt et praeter consensum erroris nullam cohabitandi causam habentes in uno domicilio commorantur. » P. Frédéricq, I, n° 39. Mansi, t. XXI, 1178.

195. Sur le caractère du catharisme languedocien, voir Ch. Thouzellier : *Hérésie et Croisade au XIIe siècle*, dans *R. H. E.*, Louvain, 1954, t. IV, pp. 858 et ss.

nature des conventicules et les interdire par sanctions canoniques, rappeler aux catholiques les défenses traditionnelles de recevoir les hérétiques, de leur venir en aide et même, précise le texte, de faire du commerce avec eux[196].

Nous retrouvons ici les préoccupations qui dictaient la correspondance d'Alexandre III avec Henri de Reims et Louis VII quelques mois auparavant sur la sagesse de l'enquête et l'assistance des *religiosi viri*. Quant à l'objet de l'enquête, c'est avant tout la découverte des conventicules. Le concile ne demande pas, en effet, que l'on recherche les hérétiques. La distinction est bien subtile : en invitant les clercs à faire leur devoir, le concile ne les invite-t-il pas indirectement à s'enquérir des personnes et à les citer en justice ? Un fait nouveau semble désormais acquis : la substitution à la procédure accusatoire de la procédure d'office. C'est le principe même de l'Inquisition qui est posé et c'est Alexandre III qui l'a posé.

L'esprit même de l'Inquisition est nettement défini. Roland Bandinelli, nous l'avons vu, s'il envisage la possibilité de la peine de mort, fait une réserve d'importance : *ne videlicet zelo ultionis sed amore correctionis reos puniant juxta illud Augustini... cc. 13, 14, 15, 16, C. XXIII, Q. V.* Roland devenu Alexandre III, la doctrine de Bologne devient en même temps la doctrine officielle de l'Eglise. On poursuivra donc les hérétiques, non, certes, pour les jeter au feu, mais avec le souci de les ramener à l'orthodoxie, et, s'il faut les punir, on le fera non par esprit de vengeance, mais en esprit de charité. Alexandre III l'avait déjà rappelé à Henri de Reims[197]. Dans cette perspective la peine de mort n'a évidemment aucun sens. Restent les incapacités, l'exil et la confiscation des biens, toutes peines de caractère médicinal. La solitude de l'hérétique l'invitera sans doute à revenir à résipiscence[198].

Deux ans plus tard, en mai 1165, un colloque, improprement appelé concile, réunit à Lombez « petite ville du diocèse d'Albi dont les habitants, entre lesquels il y avait plusieurs chevaliers, protégeaient les hérétiques »[199], un grand nombre de clercs et de laïcs du comté de Toulouse. Chaque partie choisit ses représentants[200]. La discussion porta sur la notion de l'Eglise et la valeur des sacrements ; elle se fit à coup de citations scripturaires. Alors l'évêque de Lodève, Gaucelin, qui avait conduit l'interrogatoire, lut un rapport détaillé d'après le-

---

196. « Unde contra eos, episcopos et omnes Dei sacerdotes in illis partibus commorantes, vigilare praecipimus et sub interminatione anathematis prohibere ut ubi cognati fuerint illius haeresis sectatores, ne receptaculum quisquam eis in terra sua praesidium impertire praesumat, sed in venditione aut emptione aliqua cum eis omnino commercium habeatur... »

197. Voir ci-dessus, à propos des hérétiques flamands.

198. « Ut solatio saltem humanitatis amisso ab errore viae suae resipiscere compellantur. »

199. D. Vaissète, t. VI, p. 5, *op. cit.*

200. « Electis ac statutis judicibus ab utraque parte », Mansi, t. XXI, 157. Ch. Schmidt, I, pp. 70 et ss.

quel il jetait sur les hérétiques autant d'anathèmes qu'il y avait de
chapitres. Là-dessus, les hérétiques s'emportèrent, renvoyant à l'évêque
la sentence qui les frappait ; ils l'accusèrent d'être lui-même un hérétique, un loup ravisseur, un ennemi de Dieu et ils accusèrent pareillement tous les évêques et tous les prêtres[201]. Ils s'offrirent même à
le prouver par les évangiles et les épitres. Entre les deux parties, ce
fut un chassé-croisé d'anathèmes. Finalement, les « cathares » firent
leur profession de foi. De son côté, Gaucelin rédigea une déclaration
solennelle, signée par tous les clercs et les princes, aux termes de laquelle les hérétiques étaient excommuniés et déclarés infâmes. Mais
l'assemblée se dispersa. L'année suivante, en juillet 1166, Pons d'Arsac,
archevêque de Narbonne, aurait renouvelé à Capestang dans son diocèse les anathèmes du concile de Lombez[202].

Ce qui souligne davantage l'échec des catholiques, c'est le grand
conventiculum que les cathares tinrent en 1167 à Saint-Félix-de-Caraman, à vingt-cinq kilomètres de Toulouse. « L'an 1167 de l'Incarnation du Seigneur, au mois de mai, l'église de Toulouse conduisit le
pape Nicétas au *castrum* de Saint-Félix et une grande multitude
d'hommes et de femmes de l'église de Toulouse et d'autres églises
s'y réunit pour recevoir le *consolamentum* du seigneur pape Nicétas. »
Ce personnage que l'on suppose évêque bogomile de Constantinople
serait venu pour convertir du dualisme mitigé au dualisme absolu
les églises cathares de l'occident[203]. On vit au conciliabule au moins
trois évêques cathares : Robert d'Epernon, évêque de l'Eglise de
France[204], c'est-à-dire du nord de la France, Marchus, évêque de Lombardie[205], Sicard Cellerier, évêque de l'Eglise d'Albi. On pourvut aux
évêchés vacants. Les délégués de Toulouse élurent Bernard Raymond,
ceux de Carcassonne Guiraud Mercier, ceux du Val d'Aran Raymond
Casalis. Les six évêques reçurent ensuite le *consolamentum* et l'imposition des mains[206]. Nicétas leur recommanda de vivre en paix, puis
une commission nommée par chacune des églises de Toulouse et de

---

201. « Responderunt haeretici quia episcopus qui dederat sententiam erat haereticus et non ipsi : et quod erat inimicus eorum atque lupus rapax et hypocrita
et inimicus Dei, ac non bene judicaverat... et quod ipse erat persecutor eorum
fraudulentus, et parati erant ostendere per Evangelia atque Epistolas quod non
erat bonus pastor, neque ipse, neque ceteri episcopi vel presbyteri, sed potius mer-
cenarii. » Mansi, t. XXI, 105.

202. D. Vaissète, t. VI, p. 5.

203. Notitia Conciliabuli apud S. Felicem de Caraman, dans *H. F.*, XIV, 448
et ss. Voir D. Vaissète, t. VI, pp. 6 et 7. E. Broeckx, *ouvr. cité*, pp. 10 et
41 et ss. Ch. Schmidt, II, pp. 8 et 79. Ch. Thouzellier, *art. cité*, pp. 868-870.

204. Francigenarum ecclesiae, *op. cit.*

205. *Lombardie*, d'après Ch. Schmidt, I, pp. 61, 65 et 74. Item, D. Vaissète,
VI, p. 7, plutôt que Lombez, d'après *H. F.*, XIV, 449 c. A. Borst en fait le Diacre
des Cathares Italiens que Nicetas aurait sacré évêque, *ouvr. cité*, p. 96.

206. Sans doute pour agréger les trois premiers au dualisme absolu et pour
confirmer l'élection des autres par l'imposition des mains, Ch. Schmidt, I, p. 74.
« Die drei bereits amtierenden Bischöfe von Nordfrankreich, Südfrankreich und
der Lombardei werden nach dem neuen Ordo Drugonthiae noch einmal geweiht ;
dazu werden für Carcassonne, Toulouse und Val d'Aran drei weitere Bischöfe von
den Gemeinden gewählt und von Niketas geweiht. » A. Borst, p. 97, *op. cit.*

Carcassonne fit la délimitation des territoires diocésains. **Quel que soit le caractère** plus ou moins historique du *Conventiculum* de Saint-Félix-de-Caraman[207], il n'en reste pas moins vrai que deux églises s'opposent, chacune avec sa dogmatique, sa morale, son culte, son organisation[208] comme les deux principes mêmes de la théologie cathare : Dieu et Satan.

*   *
*

Une telle provocation devait amener les princes séculiers à prendre les mesures qui s'imposaient suivant la formule du concile de Tours. D'autres préoccupations les retenaient. En 1166, en effet, s'ouvrit la succession du comté de Provence[209] qui attira deux compétiteurs : Raymond V, comte de Toulouse[210], et Alphonse II, roi d'Aragon[211]. Pour défendre sa terre sur ses frontières orientales, Raymond V fit alliance avec Frédéric Barberousse, ce qui l'amena à persécuter les fidèles d'Alexandre III et attira sur Toulouse l'interdit pontifical[212].

207. D'après L. de LACGER : *L'Albigeois pendant la crise de l'Albigéisme*, dans *R. H. E.*, Louvain, avril 1933, pp. 314-315. le Conventiculum de Saint Félix de Caraman serait un faux du XVIe ou du XVIIe siècle. Au contraire, A. DONDAINE : *Les Actes du Concile albigeois de Saint Félix de Caraman*, dans *Miscellanea Giovanni Mercati*, t. V, 1946, pp. 324 et ss.. tient pour l'authenticité. A Borst y attache une grande importance : « So ist die Mission des Niketas die Schicksalsstunde des Katharismus geworden », *op. cit.*, p. 98.
208. Sur l'organisation des cathares, voir P. LÉVY-ALPHANDÉRY, *ouvr. cité*, pp. 34 à 100 ; Ch. MOLINIER, *L'Eglise et la société cathares*, dans *Revue Historique*, t. 94, pp. 224 à 248 et t. 95, pp. 1 à 22 et 263 à 291. E. BROECKX, *ouvr. cité, passim*. J. GUIRAUD, art. *Albigeois* dans *D. H. G. E.* ; du même : *Histoire de l'Inquisition au Moyen Age*, t. I, Paris, 1933, pp. 35 ss.
209. Sur la guerre de succession de Provence, voir D. VAISSÈTE, t. VI, pp. 21 à 69 ; V.-L. BOURILLY et R. BUSQUET, *La Provence au Moyen Age*, extrait de *Encyclopédie départementale des Bouches-du-Rhône*, t. II, Marseille, 1924, pp. 22 et ss. ; Ch. HIGOUNET, *Un grand chapitre de l'histoire du XIIe siècle : la rivalité des maisons de Toulouse et de Barcelone pour la prépondérance méridionale*, dans *Mélanges Louis Halphen*, 1951, pp. 313 à 322, article sans références précises.
210. Raymond V : 1134-1194. En 1165, Raymond Bérenger, comte de Provence, lui avait promis pour son fils, le futur Raymond VI, la main de sa fille et unique héritière, Douce. Mais dès la mort du comte de Provence, à Nice, Raymond V, qui venait de répudier sa femme, Constance, sœur de Louis VII, et qui était pressé de s'emparer de l'héritage de Provence, épousa la veuve de Raymond-Bérenger, Richilde.
211. Alphonse II se réclamait d'un acte de 1162, par lequel Frédéric Barberousse avait inféodé le comté de Provence à la dynastie des Bérenger, comtes de Barcelone et rois d'Aragon : *M. G. H. Legum*, IV, *Constitutiones*, t. I, n° 215-216 ; D. VAISSÈTE : t. III, p. 827 et t. V, p. 23.
212. Voir P. FOURNIER : *Le Royaume d'Arles et de Vienne*, Paris, 1891, p. 28 et suiv. Pour plaire à l'empereur, Raymond « ordonna à tous les ecclésiastiques, ses sujets, qui ne voudraient pas reconnaître l'antipape, de sortir incessamment de ses états, tant de ceux qui étaient dans l'étendue de l'Empire, que de ceux qui dépendaient du Royaume de France ». D. VAISSÈTE, t. VI, p. 19-20. C'est ainsi que l'évêque de Grenoble, le chartreux Jean de Sassenage, fut expulsé de son siège épiscopal, Raymond V étant pratiquement le maître du Dauphiné, depuis le mariage, en 1163, de son fils, Albéric, avec Béatrice, l'unique héritière de ce pays. Alexandre III se plaignit de cette expulsion dans une lettre adressée à Henri de Reims, le 29 avril 1166, et mit Toulouse en interdit. Cet interdit fut

Pour se protéger sur ses frontières occidentales, il prêta hommage, nonobstant sa fidélité envers le roi de France, à Henri II, roi d'Angleterre et duc d'Aquitaine, à Limoges, en février 1173[213]. Mais, pendant ce temps, Alphonse II avait consolidé son pouvoir dans le comté de Provence. La paix de Gernica, 18 avril 1176, consacra en fait la victoire de l'Aragon sur Toulouse.

Les suites de la guerre de Provence furent graves. Le relâchement du lien vassalique et les nécessités de la guerre firent apparaître sur tout le théâtre des opérations des bandes de mercenaires aux appellations diverses : Cotereaux, Brabançons, Aragonnais, Mainades, mais aux caractères communs. Recrutés en général « parmi l'écume de la société que les agitations continuelles de l'époque faisaient remonter à la surface »[214], nés le plus souvent de la guerre et vivant de la guerre et pour la guerre, tantôt dans un camp et tantôt dans un autre, les routiers étaient à la fois soldats et brigands. Ils pillaient et profanaient églises et couvents, rançonnaient les populations, semaient la terreur sur leur passage. Leurs sacrilèges les faisaient passer pour hérétiques. Ils ne l'étaient sans doute pas, mais, en ébranlant les structures religieuses, ils faisaient indirectement le jeu de l'hérésie[215]. En 1172, Pons d'Arsac, archevêque de Narbonne, se plaignit à Louis VII des entreprises des hérétiques[216]. En 1176, Raymond V écrivit dans le même sens au Chapitre de Citeaux[217]. Il demanda les secours, les

évé sur la demande de Louis VII le 12 mars 1168 : *H. F.*, XV, 868. Raymond V dut abandonner le parti schismatique entre 1170-1174. D. VAISSÈTE, t. VI, p. 41 et 60.

213. Le texte de l'hommage est cité par Benoit de Peterborough : Gesta Henrici II, dans *H. F.*, XIII, 149. Il comporte une réserve de fidélité en faveur du roi de France ; voir J. BOUSSARD, *Le gouvernement d'Henri II Plantegenêt*, Paris, 1956, p. 391, n. 2.

214. H.-Ch. LEA, I, p. 141, *op. cit.*

215. Voir H. GÉRAUD « Les Routiers au XIIe siècle », dans *Bibliothèque de l'Ecole des Chartes*, t. III, année 1841-1842, p. 125 à 147 ; de même : Ed. BOUTARIC : *Les institutions militaires de la France*, Paris, 1863, p. 162 et suivantes. J. BOUSSARD : *Les mercenaires au XIIe siècle. Henri II Plantegenêt et les Origines de l'armée de métier*, dans *Bibl. de l'Ecole des Chartes*, t. CVI, 1945-1946 ; tiré à part, 1947. Le 14 février 1171, Louis VII et Frédéric Barberousse s'accordèrent en principe pour chasser de leurs territoires respectifs et des territoires de leurs vassaux toutes espèces de routiers. Le texte ajoute : « Si quis maleficos illos homines amodo retinuerit, archiepiscopus vel episcopus suus illum nominatim excommunicabit et totam terram suam tenebit sub interdicto, donec illi, cui malum per eos fecerit, dampnum suum ad probationem suam restituat et episcopo dignam faciat emendationem : et tam archiepiscopi quam barones cum armis contra ipsum et super terram suam ad destruendum ibunt infra quadraginta dies postquam inde fuerint commoniti, donec illi cui malum factum erit, dampnum suum fuerit restitutum et domino terrae digne fuerit emendatum. » *M. G. H. Legum*, IV, *Constitutiones*, t. 1, n° 237.

216. « Fides catholica in nostra dioecesi laeditur in immensum et Beati Petri navicula tantis haereticorum oppressionnibus tunditur quos fere ad demersionem periclitatur. Arripiat igitur strenuitatis vestrae dextera scutum fidei et arma justitiae, et exsurgat in adjutorium Domini, ut per vestrae correctionis censuram ab Ecclesia nostra omnis haeretica pravitas arceatur. ». *H. F.*, XVI, 159-160.

217. Le Chapître général commençait la veille de la fête de la Sainte-Croix ; soit le 15 septembre. Voir H. D'ARBOIS DE JUBAINVILLE : *Etudes sur l'état inté-*

conseils et les prières des moines, mais il estimait que le glaive spirituel était devenu insuffisant. Seul à ses yeux comptait désormais le glaive du roi de France et peut-être en même temps celui du roi d'Angleterre dont il était également le vassal. Benoit de Peterboroug dit, en effet, que des bruits fâcheux touchant les sectes hérétiques parvinrent aux oreilles des rois de France et d'Angleterre[218]. Louis VII et Henri II venaient précisément de faire la paix à Nonancourt, le 21 septembre 1177, grâce à l'intervention du légat Pierre de Pavie, cardinal-prêtre de Saint-Chrysogone[219]. Cette paix avait principalement pour objet la croisade de Terre Sainte. Les rois se trouvaient donc sollicités par le légat pour la défense de la Terre Sainte et par le comte de Toulouse pour la répression de l'hérésie. Quelle solution choisir ?

Henri II qui avait célébré à Angers la fête de Pâques, 9 avril 1178, ne voulut pas retourner en Angleterre, nous dit Benoit de Peterborough, avant de s'être entendu avec le roi de France pour envoyer dans le Languedoc une mission[220] Louis VII dût acquiescer. Il reçut aussitôt les félicitations de l'abbé de Clairvaux, Henri de Marsiac[221], qui lui écrit : « A vous reviendra la gloire, avec l'aide du Tout-Puissant, ou bien de ramener les hérétiques dans le sein de l'Eglise, ou bien de les expulser du sein du royaume[222]. »

Les projets de Louis VII et d'Henri II subirent ultérieurement une légère modification. L'un et l'autre s'abstinrent, on ne sait pour quels motifs, de participer à la mission. « Ils choisirent à leur place, dit encore Benoît de Peterborough, Pierre, cardinal-prêtre de Saint-Chrysogone, légat du Siège Apostolique, les archevêques de Bourges et de Narbonne, Réginald, évêque de Bath, Jean, évêque de Poitiers, Henri, abbé de Clairvaux, et beaucoup d'autres ecclésiastiques dans la prédication et la doctrine desquels ils avaient confiance. » Ils désignèrent encore le vicomte de Turenne, Raymond de Castelnau, le comte de Toulouse, et beaucoup d'autres seigneurs, « et ils les envoyèrent

rieur des abbayes cisterciennes, Paris, 1858, p. 152. La lettre est citée *in extenso* dans D. Vaissète, t. VI, p. 77-78. J.B. Mahn : *L'Ordre Cistercien et son gouvernement, des origines au milieu du XIIIe siècle*, 1098-1265, Paris, 1945, pp. 173 à 217.

218. « Ad aures ipsius (Henrici) et regis Franciae pervenerat quod quadam gens perfida... » *H. F.*, XIII, 173.

219. « En Septembre 1177, le légat Pierre de Pavie menaça de jeter l'interdit sur toutes les provinces de l'Empire Angevin, si le roi d'Angleterre ne concluait pas la paix définitive avec le roi de France... Le 21 septembre, à Nonancourt, entre Ivry et Verneuil, en présence du légat et des barons des deux royaumes, Louis et Henri jurèrent qu'ils seraient désormais amis et alliés fidèles. » Ch.-V. Langlois, dans E. Lavisse, *Histoire de France*, t. III, 2e partie, p. 73. Sur la mission du légat, voir des lettres d'Alexandre III : 17 et 19 avril 1174 ; 29 janvier 1176 ;30 30 avril 1177 ; J. n° 12369, 12684, 12821 ; H. Delehaye : Pierre de Pavie, légat du pape Alexandre III, dans *R. Q. .H.*, t. 49, ann. 1891, p. 5 à 61 ; J. Boussard, *Le gouvernement d'Henri II*, pp. 524-526.

220. Benoît de Peterborough, *op. cit.*

221. G. Kunne, *Heinrich von Clairvaux*, Tubingue, 1909.

222. « Vobis melius decernitur hujus pugnae victoria, per quam favente de supernis Altissimo, vel faciatis eos ad Eccleciae sinum reduces, vel a sinu regni propulsabitis contumaces. » *P. L.*, t. 204, c. 234-235.

ou bien pour convertir les hérétiques à la foi des chrétiens, ou bien pour les rejeter des frontières du royaume »[223]. Le dilemme est nettement posé. C'est pourquoi la mission de 1178 revêt un caractère à la fois ecclésiastique, comme la mission de 1145, et militaire, comme les croisades futures. Ce double caractère en fait une œuvre de transition, et par là marque son importance dans l'histoire de la répression de l'hérésie.

Restait à obtenir pour le cardinal qui avait rempli sa mission et songeait à rentrer en Italie l'autorisation du Souverain Pontife. Henri de Clairvaux écrivit alors à Alexandre III. Après avoir dénoncé les ravages de l'hérésie « dont la contagion infecte les pasteurs autant que le troupeau »[224], il convient, conclut-il, « que vous accordiez au cardinal avec le délai nécessaire, la mission expresse d'aller combattre les ennemis de la foi. Excusez donc les retards de l'homme de Dieu et que notre extrême nécessité serve d'excuse à ses lenteurs ». Alexandre III dut accorder l'autorisation, puisque dans une lettre malheureusement non datée, mais certainement postérieure à la lettre de l'abbé de Clairvaux[225], Pierre de Pavie s'excuse auprès du pape de ne pouvoir lui fournir tous les renseignements qu'il avait sollicités sur les personnages les plus représentatifs du clergé français, à cause du retard que la mission va lui apporter[226]. Alexandre III a donc renoncé à la croisade de Terre Sainte ; il s'est rangé sur la pression de l'abbé de Clairvaux à l'idée de cette mission en pays hérétique considérée comme tellement urgente qu'elle souffre l'équivalence avec la croisade elle-même[227].

Les missionnaires obligèrent sous la foi du serment l'évêque de Toulouse, « une partie du clergé, des consuls, et tous les citoyens dont la foi n'était pas suspecte, à dénoncer les hérétiques »[228]. Ce qui fut fait. Un des principaux hérétiques, Pierre Moran, qui possédait deux châteaux où il présidait des *conventicula* nocturnes, fut excommu-

223. Benoît de Peterborough, *op. cit.* H. F., XIII, 174.

224. *P. L.*, t. 204, cc. 223. Cette lettre serait du mois de mai 1178 : cf. H. Delehaye, *art. cité*, p. 43, n° I. Les ravages de l'hérésie sont dépeints en termes bibliques où reviennent les noms de Sodome et de Gomorrhe. Cette comparaison n'est peut-être pas très exacte. Les Cathares, du moins les « Parfaits » menaient une vie de chasteté qui contrastait trop souvent avec les mœurs légères du clergé catholique ; cf. : P. Alphandéry ; *ouvr. cité*, p. 63 et suiv... item : Ch. Molinier : *art. cité*, dans *Rev. Hist.*, t. 95, p. 4 et suiv... Henri de Clairvaux les a peut-être confondus avec les routiers qui étaient considérés comme des hérétiques et englobés dans la même réprobation. Quoi qu'il en soit, cette lettre était destinée à faire impression sur le Souverain Pontife.

225. « Et nos, juxta mandatum vestrum, pro pace inter illustres Francorum et Anglorum reges confirmanda et haereticorum extirpatione... » H. F., XIII, 962.

226. P. Glorieux : *Candidats à la pourpre en* 1178, dans *Mélanges de Science Religieuse*, 1954, pp. 5-30.

227. Ad imperium Domini Papae et hortatu piissimorum principum Ludovoci Francorum et Henrici Anglorum regum, Dominum Petrum Apostolicae Sedis legatum... adire Tolosam. » H. F., XIII, 174.

228. Ce qui montre que le clergé était lui-même suspect: D. Vaissète, t. VI, p. 79.

nié et livré au comte de Toulouse qui l'enferma « dans les prisons publiques », confisqua ses biens et démolit ses châteaux. Raymond V appliquait ainsi à l'hérétique les peines du concile de Tours. Il allait même plus loin. Le concile avait simplement interdit aux catholiques la fréquentation des conventicula : il n'en avait pas ordonné la suppression. Mais ce qui n'était pas dans la lettre du concile pouvait bien être dans son esprit. Le geste de Raymond V, s'il ne lui a pas été suggéré, ne pouvait que recevoir l'approbation des clercs.

Il y avait des hérétiques, tout au moins des fauteurs d'hérésie, parmi les seigneurs eux-mêmes. C'étaient le cas du vicomte de Béziers, Roger II Trencavel. L'évêque de Bath et l'abbé de Clairvaux, assistés du vicomte de Turenne et de Raymond de Castelnau, lui demandèrent de délivrer l'évêque d'Albi qu'il tenait en prison, et de cesser tout commerce avec les hérétiques. Mais Roger II se retira à l'extrémité de son fief, dans les montagnes, laissant à Castres sa femme, ses chevaliers, tous plus ou moins hérétiques ou fauteurs d'hérésie. Il reçut même dans son château de Lavaur deux chefs cathares : Raymond de Baimiac et Bernard Raymond[229] qui avaient échappé au comte de Toulouse. Ne pouvant atteindre Roger II, l'évêque et l'abbé entrèrent du moins à Castres, prêchèrent la doctrine catholique, excommunièrent le vicomte et « le défièrent au nom de Jésus-Christ, de la part du pape et des rois de France et d'Angleterre, en présence de sa femme et de ses chevaliers, c'est-à-dire qu'ils lui déclarèrent la guerre »[230].

Mais l'abbé de Clairvaux s'en alla pour le chapitre du 14 septembre et le cardinal de Saint-Chrysogone rentra en Italie. La mission de 1178, déjà moins heureuse que celle de 1145, s'acheva aussi brusquement. Un grand fait néanmoins s'était produit : pendant trois mois environ, un véritable tribunal d'Inquisition avait fonctionné dans le comté de Toulouse. Un grand problème s'était posé : quelle procédure suivre pour contraindre un seigneur récalcitrant à poursuivre les hérétiques ? Théoriquement, lui infliger les sanctions prévues par le concile de Tours : l'excommunication, l'exil, la confiscation des biens. Mais en pratique, la chose devient beaucoup plus difficile, parce que l'Eglise se heurte à la structure féodale. On voit ainsi l'importance de la mission de 1178 et la place qu'elle occupe dans l'histoire des Origines de l'Inquisition.

Comme la mission de 1145 avait reçu la consécration du concile de Reims, ainsi, la mission de 1178 reçut la consécration du IIIe concile de Latran, canon 27.

Ce canon peut se diviser en trois parties principales. La première contient un exposé de la situation religieuse de la Gascogne et du

---

229. Raymond de Baimiac « parfait » de l'Eglise de Toulouse, d'après la Notitia Conciliabuli apul S. Felicem de Caraman, aurait été élu évêque du Val d'Aran à la mort de Raymond de Casalis que le même *Conventiculum* avait placé à la tête de cette Eglise ; Ch. SCHMIDT, I, p. 79. Bernard Raymond, évêque cathare de Toulouse, d'après le même *Conventiculum*.

230. L. VAISSÈTE, *op. cit.*, t. VI, p. 81.

Languedoc. Le concile y dénonce à la fois l'insolence des hérétiques et les crimes des routiers[231]. La seconde contient tout d'abord à l'adresse des princes catholiques une leçon d'obéissance[232], rappelle ensuite les exigences de la discipline antérieure[233], proclame enfin la solution du serment de fidélité ou d'hommage et la nullité de toute espèce de contrat qui lierait un catholique à un hérétique ou à un routier[234]. La troisième organise la croisade en pays hérétique par la levée de l'armée sainte[235] et la concession des Indulgences[236]. L'armée sainte est levée par les évêques. Tout catholique doit répondre à l'appel de son Ordinaire sous peine d'excommunication[237]. Les avantages spirituels consistent dans une indulgence de deux ans que les évêques ont le pouvoir de prolonger suivant la durée du service[238]. « Mais, ajoute le texte, ceux qui dans l'ardeur de la foi — donc spontanément — se croiseront contre les hérétiques, bénéficieront dans leurs

231. « Eapropter, quia in Guasconia, Albigesio et partibus tholosanis et aliis locis ita haereticorum quoa alii Catharos, alii Patrinos, alii Publicanos, alii aliis nominibus vocant, invaluit damnata perversitas, ut jam non in occulto, sicut aliqui, nequitiam suam exercitant, sed suum errorem publice manifestant et ad suum consensum, simplices attrahant et infirmos... De Brabantibus et Aragonensibus, Navariis, Bascolis, Coterellis et Triaverdinis, qui tantam in christianos immanitatem exercent ut nec ecclesiis nec monasteriis deferant, non viduis et pupillis, non senibus et pueris nec cuilibet parcant aetati aut sexui, sed more paganorum omnia perdant et vastent. » P. Frédéricq, I, n° 47 ; Mansi, t. XXII, 231 et suiv... Compilatio I, liv. V. tit. V, c. 7, dans *Quinque Compilationes antiquae* ; E. Friedberg-Leipzig, 1882.

232. D'après saint Léon : ep. ad Turibium : « Profuit diu ista districtio ecclesiasticae lenitati quae, etsi sacerdotali contenta judicio, cruentas refugit ultiones, severis tamen christianorum principum constitutionibus adjuvatur, dum ad spirituale nonnumquam recurrunt remedium qui timent corporale supplicium. » *P. L.*, t. 54, c. 679. P. Hinschius, p. 592.

233. « Eos et defensores eorum et receptatores anathemati decernimus subjacere et sub anathemate prohibemus ne quis eos in domibus vel in terra sua tenere vel favere vel negotiationem cum eis exercere praesumat... Confiscenturque eorum bona et liberum sit principibus hujusmodi homines subjicere servituti », *op. cit.*

234. « Relaxatos se noverint a debito fidelitatis et hominii ac totius obsequii, donec in tanta iniquitate permanserint, quicumque illis aliquo peccato (pacto) tenentur annexi », *op. cit.*

235. « Ipsis autem, cunctisque fidelibus in remissionem peccatorum injungimus ut tantis cladibus se viriliter opponant et contra eos armis populum christianum tueantur », *op. cit.*

236. « Qui autem in vera poenitentia ibi decesserint, et peccatorum indulgentiam et fructum mercedis aeternae se non dubitent percepturos », *op. cit.*

237. « Illos autem qui ammonitione episcoporum in hujuscemodi parte parere contempserunt, a perceptione Corporis et Sanguinis Domini jubemus fieri alienos », *op. cit.*

238. « Nos autem, de misericordia Dei et Beatorum Apostolorum Petri et Pauli authoritate confisi, fidelibus christianis qui contra eos arma susceperint et ad episcoporum seu aliorum praelatorum consilium ad eos decertandos et pugnandos, biennium de poenitentia injuncta relaxamus, aut si longiorem sibi moram habuerint, episcoporum discretioni, quibus hujus rei causa fuerit injuncta, committimus ut ad eorum arbitrium secundum modum laboris major eis indulgentia tribuatur... » Sur le caractère du *biennium* de pénitence, voir A. Villien, dans la *Rev. d'Hist. de l'Eglise de France*, année 1913, p. 269-270.

personnes et dans leurs biens de la protection spéciale que le Saint-Siège accorde aux croisés de Terre Sainte[239]. »

C'est peut-être pour appliquer les sanctions du concile de Latran qu'Alexandre III nomma l'abbé de Clairvaux cardinal-évêque d'Albano[240] et l'envoya comme légat en France. Deux lettres d'Etienne de Tournai, envoyé par Philippe-Auguste auprès du cardinal, nous le montrent par monts et par vaux, dans un pays désolé par la guerre[241]. La croisade devenait tous les jours de plus en plus impossible et de plus en plus urgente. On vit alors pour la première fois un légat du pape lever une armée sainte. « Il persuada par la force de son éloquence, écrit Robert d'Auxerre, à un grand nombre de catholiques de prendre les armes et de le suivre[242]. » Sous la conduite du légat, l'armée catholique assiégea le château de Lavaur où s'étaient réfugiés les deux chefs cathares que le cardinal de Saint-Chrysogone avait excommuniés en 1178. Le siège se serait sans doute prolongé, si la vicomtesse de Béziers, Adélaïde de Toulouse, n'avait livré le château aux « croisés ». Roger II se soumit et livra les deux hérétiques qui se convertirent et moururent dans les Ordres. Le problème qui s'était posé en 1178 se trouvait résolu d'une manière satisfaisante. En agissant ainsi, Henri d'Albano dépassait la lettre du concile de Latran. Les circonstances, il est vrai, l'invitaient en quelque sorte, lui, légat pontifical, à se substituer aux évêques et aux princes. Son geste créait un précédent : Henri d'Albano, héritier spirituel de saint Bernard, est aussi le précurseur d'Arnaut-Amaury, le directeur de la Croisade albigeoise.

---

239. « Interim vero qui ardore fidei ad eos expugnandos laborem justum assumpserint, sicut eos qui sepulchrum Dominicum visitant, sub Ecclesiae defensione recipimus et ab universis inquietationibus tam in rebus quam in personis statuimus vestrum manere securos. Si vero quispiam vestrum praesumpserit eos molestare, per episcopum loci excommunicationis sententia servetur ab omnibus, donec et ablata reddantur et de illis damnis congrue iterum satisfaciant. Episcopi vero sive presbyteri qui talibus fortiter non restiterint officii sui privatione mulctentur, donec misericordiam Apostolicae Sedis obtineant », op. cit.
240. D'après Roger de HOVEDEN, Chronica, dans M. G. H., ss. t. XXVII, p. 144 et dans MANSI ; t. XXII, 234.
241. La première de ces lettres est adressée à Raymond, Prieur de Sainte-Geneviève. « La crainte du danger éminent (sic) où je me trouve exposé par les courses des voleurs, des Cotereaux, des Basques et des Aragonais, fait que je supporte avec moins de peine les fatigues du long et pénible voyage que j'ai entrepris. Je suis l'évêque d'Albano par les montagnes et par les vallées et au milieu des déserts. Je ne trouve partout que des villes consumées par le feu ou des maisons détruites ; les périls qui m'entourent me rendent l'image de la mort toujours présente. » L'autre lettre adressée à Jean de Belles-Mains, évêque de Poitiers, qui avait participé à la mission de 1178 et venait d'être nommé archevêque de Narbonne après la déposition de Pons d'Arsac par le cardinal d'Albano : D. VAISSÈTE, t. VI, p. 97, et avait été élu presque aussitôt archevêque de Lyon : Gal. Christ., IV, c. 130, 131. La mission d'Etienne de Tournai serait de 1181. Voir J. WARICHEZ : Etienne de Tournai, ouvr. cité, pp. 236-238. J. DESILVE : Lettres d'Etienne de Tournai, Paris, 1893, ep. LXXXVI-LXXXVIII, p. 101-103.
242. Robert d'AUXERRE : Chronologica, ou Chronicon, dans H. F., XVIII, 249, 250 ; et M. G. H., ss. XXVI, 245.

La paix de Gernica n'avait été qu'une trêve. La guerre avait repris entre les maisons de Toulouse et d'Aragon, les rois de France et d'Angleterre, chacun traînant avec soi des bandes de routiers. En 1183, Philippe-Auguste s'avança dans la région de Bourges à la tête d'un corps de routiers, mais les crimes de toutes sortes dont ils se rendirent coupables contraignirent le roi à les exterminer. Ils étaient au moins 7.000[243]. En 1184, le jeune Raymond de Toulouse ravagea avec ses routiers les domaines du roi d'Angleterre[244]. En 1190, on était obligé de fermer les églises « depuis Vêpres jusqu'au lendemain... à cause des troupes qui mettaient le pays dans une désolation continuelle »[245]. Aussi, quand l'année suivante, Roger II Trencavel et Raymond V de Toulouse se réconcilièrent, ils s'entendirent avec l'évêque d'Albi, Guillaume, et les seigneurs du pays pour établir enfin une paix durable, dont les clauses ne sont pas sans analogie avec les prescriptions du IIIe concile de Latran[246].

La guerre, en rejetant l'attention des princes et des prélats sur les ravages des routiers, avait permis à l'hérésie, que la croisade du cardinal d'Albano avait à peine touchée, de s'épanouir librement. Aussi quand la paix fut revenue, on s'occupa de combattre l'hérésie[247]. L'archevêque de Narbonne, Bernard-Gaucelin[248], excommunia les hérétiques. L'effet de la sentence fut à peu près nul. On réunit alors une conférence entre hérétiques et catholiques. Les deux parties désignèrent un arbitre commun : le prêtre Roland de Daventrie, que sa naissance et la sainteté de sa vie rendaient illustre. La conférence porta notamment sur la hiérarchie et le caractère juridictionnel de la prédication. Roland de Daventrie rédigea un rapport concluant en faveur des catholiques, mais on ne dit pas que les hérétiques aient été excommuniés. La conférence de Narbonne se sépara comme autrefois le concile de Lombez. Plus tard, Roger II Trencavel et sa femme Adélaïde étant morts dans la même année, le jeune vicomte Raymond-Roger fut placé sous la tutelle de Bertrand de Saissac. Ce person-

---

243. RIGORD : Gesta Philippi-Augusti, dans la Société de l'Hhistoire de France, Paris, 1882, ed. Delaborde, p. 36 et 37, n° 23 et 24. Item : Guillaume le Breton, ed. Delaborde, même ouvrage, p. 182, n° 28 : « Eodem anno interfecti sunt in pago Bituricensi Costherelli (qui vulgo dicuntur Ruptarii) uno solo die septem millia, qui invaserunt fines regni nemini parcentes aut propter aetatem, aut propter sexum, vel religionem, aut propter sacrum locum quin omnes occiderent, aut diversis tormentis ad refundendam eis pro redemptione sua pecuniam compellerent. Quo audito, a rege misso exercitu in adjutorium hominum illius provinciae, omnes a summo usque ad minimum trucidati sunt », op. cit.

244. D. VAISSÈTE, t. VI, p. 109, 110. Item : H. GÉRAUD : art. cité : Les Routiers.., p. 136 et suivantes.

245. D. VAISSÈTE, op. cit., t. VI, p. 140.

246. Gal. Christ., Instrum, I, p. 6, n° XI. Voir IIIe concile de Latran, c. 22 ; MANSI, t. XXII, c. 229, c. 2, X, 1. 34.

247. Le 5 novembre 1191, Célestin III rappelait à l'archevêque d'Arles, Humbert, les prescriptions du concile de Latran sur la paix, les hérétiques et les routiers : J, n° 16753 ; P. L., t. 206, c. 897.

248. Créé archevêque de Narbonne par Lucius III : Gal. Christ ; VI, 57, 58, à la suite de la déposition de Pons d'Arsac par le cardinal d'Albano et de l'élection de Jean de Belles-Mains à l'archevêché de Lyon.

nage s'engagea le 4 août 1194 envers l'évêque de Béziers, Geoffroy, entre autres choses relatives à la ville et au diocèse de Béziers, « à n'introduire aucun hérétique ou vaudois dans la ville et dans le diocèse de Béziers, à chasser ceux qui pourraient y être et à donner une entière liberté à ce prélat pour les expulser »[249]. Nous ignorons si cet engagement fut tenu.

Toutes ces dispositions relatives à la paix, aux routiers, aux hérétiques furent solennellement confirmées au concile qui se tint à Montpellier, en décembre 1195, sous la présidence de Michel, légat du Pape[250]. Le concile enregistra simplement les dispositions de la paix et menaça tout seigneur ecclésiastique ou laïc qui se permettrait de les enfreindre de la solution du serment de fidélité jusqu'à l'amendement du coupable. Le concile remit en vigueur toute la législation du concile de Latran contre les hérétiques, routiers, pirates, alliés des Sarrasins et leurs complices. Le concile enjoignit enfin à l'archevêque de Narbonne et à ses suffragants de fulminer solennellement l'excommunication et l'anathème dans chaque paroisse tous les dimanches au son des cloches et à la lueur des cierges contre ceux qui reçoivent, favorisent, défendent hérétiques et routiers, ceux qui osent leur vendre, leur acheter et ferrer leurs chevaux.

Pendant que la paix était jurée par les seigneurs du Languedoc et confirmée par le concile de Montpellier, les Rois d'Aragon légiféraient contre les hérétiques, principalement les Vaudois.

Les origines du Valdisme sont obscures[251]. Le fondateur de la secte, Pierre Valdo, ou mieux Valdès, serait né vers 1140. C'était un riche marchand lyonnais. Vers l'année 1173, il quitta sa famille et ses biens pour mener une vie de pénitence et de pauvreté. Par une chaude journée d'été, un de ses amis mourut tout d'un coup sur le seuil de sa porte. Valdès en ressentit une émotion très vive et vécut depuis lors sous la douloureuse impression du jugement de Dieu. A quelque temps de là, il entendit un ménestrel chanter la Vie de saint Alexis qui « le jour même de son mariage, avait quitté sa jeune épouse, ses parents et ses biens pour se rendre en Terre Sainte »[252]. L'inquiétude de Valdès

249. « Ego, Bertrandus de Saissaco, tutor Raimondi Rotgerii, Vicecomistis Biterrensis, bona fide et sine dolo cum hac carta promitto per me et per ipsum vicecomitem tibi domino Gaufrido Bitterrensi episcopo et tibi Stephano quod quamdiu ero tutor vicecomitis... nec haereticos vel Valdenses in praedicta villa vel episcopatu nos vel aliquis nostro consilio inducemus. Et si forte ibi fuerint pro posse nostro illos inde ejiciamus et tibi episcopo jus et liberam potestatem, per me et vicecomitem eos expellendi concedo. » D. VAISSÈTE, t. VI, p. 158 et t. VIII, p. 429, 430.

250. P. FRÉDÉRICQ, I, n° 58. MANSI, t. XXII, 667.

251. G. BONET-MAURY : Les origines du mouvement vaudois, dans les comptes rendus des séances de l'Académie des Sciences morales et politiques, novembre 1903, pp. 696-710. L. CRISTIANI, art. Vaudois dans D. T. C. A. DONDAINE : Aux origines du Valdéisme, une profession de foi de Valdès, dans Archivum fratrum praedicatorum, vol. XVI, 1946, pp. 191-235.

252. J. JALLA : Histoire des Vaudois, Pignerol, 1922, pp. 10 et ss.

croissait de jour en jour. Il demanda bientôt à un théologien de lui révéler le chemin de la perfection. Le docteur lui mit simplement sous les yeux le texte évangélique : « Si tu veux être parfait, vends ce que tu possèdes, donne le produit aux pauvres et tu auras un trésor dans le ciel, puis viens et suis-moi » Mtt : XIX, 21. Valdès fit alors de ses biens quatre parts. La plus considérable comprenait les biens-fonds et les meubles : il la laissa à sa femme ; une autre comprenait tout ce qu'il avait acquis injustement : il en fit restitution ; une troisième forma la part des pauvres ; la dernière enfin constitua la dot de ses deux filles qu'il mit à Fontevrault.

Le jour de l'Assomption 1173, il fit vœu de pauvreté, puis recruta des disciples, entre autres deux prêtres qui traduisirent la Bible en langue vulgaire, établit une fraternité et se mit à prêcher. Mais cette prédication populaire, faite par des laïcs et sans doute maladroite, attira l'attention de l'archevêque de Lyon, Guillaume aux Blanches-Mains[253], qui fit venir les Vaudois, et leur interdit, au nom des privilèges des clercs, d'expliquer l'Ecriture et de prêcher. Valdès aurait alors répliqué par le texte de l'Ecriture : Actes : V, 29 : « Il vaut mieux obéir à Dieu plutôt qu'aux hommes. » Dans tous les cas, il fut excommunié[254] et expulsé du diocèse. Les Vaudois en appelèrent-ils au pape ou bien Guillaume les dénonça-t-il au pape, toujours est-il que Pierre Valdès et ses disciples se rendirent à Rome pendant que s'y tenait le concile de Latran[255].

Quelle fut à leur égard l'attitude d'Alexandre III ? Les témoignages ne concordent pas. D'après Etienne de Bourbon, les Vaudois furent déclarés schismatiques et condamnés[256]. La Chronique de Laon dit au contraire que le pape « embrassa Valdès, approuva son vœu de pauvreté, mais défendit aux Vaudois de prêcher sans l'autorisations des prêtres »[257]. De son côté, Walter Map qui représentait au concile de Latran le roi d'Angleterre dit seulement que les Vaudois étaient

---

253. Et non Jean de Belles-Mains, comme le croit avec Etienne de Bourbon son éditeur : ETIENNE DE BOURBON, *Anecdotes Historiques*, publiées par A. Lecoy de la Marche, dans la *Société de l'Histoire de France*, Paris, 1877, p. 292. En effet, Jean de Belles-Mains, ancien évêque de Poitiers, monta sur le siège de Lyon en 1181 : *Gal. Christ.*, IV, 130. Or, le texte d'Etienne se rapporte à une période antérieure au IIIe concile de Latran. L'archevêque de Lyon était alors Guillaume aux Blanches-Mains : 1164-1180 ; *Gal. Christ.*, IV, 126-130.

254. « Cum autem ex temeritate sua et ignorantia multos errores et scandala circumquaque diffunderent, vocati ab archiepiscopo Lugdunensi, qui Johannem vocabatur, prohibuit eis ne intermitterent se de Scripturis exponendis vel praedicandis... Hi ergo, Valdensis scilicet et sui, primo ex praesumptione et officii apostolici usurpatione ceciderint in inobedientiam, deinde in contumaciam, deinde in excommunicationis sententiam. » *Op. cit.*

255. « Valdenses expulsi ab illa terra ad Concilium... vocati. » Et. de BOURBON, *op. cit.*

256. « Fuerunt schismatici, postea judicati. » *Op. cit.*

257. « Valdensium amplexus est Papa, approbans votum quod fecerat voluntarie paupertatis, inhibens eidem ne vel ipse aut socii praedicationis officium praesumerent nisi rogantibus sacerdotibus. » *Chronique de Laon*, dans *H. F.*, XIII, 682 et *M. G. H.*, ss. t. XXVI, 449.

gens simples et illettrés[258]. Que faut-il conclure ? Le témoigne de la Chronique de Laon nous paraît plus vraisemblable, parce que plus conforme à l'attitude prise en d'autres circonstances par Alexandre III, vis-à-vis d'Henri de Reims et des hérétiques flamands. Peut-être aussi ne pouvait-il pas faire mieux que l'antipape Calixte III qui était intervenu tout récemment en faveur de Lambert de Lièges et de ses béguinages[259]. D'ailleurs le témoignage de la Chronique de Laon ne contredit pas tellement celui d'Etienne de Bourbon ; la soumission des Vaudois fut, en effet, de courte durée ; ils passèrent de la désobéissance à l'hérésie, et, en se multipliant dans le Languedoc, la Provence et la Lombardie, ils accrurent le nombre et la confusion des sectes. Souvent même, ils s'unirent aux arnaldistes, voire aux cathares. Ils tomberont ensemble sous la même condamnation[260].

En 1194 le cardinal Grégoire de Saint-Ange, envoyé par Célestin III en Espagne pour faire faire la paix entre les princes en vue de la croisade contre les musulmans[261], aurait convoqué à Lérida un concile et pressé Alphonse II de sévir contre les hérétiques. Alphonse II publia un édit d'expulsion d'après lequel les hérétiques étaient considérés comme ennemis publics et sommés de quitter les territoires soumis à la juridiction du roi, c'est-à-dire l'Aragon, la Catalogne, le Roussillon et sans doute le comté de Provence. Quant aux fauteurs d'hérésie, ils seraient considérés comme traîtres et leurs biens seraient confisqués comme coupables de lèse-majesté : *se tamquam reum criminis lesae majestatis puniendum.* Ordre était donné aux évêques et aux gouverneurs des villes de publier l'édit dans les églises tous les dimanches, et d'en assurer l'exécution. Passé le délai du 1er novembre, l'hérétique serait considéré comme hors la loi et n'importe qui pour-

---

258. Walter MAP : *De Nugis Curialium,* Dist. I, c. 31 ; dans *M. G. H.* ss., t. XXVII, 66, 67.

259. L'attitude d'Alexandre III ne lui est pas absolument personnelle. En 1175-1177, l'antipape Calixte III intervint également en faveur de Lambert de Liéges, « apôtre d'un mouvement religieux populaire qui a abouti chez les femmes à la vie commune organisée dans les couvents cloîtrés et dans les béguinages paroissiaux. » J. Van Mierlo : « Lambert li Bèges », dans *Verband met den orrsprong der Begijnenbewegning : Mémoires de l'Académie Royale Flamande* 1926, d'après la *Revue d'Histoire Ecclésiastique de Louvain,* 1927, t. 23, p. 254 et suivantes et 785 à 601. Voir les textes dans P. FRÉDÉRICQ : II, n° 11 et suivantes : années 1175-1177. Sur le Béguinisme, voir F. VERNET : art. Béghards, dans *D. T. C.*

260. « Quod praeceptum modico tempore observaverunt unde externe facti inobedientes, multis fuerunt in scandalum et sibi in ruinam. » : Chr. de Laon, *op. cit.* « Postea in Provincia terra et Lombardie cum aliis haereticis se admiscentes et errorem bibentes et serentes, heretici sunt judicati Ecclesiae infestissimi et peculirissimi. » Et. de BOURBON, *op. cit.,* p. 293.

261. Dans une lettre du 10 juillet 1195, Célestin III menace de l'excommunication les princes espagnols s'ils continuent de se battre au lieu de s'unir contre les Sarrasins. A ce sujet, il ordonne la publication de la sentence de paix qui a été portée par le cardinal Grégoire « quodam Ecclesiae Romanae legato ». J. n° 17265.

rait lui infliger n'importe quel châtiment, excepté la mutilation et la mort[262].

En 1197, Pierre II inaugurait son règne en renouvelant au concile de Gérone l'édit de son père[263]. Il y apporta toutefois quelques précisions intéressantes. D'abord l'encouragement fait à tout sujet du roi de s'emparer des hérétiques et de leur infliger quelques peines, à l'exception de la mort et de la mutilation. Pour encourager le zèle des dénonciateurs, l'édit leur attribue le tiers des biens confisqués aux hérétiques. Ensuite, le roi se réserve d'appliquer aux coupables la peine de mort, et sans doute la mort par le feu : *corpora eorum ignibus crementur*. La confiscation des biens est totale, à l'exception du tiers, s'il y a lieu, attribué au dénonciateur. Enfin, le roi enjoint aux gouverneurs de signifier aux *Castellani* et protecteurs des hérétiques de se conformer dans les trois jours à l'édit d'expulsion ; sinon, les gouverneurs réuniront des troupes dans le cadre des diocèses où habitent les hérétiques et leurs fauteurs, et marcheront à leur tête contre tous les rebelles. L'impunité la plus entière est accordée aux membres de cette expédition. Quiconque refusera d'y participer sans motif plausible encourra la colère du roi et son indignation, et payera une amende de 20 sous d'or. Quant aux gouverneurs récalcitrants, ils subiront le châtiment même des hérétiques : *eadem poena corporali qua nefarii plectentur*[264].

Cette législation est importante. Il est remarquable qu'elle identifie les hérétiques et leurs fauteurs aux criminels de lèse-majesté. Cette identification, à vrai dire, paraît être de fait plus que de droit. Le roi d'Aragon ne dit pas que l'hérésie est une forme de lèse-majesté,

262. J.A. LLORENTE : *Histoire critique de l'Inquisition d'Espagne*, Paris, 1818, t. I, pp. 30, 31. Item : H.Ch. LEA, *ouvr. cité*, I, p. 91. N. EYMERIC : *Directorium inquisitorum*, éd. F. Pegna, Venise, 1607, p. 281.

263. « Quapropter, praecedentium Patrum nostrorum in fide imitatores, sacrosanctae Romanae Ecclesiae canonibus obtemperantes, qui haereticos a consortio Dei et Sanctae Ecclesiae et catholicorum omnium exclusos ubique damnandos ac persequendos censuerunt, Valdenses scilicet, qui vulgariter discuntur Sabatati, qui et alio nomine se vocant Pauperes de Lugduno, et omnes alios haereticos quorum non est numerus, nec nomina sunt nota, a Sancta Ecclesia anathematizatos, ab omni regno et potestatione nostro, tanquam inimicos crucis Christi, christianaeque fidei violatores et nostros etiam regnique nostri publicos hostes, exire ac fugere districte et irremeabiliter praecipimus, et sub eodem districtione Vicariis, Bajulis et Merinis totius nostrae terrae, ut ad exeundum eos compellant, usque ad Dominicam Passionis mandamus », c'est-à-dire jusqu'au 23 mars 1198. Voir J. SAENZ DE AGUIRRE : *Collectio maxima Conciliorum omnium Hispaniae et Novi Orbis*, éd. J. Catalani, t. V, Rome, 1755, n. 106, pp. 102-103 ; MANSI, t. XXII, 673 ss.

264. « Eidem mandato fortiter adjicientes ut dicti Vicarii, Bajuli, Merini, castellanos et castrorum dominos qui eos in castris suis et villis recipiunt, moneant ut de villis et castris suis et de omni terra sua infra triduum post admonitionem suam, omni postposita occasione, ejiciant et nullum prorsus subsidium eis conferant. Quod si monitis eorum acquiescere noluerint, omnes homines villarum seu ecclesiarum vel aliorum locorum religiosorum in dioecesi illius episcopi constituti, in cujus territorio idem castellanus ac dominus castri vel villae fuerit, ex mandato et auctoritate nostra regia sequantur vicarios, bajulos et merinos nostros illius episcopatus super castra et villas eorum, et super loca ubi inventi fuerint ».

il dit seulement que l'hérésie l'offense comme les délits d'Etat. D'où la justification de la peine de mort. L'expression *corpora eorum ignibus crementur* signifie peut-être seulement que les cadavres seront brûlés. Elle peut aussi bien vouloir dire que les hérétiques et leurs fauteurs seront brûlés vivants.

Le rapprochement des dates est significatif. La Somme de Placentin, composée à Montpellier, et la Somme provençale du Code seraient contemporaines de la première guerre de Provence. Or, la seigneurie de Montpellier appartenait au roi d'Aragon qui venait en outre de s'installer dans le comté de Provence. Il n'est pas impossible, il est même vraisemblable, que les idées des glossateurs du Code aient inspiré les édits des rois d'Aragon. Si ce n'est pas la première fois au Moyen Age que l'hérésie est considérée comme un crime d'Etat, — la condamnation des Poplicains d'Angleterre par Henri II à l'Assise de Clarendon le dit expressément — c'est bien la première fois qu'elle est assimilée dans un texte officiel au crime de lèse-majesté.

Comme les rois d'Aragon entretenaient avec le Saint-Siège les relations les plus étroites, on se trouve incliné à penser que leur législation aurait pu influencer celle du Saint-Siège : la décrétale *Vergentis* est de 1199. Mais Innocent III n'avait aucune leçon à recevoir de ses vassaux aragonais. Il pouvait trouver dans l'enseignement de ses maîtres bolonais — Placentin lui-même enseigna à Bologne avant d'aller fonder une Ecole de Droit à Montpellier — et dans ses propres spéculations les fondements juridiques de sa législation.

*
* *

Les communautés hérétiques pullulaient en Italie. Il est souvent difficile de les caractériser à cause des influences politiques qui jouent dans ce pays où les adversaires de la Papauté, même dans l'ordre des choses temporelles, font plus ou moins figure d'hérétiques.

Un premier courant nettement antisacerdotaliste est représenté par Arnaud de Brescia. Le personnage, né à Brescia vers 1100, moine vers 1115, suivit à Bologne, peu de temps après, les leçons d'Irnérius, puis à Paris celles d'Abélard. Il accompagna son maître au concile

et de damno quod castellanis, seu dominis castrorum vel villarum, aut receptoribus dictorum nefandorum dederint, nullatenus teneantur. Sed si sequi eos noluerint ex quo eis denuntiatum fuerit, ultra iram et indignationem nostram, quam se noverint incursuros, viginti aureos pro poena singuli eorum, nisi juste et legitime se excusare potuerint, nobis praestabunt... si vero, quod non credimus, vicarii, bajuli, merini, et totius terrae nostrae homines vel populi, circa hoc regiae dignitatis nostrae mandatum negligentes vel desides extiterint, seu contemptores vel transgressores inventi fuerint, bonorum omnium confiscatione procul dubio multabuntur et eadem poena corporali qua nefarii, plectentur. » DE AGUIRRE, item, t. V, n. 107, 109, p. 103 ; MANSI, t. XXII, 674-675.

de Soissons en 1121, puis revint à Brescia pour enseigner à son tour[265]. Il avait une âme de réformateur, mais un caractère si entier et si intransigeant qu'il entra bientôt en révolte contre la hiérarchie. Il disait, en effet, rapporte Othon de Freïsing, que la propriété était interdite, sous peine de damnation, à tous les gens d'Eglise et que tout appartenait aux princes[266]. Une pareille doctrine était d'autant plus dangereuse qu'elle tombait dans un milieu divisé par les querelles des « Gibelins » et des « Guelfes ». Cette justification de la politique gibeline eut pour effet la création d'un parti qui fit élire deux consuls à sa dévotion : Renaldo et Persico, et souleva la commune contre l'évêque Manfred. Celui-ci se plaignit au pape. Au IIe concile de Latran en 1139, Innocent II cita le perturbateur devant son tribunal et l'envoya en exil[267]. Arnaud passa en Allemagne, puis en France où il retrouva son maître Abélard. Ils comparurent ensemble devant le concile de Sens[268]. L'année suivante, le 16 juillet 1141, Innocent II ordonna aux archevêques de Reims et de Sens et à saint Bernard « d'enfermer en lieu sûr et séparé Pierre Abélard et Arnaud de Brescia, faiseurs de dogmes pervers, contempteurs de la foi catholique, et de brûler leurs écrits »[269]. La sanction pontificale ne fut sans doute pas exécutée. Arnaud se retira sur la Montagne Sainte-Geneviève, y ouvrit une école de théologie et enseigna publiquement des doctrines hérétiques[270]. Devant un pareil scan-

---

265. F. VERNET, art. « Arnaud de Brescia », dans *D. T. C.* — J. CHARLES, art. « Arnaud de Brescia », dans *D. H. G. E.* — E. VACANDARD, Arnaud de Brescia, dans *R. Q. H.*, t. 35, 1884, pp. 52-98. Du même, art. « Arnold of Brescia », dans *The Catholic Encyclopedia.* — W. GREENAWAY, *Arnold of Brescia*, Cambridge, University Press, 1931. — A. FLICHE, *Du Premier Concile de Latran à l'avènement d'Innocent III*, coll. *Histoire de l'Eglise*, t. IX, 1re partie, Paris, 1944, pp. 99 et ss.

266. « Dicebat enim nec clericos proprietatem nec episcopos regalia nec monachos possessiones habentes aliqua ratione salvi posse : cuncta haec principis esse ab ejusdem beneficentia in usum tantum laïcorum cedere oportere », d'après OTHON DE FREÏSING : *De Gestis Friderici*, liv. II, ch. 20, dans *M. G. H.*, ss. : t. XX, 403. Ch. GREGOROVIUS : *Geschichte der Stadt Rom in Mittelalters*, Stuttgart, 1862, t. IV, p. 544, fait un rapprochement entre les idées d'Arnaud et celles de Pascal II d'après le pacte de 1110 conclu entre le pape et Henri V pour la solution de la querelle des Investitures. Mais le rapprochement ne s'impose pas. Pascal, en effet, abandonnait à l'empereur les « regalia » ; il affirmait par contre son droit de propriété sur les Possessions de Saint Pierre. Voir BARONIUS, *Annales Ecclesiastici*, éd. A. Theiner, t. XVIII, pp. 203-204.

267. « Pontifex ne perniciosum dogma ad plures serperet imponendum viro silentium decernit » ; OTHON DE FREISING, *op. cit.* — « Ob quam causam a domno Innocentio Papa depositus et extrusus ab Italia » : *Historia Pontificalis*, ch. 31, dans *M. G. H.*, ss., t. XX, 537.

268. Tenu sous la présidence de Louis VII : J., n° 8148, 8149, MANSI, t. XXI, 559 et ss... sur la date exacte du concile de Sens, voir E. VACANDARD : Chronologie abélardienne : Date du concile de Sens, dans *R. Q. H.*, t. 50, 1891, p. 235-245.

269. J. n° 8149, *P. L.*, t. 179, c. 517, MANSI, t. XXI, 565.

270. « Dicebat que christianorum legi concordant plurimum et a vita quamplurimum dissonant. Episcopis non parcebat ob avaritiam et turpem questum et plerumque propter maculam vitae et quia Ecclesiam Dei in sanguinibus edificare nituntur. » Historia Pontificalis, *op. cit.*

dale saint Bernard obtint de Louis VII l'expulsion d'Arnaud[271]. L'hérétique se réfugia en territoire impérial, vers l'année 1143, puis il reprit
son enseignement à Paris, soulevant les populations contre le clergé.
Saint Bernard intervint alors une seconde fois. Il écrivit deux lettres,
l'une à l'évêque de Constance, Hermann, dans laquelle il définit Arnaud
« un ennemi de la croix du Christ[272], un semeur de discordes, un faiseur
de schismes, un perturbateur de la paix, un contempteur de l'unité »[273],
l'autre au légat Guy de Bohème qu'il invite à se défier de cet « Arnaud
dont la conversation est du miel et la doctrine du poison, qui a une
tête de colombe et une queue de scorpion, que Brescia a vomi, que
Rome a en horreur, que la France a repoussé, que l'Allemagne exècre
et que l'Italie ne veut plus revoir »[274]. C'était presque une lettre de
blâme. S'il osait, l'abbé de Clairvaux demanderait encore une fois
l'expulsion de l'hérétique. Saint Bernard écrit en terminant : « Je ne
vois que deux suppositions (si toutefois il est vrai que vous ayez cet
homme auprès de vous), c'est ou qu'il vous est mal connu, ou bien,
ce qui est plus croyable, que vous avez foi en sa conversion, et plaise
à Dieu que vous ne vous trompiez point. » Arnaud était peut-être
sincère. En 1145 à Viterbe il s'humilia devant Eugène III. Le pape
lui imposa comme pénitence des jeûnes, des prières, des visites dans
les sanctuaires de Rome. Arnaud jura solennellement qu'il les ferait[275].

En 1148, la révolution éclatait à Rome[276]. Elle y abolissait pratiquement le pouvoir temporel du pape. C'était la réalisation, très con-
crète, des idées naguère professées par Arnaud de Brescia. Ce fut une
tentation si forte pour le fougueux hérétique, à peine ou insuffisamment converti, qu'il n'y put résister. Il prit la tête des insurgés et fonda
un parti qui devait se développer ultérieurement dans l'Italie du nord
sous le nom d'hérésie lombarde[277]. C'était à vingt ans de distance la
répétition ou presque des événements de Brescia.

Eugène III qui était en France[278] déclara Arnaud schismatique et
ordonna au clergé romain, le 16 juillet 1148, de fuir, à peine de pri-

---

271. « Obtinuit ergo abbas ut eum christianissimus rex efficeret de regno Francorum », Hist. Pont., op. cit.
272. Faut-il conclure qu'Arnaud se fait le disciple de Pierre de Bruys ? Rien
ne le justifie, voir E. VACANDARD, art. dans The Catholic Encyclopedia.
273. « Inimicus crucis Christi, seminator discordiae, fabricator schismatum, tur-
bator pacis, unitatis divisor, cujus dentes arma et sagittae, et linguae ejus gladius acutus (Ps. 56, v. 5) », ep. 195, P. L., t. 182, c. 363.
274. Ep. 196, P. L., t. 182, c. 363-364. E. VACANDARD, Saint Bernard, coll.
La Pensée Chrétienne, Paris, 1904, p. 108.
275. « Injuncta est ei penitentia quam se jejuniis, vigiliis et orationibus circa
loca sancta que in Urbe sunt professus est esse facturum. Et quidem de servanda
obedientia solempne prestitit juramentum », Hist. Pont., op. cit., p. 538.
276. L. HALPHEN, Études sur l'administration de Rome au Moyen Age, Paris,
1907, pp. 53 et ss.
277. « Urbem sibi conciliavit, et domno Papa agente in Gallia liberius predi-
cans hominum sectam fecit que adhuc dicitur (1161-1163), haeresis Lombardo-
rum. » Hist. Pont., op. cit., p. 516.
278. Il présida le Concile de Reims de 1148. Voir ci-dessus.

vation d'office et de bénéfice[279], la société d'Arnaud. Quatre ans plus tard, il qualifia Arnaud d'hérétique et pria Wibald, abbé de Corbie, le 20 août 1152, d'intervenir auprès de l'empereur[280].

La répression impériale pouvait paraître douteuse. Arnauld de Brescia et les Romains, en faisant échec à la puissance du pape, favorisaient la politique de l'empereur. Frédéric Barberousse confirma néanmoins le 23 mars 1153 le Pacte de Constance, se reconnut l' « avoué » de l'Eglise Romaine, et s'engagea à lui soumettre ses sujets révoltés[281]. Cependant, à Rome, c'était la guerre civile. Les Arnaldistes ayant frappé le cardinal Guy de Sainte-Pudentienne, Hadrien IV interdit la Ville. Comme on approchait de la Semaine Sainte, les sénateurs essayèrent de le fléchir. Le pape exigea ou la capitulation ou l'expulsion d'Arnauld et des Arnaldistes. Les sénateurs s'y engagèrent en jurant sur les Evangiles[282]. Les Arnaldistes s'enfuirent, et l'interdit fut levé le mercredi saint 23 mars 1155[283]. Arnauld se réfugia en Toscane, auprès de ses amis, les vicomtes de Compagnatico[284] qui le considéraient comme un prophète. Mais le pape envoya de Viterbe à Santo Quirico[285] où se tenait l'empereur une délégation de trois cardinaux parmi lesquels ce même Guy de Sainte-Pudentienne que les Arnal-

---

279. J. n° 9281 ; *P. L.*, t. 180, c. 1358 : « Per presentia scripta vobis mandamus atque praecipimus quatenus praefatum Arnaldum tamquam schismatum modis omnibus devitetis. Quod si aliqui clerici, Dei et Sanctae Ecclesiae contemptores, ejus errorem post praesentium acceptionem sequi praesumpserint, scire vos volumus quia tam officio quam beneficio ecclesiastico reddemus eos penitus alienos. »

280. J. n° 9606 ; *P. L.*, t. 180, c. 1546 : « Ad haec sanctitati tuae quaedam notificamus, qui a faciente Arnoldo haeretico rusticana quaedam turba absque nobilium et majorum scientia nuper est in Urbe molita... quod quia contra coronam regni et charissimi filii nostri Friderici Romanorum regis, honorem attentare praesumunt, eidem volumus per te secretius nuntiari, ut super hoc maturo consilio quid facto opus sit provideat sapienter. »

281. « Dominus siquidem Rex... propria manu data fide in manu legati domini Pape promisit : quod ipse nec treugam nec pacem faciet cum Romanis... sine libero consensu et voluntate Romane Ecclesie et Domini Pape Eugenii vel successorum suorum, qui tenorem subscripte concordie cum eodem rege Friderico tenere voluerint. Et pro viribus laborabit Romanos subjugare domino Pape et Romane Ecclesie, sicut melius unquam fuerunt a centum retro annis. Honorem papatus et regalia Beati Petri sicut devotus et specialis advocatus sancte Romane Ecclesie contra omnes homines, pro posse suo conservabit et defendet que nunc habet. Que vero nunc non habet recuperare pro posse juvabit et recuperata defendet. » *M. G. H. Legum IV*, Constitutiones I, n° 145, 1, 2, p. 203.

282. « Tunc vero predicti senatores, compulsi a clero et populo romano, accesserunt ad praesentiam ejusdem pontificis et ad ipsius mandatum super sacra Evangelia juraverunt quod sepedictum haereticum et reliquos ipsius sectatores de tota Urbe romana et finibus ejus sina mora expellerent nisi ad mandatum et obedientiam ipsius pape redirent. » Vita Hadriani, dans le *Liber Pontificalis*, éd. L. Duchesne, t. III, 1892, p. 389. Item, P.-F. KEHR : *Italia Pontificia*, I, ann. 1906, p. 180, n° 10.

283. « Sic itaque ipsis ejectis et civitate ab interdicto absoluta repleti sunt omnes gaudio magno laudantes pariter et benedicentes Dominum. » Vita Hadriani, *op. cit.* Sur la date, voir JAFFÉ, t. II, p. 108.

284. Dont les domaines s'étendaient sur le Val d'Orchia. Note de Duchesne, p. 390.

285. Entre Sienne et Aquapendente. Note de Duchesne, p. 390.

distes avaient blessé quelques mois auparavants[286]. Il demandèrent à Frédéric de leur remettre Arnauld de Brescia. L'empereur fit saisir un des vicomtes. Celui-ci, épouvanté, lui livra l'hérétique. L'empereur remit le coupable à la commission cardinalice. Un texte d'Othon de Freïsing laisserait entendre, par contre, que Frédéric s'était réservé le jugement d'Arnauld[287].

Arnauld comparut devant le préfet de Rome, Pierre, qui était juge des affaires criminelles au nom de l'empereur, et plus encore au nom du pape[288]. La peine qu'il infligea à Arnauld ne devait pas différer sensiblement de la peine que lui avait infligée Innocent II en 1141 : la prison. Geroh de Reichersberg rapporte, en outre, un on-dit d'après lequel Arnauld se serait enfui sans l'autorisation de la Curie et sans le consentement du préfet[289]. Un nouveau délit s'ajoutait donc au premier : le délit de rébellion. Ce serait pour ce motif précisément qu'Arnauld fut condamné à mort : *ac pro speciali causa*, ajoute Géroh, *occisus ab ejus servis est*. Cette évasion, il est vrai, reste douteuse. La peine de mort ne l'est pas. E. Vacandard estime que le préfet doit porter personnellement la responsabilité de la condamnation et de l'exécution d'Arnauld[290]. Jusqu'à quel point ? Le préfet avait eu, il est vrai, beaucoup à souffrir des Arnaldistes[291]. Néanmoins sa qualité de fonctionnaire pontifical engage, indirectement peut-être, la responsabilité du pape. Telle est d'ailleurs l'opinion de Géroh[292]. D'autre part, l'Anonyme d'Huguccio dit qu'avant de mourir, Arnauld fut dégradé par le pape Hadrien[293]. Le Pontife n'ignorait donc pas la sentence de son préfet, et, puisqu'il ne s'y opposait pas, c'est donc qu'il lui donnait une approbation tout au moins implicite. L'hérétique, dit encore l'Anonyme d'Huguccio, fut pendu à un grand chêne, et son cadavre fut brûlé[294]. Puis on jeta ses cendres dans le Tibre pour prévenir les excès d'un peuple qu'il avait fanatisé[295].

286. La mission des Cardinaux est du mois de juin 1155 ; J. nº 10073.
287. « In Tusciae finibus captus principis examini reservatus est », *op. cit.*
288. L. HALPHEN : *Etudes sur l'administration de Rome..*, p. 16 à 27.
289. « Nam si, ut aiunt, absque ipsorum scientia et consensu a praefecto Urbis Romae de sub eorum custodia in qua tenebatur, ereptus ac pro speciali causa occisus ab ejus servis est. » GEROH DE REICHERSBERG : *De investigatione Antichristi* ; liv. I, ch. 40 : *M. G. H.*, Libelli de Lite, t. III, p. 347.
290. Art. cité, dans *R. Q. H.*, t. 35, p. 97, nº 4. L'auteur fait cependant quelques réserves dans *L'Inquisition*, Paris, 1914, p. 50, n. 1.
291. « Maximam cladem ex occasione ejusdem doctrinae idem praefectus a Romanis civibus perpessus fuerat. » GÉROH., *op. cit.*
292. « Quem (Arnoldum) ego vellem pro tali doctrina sua quamvis prava vel exilio vel carcere aut alia pena preter mortem punitum esse vel saltim taliter occisum ut Romana Ecclesia seu Curia ejus necis questione careret », *op. cit.*
293. « Arnoldus tamen Brisiensis a Papa Adriano degradatus. » Ms. lat. 15397, f. 49, rº, col. 2.
294. « ...suspensus fuit in altissima quercu et postea concrematus », *op. cit.*
295. « Post mortem incendio crematus atque Tybrim fluvium projectus est ne videlicet Romanus populus quem sua doctrina illexerat sibi eum martyrem dedicaret. » GÉROH., *op. cit.* — « Ad ultimum a praefecto Urbis ligno adactus ac rogo in pulverem redacto funere ne a furente plebe corpus ejus venerationi haberetur in Tiberim sparsus. » Othon de FREÏSING, *op. cit.*

Depuis longtemps Milan, nous l'avons vu, était un foyer d'hérésie. Vers le milieu du xiie siècle les cathares y faisaient une propagande intense. « Enhardis par la négligence du clergé, écrit Ch. Schmidt, les prédicateurs cathares y exposaient publiquement leurs doctrines. » Aussi étaient-ils très puissants. Aubry de Trois Fontaines raconte à ce sujet l'anecdote suivante. En 1163, Frédéric Barberousse aurait découvert à Milan le tombeau des Rois Mages, oublié dans une église de faubourg, hors l'enceinte de la ville « à cause des hérétiques qui ne pouvaient tolérer la présence des Mages dans une ville où ils étaient si nombreux »[296]. L'archevêque Galdinus s'efforça d'arracher son peuple à l'envahissement de l'hérésie et de lui enseigner les rudiments de la foi catholique[297], ce qui laisse entendre combien étaient grandes l'ignorance du peuple et l'indifférence du clergé. Mais on ne voit pas qu'il y ait jamais eu de répression violente. Sans doute ne le pouvait-on pas.

Dans la région de Plaisance un certain Hugo Speroni, juriste lombard, professait une doctrine de justification par la foi si exclusive qu'elle supprimait tous les signes extérieurs de la grâce, tous les sacrements, même le baptême, avec leurs ministres, la hiérarchie et l'Eglise elle-même[298]. Il fit école. Dans les dernières années du siècle, il y avait dans la vallée du Pô des Spéronistes avec des Arnaldistes et des Vaudois et des cathares de stricte observance dont le chef, Marchus, fut sacré par Nicetas évêque de Lombardie, en 1167, comme on l'a noté précédemment. Le catharisme était alors représenté par les cinq églises ou diocèses de Lombardie, Concorrezzo, Desenzano, Bagnolo, Vicence correspondant à peu près aux régions de Milan, Vérone, Brescia, Bergame, Mantoue, Vicence et représentant au moins deux tendances ou deux rites[299].

Les communautés hérétiques étaient nombreuses, le prosélytisme ardent, le succès facile. Césaire de Heisterbach rapporte à ce sujet l'anecdote suivante. La présence du pape et de l'empereur à Vérone

296. « (Corpora) posita extra fossata civitatis in uno sacrofago in quadam ecclesia propter hereticos qui dicti Magi non possent morari in civitate aliqua ubi essent heretici. » AUBRY DE TROIS-FONTAINES : *Chronicon* : *M. G. H.*, ss. t. XXIII, p. 846.

297. « Coepit Haeresis Catharorum in civitate pullulare, distractionis et schismatis causa, quae usque adeo peccatis exigentibus creverat, ut multi ipsam haeresim aliosque errores ausu temerario publice praedicarent, et multae simplicium animae laqueis diabolicae fraudis caperentur. Hinc igitur saevissime pesti vir sanctus se opponens, multis sermonibus praedicationibusque populum suum ab illo stulto errore et vesania retrahabat ; atque cum rudimentis catholicae fidei, quantum poterat, instruens verbo proficiebat et exemplo. » *Acta Sanctorum* : *Vita S. Galdini*, t. XI, p. 591, 9.

298. Ilarino da MILANO : *L'Eresia di Ugo Speroni nella confutazione des Maestro Vacario*. Testo inedito del secolo XII con studio storico e dottrinale. Studi e Testi 115. Citta del Vaticano 1945.

299. A. BORST, *ouvr. cité*, pp. 235-238 a reconstitué des listes, nécessairement incomplètes, des évêchés cathares. Voir également A. DONDAINE : La Hiérarchie Cathare en Italie, dans *Archivum fratrum praedicatorum*, vol. XX, 1950, pp. 278 et ss.

en 1184 avait attiré une foule d'étrangers, entre autres un chanoine de Reims, Godescalc, et son frère Ebrard. Ils étaient descendus dans une famille de trois personnes : père, mère et jeune fille. Comme tous trois s'absentaient la nuit, Ebrard, que la curiosité poussait, leur demanda où ils allaient ; ceux-ci l'invitèrent à le suivre. Ebrard pénétra avec eux dans une grande salle souterraine où se trouvaient réunis beaucoup d'hommes et de femmes. Ils recevaient d'abord l'enseignement d'un « maître » qui lisait et commentait l'Ecriture. Ensuite, on éteignait la lumière et on se livrait dans l'obscurité à toutes sortes de débauches. Ce dernier attrait des conventicules leur faisait sans doute plus de recrues que tous les prêches. Ebrard avoue ingénument que, s'il a fréquenté les réunions secrètes des hérétiques, ce n'était point pour la doctrine, mais pour les filles[300].

Cette tenue des assemblées véronaises ressemble curieusement à la tenue des assemblées champenoises que décrit Guibert de Nogent. Le non même d'Ebrard est commun aux deux récits, les deux personnages proviennent de la même région. On pourrait se demander s'il ne s'agit pas d'un seul et même individu. En fait, la candeur du second Ebrard n'autorise guère à l'identifier avec le premier. Surtout, les deux événements se situent, le premier au commencement, le second à la fin du siècle, à 70 ans de distance !

S'agit-il d'une assemblée cathare ? Rien ne peut l'affirmer, nous savons que les « Parfaits » étaient d'une chasteté rigoureuse. Les « Croyants » pratiquaient une morale moins austère et ils pouvaient sans doute se permettre bien des choses[301]. Dans tous les cas, les hérétiques étaient à ce point nombreux dans les dernières décades du XIIe siècle qu'on les rencontrait partout. Bonacursus dans son traité qui date de 1190[302] se désole de ce que « les cités, les faubourgs, les domaines et les châteaux sont tout remplis de ces faux prophètes »[303].

Loin d'être localisée dans la vallée du Pô, l'hérésie se manifestait encore en Toscane et jusque dans le Patrimoine de Saint Pierre.

Florence était le siège d'un évêché cathare. On en connaît le premier évêque, Pierre, dit le Lombard. On connaît aussi les noms de deux missionnaires : Diotésalvi et Julitta que nous retrouverons plus loin. Les hérétiques étaient si nombreux et si puissants qu'Alexandre III

300. *Dialogus Miraculorum*, Dist. V, ch. XXIV, ed. J. Strange, p. 308... « In domum quamdam subterranneam, amplam satis in qua multis ex utroque sexu congregatis, quidam heresiarches sermonem blasphemiis plenum cunctis tacentibus fecit per quem vitam et mores illorum instituit... Audivi quod multi haeretici sunt in Lombardia... Hoc mirum non est, habent enim suos magistros in diversis civitatibus aperte legentes et sacram paginam perverse exponentes... Sciatis, fratres, me non frequentare conventicula haereticorum propter haereses, sed propter puellas... »
301. A. BORST, pp. 178-179.
302. A. BORST, p. 101 ; *P. L.*, t. 204, cc. 778-792.
303. « Nonne jam civitates, suburbia, villas et castella hujusmodi pseudoprophetis plera esse videmus ? », *op. cit.* Il ne faut prendre à la lettre les expressions : Effundamus gladio et expugnemus eos... qui sont des métaphores bibliques et doivent s'entendre dans le sens spirituel de glaive de l'esprit. *P. L.* t. 204, c. 773.

dut jeter l'interdit sur la ville[304], mais les censures ecclésiastiques ne mordaient plus sur un peuple en grande partie devenu hérétique. La fréquence des mariages mixtes posait des problèmes délicats. Urbain III, consulté par l'évêque de Florence, semble bien justifier la rupture, non seulement de la communauté, mais du lien conjugal lui-même, pour cause d'hérésie[305]. Célestin III, plus explicite, justifie le divorce qui a été prononcé entre un chrétien apostat et sa femme, restée catholique, par application du privilège paulin[306]. Ces facilités pouvaient donner lieu à de nombreux abus.

Un autre évêché cathare siégeait à Spolète, mais les centres les plus influents de l'hérésie étaient Orvieto et Viterbe, en plein Patrimoine de saint Pierre. Les hérétiques étaient installés à Orvieto dès le commencement du XIIe siècle. Ils y régnaient en maîtres en 1125, mais une guerre civile les en chassa. Plus tard, aux environs de 1170, ils se montrèrent de nouveau sous la double influence de florentin Diotésalvi et de Gérard de Marsano[307]. L'évêque Richard[308] réussit, on ne sait pas par quels moyens, à expulser les deux hérétiques, mais ils furent bientôt remplacés par deux femmes, la florentine Julitta et Melita de Monte-Meano qui réussirent même à s'agréger *in confraternitate clericorum*. Melita « à l'exemple de Marthe », s'intéressait aux questions matérielles, Julitta « comme une autre Marie » s'adonnait à la vie contemplative. Elles s'attirèrent ainsi la sympathie et la vénération des habitants. Aussi ces deux femmes, « semblables au serpent dissimulé dans les herbes », attirèrent-elles dans le piège de l'hérésie beaucoup d'hommes et de femmes[309]. Combien de temps cette propagande dura-t-elle ? Nous ne le savons pas. Mais le succès croissant de l'hérésie attira nécessairement l'attention de l'autorité ecclésiastique. L'évêque s'entendit, non seulement avec son chapitre, mais encore avec les magistrats et les nobles d'Orvieto. Les hérétiques furent arrê-

---

304. P.-F. KEHR : *Regesta Pontificum Romanorum*, t. III, p. 37, n° 8. R. DAVIDSOHN : *Geschichte von Florenz*, t. I, p. 538, Berlin, 1896, d'après les *Annales de Florence*, dans *M. G. H.* ss. ; t. XIX, p. 224.

305. P.-F. KEHR : *Italia Pontificia*, t. III, p. 12, n° 28, J. n° 15734. Dans les *Décrétales* : c. 6, X, IV, 19. Voir J. DAUVILLIER : *Le Mariage dans le Droit Classique de l'Eglise*, Paris, 1933, pp. 335-336.

306. *Décrétales*, c. 1, X, III, 33. Item, J. DAUVILLIER, p. 336.

307. « Hujus siquidem sectae quidam Florentinus, perditionis filius, nomine Diotesalvi... cum Gerardo Marsanense, tempore Rustici Urbevetani episcopi, doctrinam Manicheorum pessimam in Urbeveteri seminavit. » *Acta Sanctorum*, Vita Sancti Petri Parentii, t. XVIII, p. 87, A. D'après les *Acta*, Rusticus aurait été évêque aux environs de l'année 1150 : p. 88. D'après P.B. GAMS, au contraire : *Series Episcoporum*, p. 711, il l'aurait été de 1168 à 1172. Ch. SCHMIDT, I, p. 63 et H.Ch. LEA, I, p. 130, ont suivi la datation des *Acta*.

308. « Hos duos haereticos venerabilis pater Ricardus, Urbevetanus episcopus, ejecit sollicitudine viriliter pastorali. » *Acta*, p. 87. Richard aurait été évêque, d'après les *Acta*, p. 88 D, de 1169 à 1200 ; d'après GAMS, p. 711, il y aurait eu deux Richard : l'un, successeur immédiat de Rusticus : 1179-1180 ; l'autre en 1200. De toutes façons, le jugement est postérieur à 1169.

309. « Illae vero tamquam familiares inimici et pestes efficacissimae ad nocendum et quasi frigidus serpens latens in herba, sub religionis praetextu multos et viros et mulieres attraxerunt in labyrinthum haeresis memoratae. » *Acta*, p. 87.

tés, traduits devant le tribunal de l'évêque et condamnés. Le caractère des preuves n'est pas indiqué, mais les peines furent l'exil, la pendaison, la mort, soit probablement par le fer, soit encore par le feu. D'autres hérétiques furent sans doute relâchés, mais leur attachement à l'erreur les priva de la sépulture ecclésiastique[310]. A Viterbe où ils étaient les plus forts, il fallut toute l'énergie d'Innocent III, sinon pour en venir à bout, du moins pour neutraliser provisoirement leur influence[311].

* * *

La renaissance de l'hérésie aux xie-xiie siècles sous la forme antisacerdotaliste ou néo-manichéenne a posé à la conscience chrétienne un grave problème.

Dans la région comprise entre la Loire et le Rhin, le peuple résout le problème de la manière la plus simple : il brûle les hérétiques. La crémation des sectaires est la plus efficace de toutes les conjurations de tous les maléfices. Les évêques, d'abord réservés, puis exaspérés par la propagande occulte des hérétiques, élaborent une législation sévère au concile de Reims, qui tend à canoniser les usages germaniques.

Au contraire, dans le midi où les croyances et les passions religieuses sont émoussés, les réactions sont moins vives. Le peuple, réveillé par l'ardente prédication de saint Bernard, retombe aussitôt dans l'indifférence. Le pape et les évêques essayent d'organiser une procédure déjà inquisitoriale. Mais le concours des princes leur échappe. Devant cette carence, le IIIe concile de Latran n'hésite pas à lancer l'idée de la croisade contre les hérétiques. Une petite armée sainte, levée par le légat du pape, procure quelques résultats.

En Italie, la lutte du Sacerdoce et de l'Empire, la multitude des sectes, le fléchissement de la discipline ecclésiastique empêchent, malgré quelques réactions locales et sporadiques, toute répression efficace de l'hérésie.

Néanmoins, les principes ont été énoncée qui commandent l'évolution législative du siècle suivant. Les interventions d'Alexandre III aux conciles de Tours et de Latran, la mission des cardinaux de Saint-Chrysogone et d'Albano, ses légats, tout contient en puissance et la théorie de l'Inquisition et la théorie de la Croisade. La voie est ouverte où vont s'engager dans leur lutte contre l'hérésie les successeurs d'Alexandre III.

310. « Videns autem episcopus se per illarum simulatam religionem esse delusum, canonicorum suorum, judicum et aliorum prudentum consilio habito, ex adverso ascendens, et se murum opponens pro Christi Ecclesia defendenda in tantum est haereticos persecutus, ut alii poenam suspendi sustinerent, alii capite punirentur, alii traderentur flammis ultricibus comburendi, alii majorem quam capitis diminutionem perpessi extra civitatem, poenam perpetui exilii deplorarent ; alii vitam suam male in suo finientes errore faetidam extra ecclesiae coemiterium acciperent sepulturam. » *Acta*, p. 87, B, C.

311. Voir chapitre suivant.

CHAPITRE III

LES DÉCRÉTALES ET LEUR APPLICATION

La réconciliation du pape et de l'empereur, scellée à Venise en 1177, fut confirmée à Vérone en 1184. Elle se traduisit par une double législation pontificale et impériale qui est à juste titre considérée comme la charte de l'Inquisition[1].

La décrétale *Ad Abolendam* du 4 novembre 1184 est évidemment l'œuvre du pape, elle est aussi de quelque manière celle de l'empereur.

Les considérants de la décrétale sont remarquables. Le pape et l'empereur s'entretiennent, comme un père et un fils selon l'esprit et comme les deux têtes de l'unique chrétienté, d'affaires ecclésiastiques et séculières. Les conseils dont ils s'entourent : évêques et princes, approuvent à l'unanimité les mesures qu'ils vont prendre. C'est donc en parfait accord que le pape et l'empereur condamnent les sectes hérétiques des Cathares, Patarins[2], Humiliés ou Pauvres de Lyon[3],

1. « Ipse (Lucius) et Imperator Veronae convenientes ut inter spiritualem patrem et filium miscentur colloquia, et tamquam ex duabus principalibus curiis et duobus orbis capitibus una Republica effecta, ecclesiastica simul et saecularia inter eos tractantur negotia ; ubi etiam vicissim alterutrius delectati praesentia et vigore suffulti communi consilio omnium qui ibi convenerant, archiepiscoporum, episcoporum et aliorum principum contra diversas haereses et eorum auctores quibus diversa nomina diversarum ibidem professio falsitatum, Catharenos, Paterinos et eos qui se tam falso nomine Humiliatos vel Pauperes de Lugduno quam superbo mentientur, Passagenos, Josepinos, Arnaldistas, Publicanos insurgunt et suo eos fine condemnant. » MANSI, t. XXII, 492 ; P. FRÉDÉRICQ, I, nᵒ 56 ; Compilatio I, liv. V, tit. V, c. 11 ; *Décrétales*, c. 9, X, V, 7, le 4 novembre 1184.

2. Les noms de Cathares et de Patarins sont synonymes, voir Arno BORST, *ouvr. cité*, p. 250, n. 8.

3. F. VERNET, art. : Humiliés, dans *D. T. C.*, P. LÉVY-ALPHANDÉRY : Les idées morales, *ouvr. cité*, pp. 22 à 25. Sur les Pauvres de Lyon ou Vaudois, voir chapitre II, p. 137 ss.

Passagiens[4], Joséphins[5], Arnaldistes[6], Poplicains[7]. La liste n'est pas exhaustive. Sont déclarés hérétiques tous ceux qui osent prêcher sans l'autorisation du Saint-Siège ou des évêques[8], tous ceux dont les croyances ne sont pas conformes à la tradition romaine[9], tous ceux que les Ordinaires auraient excommunié pour motif d'hérésie[10], tous les fauteurs des hérétiques[11].

La répression suppose le concours le plus étroit des clercs et des laïques.

L'enquête est menée par les Ordinaires avec le concours d'auxiliaires spécialisés. Les évêques et les archevêques, chacun dans son diocèse, se rendront en personne ou se feront représenter par l'archidiacre ou d'autres personnes « honnêtes et capables », une ou deux fois par an, dans les paroisses où la présence des hérétiques est signalée. L'évêque ou son représentant obligera par serment trois ou plusieurs personnes dont le témoignage peut être pris en considération à dénoncer les conventicules, les hérétiques, les gens de comportement suspect[12]. Si quelqu'un refuse de prêter serment, on le tiendra pour hérétique. L'enquête achevée, l'évêque ou ses délégués convoqueront les accusés devant leur tribunal.

La procédure n'est pas rigoureusement déterminée. Il semble que l'accusé puisse se justifier, soit par les coutumes locales, formule vague, à dessein peut-être, qui laisserait par conséquent subsister l'usage des

4. D'après le Traité de Bonacursus contre les hérétiques, *P. L.*, t. 204, cc. 783 ss., il ressort que les Passagiens avaient le culte de la Loi de Moïse et professaient des théories trinitaires et christologiques hérétiques : voir E. AMANN, art. : Passagiens, dans *D. T. C.*, P. LEVY-ALPHANDÉRY, *ouvr. cité*, pp. 168-173. La doctrine des Passagiens est encore connue par le traité de Prévôtin, chancelier de l'Université de Paris : *Summa contra hereticos* d'après laquelle les Passagiens croyaient notamment que le Fils n'était que la première des créatures et n'était devenu Dieu que par adoption ; ils rejetaient tous les sacrements comme étant d'institution humaine, l'Eglise et toute la Tradition : voir G. LACOMBE, La vie et les œuvres de Prévôtin, dans *Bibliothèque Thomiste*, vol. XI, La Saulchoir, 1927, pp. 140-152.
5. La secte des Joséphins se rattacherait à un certain Joseph Epaphrodite, un des fondateurs du Paulicianisme en Arménie au viie siècle : voir E. AMANN, art. : Joséphins, dans *D. T. C.* ; P. LEVY-ALPHANDÉRY, pp. 180-182.
6. D'après Bonacursus, les Arnaldistes existaient encore à Milan vers 1190 : *P. L.*, t. 204, cc. 791-792, mais ils se confondirent rapidement avec les Vaudois.
7. Sur les Poplicains, voir Chapitre II, p. 114 ss.
8. Ce qui justifiait l'excommunication des Vaudois, voir chapitre II, p. 139.
9. Sur l'Eglise Romaine, criterium de l'orthodoxie, voir GRATIEN : cc. 26-31, C. XXIV, Q. III.
10. « Generaliter quoscumque eadem Romana Ecclesia vel singuli episcopi per dioceses suas cum consilio clericorum vel clerici ipsi, sede vacante, cum consilio, si oportuerit, vicinorum episcoporum, haereticos judicaverint pari vinculo perpetui anathematis innodamus », *op. cit.*
11. « Recuperatores et defensores eorum cunctosque pariter qui praedictis haereticis ad fovendam in eis haeresis pravitatem patrocinium praestiterint aliquod vel favorem.., simili decernimus subjacere sententiae », *op. cit.*
12. « Ad haec de episcopali consilio et suggestione culminis imperialis et principum ejus adjecimus ut quilibet archiepiscopus vel episcopus per se vel archidiaconum suum aut per alias honestas idoneasque personas bis vel semel in anno parochiam in qua fama fuerit haereticos habitare circumeat », *op. cit.*

ordalies, soit par le serment, puisque le refus de prêter serment est considéré comme un criterium d'hérésie[13].

La peine est l'anathème[14]. L'anathème a pour conséquence la tradition au Bras Séculier. Toutefois le juge tiendra compte et de la quantité du délit, comme disent les canonistes, et de la qualité du délinquant[15]. On distingue trois catégories d'hérétiques : Les hérétiques proprement dits peuvent, s'ils sont clercs, éviter la tradition au Bras Séculier s'ils reviennent tout de suite et spontanément à l'unité de la foi par une abjuration publique, si l'Ordinaire le juge à propos, et s'ils fournissent une satisfaction convenable[16]. La même possibilité ne paraît pas accordée aux laïques. Les suspects peuvent se laver de tout soupçon en faisant la preuve de leur innocence. Les relaps sont livrés purement et simplement au Bras Séculier[17]. Les clercs définitivement condamnés doivent être auparavant dépouillés de leur office et de leur bénéfice et déposés.

Les pouvoirs séculiers, quels qu'ils soient, doivent assister l'Eglise. Les comtes, barons, podestats, consuls des villes et autres lieux sont tenus en vertu d'un serment spécial et obligatoire de fournir à l'Eglise toute l'assistance matérielle qui lui est nécessaire dans sa lutte contre l'hérésie, et d'exécuter fidèlement sur ce point les prescriptions impériales[18]. Contre les réfractaires sont prévues des peines personnelles et réelles. Les personnes sont excommuniées ou frappées d'infâmie perpétuelle, ce qui entraîne des incapacités civiles et politiques : défense de plaider, de témoigner en justice, de remplir des fonctions publiques[19]. Les villes ne peuvent faire avec les autres villes aucun commerce et

13. « Nisi se ad eorum arbitrium juxta patriae consuetudinem ab objecto reatu purgaverint vel si post purgationem exhibitam in pristinam fuerint relapsi perfidiam, episcoporum judicio puniantur. Si qui vero ex cis |jurationem superstitione dampnabili respuentes jurare forte noluerint, ex hoc ipso haeretici judicentur et poenis quae praenominatae sunt, percellantur », op. cit.

14. « Perpetuo decernimus anathemati subjacere », op. cit.

15. « Juxta considerationem suspicionis qualitatemque personae... », op. cit.

16. « Si clericus est vel cujuslibet religionis obumbratione fucatus, totius ecclesiastici ordinis praerogativa nudetur, et sic omni pariter officio et beneficio ecclesiastico spoliatus saecularis relinquatur arbitrio protestatis animadversione debita puniendus, nisi continuo post deprehensionem erroris ad fidei catholicae unitatem sponte recurrere et errorem suum ad arbitrium episcopi religionis publice consenserit abjurare et satisfactionem congruam exhibere », op. cit.

17. « Illos autem qui post abjurationem erroris vel postquam se, ut diximus, proprii antistitis examinatione purgaverunt, deprehensi fuerint in abjuratam haeresim recidisse, saeculari judicio sine ulla penitus audientia decernimus relinquendos, bonis damnatorum ecclesiis quibus deserviebant secundum sanctiones legitimas applicandis », op. cit.

18. « Statuimus insuper ut Comites, Barones, Rectores et Consules civitatum et aliorum locorum, juxta commonitionem archiepiscoporum et episcoporum praestito corporaliter juramento promittant quod in omnibus praedictis, fideliter et efficaciter, quum ab eis exinde fuerint requisiti, Ecclesiam contra haereticos et eorum complices adjuvabunt et studebunt bona fide juxta officium et posse suum ecclesiastica simul et imperiali statuta circa ea quae diximus, executioni mandare », op. cit.

19. La peine des incapacités est peut-être la plus traditionnelle des peines canoniques. Elle s'impose nécessairement à tous les dissidents, d'après les Constitutions impériales : voir chapitre I, pp. 31-35.

elles sont privées du siège épiscopal[20]. Les terres sont frappées différemment selon leur qualité juridique. Les fiefs sont enlevés au vassal hérétique ou suspect d'hérésie et ils ne pourront être donnés à aucun autre vassal[21]. Les alleus sont frappés d'interdit.

La promulgation de la Décrétale doit être faite aux principales fêtes, à toutes les solennités, en toute occasion, pour la gloire de Dieu et la répression de l'hérésie, par les patriarches, archevêques et évêques, à peine de suspense du pouvoir d'ordre et du pourvoir de juridiction pendant trois ans[22]. Une clause spéciale supprime les cas d'exemption. Les Ordinaires exerceront donc sur les personnes et sur les terres exemptes qui se trouvent dans leurs propres diocèses une juridiction déléguée à titre de légats[23].

La décrétale ne dit pas comment le Bras Séculier traduira sur le plan des choses temporelles les effets de l'anathème. Elle dit seulement que l'hérétique doit être puni de la peine qu'il a méritée : *animadversione debita*. De quelle peine s'agit-il ? Vraisemblablement des peines personnelles et réelles que prévoit le Décret de Gratien : incapacités, exil, menace de mort, amendes, confiscation des biens qu'il appartient au prince séculier d'infliger aux hérétiques. Nous n'avons plus, malheureusement, les Statuts Impériaux qui déterminaient précisément ces peines. On sait, néanmoins que l'empereur soumit les personnes et les terres au ban impérial[24], qui punissait les violateurs de la loi d'incapacités diverses, voire d'exil, et de la confiscation des biens[25].

Pour importante qu'elle soit, la décrétale de Lucius III n'est pas tellement originale. Les éléments dont elle se compose ne présentent, en effet, aucun caractère nouveau. L'évêque assume, en vertu de sa juridiction ordinaire, la répression de l'hérésie. Les *boni testimonii viri* l'assistent comme les témoins synodaux des temps carolingiens. La

20. Analogie avec les sanctions de caractère économique édictées par le Concile de Tours.

21. Cette mesure s'inspire probablement de considérations politiques et financières : Frédéric Barberousse utilisant le crime d'hérésie pour combler son trésor et accroître son domaine.

22. « Si quis de ordine episcoporum negligens in his fuerit vel desidiosus inventus, per triennale spatium ab episcopale habeatur dignitate et administratione suspensus », *op. cit.*

23. « Si qui vero fuerint qui a lege dioecesanae jurisdictionis exempti, soli subjaceant Sedis Apostolicae potestati, nihilominus in iis quae superius sunt contra haereticos instituta, archiepiscoporum vel episcoporum subeant judicium et eis in hac parte tanquam a Sede Apostolica delegatis non obstantibus libertatis suae privilegiis obsequantur », *op. cit.*

24. « Papa eos excommunicavit, imperator vero tam res quam personas ipsorum imperiali banno subjecit », d'après *Continuatio Zwetlensis altera, M. G. H.* ss., t. IX, p. 542. Ce texte montre bien dans sa simplicité la différence qui existe entre la peine spirituelle et la peine temporelle. L'excommunication ne peut avoir d'effets temporels que dans la mesure où la société civile se confond avec la société religieuse. Voir Léon-E. HALKIN : *De l'excommunication au bûcher* ; *Extrait de Hommage à Lucien Febvre*, Paris, 1954, pp. 220-223.

25. Ch. du CANGE : Bannum, dans *Glossarium mediae et infimae latinitatis*, t. I, Paris, éd, 1840, pp. 572 ss. ; E. VACANDARD : *L'Inquisition*, p. 68.

visite épiscopale est régulière : une ou deux fois par an, précise la décrétale, mais seulement dans les paroisses où la présence des hérétiques est signalée. L'initiative des dénonciations ne vient donc pas à proprement parler de l'évêque ou de son conseil ou même de tiers spécialement qualifiés, mais plus précisément de la rumeur publique. La procédure est accusatoire. Somme toute, la décrétale ne fait qu'étendre sur ce point à tout l'Empire les anciennes coutumes des pays rhénans.

La confiscation des biens pose un problème délicat. La reprise du fief par le seigneur n'est que la traduction en style féodal de la confiscation. Mais si le seigneur hésite ou refuse, si le Bras séculier se dérobe ou fléchit, comment exercer l'*animadversio debita* ? La carence du prince et l'urgence de la confiscation conduiront à la théorie de l'exposition de la terre et de l'occupation. Il en sera de même pour l'alleu interdit qui n'a pas de seigneur pour le reprendre.

Nous ne voyons pas que la décrétale ait exercé une bien grosse influence. A Rimini, les hérétiques étaient nombreux et puissants. Conformément à la décrétale, les magistrats avaient prêté le serment d'expulser les hérétiques, mais ceux-ci étaient rentrés dans la cité au renouvellement du corps municipal. C'est pourquoi Lucius III ordonna à l'évêque, le 2 octobre 1185, d'excommunier les Patarins et leurs fauteurs et de rappeler sous peine d'interdit aux magistrats et aux citoyens l'obligation où ils étaient d'expulser les hérétiques et de combattre leurs erreurs[26]. A Ferrare, la puissance des hérétiques était si grande que l'évêque dut intervenir auprès du pouvoir civil pour les chasser[27]. A Modène, ils possédaient des moulins. En 1192 un règlement municipal décida bien la destruction des moulins, mais les propriétaires reçurent une indemnité[28]. A Prato, les hérétiques, écrit Ch. Schmidt, « furent l'objet d'un édit sévère que l'empereur Henri VI, lors de son deuxième voyage en Italie, publia par l'organe de son légat l'évêque Henri de Worms : il prononça contre eux l'emprisonnement, la confiscation des biens et la démolition des maisons »[29]. Beaucoup se réfugièrent à Florence. Il reste à mentionner la curieuse lettre d'Henri VI à Célestin III du 15 mai 1196[30]. L'empereur attire l'attention du pape sur la gravité de la situation religieuse et l'invite à sévir : « Nous vous prions avec instance, écrit-il, de diriger contre eux (les hérétiques) ce qui est de votre ressort, le glaive de saint Pierre, et

---

26. J, n° 15461.
27. « In vetussimis quoque statutis populi Ferrariensis legitur : Et fortiam dabo domino episcopo ut Paterini exeant de civitate Ferrariae et districtu », d'après MURATORI, L.-A. *Antiquitates Italicae*, t. V, c. 89, cité par Ch. SCHMIDT, I, p. 64.
28. « Et pro molendinis Patarinorum et Petri de Cugnente dentur eis pro cambio molendina que fuerunt Buchedeferro ad congruens et conveniens fictum », item MURATORI, c. 87, d'après Ch. SCHMIDT, *op. cit.*
29. Ch. SCHMIDT, I, p. 64 ; item J. HAVET, *art. cité*, p. 580, n. 2, d'après le rapport d'Henri de Worms, légat impérial en 1194.
30. *M. G. H.* Legum IV. *Constitutiones et Acta publica imperatorum et regum*, t. I, n° 370.

d'envoyer des missionnaires pour semer la parole de Dieu[31]. » En terminant, l'empereur donne au pape l'assurance de son appui, celui qui est de son ressort, le glaive matériel[32]. Henri VI entendait probablement renouveler contre les hérétiques les Statuts Impériaux de Frédéric Barberousse et les appliquer chaque fois que le pape ou ses légats excommunieraient des hérétiques. Mais l'empereur mourut l'année suivante et le pape deux ans après.

Quand Innocent III monta sur le trône de Saint-Pierre, la situation religieuse de l'Italie ne s'était pas améliorée. La remise en vigueur de la décrétale *Ad abolendam*, à supposer qu'elle eut été appliquée dans tous les cas, s'imposait. Mais le schisme impérial en rendait l'application à peu près impossible. Innocent III fit de son mieux, avec les moyens sont il pouvait disposer.

Il chercha d'abord à réduire Viterbe dont il était le seigneur. Il adressa au clergé et au peuple de cette ville, le 25 mars 1199, la célèbre décrétale *Vergentis in senium*[33]. Sur le chapitre de la confiscation des biens, la décrétale précise que les terres hérétiques, situées dans le Patrimoine, seraient confisquées par l'Eglise Romaine ; hors du Patrimoine, elles seraient confisquées par les princes séculiers, obligatoirement, à peine de censures et sans possibilité d'appel[34].

L'intérêt de la décrétale n'est pas là, mais dans la justification qu'elle donne de ces mesures. *Cum enim secundum legitimas sanctiones reis lesae majestatis punitis capite bona confiscentur ipsorum, eorum filiis vita solummodo ex misericordia conservata, quanto magis qui aberrantes a fide Domini Dei Filium Jesum Christum offendunt a capite nostro quod est Christus, ecclesiastica debent districtione praecidi et bonis temporalibus spoliari, cum longe sit gravius aeternam quam temporalem laedere majestatem.* Ce texte est important. C'est la première fois, croyons-nous, qu'apparaît dans un texte canonique officiel l'idée de Majesté[35]. Les références d'Innocent III se devinent. Il

---

31. « Rogamus attentius quatinus sicut vestri juris est gladium Petri contra eos ferventer et sollicité exeratis vestrosque nuntios discretos et studiosos ad hoc dirigatis qui verbum Dei seminando, eorum nequitiam et detestabilem enormitatem penitus evacuent et extirpent », *op. cit.*

32. « Nos enim ad id exequendum gladio materiali vobis nullatenus deerimus id quod nostri juris est, dum gladius predecat spiritualis, diligenter et strenue prosequentes », *op. cit.*

33. P. 643, *P. L.*, t. 214, c. 537 et t. 216, c. 1214. Comp. III^a, liv. V, tit. IV, c. 1 ; c. 10-X-V-7.

34. « In terris vero nostrae temporali jurisdictioni subjectis bona eorum statuimus publicari. Et aliis idem fieri praecipimus per potestates et principes saeculares ; quod ad id exsequendum, si forte negligentes existerent, per censuram ecclesiasticam, appellatione postposita, compelli volumus et mandamus. Nec ad eos bona ipsorum ulterius revertentur, nisi his ad cor redeuntibus et abnegantibus haereticorum consortium aliquis voluerit misereri, ut temporalis saltem poena corripiat quem spiritualis non corrigit disciplina », *op. cit.* On remarquera le caractère médicinal de la peine, conformément à toute la tradition canonique.

35. L'expression de « Majesté » revient dans la plupart des constitutions impériales des Hohenstaufen. Voir *M. G. H.* Legum IV, *Constitutiones*, t. I, n° 145, 146, 147 ss.

a étudié le Droit Romain à Bologne. Il fait allusion aux Constitutions Impériales, entre autres à cette constitution *Quisquis* d'Honorius et d'Arcadius que nous avons analysée. On lit, en effet, dans la décrétale : « *...punitis capite bona confiscentur ipsorum, eorum filiis vita solummodo ex misericordia conservata...* » et dans la constitution : « *...utpote reus gladio feriatur, bonis omnibus fisco nostro addictis, filii vero ejus, quibus vitam imperatoria specialiter lenitate concedimus...* » De part et d'autre l'idée est la même et l'expression à peu près semblable.

Dans cette perspective, la confiscation des biens est radicale et définitive. La constitution impériale condamne les descendants des contempteurs de la Majesté Romaine à l'indigence perpétuelle et à la honte. La décrétale justifie l'exhérédation de la descendance, même catholique, par l'exemple de Dieu qui poursuit sur les enfants les péchés des pères et aussi de l'Eglise qui frappe, non seulement les auteurs des crimes, mais encore leur progéniture[36].

Mais à la rigueur de la loi Innocent III apporte le tempérament de la miséricorde : « afin que, se voyant abandonnés de tous, ils désirent être réconciliés avec l'Eglise... afin que la peine temporelle corrige au moins celui que n'atteint pas la discipline spirituelle[37]. » On restituera donc aux convertis leurs droits civils et politiques : on pourra aussi leur rendre leurs biens[38].

Ces deux idées de justice et d'amour qui donnent la mesure de la discipline ecclésiastique, le pape les a trouvées dans la tradition impériale et dans la tradition canonique qui se rencontrent ici pour exprimer la pensée officielle de l'Eglise. Cette convergence n'est pas tellement nouvelle. Il était dans la tradition canonique de vénérer le Droit Romain et de l'utiliser dans la mesure où il pouvait s'accorder avec les lois morales et disciplinaires de l'Eglise. Cette tradition, Gratien la constate, Huguccio la continue, Lucius III la légitime[39], Innocent III la canonise sur un point particulier, il est vrai, mais dont l'importance nous paraît considérable. En transposant dans l'ordre des choses ecclésiastiques la notion romaine de la « chose publique », en appliquant à l'Eglise le concept romain de l'Etat, Innocent III, non seulement justifie les mesures qu'il prend actuellement et que ses successeurs seront amenés à prendre contre les hérétiques, il apporte encore à la théocratie pontificale l'appui du juridisme romain et, ce

36. Ex : XX, 5. La tare de l'hérésie paternelle donne lieu à une irrégularité. En 1215, 1216, Innocent III autorise Jean de Castelnau, fils d'hérétique, à recevoir les Ordres, p. 5304.

37. « Et cum viderint ab hominibus evitari, reconciliari desiderent unitati... Ut temporalis saltem poena corripiat quem spiritualis non corrigit disciplina. » Cf. Alexandre III au concile de Tours : « Ut solatio saltem humanitatis amisso ab errore viae suae resipiscere compellantur » et les textes de Gratien sur la contrainte : C. XXIII, Q. IV *passim* et Q. V, cc. 20 et ss.

38. « Nec ad eos bona ipsorum ulterius revertentur, nisi his ad cor redeuntibus et abnegantibus haereticorum consortium aliquis voluerit misereri », *op. cit.*

39. Dictum Gratiani après cc 6 et 7, D. X et après c. 4, C. IX, Q. III. Sur Huguccio, voir Ch. I, pp. 83-84 ; Lucius III : c. 1-X-V-32.

faisant, il la renforce[40]. Le principe grégorien de la magistrature suprême de l'Eglise, jadis affirmé au nom de la sainteté du serment,
se présente ici sous un aspect, moins offensant peut-être pour le pouvoir temporel, mais tout aussi exigeant, et fondé sur cette théorie
d'origine romaine sur laquelle les « gibelins » s'appuyaient précisément
pour revendiquer l'autonomie du Prince.

La position juridique d'Innocent III est assurément très forte, mais
si les princes refusent de se laisser persuader, s'ils se montrent insen-
sibles, au moins indifférents, à l'idée de la Majesté Divine, il faudra
nécessairement recourir à la force, c'est-à-dire à la croisade.

*

* *

Dans la région comprise entre la Loire et le Rhin l'intervention
d'Innocent III ne se fit guère sentir que dans la procédure.

L'année même de son avènement, l'hérésie se manifeste, très vivace,
à La Charité-sur-Loire. Il s'agit vraisemblablement de l'hérésie cathare[41]. Venait-elle de la région champenoise ou de Vezelay qui, nous
l'avons vu, se rattachait plutôt à la région languedocienne ? On ne
sait[42]. Peu importe... Ce qui intéresse ici, c'est la complexité de la
procédure. On y voit les évêques hésitants s'en remettre au jugement
du pape, et celui-ci créer des tribunaux spéciaux par quoi la juridiction pontificale en matière d'hérésie tend à se substituer à la juridiction épiscopale[43].

C'est peut-être au cours d'une visite pastorale que l'évêque d'Auxerre,
Hugues de Noyers découvrit des hérétiques. Il les cita devant son
tribunal, ils refusèrent de comparaître et furent excommuniés[44]. Devant ce refus, Hugues de Noyers invita l'archevêque de Sens, son
métropolitain, Michel de Corbeil, à refaire l'enquête canonique. Dans
le courant de l'année 1198, Michel, assisté des évêques de Meaux,

40. Sur ce sujet, voir M. Pacaut : *La Théocratie, l'Eglise et le Pouvoir au Moyen
Age*, Paris, 1957. Il n'est pas question de la « Majesté ».
41. D'après Robert d'Auxerre : *Chronicon* : *H. F.* XVIII, 262. *M. G. H.* ss.,
t. XXVI, pp. 258-260.
42. D'après F. Vernet, art. Cathares, dans *D. T. C.*, l'hérésie de la Charité
viendrait de ce château de Montwimer en Champagne d'où elle rayonna sur la
Flandre et le pays de Liège, voir chapitre II, p. 97. Au contraire, Ch. Schmidt,
I, pp. 86-89, paraît indiquer dans l'hérésie de Vézelay la source de l'hérésie de la
Charité.
43. E. Chénon : L'hérésie à la Charité-sur-Loire ou les débuts de l'Inquisition
monastique, dans *N. R. H. D. F. E.* Août-Décembre 1917, pp. 299-304. L'auteur poursuit son étude jusqu'en 1263. Il se réfère ici à peu près exclusivement
à la correspondance d'Innocent III.
44. D'après une lettre d'Innocent III, 12 mai 1201 : *P. L.*, t. 214, c. 988. « Su-
perveniens autem supradictus episcopus proposuit ex adverso quod cum olim praedicti burgenses super haeretica pravitate fuissent mala fama respersi nec ipsius
se voluissent conspectui praesentare, qui propter hanc causam frequenter ad villam eorum de Charitate cum multis viris religiosis accessit, in eos excommunicationis sententiam promulgavit », *op. cit.*

de Nevers et d'Auxerre, se rendit à la Charité. On réunit le peuple. On dût probablement choisir des témoins synodaux, ces *boni opinionis viri* dont parle *Ad Abolendam*, auxquels on fit prêter serment. Le texte ne le dit pas expressément, mais nous avons tout lieu de le supposer. *In unum fuisti*, écrit Innocent III à l'archevêque de Sens, *ejusdem villae populum congregari : ubi de haereticis et eorum dogmatibus inquisitione diligenti habita*[45].

Deux personnages au moins furent accusés : le doyen du Chapitre et l'abbé de Saint-Martin.

L'archevêque de Sens, considérant le scandale énorme que le doyen avait causé, le priva de son office et de son bénéfice[46], puis il lui assigna un jour pour présenter devant le tribunal sa justification. Au jour dit, l'archevêque de Sens et les évêques d'Auxerre et de Nevers se réunirent en tribunal collégial, assisté de personnages *in utroque jure periti*. Aucun accusateur ne se présenta. L'archevêque produisit alors des témoins à charge et à décharge. Leurs témoignages furent publiés. L'archevêque assigna de nouveau au doyen de Nevers un délai pour présenter sa justification. Il ne répondit pas davantage, mais demanda la sentence. Le tribunal se réunit encore une fois, comprenant les mêmes juges, plus l'évêque de Troyes, et les mêmes assesseurs. Il examina les dossiers, les discuta ; les juristes émirent leurs avis ; le tribunal, estimant que les témoignages n'étaient pas formels, ne voulut pas condamner le doyen comme hérétique ; néanmoins, il estima que le scandale était si grand qu'on ne pouvait ni absoudre le coupable ni même recevoir sa « purgation canonique » et il renvoya l'affaire au pape[47].

Innocent III examina le cas en consistoire. Il estima qu'en l'absence de tout accusateur légitime, il n'y avait pas lieu de priver le doyen de son bénéfice. Toutefois, il voulut bien excuser l'archevêque en raison de sa vigilance et de son zèle[48]. Bien plus, il ordonna au prévenu, à cause de sa réputation, de faire devant l'archevêque de Sens, l'évêque

45. Lettre du 7 mai 1199 : P. 693 ; *P. L.*, t. 214, c. 602 et t. 216, c. 1228. *Décrétales* : c. 10-X-V-34.
46. « Propter vehementem infamiam et grave scandalum, ipsum ab officio et beneficio suspendisti. » *Op. cit.*
47. « Verum quoniam ex dictis testium nulla erat praesumptio contra eum, utpote cum esset manifeste probatum eum familiaritatem haereticorum non solum habuisse, sed etiam captasse scienter, cum publica etiam laboraret infamia, et tantum suscitatum esset scandalum contra ipsum, quod non posset canonica purgatione deleri, nec ipsum absolvere nec purgationem quam obtulerat ab initio et tunc etiam offerebat recipere voluisti, sed ipsum cum litteris tuis ad Sedem duxisti Apostolicam destinandum, intelligens quod ex concessa nobis plenitudine potestatis citra penam canonicam dispensare possimus et ultra eam rigorem severitatis augere. » *Op. cit.*
48. « Licet ecclesiastica constitutio tales ab officio tantum usque ad purgationem canonicam doceat sustendendos, quod tamen etiam cum a beneficio propter immanitatem criminis, ut credimus, suspendisti, nolumus improbare : nec illius etiam propter causam improbamus eamdem quod, licet nullus contra eum legitimus accusator compareret, ad detegendum tamen hujus mortifere pestis, imo pestifere mortis radicem ex officio tuo, forma publica deferente, voluisti plenius inquirere voluntatem. » *Op. cit.*

de Nevers et l'évêque de Paris une « purgation canonique avec 14 cojureurs de même ordre que lui, de foi catholique et de vie éprouvée ».
Si le doyen remplit ses obligations, l'archevêque lui restituera seulement son bénéfice, « de peur qu'à la honte du clergé, écrit Innocent III,
il ne soit réduit à la mendicité ». Pour recouvrer son office, le doyen
devra prêcher la foi catholique, confondre l'hérésie, s'adonner aux
bonnes œuvres, bref, donner partout et en toutes choses le bon exemple.
En terminant, Innocent III ordonne comme sanctions, au cas où
l'accusé ne remplirait pas sa « purgation canonique », la privation de
l'office et du bénéfice de l'internement dans un monastère[49]. Le doyen
se soumit sans doute aux ordres du Saint-Siège et accomplit « sa purgation canonique », puisqu'en août 1200, Innocent III ordonna à son
légat en France, le cardinal Octavien, de lui restituer son office[50].

Le procès canonique de l'abbé de Saint-Martin présente à peu près
les mêmes caractères. L'accusé était hérétique, adultère, objet de scandale[51]. Le tribunal des évêques le condamna tout d'abord à la perte
de l'office et du bénéfice[52], et lui assigna un jour pour présenter sa
justification. Mais l'abbé, sans attendre que le procès fut commencé,
en appela au Saint-Siège ; le tribunal considéra cet appel comme non
avenu et passa outre. Le prieur de Saint-Martin produisit des témoins
dont les dépositions furent soigneusement enregistrées ; puis de nouveau, le tribunal invita l'accusé de venir se justifier, non pas à la Charité, mais devant le concile provincial de Sens. L'avocat de l'abbé,
une seconde fois, interjeta l'appel. Emu sans doute par cette insistance,
l'archevêque Michel, qui présidait, n'osa pas condamner l'abbé comme
hérétique, mais le suspendit pour toujours de son office abbatial[53]. Le
dossier fut envoyé à Rome. Innocent III y reconnut deux propositions nettement hérétiques, sur l'Eucharistie et la doctrine du salut[54] ;

---

49. « Quod si forsan in purgatione defecerit, eum ecclesiasticae districtionis mu-
crone percellas, et ab officio beneficioque depositum ad agendam poenitentiam
in arctum monasterium retrudere non omittes. » *Op. cit.*

50. P. 1124. Une lettre non datée, qui figure dans les Regesta de Potthast au
nº 1577 : année 1206, ordonne à Pierre de Corbeil, archevêque de Sens, de presser le doyen du Chapître à accomplir sa « purgation canonique ». Cette lettre ne
serait-elle pas au contraire antérieure à la lettre d'août 1200, mais légèrement
postérieure à celle du 7 mai 1199 ?

51. D'après la lettre d'Innocent III à Pierre de Capoue, son légat : 19 juillet
1199 ; P. 745 ; *P. L.*, t. 214, c. 647 et suiv... MANSI, t. XXII, 691.

52. « Et quoniam in eo plurimum scandalizabatur et populus et clerus de consilio praedicti Autissiodorensis, Meldensis et Nivernensis episcoporum qui aderant
et plurium prudentum virorum, eum officio beneficioque suspendit. » *Op. cit.*

53. MANSI, t. XXII, 698 : « Unde memoratus archiepiscopus, quamvis non fuisset appellationi hujusmodi deferendum, noluit eum de haeresi condemnare. Pro
adulterio tamen et aliis quae in damnationem ejus erant manifestius divulgata
et quoniam propter infamiam haeresis et scandalum, quod in populo fuerat inde
subortum, nullatenus etiam ad tempus in administratione abbatiae sine omni-
moda desolatione monasterii poterat tolerari, de communi consilio coepiscoporum
et aliorum prudentum qui aderant, ipsum in perpetuum per sententiam diffiniti-
vam officio privarit abbatis et canonici Sancti Martini de licentia ejus quemdam
alium elegerunt » ; lettre d'Innocent III, *op. cit.*

54. « Ex quibus duo gravia satis probata esse videntur : videlicet cum serio et

mais comme le dossier était insuffisant — il y manquait en effet la justification de l'accusé — il renvoya l'affaire au tribunal compétent, pour examen complémentaire. Toutefois, afin d'éviter toute inutile prolongation de ce procès, il manda au légat Pierre de Capoue d'appliquer, s'il y avait lieu, la sentence. « Nonobstant tout appel, lui écrit-il, vous condamnerez le coupable à la déposition. Mais, ajoute le pape, pour éviter qu'il ne tombe dans le désespoir et ne se retourne complètement vers les hérétiques — ce qui contaminerait le troupeau encore intact — vous le ferez garder secrètement dans un monastère où il fera pénitence[55]. »

Quant aux bourgeois de la Charité, ils auraient été invités eux aussi à se présenter devant l'archevêque de Sens, mais, ayant fait défaut, ils furent condamnés comme hérétiques[56]. Une double condamnation les avait donc frappés : celle de leur évêque, et celle de leur archevêque. Ils en appelèrent au légat Pierre de Capoue, qui leur donna l'absolution au concile de Dijon[57], puis les renvoya au Souverain Pontife. Hugues de Noyers intervint à son tour, sous prétexte que les bourgeois, ayant dissimulé leur deuxième condamnation, avaient extorqué l'absolution. Pendant trois ans, de 1199 à 1202, chaque partie plaida sa cause devant Innocent III, Pour en finir, le Souverain Pontife composa un tribunal de trois membres : l'archevêque de Bourges, l'évêque de Nevers et l'abbé de Cluny. Il leur donna des instructions précises : ou bien les accusés se justifieront par la confession judiciaire et une profession de foi : alors le tribunal exigera une caution suffisante et imposera une pénitence appropriée ; ou bien, les accusés refuseront de se justifier, alors, le tribunal entendra les témoins de l'évêque d'Auxerre et renouvellera, s'il y a lieu la sentence d'excommunication. Innocent III ajoute en terminant : « Vous ordonnerez à tous les chrétiens de les considérer comme des païens et des publicains », et ce qui est plus grave : « Vous avertirez et exhorterez avec instance le prince séculier, pour que, ayant dans cette affaire accompli ce qui appartient à notre office, il accomplisse à son tour ce qui appartient au sien[58]. »

assertive dixisse disputando et defendendo haereticorum errorem quod Corpus Domini mittitur in secessum et juxta verbum Origenis omnes tandem fore salvandos », *op. cit.*

55. « Sublato cujuslibet contradictionis et appellationis obstaculo, ut in eo puniatur in quo peccavit, ipsum a sacerdotali officio deponatis. Et quoniam metuendum est ne in laqueum desperationis incidens et ad perfidorum haereticorum infidelitatem ex toto conversus eorum prevaricationibus contaminet gregem intactum, retrudi eum in districto monasterio faciatis et ibi ad agendam poenitentiam sub arcta custodia detineri. » *Op. cit.*

56. D'après Innocent III : lettre à l'archevêque de Bourges, etc... 12 mai 1202 ; P. 1678 ; *P. L.*, t. 214, c. 989.

57. MANSI, t. XXII, 708. « Unde cardinalis ipse in Concilio apud Divionem habito, praesentibus multis archiepiscopis et episcopis, eos tam ab excommunicatione quam infamia prorsus absolvit et poenitentiam eis competentem injunxit », d'après la lettre d'Innocent III.

58. « Et si vobis de aliquo constiterit praedictorum vel alio quod ad damnationem eorum sufficiat, ipsos in priorem sententiam reducatis et tamquam eth-

Quels furent les résultats de ce procès ? Plusieurs bourgeois furent acquittés, mais le tribunal crut devoir les envoyer à Rome. Innocent III manifesta quelque impatience : « Si vous les estimez catholiques, écrit-il aux juges, exigez une satisfaction appropriée comme nous vous l'avons ordonné dans nos lettres précédentes, mais ne les chargez pas trop lourdement ; veillez plutôt à les défendre contre les embûches des hérétiques. Contre les autres, procédez en vertu de l'autorité apostolique, comme bon vous semblera[59]. » Il y avait des cas embarrassants. Un certain Guillaume, ayant abjuré l'hérésie, accusa son frère, puis le disculpa. Le tribunal l'accusa de mensonge, le soupçonna d'être relaps, confisqua provisoirement ses biens, et soumit l'affaire à Innocent III. Le Souverain Pontife estima que le cas était évidemment grave, mais qu'en l'absence de preuves formelles d'hérésie, on ne pouvait pas condamner Guillaume comme hérétique. Il ordonna simplement aux juges de prendre une caution et d'imposer à Guillaume une pénitence modérée. « On verra bien par là, écrit-il, s'il marche dans les ténèbres ou dans la lumière, s'il est vraiment pénitent ou si c'est un faux converti... Si par ce moyen vous reconnaissez qu'il est vraiment catholique, ne permettez pas qu'on le tourmente indûment ; sinon, condamnez-le comme hérétique[60]. » D'autres accusés se firent absoudre par des étrangers, ainsi Thomas Morand qui extorqua l'absolution de l'archidiacre de Paris[61] ; d'autres s'enfuirent[62]. D'autres en appelèrent directement au pape. Innocent III les soumit à des tribunaux particuliers[63]. D'autres enfin furent brûlés[64].

Vers l'année 1210, le conflit qui mit aux prises le prieur de la Charité, Geoffroy, avec son supérieur, l'abbé de Cluny, ce qui provoqua l'intervention du comte de Nevers, rendit plus pénible encore la lutte des évêques contre l'hérésie[65]. Cette lutte parut s'apaiser néanmoins

---

nicos et publicanos mandetis ab omnibus evitari, commonentes attentius et efficaciter inducentes principem saecularem, ut ex quo nos quod ad officium nostrum pertinet fuerimus executi, ipse quod ad eum pertinet exsequatur, attentius provisuri ut, si fidem diligitis, mandatum nostrum fideliter impleatis. » *Op. cit.*

59. Lettre du 21 mai 1203 à l'archevêque de Bourges, à l'évêque d'Auxerre et à l'abbé de Font-Morigny ; P. 1909 ; *P. L.*, t. 215, c. 63.

60. Lettre du 1er juin 1206 à l'évêque de Nevers et à l'archidiacre de Bourges ; P. 2787 ; *P. L.*, t. 215, c. 926 et suivantes ; c. 14-X-II-23.

61. Lettre du 12 janvier 1208 aux évêques d'Auxerre et de Troyes : P. 3271 ; *P. L.*, t. 215, c. 1312.

62. Ch. Schmidt, I, p. 364.

63. Innocent III constitua un tribunal de trois membres : l'évêque de Nevers, l'archidiacre de Bourges, l'abbé de Chalivoy. Lettre du 1er juin 1206, citée, P. 2787.

64. « Haereticos quos Bulgaros vocant vehementer studuit (Hugo de Noyers) insectari ejusdem instantia actum est ut plerique rebus suis exinanirentur, exterminarentur alii, alii cremarentur », d'après Robert d'Auxerre, *op. cit.* Un des principaux hérétiques, qui vivait dans une caverne auprès de Corbigny, fut découvert et brûlé dès 1197. Il s'appelait Terric : Ch. Schmidt, I, p. 362. En 1201, le chevalier Evrard de Châteauneuf, accusé par Hugues de Noyers devant le Concile de Paris ; (Mansi, t. XXII, 739), fut convaincu d'hérésie et livré au bras séculier, au comte de Nevers, qui le brûla.

65. E. Chénon, art. cité, p. 322-323 et Lettres d'Innocent III des 28 juin et 19 décembre 1212 ; P. 4551 et 4627 ; *P. L.*, t. 215, c. 662-667 et 718-722.

quelque temps après. Schmidt suppose que la prédication de la croisade albigeoise engagea les cathares du Nivernais « à se couvrir d'un mystère profond »[66].

Un procès canonique à peu près semblable se déroulait vers le même temps à Bar-sur-Seine. L'évêque de Langres, ayant quelque soupçon sur l'orthodoxie d'un chanoine de son église, le curé de Mussy, Guillaume, lui demanda une caution et l'assigna devant son tribunal. Au jour fixé, l'évêque, assisté comme il convenait *cum multis viris religiosis et prudentibus* se tenait à Bar-sur-Seine, mais l'accusé ne parut pas. Le tribunal instruisit néanmoins sa cause, et, rédigea une sentence de condamnation. Mais Guillaume se plaignit au pape de ce que l'évêque de Langres n'avait pas tenu compte de l'appel qu'il avait interjeté à Rome et avait exigé quand même une caution. Dès lors, la sentence de Bar-sur-Seine perdait toute sa valeur. Alors Innocent III créa un tribunal spécial de trois membres : l'archevêque de Sens, l'évêque de Nevers et Robert de Courçon, chanoine de Paris. Il les pria d'enquêter sur cette affaire. « S'il vous paraît coupable, usez contre lui de la rigueur des lois de l'Eglise, mais s'il est innocent, ne le laissez pas opprimer[67]. » L'ordre du pape ne fut sans doute pas bien suivi Deux ans plus tard, Innocent III créait un nouveau tribunal, l'accusé ayant refusé de paraître devant ses juges, parce que « dans cette région la piété des fidèles est tellement ardente qu'ils sont toujours prêts à livrer au feu non seulement les hérétiques déclarés, mais même ceux qui sont simplement suspects »[68]. Nous ignorons quelle fut la suite de ce procès.

Innocent III intervint encore dans l'affaire des hérétiques de Metz. Des laïcs, hommes et femmes, animés d'un grand désir de connaître les Ecritures, s'étaient fait traduire en langue vulgaire les Evangiles, les Epîtres de saint Paul, les Psaumes, Job, les Moralia de saint Grégoire et plusieurs autres livres. Ils se réunissaient pour en faire la lecture et en discuter librement, en dehors de tout contrôle de la hiérarchie. Des clercs leur ayant fait quelques observations, ils eurent l'audace de leur résister, sous prétexte qu'on ne pouvait pas leur interdire la lecture des Livres Saints. D'aucuns même se plurent à railler

---

66. Ch. SCHMIDT, *op. cit.*, I, p. 364.

67. « Ipsum sententia diffinitiva pronuntians tanquam haereticum condemnandum et sententiam in scriptis redigi faciens, et multorum sigillis, episcoporum videlicet, abbatum et archidiaconum reservari munitam. » Lettre d'Innocent III à l'archevêque de Sens, à l'évêque de Nevers et à Robert de Courçon : 17 mars 1211 ; P. 4197 ; *P. L.*, t. 216, c. 391.

68. « Nuper autem G. proposuit coram nobis quod praefato termino ad praesentiam vestram non fuit ausus accedere metu mortis, cum zelus fidelium in haereticae pravitatis labe notatos, esset in partibus illis tunc temporis sic accensus ut incendio traderent non solum manifestos haereticos sed étiam quoslibet de hujusmodi pravitate suspectos. » Lettre du 10 avril 1213 ; P. 4700 ; *P. L.*, t. 215, c. 802. Traduction citée d'après A. LUCHAIRE : *La Croisade des Albigeois*, Paris, 1905, p. 66.

la simplicité de leurs pasteurs qui prétendent leur enseigner la parole du salut qu'ils trouvent, eux, directement, dans l'Ecriture[69].

L'évêque de Metz, inquiet, en référa au Souverain Pontife. Innocent III écrivit alors deux lettres, l'une aux intéressés, l'autre à l'évêque. Dans la première[70], il reconnaît tout d'abord que le désir de comprendre et d'étudier les Saintes Ecritures est très louable, mais il reproche aux chrétiens de Metz de tenir des réunions secrètes et de mépriser la hiérarchie. Il s'applique à justifier ce double reproche par l'Ecriture elle-même[71] et il conclut avec saint Paul, saint Bernard et Lucius III à la nécessité de la mission canonique : *Quomodo praedicabunt, nisi mittantur* ?[72]. En conséquence, il invita expressément les hérétiques messins à renoncer aux conventicules et à se soumettre à la hiérarchie, à peine de sanctions canoniques[73]. En même temps, il donna à l'évêque de Metz ses instructions. « S'il incombe aux chefs des églises, lui écrit-il, de s'appliquer à prendre les renards qui dévastent la vigne du Seigneur, il faut éviter cependant de couper l'ivraie avant la moisson, de peur d'arracher en même temps le bon grain[74]. » Il dit ailleurs : « Il ne faut pas affaiblir la religiosité des simples »[75]. Conseils de fermeté, mais aussi de patience et de douceur. En vertu de ces principes, l'évêque fera une enquête soigneuse « pour savoir quel est l'auteur de la traduction, quelle intention il a eue en la faisant, quelle est la foi de ceux qui l'ont utilisée, s'ils ont pour le Siège Apostolique et pour l'Eglise catholique la vénération requise. L'enquête terminée, ajoute Innocent III, vous nous en transmettrez les résultats pour que nous puissions prendre une décision en parfaite connaissance de cause »[76].

69. D'après la lettre d'Innocent III à l'évêque de Metz, 11 juillet 1199. P. 781. *P. L.*, t. 214, c. 698 et t. 216, c. 1213. Césaire de HEISTERBACH, *Dialogus...* Dist. V, ch. XX.

70. Décrétale *Cum ex injuncto*, 12 juillet 1199, P. 780, *P. L.*, t. 214, c. 695 et t. 216, c. 1210. Compilatio III, liv. V, titre IV, c. 3 ; c. 12-X-V-7.

71. Matt., X, 27 ; Jean : III, 20, 21 et XVIII, 20 ; Luc : VIII, 10 ; Matt. : VII, 8 ; Tite : III, 10.

72. I Cor. : III, 2 et XII, 28 et ss... Rom. : X, 15 ; Saint- Bernard, ep. 142, *P. L.*, t. 182, c. 436 ; Décrétale *Ad abolendam*, c. 9-X-V-7.

73. « Nos ergo filii, quia paterno vos affectu diligimus, nec sub praetextu veritatis in foveam decedatis erroris, et sub specie virtutum in laqueum vitiorum mandamus quatenus ab his quae superius reprehensibilia denotavimus et linguam et animum revocetis, fidem catholicam et regulam ecclesiasticam observantes ne vos verbis fallacibus circumveniri vel etiam circumvenire contingat, quia nisi correctionem nostram et admonitionem paternam receperitis humiliter et devote, nos post oleum infundemus et vinum, severitatem ecclesiasticam apponentes, ut qui noluerint obedire spontanei, discant acquiescere vel inviti », *op. cit.*

74. Lettre déjà citée : P. 781 ; Double réminiscence biblique : Cant : II, v. 15 et Matth. XIII, 29.

75. « Enervari non debet religiosa simplicitas », *op. cit.*

76. « Inquiratis etiam sollicite veritatem quis fuerit auctor translationis illius, quae intentio transferentis, quae fides utentium, quae causa docendi, si sedem apostolicam et catholicam ecclesiam venerantur ; ut super his et aliis, quae necessaria sunt ad indagandam plenius veritatem per litteras vestras sufficienter instructi quid statui debeat melius intelligere valeamus. Revocandi autem eos et convincendi secundum Scripturas super his quae reprehensibilia denotavimus viam vobis in litteris quas communiter illis dirigimus aperimus », *op. cit.*

L'évêque de Metz accomplit fidèlement les ordres du Souverain Pontife, mais ses efforts furent à peu près inutiles : les plus notables des hérétiques affirmèrent en toutes occasions leurs volonté de n'obéir qu'à Dieu seul, et refusèrent par conséquent de se soumettre ; ils continuèrent à tenir des réunions secrètes et à usurper « l'office de la prédication ». « Ils méprisent leurs semblables, écrit Innocent III, ils tiennent surtout à leur version de l'Ecriture, à tel point qu'ils n'hésiteront pas à résister à leur évêque, à leur métropolitain, au pape lui-même, s'il se permet de la condamner[77]. » Néanmoins, Innocent III ne voulut pas encore les frapper. Il fit faire un supplément d'enquête par les abbés de Citeaux, de Morimond et de La Crête. « Allez à Metz, leur écrit-il, arrangez-vous avec l'évêque, convoquez les insoumis, et, s'il se peut, corrigez, en vertu de l'autorité apostolique et sans appel, tout ce qui en eux vous paraîtra répréhensible. » S'ils résistent encore, le pape ne veut pas qu'on les excommunie ; les juges lui transmettront un dossier très précis[78]. Il leur mande en terminant d'examiner le cas du prêtre Crispin et de son associé, de les condamner l'un et l'autre sans appel, s'il y a lieu, ou de contraindre l'évêque à leur remettre la peine qu'il aurait pu leur infliger.

Nous ignorons la suite de cette affaire. Aubry de Trois-Fontaines nous apprend que plusieurs abbés furent envoyés à Metz : l'événement étant daté de l'année 1200, nous supposons qu'il s'agit des trois abbés de Citeaux, de Morimond et de La Crête ; ils auraient jeté au feu les Livres Saints en langue vulgaire et extirpé l'hérésie[79], mais Aubry ne nous dit pas par quels moyens. En 1211, Innocent III aurait organisé contre les hérétiques de Metz une croisade à laquelle auraient participé le comte de Bar, Thibaut, et son « fils » Henri. En réalité, il s'agit bien d'une croisade, mais elle n'était pas dirigée contre les hérétiques de Metz[80].

Tandis qu'Innocent III s'efforçait d'assurer l'exercice d'une procédure sereine, les coutumes germaniques persistaient dans toute la région.

77. Lettre d'Innocent III aux abbés de Citeaux, de Morimond et de La Crête : 9 décembre 1199 ; P. 893 ; *P. L.*, t. 214, c. 793.

78. « Quod si correctionem vestram recipere forte noluerint, inquiratis super capitulis illis quae in litteris quas episcopo miseramus expressa fuisse superius vobis expressimus et aliis etiam diligentius veritatem, et quod inveneritis, per nuntium vestrum et litteras plenius intimetis ut per vos certiores effati, prout procedendum fuerit procedamus. » *Op. cit.*

79. Aubry de Trois-Fontaines : *Chronicon* ; *M. G. H.* ss., t. XXIII, 878 : *H. F.*, XVIII, 763. « Item in urbe Metensi pullulante secta quae dicitur Valdensium, directi sunt quidam abbates ad praedicandum, qui quosdam Libros de latino in romanum versos combusserant et praedictan sectam extirpaverunt », *op. cit.*

80. D'après *Gal. Christ.*, t. XIII, c. 755. Il s'agit plutôt de la prédication de la croisade albigeoise. Cette prédication aurait été donnée sur l'ordre d'Arnaut-Amaury, abbé de Citeaux, légat du pape dans le midi de la France contre les hérétiques albigeois. Le comte de Bar, Thibaud I, se croisa le 3 avril 1211. Il arriva à Carcassonne vers la fin de juin. Le comte de Grandpré, son voisin, Henri, se croisa également, mais il mourut avant d'arriver à destination ; voir *Hist. Albig.*, 238.

Aubry de Trois-Fontaines et Césaire de Heisterbach mentionnent à l'année 1200 l'existence et le supplice des « Poplicains » de Troyes. La discrétion des chroniqueurs ne permet pas de reconstituer les circonstances de leur découverte ni de leur procès. Le premier donne seulement le nombre des victimes : cinq hommes et trois femmes, parmi lesquelles « deux abominables vieilles » furent jetés au feu[81]. L'autre mentionne le cas de cet illuminé qui se disait le Saint-Esprit et qui fut pareillement brûlé, sinon par l'évêque, du moins par le peuple « qui ne pouvait souffrir pareille insanité »[82].

En 1205, l'archevêque de Reims, Guy Paré, légat du Saint-Siège et cardinal, visitait le diocèse de Soissons. De passage à Braisne-sur-Vesle, il instruisit le procès de quelques hérétiques. Comme l'instruction dura plusieurs jours, on peut supposer qu'elle fut sérieuse. Elle se termina par une condamnation à mort. La Chronique de Laon ne donne sur cette affaire que la précision suivante : un certain nombre d'hérétiques, entre autres un nommé Nicolas qui était peintre et jouissait de quelque célébrité, furent brûlés en présence du comte Robert de Dreux, oncle paternel de Philippe-Auguste, et de la comtesse Yolande qu'assistait toute un cour de seigneurs[83]. La condamnation à mort, c'est sans doute l'archevêque de Reims qui l'a prononcée. Guy Paré suit la tradition de Guillaume, son prédécesseur, qui lui-même s'inspirait des principes d'Henri et de Samson, comme nous l'avons remarqué précédemment, et sans doute en conformité avec l'esprit du concile de Reims. On se sent reporté un demi-siècle en arrière, comme si les décrétales n'existaient pas. Peut-on supposer que l'archevêque, légat du Saint-Siège, ne les connaissait pas ?

Plus significatif encore est le procès des Amauryciens.

A l'Université de Paris, Amaury de Bène — on dit encore Amaury de Chartres — enseignait une doctrine hétérodoxe à base de panthéisme et de joachimisme[84]. Son enseignement ayant dressé contre lui l'Universalité, il en aurait appelé au Souverain Pontife. Les deux parties plaignantes se seraient donc présentées devant Innocent III. Le pape condamna l'hérétique ; l'Université exigea de lui une profession de foi, ce qu'il fit, remarque le chroniqueur de Philippe-Auguste[85],

---

81. Aubry de Trois Fontaines à l'année 1200 : « Apud civitatem Trecas popalicani hoc anno inventi, traditi sunt igni et concremati usque ad octo, videlicet quinque viri et tres feminae, inter quas erant diae turpissimae vetulae quarum unam (proh dolor !) vocabant sanctam Ecclesiam et alteram sanctam Mariam, et ita decipiebant quos decipere poterant, sophistice dicentes : Ego credo quidquid credit sancta Ecclesia et sancta Maria », op. cit.

82. Césaire de Heisterbach, Dialogus, Dist. V, ch. XXII, p. 307.

83. Chronique de Laon, H. F., XVIII, 713 : Gal. Christ, t. IX, c. 101 : Ch. Schmidt, t. I, p. 365.

84. A. Chollet : art. « Amaury de Bène », dans D. T. C. — Héfelé-Leclercq, t. V, pp. 1303-1304.

85. Guillaume le Breton : Gesta Philippi, ed. F. Delaborde ; Société de l'Histoire de France, 1882, pp. 230 et ss.

mais seulement de bouche « car il ne modifia jamais les sentiments de son âme : *quia corde numquam dissentit* ».

Après sa mort, vers 1204, 1205, ses disciples firent école. Ils étaient, d'après Césaire de Heisterbach[86], maître Guillaume de Poitiers, étudiant en théologie à l'Université de Paris, Bernard, sous-diacre, Guillaume l'orfèvre, leur « prophète », Etienne du Vieux-Corbeil, Etienne de la Celle, Jean d'Orsigny, Dudon, tous prêtres et théologiens ; le dernier, disciple préféré d'Amaury, avait étudié la théologie pendant près de dix ans ; ensuite, Elinand, acolythe, Eudes, diacre, les prêtres Garin, Ulrich de Lorris, Pierre de Saint Cloud, les deux derniers sexagénaires. Ces gens-là, dit le moine d'Heisterbach, conçurent à l'instigation du diable de très graves et dangereuses hérésies.

Que disaient-elles ? Elles développaient sans doute les idées d'Amaury. Les opérations *ad extra* sont l'œuvre exclusive du Père avant l'Incarnation. Le Père lui-même s'est incarné dans Abraham, le Fils en Marie, et le Saint-Esprit s'incarne quotidiennement en chacun de nous[87]. Les Amauryciens en tiraient cette conclusion, si l'on en croit Césaire, que, le Saint-Esprit étant tout spirituel et l'homme n'étant rien tant qu'il possède en lui le Saint-Esprit, les actes charnels ne constituent pas des péchés. D'autre part, ils rejetaient le dogme de l'Eucharistie, le Baptême des enfants nés de parents « spirituels », le culte des saints et la résurrection des corps, sous prétexte qu'étant déjà ressuscités par la vertu intérieure du Saint-Esprit, ils ne le pouvaient être de nouveau. Ils s'en tenaient à l'expérience intérieure de ce même Esprit dont ils inauguraient le règne éternel[88]. Ils affirmaient enfin que tout était Dieu : *Omnia unum, quia quidquid est, est Deus*[89]. Ces théories reprenaient en somme le thème de l'Evangile éternel de Joachim de Flore[90]. L'allusion de Césaire à l'immoralité des Amauryciens, si toutefois elle est fondée, les apparenteraient encore aux sectes antérieures.

Comment les idées amauryciennes parvinrent-elles à la connaissance du clergé ? *Fama hujusmodi pervenit occulte*, écrit Guillaume le Breton. D'autre part, Césaire de Heisterbach accuse le zèle indiscret de Guillaume l'orfèvre, leur « prophète », auprès de maître Raoul de Nemours. Celui-ci, *articulosus et astutus et vere catholicus*, comme s'ex-

---

86. Césaire de HEISTERBACH : *Dialogus Miraculorum*, Dist. V, ch. XXII ; éd. J. Strange, p. 304.

87. P. MARTÈNE et U. DURAND : *Thesaurus anecdotorum*, t. IV, p. 163. — MANSI : t. XXII, 809.

88. « Semetipsos jam ressuscitatos asserebant, fidem et spem ab eorum cordibus excludebant, se soli scientiae mentientes subjacere » : *Thes. Anecdot., op. cit.*, IV, 164.

89. D'après Amaury, Dieu serait le principe formel de l'Univers. Pour son disciple — dans la mesure où il le fut — David de Dinant ou de Dinan, Dieu serait au contraire la Matière Première de l'Univers. Voir G. THÉRY : *Essai sur David de Dinant*, d'après Albert le Grand et Saint Thomas, *Mélanges Thomistes*, vol. III, publiés par les dominicains de la Province de France à l'occasion du VIe centenaire de la canonisation de saint Thomas d'Aquin (12 juillet 1323). Paris, 1931, pp. 361-408.

90. E. JORDAN, art. Joachim de Flore, dans *D. T. C.*

prime Guillaume le Breton, le laissa dire : il feignit une conversion, mais avertit secrètement de ce qui se passait l'abbé de Saint-Victor, maître Robert, frère Thomas, l'évêque de Paris, Pierre de Nemours, et trois maîtres en Théologie : le doyen de Strasbourg, Robert de Courçon et Etienne, lesquels décidèrent de faire une enquête approfondie et chargèrent maître Raoul, avec l'assentiment de l'évêque de Paris, de se joindre aux hérétiques et d'enquêter soigneusement sur « tous les articles de leur incroyance ». Raoul, s'étant associé un prêtre, parcourut avec les Amauryciens, nous dit Césaire de Heisterbach, qui donne là-dessus des précisions et des détails circonstanciés, les diocèses de Paris, de Langres, de Troyes, de Sens. Leur voyage dura trois mois, probablement dans l'été de 1210. Raoul de Nemours sut gagner la confiance des hérétiques : il simulait des extases, dit encore Césaire de Heisterbach, qu'il racontait ensuite dans les réunions secrètes. Aussi, apprit-il beaucoup de choses intéressantes. A son retour, il s'empressa d'en informer l'évêque de Paris. Celui-ci, usant de diligence, envoya sa police quérir les hérétiques, puis il réunit un concile sous la présidence de l'archevêque de Sens, métropolitain de Paris[91].

Les hérétiques comparurent devant le tribunal. Il y avait des prêtres, des laïcs, des femmes. L'instruction dût être brève. Elle commença vraisemblablement par la lecture des articles de la foi, ou, pour reprendre l'expression même de Césaire, « les articles de l'incroyance » amaurycienne. D'aucuns, semble-t-il, se rétractèrent ; d'autres s'entétèrent. Le tribunal rédigea alors la sentence que voici : « Le corps de maître Amaury sera exhumé du cimetière et jeté en terre non-bénite[92], et dans toutes les églises de la province sera promulguée la sentence d'excommunication lancée contre lui. Ses disciples : Bernard, Guillaume l'orfèvre, Etienne du Vieux-Corbeil, Etienne de la Celle, Jean d'Orsigny, Guillaume de Poitiers, Eudes, Dominique de Trainel, Elinand de Saint-Cloud seront dégradés et condamnés à la prison perpétuelle ». Les dix autres, « de l'avis des évêques et des théologiens, furent conduits dans un champ, dégradés en présence du peuple et du clergé, et, à l'arrivée du roi qui jusqu'alors avait été absent, brûlés ».

On se croirait revenu au temps du concile d'Orléans et des premières manifestations de l'hérésie.

L'année suivante, des hérétiques étaient découverts à Strasbourg[93]. On ne dit pas de quelle manière, mais très vraisemblablement suivant la procédure accusatoire en usage. Ils furent soumis aux ordalies du fer rouge. Innocent III les interdit formellement[94], mais en vain. Les hérétiques furent condamnés et brûlés. Comme l'un d'eux

91. A. CHOLLET, art. cité : MANSI : t. XXII, 811-812. H. DENIFLE et A. CHATELAIN : *Cartularium Universitatis Parisiensis*, t. I, 1889, pp. 70-71, n° 11 et 12.
92. Sur l'exhumation des hérétiques, voir la lettre d'Innocent III aux moines de saint Hippolythe, à Faënza, 9 janvier 1207. P. 2968.
93. *Annales Marbacenses*, à l'année 1215, dans *M. G. H.* ss., t. XVII, p. 174.
94. Lettre d'Innocent III à l'évêque de Strasbourg, 9 janvier 1212, P. 4358 *P. L.*, t. 216, c. 502.

allait au supplice, raconte Césaire de Heisterbach, il fut converti par
ses gardiens. Après avoir fait sa confession, il sortit indemne de la
redoutable épreuve et s'en retourna tout joyeux chez lui. Mais sa
femme lui fit de telles remontrances pour avoir trahi sa foi et craint
le martyre qu'il retomba dans l'hérésie, subit une deuxième épreuve
que Dieu, écrit Césaire, rendit extrêmement douloureuse : la flamme
pénétra jusqu'aux os de la main. L'épouse de cet homme subit un
pareil sort. A demi-brûlés l'un et l'autre, ils s'enfuirent en hurlant
jusqu'au prochain village. Bientôt rattrapés, ils furent ramenés à
Strasbourg et jetés dans le brasier qui n'était pas encore tout à fait
éteint. Ainsi périrent plus de quatre-vingts hérétiques des deux sexes[95].

Il en fut ainsi pendant tout le règne de Philippe-Auguste. C'est
Guillaume le Breton qui l'affirme. « Tous ceux qui ne partageaient pas la
croyance officielle, les Poplicains, comme on les appelle, tirés de l'ombre
où ils se cachaient, traduits devant leurs juges et reconnus, suivant
la procédure, comme hérétiques, étaient jetés au feu. Ils souffraient
un moment des flammes temporelles avant de subir éternellement les
feux de la géhenne[96]. »

*
* *

Dans la région méditerrannéenne, au contraire, l'influence du Saint-
Siège s'est affirmée davantage.

L'hérésie bogomile, qui aurait été dès le xiᵉ siècle la source de
l'hérésie albigeoise[97], se développait librement en Bosnie sous le gouvernement du ban Culin[98]. L'archevêque de Spalato en informa Innocent III. Le Souverain Pontife envoya au roi de Hongrie, Emery II,
la décrétale Vergentis et le pria de contraindre le ban à expulser les
hérétiques, sinon Culin se verrait expulsé lui-même de Bosnie et ses

95. Césaire de Heisterbach, Dialogus, Dist. III, ch. XVII, p. 134
96. Guillaume le Breton, Philippidos, liv. I, vers 414-420, éd. F. Delaborde,
t. II, p. 24 :
        « Omnes qui fidei saperent contraria nostre
        Quos Popelicanos vulgari nomine dicunt
        De tenebris latebrisque suis prodire coacti
        Producebantur, servatoque ordine juris,
        Convicebantur et mittebantur in ignem
        Ad tempus flammam passuri materialem
        Deinde gehennales passuri jugiter ignes. »
97. Ch. Schmidt, t. I, pp. 12 à 15 et t. II, pp. 263 et ss. — F. Vernet, art.
« Bogomiles » et A. Palmieri, art. « Bosnie » dans D. T. C. — R. Foreville :
Les grands courants hérétiques et les premières mesures générales de répression,
dans Histoire de l'Eglise, coll. A. Fliche et V. Martin, t. IX, 2ᵉ partie, ch. III,.
pp. 330 et ss. — Sur la filiation catharisme-bogomilisme-manichéisme, voir A. Dondaine : L'origine de l'hérésie médiévale, dans Rivista di Storia della Chiesa in
Italia, 1952, pp. 47-78. Opinion combattue par R. Morghen : Le origini dell' eresia medioevale in Occidente, dans Ricerche di Storia religiosa, 1954, résumé dans
l'art. cité : Movimenti religiosi popolari..., pp. 353-355.
98. A. Luchaire : Les Royautés vassales du Saint-Siège, Paris, 1908, pp. 59
et ss.

biens seraient réunis à la Couronne de Saint-Etienne[99]. Emery répondit aux ordres d'Innocent III avec un empressement d'autant plus
vif qu'il désirait précisément ramener dans la suzeraineté hongroise
cet ancien apanage qui s'en était récemment à peu près affranchi.
L'alliance du Sacerdoce et de la Royauté eut pour effet la soumission
spontanée, sinon sincère, de Culin et des chefs Bogomiles[100].

Cette alliance était encore plus étroite à l'autre extrémité de la
Méditerrannée. Depuis la seconde moitié du XIIe siècle la Maison d'Aragon comprenait le comté de Provence, le Roussillon, et, depuis le
mariage du roi Pierre II, la seigneurie de Montpellier. Pierre II la possédait, il est vrai, à titre de vassal de l'évêque de Maguelonne[101] ;
c'était du moins un nouveau territoire ajouté aux anciens. Pierre
d'Aragon exerçait en outre des droits de suzeraineté sur la vicomté
de Béziers-Carcassonne et sur les comtés de Foix, de Comminges et
de Béarn[102]. Les relations de Pierre II avec Innocent III étaient aussi
étroites que le pape pouvait le désirer[103]. Le 11 novembre 1204, Pierre II
se fit couronner par Innocent III à Rome même et il prêta au Souverain Pontife un serment de fidélité pour son royaume. Pierre s'engagea notamment à défendre la foi catholique et à poursuivre l'hérésie[104]. Il était vraiment au plein sens du mot l'homme du pape.

D'autres princes s'engagèrent eux aussi à poursuivre l'hérésie et
les hérétiques. Innocent III fit prêter aux empereurs Philippe de
Souabe, Othon IV et Frédéric II des serments qui reproduisaient sans
doute les Statuts Impériaux de Frédéric Barberousse promulgués au
Concile de Vérone[105]. Mais le pouvoir impérial était trop faible en

---

99. Lettre du 11 octobre 1200 ; P. 1142 ; *P. L.*, t. 214, c. 871 : « Rogamus et
monemus... quatenus... nisi Bannus praedictus universos haereticos de terra suae
potestati subjecta proscripserit, bonis eorum omnibus confiscatis, tu ipsum et
haereticos ipsos, non solum de terra ejus, sed de toto Hungariae regno proscribas
et bona talium ubicumque per terram tuam poterunt inveniri, confisces, nec par-
cat oculus tuus banno praedicto quin contra eum jurisdictionem exerceas temporalem, si alias ad viam rectitudinis non poterit revocari. »
100. Innocent III envoya en mission Jean, abbé de Casamari qu'il confia aux
bons soins de Bernard, archevêque de Spalato : 21 mai 1202 ; P. 1768 ; *P. L.*,
t. 214, c. 1108. La soumission des bogomiles se fit à l'assemblée de Bielopulke, en
avril 1203 : A. Luchaire : *Les Royautés vassales*, p. 6 et suiv... Voir la lettre du
roi de Hongrie à Innocent III : *P. L.*, t. 215, c. 240. Le 14 avril 1207, Innocent III
écrivant à l'évêque de Passau, Manégold, érigea officiellement sur la demande du
Duc Léopold d'Autriche l'évêché de Vienne, pour le ministère pastoral et la surveillance des hérétiques : P. 3085 ; *P. L.*, I, 215, c. 1143.
101. D. Vaissète, t. VI, p. 213.
102. D'après les actes du Concile de Lavaur : *P. L.*, t. 216, c. 833 à 849 ; Mansi :
t. XXII, 865 à 892 ; *Hist. Albig.*, 368-398.
103. A. Luchaire : *Les Royautés vassales*, p. 50.
104. Gesta Innocentii III : CXX-CXXI, dans *P. L.*, t. 214, c. CLIX-CLX et
t. 215, c. 550 et suivantes... Le 16 juin 1205, Innocent III lui accorda pour lui et
ses successeurs le privilège d'être couronné à Saragosse par l'archevêque de Tarragone ; P. 2543 ; *P. L.*, 215, c. 665 ; Item, 17 juin 1206, P. 2816 ; *P. L.*, t. 215,
c. 915.
105. *M. G. H. Legum*, IV, *Constitutiones*, t. II ; n° 8, 31, 35, pp. 8, 36, 43.

Italie[106] pour contraindre à l'obéissance des orgueilleuses communes. Innocent III dut agir avec ses seules armes spirituelles.

Dans le Patrimoine de Saint-Pierre, Innocent III réduisit péniblement Orvieto[107] et lutta huit ans contre Viterbe[108]. En 1205, il adressa aux catholiques de cette commune la décrétale *Si adversus vos* qui leur ordonnait de désobéir aux consuls cathares, d'exiler les hérétiques et de confisquer leurs biens[109]. En 1207, il se rendit en personne à Viterbe et y promulgua, le 23 septembre les deux Décrets *Cum juratum sit* et *Cum ex nostri officii*. Le premier confirmait les serments des barons, podestats et consuls, relatifs à l'établissement de la paix ; le second annulait toute constitution qui serait contraire au Droit Canonique. Les biens confisqués des hérétiques seraient attribués au dénonciateur, au tribunal, et à la commune pour l'entretien des remparts. Les immeubles seraient détruits de fond en comble et pour toujours. Ces Décrets ne s'appliquaient pas seulement aux habitants de Viterbe, mais à tous les fidèles, au sens religieux et féodal désormais confondus, du Patrimoine de Saint-Pierre[110].

Ce qu'Innocent III venait de réaliser dans ses domaines, il désirait que les Communes de Toscane le fissent pareillement sur leurs terres[111].

---

106. Malgré une constitution d'Othon IV contre les hérétiques, 25 mars 1210. *M. G. H. Legum*, IV, *Constitutiones*, t. II, n° 35, 36, pp, 43, 44.

107. Voir la Vie de Saint Pierre Parenzi, dans *Acta Sanctorum*, t. XVIII, mai, V, 87 ; A. LUCHAIRE : *Rome et l'Italie*, Paris, 1907, p. 86 et suivantes.

108. C'est contre cette commune qu'il publia la célèbre Décrétale *Vergentis* du 25 mars 1199.

109. Le 4 juin 1205 ; P. 2532 ; *P. L.*, t. 215, c. 654. Comp. III[a] liv. V, tit. IV, c. 11-X-V-7.

110. Gesta Innocenti III : CXXIII ; *P. L.*, t. 214, c. CLXI-CLXII. Constitution du 23 septembre 1207 ; P. 3187 ; *P. L.*, t. 215, c. 1226 : « Ad eliminandam omnino de Patrimonio Beati Petri haereticorum spurcitiam, servanda in perpetuum lege sancimus, ut quicumque haereticus, et maxime Paterenus, in eo fuerit inventus, protinus capiatur et tradatur saeculari curiae puniendus secundum legitimas sanctiones. Bona vero ipsius omnia publicentur ita ut de ipsis unam partem percipiat qui ceperit illum, alteram curia quae ipsum punierit, teriia vero deputetur ad constructionem murorum illius terrae ubi fuerit interceptus. Domus autem in qua haereticus fuerit receptatus funditus destruatur, nec quisquam eam raeedificare praesumat ; sed fiat sordidum receptaculum quae fuit latibulum perfidorum. » Item, P. 3186 et 3188 ; *P. L.*, t. 215, c. 1228 et 1227 : « Constitutiones iniquas contra leges et canones a laïcis promulgatas aut etiam promulgandas adversus ecclesias seu viros ecclesiasticos, non solum spirituali, sed etiam temporali auctoritate damnamus penitus et cassamus, sub debito fidelitatis et interminatione anathematis inhibentes ne constitutiones hujusmodi nequiter observare praesumant. »

111. La Ligue Toscane s'était formée le 11 novembre 1197. Célestin III avait délégué à Florence dans le même temps le cardinal Pandolphe des Douze Apôtres, sans doute dans l'espoir de diriger la Ligue ; voir R. CAGGESE : *Firenze, della decadenza di Roma al risorgimento d'Italia*, t. I : *Della origini all'eta di Dante* ; Florence, 1912, p. 188 et suivantes. La résistance de la Ligue se prolongea sous le pontificat d'Innocent III ; voir A. LUCHAIRE : « Innocent III et les Ligues de Toscane et de Lombardie », dans les *Comptes rendus des Séances et Travaux de l'Académie des Sciences Morales et Politiques*, Paris, 1904, p. 496 et suiv... Item, A. LUCHAIRE: *Rome et l'Italie*, Paris, 1907, p. 131 et suivantes.

Sur les instances réitérées du Souverain Pontife[112], le podestat et les consuls de Florence rédigèrent en 1206 un statut qui ordonnait l'expulsion des hérétiques[113]. La même année, Prato[114] exila pareillement les hérétiques et déclara incapable d'être consul quiconque serait suspect d'hérésie[115]. De l'autre côté de l'Appennin, notamment à Rimini, à Ferrare[116], l'intervention d'Innocent III fut aussi vive, mais elle ne parut pas donner de résultats aussi satisfaisants.

Dès 1198, Innocent III envoya à Vérone le cardinal Grégoire de Sainte Marie in Porticu. Le légat y rencontra les évêques de Lombardie ; ils rédigèrent ensemble un statut contre les hérétiques[117] et décidèrent d'imposer ce statut, sous la foi du serment et moyennant cautions, aux podestats et consuls de Lombardie. Le légat chargea de cette mission délicate l'archidiacre de Milan, et, pour lui faciliter la tâche, lui accorda le pouvoir d'excommunier et d'interdire. Innocent III approuva le 15 juin 1198. Les résultats de cette mission durent être à peu près nuls. En 1203, le Souverain Pontife reprocha au clergé lombard son indifférence et son indignité[118] et il rappela les podestats et les consuls au respect des immunités ecclésiastiques[119]. Jusqu'à la fin de sa vie, Innocent III dût multiplier dans ses correspondances avec Novare, Vérone, Modène, Assise, Crémone, Trévise, Mantoue, Parme, Plaisance, Bergame, Bologne, Alexandrie, Milan, Padoue[120] les

112. *Gesta* : XI ; *P. L.*, t. 214, c. XXVI-XXVII ; Lettre du 30 octobre 1198 ; P. 403 ; *P. L.*, t. 214, c. 377 et t. 216, c. 1186 ; item, Lettre du 5 mars 1206 ; P. 2704 ; *P. L.*, t. 215, c. 813. Voir R. DAVIDSOHN : *Geschichte von Florenz* ; Berlin, 1896, t. I, p. 648-649.
113. D'après une lettre d'Innocent III aux podestats et consuls de Faënza : 12 décembre 1206 ; P. 2932 ; *P. L.*, t. 215, c. 1042.
114. En 1194, le légat impérial Henri de Worms avait prononcé contre les hérétiques de Prato les peines d'emprisonnement, de confiscation des biens et de démolition des maisons, d'après Ch. SCHMIDT, t. I, p. 64 ; J. HAVET ; art. cité, p. 580, n. 2.
115. Lettre du 4 mars 1206 ; P. 2702 ; *P. L.*, t. 215, c. 815, DAVIDSOHN, *ouvr. cité*, t. I, p. 649.
116. Lettres du 5 avril 1204 au clergé de Rimini ; P. 2169 ; *P. L.*, t. 215, c. 319 ; aux podestat et consuls de Faënza : 10 mars 1206 ; P. 2709 ; *P. L.*, t. 215, c. 819 ; 12 décembre 1206 ; P. 2932 ; *P. L.*, t. 215, c. 1042 ; à l'abbé de Saint-Hippolythe de Faënza ; 9 janvier 1207 ; P. 2968 ; *P. L.*, t. 215, c. 1057 ; aux podestats, consuls et peuple de Ferrare : 9 novembre 1206 ; P. 2911 ; *P. L.*, t. 215, c. 1020 ; à Huguccio, 28 mars 1207 ; P. 3065 ; Février 1209 ; P. 3666 ; *P. L.*, t. 215, c. 1582 ; 43-X-V-39.
117. D'après une lettre d'Innocent III à l'archidiacre de Milan : 15 juin 1198 ; P. 286 ; *P. L.*, t. 214, c. 256.
118. Lettres du 16 avril 1203 ; P. 1884 ; *P. L.*, t. 215, c. 47, 48, 49.
119. Voir G. LE BRAS : *L'immunité réelle*, Paris, 1920, p. 67 et suivantes.
120. Novare : 2 lettres du 17 octobre 1200 ; P. 1145 ; 1146 ; *P. L.*, t. 214, c. 876 et 878. — Vérone : Lettres de décembre 1200 : P. 1198 ; du 10 mai 1202 ; P. 1674, 1675 ; *P. L.*, t. 214 ; c. 986, 987. — Modène : Lettres du 12 avril 1204 ; P. 2177 ; *P. L.*, t. 215, c. 323 — Assise : P. 2237. — Crémone : Lettres de novembre 1201 ; P. 1526 ; du 28 février 1203 ; P. 1846 ; *P. L.*, t. 215, c. 21 ; du 6 décembre 1204 ; P. 2338 ; *P. L.*, t. 215, c. 470. — Trévise : Lettres du 26 mars 1199 ; P. 697 ; *P. L.*, t. 214, c. 555 ; du 25 novembre 1200 ; P. 1169 ; *P. L.*, t. 214, c. 907 ; du 13 novembre 1200 ; P. 1160 ; *P. L.*, t. 214, c. 922 ; du 21 avril

mêmes reproches, les mêmes rappels, les mêmes anathèmes. Seule Trévise reçut en 1207 le statut du cardinal Grégoire[121]. Innocent III échoua parce que ses moyens étaient trop faibles : l'excommunication et l'interdit qui n'étaient pas appuyés par la force séculière s'avéraient à peu près inopérants.

*
* *

Inefficace ou presque, sur le plan politique, l'action d'Innocent III fut plus heureuse sur le plan spirituel. La réforme de l'Eglise exigeait assurément le renouveau de la discipline ecclésiastique, mais la discipline du for externe, si elle peut assurer le bon ordre de la société chrétienne et même influencer de quelque manière le comportement des chrétiens, est incapable de réaliser la transformation profonde des esprits et des cœurs sans laquelle il ne saurait y avoir de christianisme loyal et complet.

Les courants de la piété populaire qui agitaient depuis un siècle le peuple chrétien n'étaient pas nécessairement ni absolument mauvais. S'ils revêtaient souvent la forme de l'antisacerdotalisme, c'était peut-être parce que la hiérarchie, plus ou moins sclérosée dans ses bénéfices, ne répondait plus entièrement à ce qu'on pouvait attendre d'elle[122]. Le Souverain Pontife eut l'intelligence de comprendre tout

1207 ; P. 3091 ; *P. L.*, t. 215, c. 1146. — Mantoue ; P. 3535. — Parme et Plaisance : Lettres du 26 août 1198 ; P. 355 ; *P. L.*, t. 214, c. 316 ; du 21 avril 1198 ; P. 89, 90 ; *P. L.*, t. 214, c. 113, 114 ; du 23 octobre 1198 ; P. 3999 ; *P. L.*, t. 214, c. 372 ; du 12 novembre 1198 ; P. 413 ; *P. L.*, t. 214, c. 378 ; du 27 avril 1199 ; P. 676 ; *P. L.*, t. 214, c. 580 ; du 9 août 1202 ; P. 1717 et 1718 ; *P. L.*, t. 214, c. 1058 et 1066 ; du 16 décembre 1204 ; P. 2346 ; *P. L.*, t. 215, c. 487 ; du 18 décembre 1204 ; P. 2348 ; *P. L.*, t. 215, c. 488 ; du 21 février 1205 ; P. 2421 ; *P. L.*, t. 215, c. 542 ; 41-X-V-39 ; du 26 juillet 1206 ; P. 2854 ; *P. L.*, t. 215, c. 948 ; du 7 octobre 1206 ; P. 2889, 2890, 2891 ; *P. L.*, t. 215, c. 998 et suivantes ; du 9 octobre 1206 ; P. 2892 ; *P. L.*, t. 215, c. 995 ; du 16 octobre 1206 ; P. 2893 ; *P. L.*, t. 215, c. 1001 ; du 22 novembre 1208 ; P. 3537 ; *P. L.*, t. 215, c. 1486. — Bergame : P. 3962. — Bologne : P. 4264. — Alexandrie : Lettres du 31 mai 1206 ; P. 2786 ; du 8 juin 1206 ; P. 2795 ; du 16 juin 1206 : P. 2810 ; du 21 juin 1206 : P. 2819 et 2820 ; *P. L.*, t. 215, c. 898, 909 à 911 ; du 13 juillet 1212 : P. 4561 ; *P. L.*, t. 216, c. 650 ; du 29 octobre 1212 : P. 4615 ; *P. L.*, t. 216, c. 714 ; du 4 juin 1213 : *P. L.*, t. 216, c. 859. — Milan : Lettres du 13 avril 1198 : P. 77 ; *P. L.*, t. 214, c. 73 ; P. 543 ; *P. L.*, t. 214, c. 337 ; du 6 juillet 1211 : P. 4278 a) ; du 13 juin 1212 : P. 4542 ; *P. L.*, t. 216, c. 635. Milan, « cœur du Patarisme » : A. LUCHAIRE : *Rome et l'Italie*, p. 150 ; item, G. VOLPE : *Studi sulle instituzioni communali a Pisa*, Pise, 1902, p. 319. Enfin, lettres de 1215-1216 : P. 5279, 5280, 5281. — Padoue : P. 5296.

121. D'après une lettre d'Innocent III du 21 avril 1207 : P. 3091 ; *P. L.*, t. 215, c. 1146 : « Reminiscentes quod olim promiseritis nobis, interposito juramento in manu venerabilis fratris nostri (Ugonis) Ferrariensis episcopi, quando communionis gratiam diu vobis subtractam per ejus ministerium paterna vobis restituimus pietate. »

122. Sur ce sujet, voir l'étude de H. GRUNDMANN : Religiöse Bewegungen im Mittelalter, Untersuchungen über die geschichtlichen Zusammenhänge zwischen der Ketzerei, den Bettelorden und der religiösen Frauenbewegung im 12 und 13 Jahrhundert und über die geschichtlichen Grundlagen der deutschen Mystik ; dans *Historische Studien*, fasc. 267 ; Berlin, 1935.

ce que cette piété populaire pouvait contenir de richesses spirituelles et il pensa l'utiliser en « l'intégrant dans la structure hiérarchique de l'Eglise »[123]. Il se montra plein de bienveillance à l'égard de chrétiens sincères qu'animait un réel désir de perfection et qui n'étaient souvent devenus hérétiques que pour avoir traduit malaisément le charisme qui les tourmentait. Il pensa que la rencontre de la hiérarchie et de l'inspiration, la hiérarchie renouvelée par l'inspiration et l'inspiration contrôlée par la hiérarchie, pouvait sauver l'Eglise.

Il ne fut pas toujours compris. Il eut des déceptions. Il réussit néanmoins à convertir certaines communautés vaudoises et il reçut avec joie l'aide providentielle que lui apportèrent en même temps saint Dominique et saint François d'Assise.

Deux communautés vaudoises furent réconciliées à quelques années d'intervalle : les Humiliés et les Pauvres Lombards,

D'abord les Humiliés. « Ils ne professent aucune hérésie, écrit Innocent III à la fin de l'année 1199 à l'évêque de Vérone, mais la foi orthodoxe, et ils s'appliquent à servir le Seigneur dans l'humilité de leur corps[124]. » Ils avaient prêté serment entre les mains de l'évêque, le cardinal Adalhard[125]. Puis, la petite communauté, mal différenciée encore de la communauté hérétique à laquelle elle avait appartenu, fut frappée de censures ecclésiastiques de telle sorte que tous les Humiliés sans aucune discrimination ont été excommuniés. Il en est résulté pour certains un grave préjudice[126]. Innocent III proteste : « Nous n'avons pas l'intention de condamner les innocents avec les coupables ; nous vous ordonnons donc par l'autorité des présentes de convoquer tous les accusés et de vous enquérir auprès d'eux et d'autres personnes de leur vie, de leurs habitudes, de leurs articles de foi et de tout ce qui vous paraîtra opportun[127]. » Ou bien, l'évêque ne trouvera chez eux rien de contraire à l'orthodoxie, alors il les reconnaîtra officiellement comme catholiques et la sentence d'excommunication tombera par le fait même : ou bien, il découvrira quelques relents d'hérésie, alors il les invitera à se soumettre — Innocent III ne prévoit pas le cas où ils refuserait de le faire — ensuite il leur fera prêter serment et sous la foi de ce serment il leur ordonnera de réprouver leurs erreurs,

123. « Der die Eingliederung der religiösen Bewegung in das Gefüge der hierarchischen Kirche angebahnt und dadurch die Entstehung der Bettelorden, die ordensmässige Organisation der religiösen Armutsbewegung und der apostolischen Wanderpredigt überhaupt erst möglich gemacht hat » ; *op. cit.*
124. Lettre du 6 décembre 1199, P. 891, *P. L.*, t. 214, cc. 788-789 : « ...Humiliati dicuntur, licet nullam haeresim, sed fidem, sicut dicitur, sapiant orthodoxam, et in humilitate cordis et corporis studeant Domino famulari », *op. cit.*
125. « Qui etiam in manibus tuis stare mandatis Ecclesiae juraverunt », *op. cit.* Adalhard, cardinal, évêque de Vérone : 1188-1214, d'après P.F. Gams, *Séries episcoporum*, p. 806.
126. « Sine distinctione quam posueramus in litteris nostris, excommunicationis sententiam promulgavit », *op. cit.*
127. « Mandamus atque praecipimus quatenus tales ad tuam praesentiam convoces et inquiras tam ab aliis de vita et conversatione ipsorum quam ab eis de articulis fidei et aliis quae videris inquirenda », *op. cit.*

de les réfuter dans la mesure de leurs moyens, de rester à l'avenir fidèles à l'orthodoxie et au Saint-Siège[128]. Ils seront alors pleinement réconciliés avec l'Eglise. Ce qui eut lieu.

Les Humiliés soumirent au pape un projet de règle qui fut reconnu officiellement le 7 juin 1201[129]. Innocent III les encouragea à la pratique des vertus chrétiennes : humilité, douceur, obéissance et justice : « Soyez en paix avec tous les hommes, restituez les usures et le bien mal acquis... ne possédez pas les dîmes, c'est interdit aux laïcs, mais donnez-les aux clercs qui doivent les recevoir conformément aux dispositions de l'évêque diocésain... avec le reste faites l'aumône et donnez aux pauvres tout votre superflu » ; fidélité conjugale : « A ceux qui sont mariés le commandement du Seigneur ordonne de ne pas renvoyer leur épouse, hors le cas d'adultère » ; modestie : « Que vos habits ne soient ni trop beaux ni trop sales, mais tels qu'on n'y puisse rien trouver qui soit irréligieux... ni la malpropreté affectée, ni la recherche de la mondanité ne conviennent au chrétien » ; charité fraternelle : « Il vous appartient de venir en aide à ceux des membres de votre société qui souffriraient dans l'indigence ou les infirmités. Si l'un des vôtres vient à mourir, annoncez-le aux frères, que chacun assiste aux funérailles et récite aux intentions du défunt quinze fois l'oraison dominicale et le *miserere*. » En somme, les Humiliés forment une société religieuse séculière, une fraternité qui préfigure de quelque manière les tiers-ordres à venir. Ils se réuniront tous les dimanches « pour entendre la parole de Dieu. » L'un d'eux, « puissant en parole et en œuvre » leur adressera « quelques mots d'édification pour les exhorter à mener une vie honnête et à faire des œuvres de piété, pourvu qu'il ne parle ni des articles de la foi ni des sacrements de l'Eglise ». Et le pape de conclure par cette réflexion hautement significative : « Nous interdisons aux évêques de s'opposer à cette prédication, car nous estimons avec l'Apôtre qu'il ne faut pas « éteindre l'esprit[130]. »

C'est avec de pareilles intentions qu'Innocent III écrit au prêtre Albert de Mantoue et aux Frères de Saint Marc pour confirmer la règle qu'ils avaient communément approuvée[131].

A l'autre extrémité de la Plaine du Pô une autre communauté vaudoise, indépendante depuis 1205, appelée « Pauvres Lombards », fut

128. Quod si forsan aliquid contra fidem sapiant orthodoxam et parati fuerint ab errore discedere ac mandatis apostolicis obedire, recepto ab eis juxta forman Ecclesiae, juramento, quod solet a talibus exhiberi, beneficium eis absolutionis impendas, mandans eisdem sub debito juramenti praestiti ut errorem quam approbaverant publice improbant et in aliis studeant pro viribus confutare ; de caetero etiam fidem orthodoxam servent et Sedem Apostolicam venerentur », *op. cit.*

129. Bulle *Incumbit nobis* 7 juin 1201, P. 1416. Voir le texte dans H. Tiraboschi : *Vetera Monumenta Humiliatorum*, Milan, 1766, t. II, pp. 128 et ss. Item, P. Lévy-Alphandéry, *ouvr. cité*, p. 25, n. 2. Voir F. Vernet, art. Humiliés, dans *D. T. C.*

130. Références bibliques : Matt., V, 32 et XIX, 9 ; Luc, XXIV, 19 ; I Thess, V, 19.

131. Lettre du 18 janvier 1207, P. 2983, inexistante dans *P. L.*

pareillement réconciliée en 1210. Son chef, l'allemand Bernard Primus, prêta serment entre les mains du pape, fit une profession de foi et précisa les articles essentiels des statuts[132]. Bernard Primus et sa communauté confessent « que le serment, non pas celui que le Christ a interdit dans l'Evangile, mais celui que les saints docteurs, entre autres saint Augustin, autorisent, peut être prêté pour cause de nécessité en toute justice et vérité ». La profession de foi est extrêmement importante. Bernard Primus et les « Pauvres Lombards » croient en la Trinité, suivant les formules du symbole des Apôtres, du symbole de Nicée et du symbole dit de saint Athanase. Ils affirment le dogme des Deux Natures en Jésus-Christ « Fils de Dieu dans la divinité véritable qu'il tira des entrailles de sa mère ». Ils insistent sur la réalité charnelle du Christ « qui a vraiment souffert, est vraiment mort, est vraiment ressuscité dans sa chair » et sur la matérialité de la Résurrection de chacun dans sa propre chair. Ils reconnaisent que l'Eglise catholique et apostolique « hors de laquelle nul ne peut être sauvé » est sainte et immaculée. Elle seule, par le ministère des évêques et des prêtres, dispense les Sacrements. Suit l'énumération : Baptême, Confirmation « administrée par l'évêque par l'imposition des mains », Eucharistie par quoi « les espèces du pain et du vin deviennent après la consécration le corps et le sang de Jésus-Christ ». On ne dit pas encore la transsubstantation. Le ministre n'en peut être que le prêtre « visiblement ordonné par l'imposition des mains d'un évêque visible, conformément au rite de l'Eglise. Un bon prêtre n'y ajoute rien, un mauvais prêtre n'y retranche rien ». Pénitence, Extrême-Onction « faite aux malades avec de l'huile consacrée ». On reconnaît « avec l'Apôtre la validité des unions charnelles » et on condamne absolument « que d'une manière ordinaire, ces unions puissent être rompues ». La profession de foi s'achève par la reconnaissance humble et fidèle de la Hiérarchie ecclésiastique et des usages de l'Eglise, notamment aumônes, sacrifices et bonnes œuvres pour les défunts, et par l'affirmation des conditions essentielles du salut : « Ceux qui restent dans le siècle, gardent leurs biens, croient ferment tout le contenu de la foi et observent les préceptes du Seigneur, nous croyons qu'ils sont sauvés. » Par là sont rejetées toutes les formes de docétisme, les théories manichéennes et les idées antisacerdotalistes si répandues dans la chrétienté depuis un siècle et plus. Cette profession de foi se retrouve à peu près telle quelle dans la Constitution dogmatique du IVe Concile de Latran[133].

Quant aux articles essentiels des statuts, ils consistent dans la pratique effective de la pauvreté et dans la prédication gratuite, sous le contrôle de la hiérarchie. « La foi sans les œuvres étant une foi morte,

132. D'après une lettre d'Innocent III du 14 juin 1210, P. 4014, *P. L.*, t. 216, cc. 289 et ss. Voir J.-B. Pierron, art. Poor Catholics, dans *The Catholic Encyclopedia*.

133. Sur le caractère et l'antiquité de la profession de foi imposée aux Humiliés et aux Pauvres Lombards, voir A. Dondaine : *Aux origines de Valdéisme*, art. cité, pp. 198-203.

comme dit l'Apôtre saint Jacques — Epitre II, 46 — nous avons renoncé au monde. Nos biens, suivant les conseil du Seigneur, nous les avons donnés aux pauvres et nous avons décidé d'être pauvres. Nous ne nous préoccupons pas du lendemain, nous n'acceptons ni or ni argent ni rien de tel, sauf le vêtement et la nourriture de chaque jour... Nous avons le devoir de prier Dieu qu'il envoie des ouvriers à sa moisson : Matt : IX, 38 ; Luc : X, 2, c'est-à-dire des prédicateurs à son peuple... » Ces prédicateurs, recrutés dans le sein même de la fraternité et exercés à la pratique des vertus, ne sauraient évidemment remplir leur mission sans l'autorisation du pape et des évêques. Innocent III prévient ici les excès des prédicateurs sans mandat contre lesquels saint Bernard s'était élevé au siècle précédent, et il impose à tous le strict contrôle de la hiérarchie. Le but de cette prédication, c'est évidemment de convertir les hérétiques. Le moyen, c'est la conférence, autrefois si chère à saint Augustin. Elle n'avait peut-être pas entièrement disparu, mais la ferveur extrême, disons le fanatisme, des évêques et des princes l'avait réduite en certaines régions à peu près à néant. Toutefois, si la conférence ne donne aucun résultat, si au contraire les hérétiques s'obstinent — ce qui est, d'ailleurs, conformément à la doctrine canonique, le propre de l'hérésie — on pourra recourir à la force. « Malgré le caractère de notre prédication, nous ne condamnons pas l'intervention légitime du pouvoir séculier contre les méchants. Nous défendons néanmoins très expressément l'effusion du sang, car il est écrit : *Reos sanguinis defendat Ecclesia*[134]. » Nous retrouvons ici le processus de la pensée augustinienne et la méthode proposée par saint Bernard. Sur la nature de la répression le texte ne dit rien. Il n'avait d'ailleurs aucune précision à donner sur ce point. Mais le rappel de la tradition ecclésiastique qui interdit l'effusion du sang condamne évidemment la peine de mort et ne laisse subsister que l'exil, peut-être aussi la prison. Le reste est sans importance. Les « Pauvres Lombards » se relaient par groupes plusieurs fois par jour pour la prière, ils jeûnent pendant le carême, aux vigiles et aux quatre-temps. Comme ils ne touchent aucun salaire pour leur prédication, ils se livrent à des travaux manuels. Le texte conclut par la nécessité de verser aux prélats et aux clercs les prémices et oblations dont ils vivent, et pour quiconque veut entrer dans la fraternité, l'obligation de restituer aux intéressés eux-mêmes, et non à des tiers, le bien mal acquis.

Quelle fut la destinée des Pauvres Lombards ? Nous l'ignorons. Une lettre du pape laisse entendre que la communauté fut en butte à de multiples difficultés[135]. D'où venaient-elles ? peut-être des Vaudois restés dans le schisme, plus probablement de l'épiscopat et du peuple. Que leur reprochait-on ? Un détail vestimentaire d'abord. Peu

134. D'après saint Grégoire le Grand, dans le Décret de Gratien, c. 7, C. XXIII, q. V.

135. Lettre du 23 juillet 1212 adressée aux Pauvres Lombards, P. 4567, *P. L.*, t. 216, c. 648. Du même, lettre du 1er août 1212 adressée à Sicard de Crémone, P. 4569, *P. L.*, t. 216, c. 668.

de chose en vérité. « Vous porterez l'habit religieux et modeste que vous avez l'habitude de porter, mais vous vous servirez dorénavant des chaussures en usage pour éviter le scandale que le port de chaussures ouvertes sur le dessus a déjà suscité. » L'autre reproche est plus grave : « Nous vous engageons, continue le pape, à conserver invinciblement la continence perpétuelle, la chasteté, la virginité, à éviter la société des femmes douteuses, à ne rester jamais seul avec une seule, sauf en présence de témoins qualifiés. Les frères et les sœurs ne dormiront jamais sous un même toit et ne s'assiéront jamais à une même table. » Nous apprenons ainsi l'existence de monastères de femmes, ce dont la rédaction première ne faisait aucune mention et nous comprenons qu'il dut y avoir quelques abus. Plus tard, Innocent III leur appella encore qu'ils n'ont pas sur la terre de cité permanente[136]. Peut-être les Pauvres Lombards avaient-ils tendance à s'affranchir de leur austérité première ?

Un pareil courant d'ascèse ordonné à la prédication se manifestait dans le même temps en Italie centrale. Toutefois, il ne s'agit plus ici de dissidents convertis, mais de chrétiens orthodoxes, également épris de perfection. François d'Assise est le contemporain de Bernard Primus. C'est en 1210 précisément qu'il expose à Innocent III son idéal de pauvreté absolue. C'était assurément très évangélique, mais la prédication de la pauvreté, surtout d'une pauvreté si rigoureuse, pouvait conduire des fidèles honnêtes et pieux à s'émanciper de la hiérarchie et aboutir à des dissidences antisacerdotalistes de type arnaldiste ou vaudois. Le pape, désireux de satisfaire les exigences spirituelles des meilleurs des chrétiens ou, suivant l'expression paulinienne qui lui était chère, de ne pas « éteindre l'esprit », et de conserver l'organisation hiérarchique traditionnelle qui lui était non moins chère, autorisa les « frères mineurs » à prêcher, mais avec cette double réserve : ils ne toucheraient à aucun sujet dogmatique ou sacramentaire, même disciplinaire : restait le champ de la morale, et il était immense ; et ils n'agiraient que sous le contrôle des Ordinaires. Pour assurer plus efficacement ce contrôle, on agrégea les « mineurs » au clergé par la tonsure. Innocent III se réservait d'octroyer à la communauté naissante de plus amples privilèges et sans doute de l'organiser en vue de cette réforme de l'Eglise qui fut peut-être le souci principal de son pontificat[137]. « Quand le Tout-Puissant vous aura fait multiplier et progresser, vous nous en référerez, nous vous concéderons tout ce que vous demanderez et nous pourrons avec plus de sécurité vous accorder encore davantage[138]. » S'il ne le put, il eut au moins le mérite d'avoir compris l'aide inattendue qui lui était offerte et de montrer

136. Lettres des 4 et 8 décembre 1214, P. 4944 et 4945,: H. Tiraboschi, *ouvr.*, *cité*, t. II, pp. 156-157.
137. A. Fliche : La Chrétienté Romaine, dans *Histoire de l'Eglise*, coll. Fliche et Martin, t. 10, Paris, 1950, pp. 139 et ss.
138. D'après P. Sabatier, *Vie de saint François d'Assise*, Paris, éd. 1931, pp. 115 et ss.

à ses successeurs dans quel sens ils devraient agir pour le bien de l'Eglise.

*
* *

Quand Innocent III monta sur le trône de Saint-Pierre, la situation religieuse de la Provence et du Languedoc était lamentable[139]. Le Catharisme s'y épanouissait à l'aise grâce à l'indignité des évêques et à l'indifférence des princes. Pour contraindre les uns et les autres à l'obéissance le pape trouva des auxiliaires dévoués dans les moines de Citeaux.

On peut compter deux missions principales : celle des moines Guy et Rainier en 1198, celle de l'abbé de Citeaux et des moines Raoul et Pierre en 1204.

Le 21 avril 1198, Innocent III annonça aux archevêques d'Aix, Arles, Embrun, Vienne, Lyon, Narbonne, Auch, Tarragone et à leurs suffragants, à tous les comtes, barons, et à tous les fidèles l'arrivée prochaine des légats Guy et Rainier. L'objet de leur mission est très nettement défini. « Les Vaudois, Cathares, Patarins et autres hérétiques, écrit le pape, se sont tellement multipliés qu'ils ont capté la plus grande partie de la population et l'ont corrompu par le ferment de l'erreur. Pour capter nous-mêmes ces renards qui dévastent la vigne du Seigneur... nous délégons en Provence et dans le Languedoc notre cher fils, frère Rainier... et avec lui, notre cher fils, frère Guy... Nous vous ordonnons par l'autorité des présentes et nous vous enjoignons strictement de les recevoir avec bienveillance et empressement, de les traiter avec délicatesse et de les aider contre les hérétiques, afin que

---

139. D'après Guillaume de PUYLAURENS, *Chronicon*, édition J. Beyssier, dans *Troisièmes mélanges d'histoire du moyen âge*, publiés sous la direction de A. LU-CHAIRE, Paris, 1904, Bibliothèque de la Faculté des Lettres de Paris, fasc. XVIII, ch. III et ss, pp. 85 et ss, l'évêque d'Albi, Guillaume, se trouvant au chevet d'un moribond, Guillaume-Pierre de Barrenx, lui demande de faire élection de sépulture. Le malade lui déclare simplement qu'il veut se faire enterrer chez les « Bonshommes », c'est-à-dire chez les hérétiques. L'évêque s'efforce de l'en dissuader. « N'insistez pas, répond le malade, si je ne pouvais le faire autrement, je m'y hâterais à quatre pattes », p. 122. Il meurt dans l'impénitence. Peu de temps après, le même évêque d'Albi rencontre à Lombez un hérétique de marque, Sicard Cellerier, évêque cathare d'Albi, d'après les actes du conventicule de saint Félix de Caraman. Il lui demande ce qu'il pensait du sort éternel de Guillaume-Pierre de Barrenx. Sicard répondit qu'il le croyait sauvé. Quant à l'évêque de Toulouse, Fulcrand, il vivait « comme un bourgeois ». Son diocèse ressemble au champ du paresseux dont parle l'Ecriture : il est plein d'hérétiques. La faute retombe en grande partie sur l'indignité du pasteur : « Per agrum pigri hominis transivi, sed ecce totum impleverunt urtice — Prov. : XXIV, 30, 31 — heretici revera inutiles et urentes, cujus rei culpa pro magna parte refundi poterat in praelatos, utpote qui saltem latrare poterant, reprehendere et mordere — Isaïe, LVI, 10. » Son successeur, Raymond de Rabastens, archidiacre d'Agen, dont l'élection était simoniaque, vécut au milieu des procès et des guerres qu'il faisait à son vassal Raymond Fort de Beaupuis. Sur Guillaume de Puylaurens, voir Y. DOSSAT : Le chroniqueur Guillaume de Puylaurens était-il chapelain de Raymond VII ou notaire de l'inquisition toulousaine ? dans *Annales du Midi*, Hommage à la mémoire de Joseph Calmette, Toulouse, 1953, pp. 343-353.

par leur ministère ils les détachent de leurs erreurs pour les ramener
à Dieu... Nous vous enjoignons strictement, dit-il encore, de vous
conformer humblement à toutes les mesures que le frère Rainier croira
devoir prendre contre les hérétiques, leurs fauteurs et leurs défenseurs
et de les faire inviolablement observer[140]. » Il ne semble pas que les
ordres du pape aient été bien suivis. Nous pensons même que les évêques
durent être humiliés de se voir soumis à l'autorité de deux simples
moines. Le 13 mai 1198, une nouvelle lettre d'Innocent III les rappela à leur devoir[141]. Bien que Rainier dût s'absenter pour aller en
Espagne pour de difficiles négociations[142], la mission de Guy continua
et les évêques furent invités expressément à « tirer contre les hérétiques le glaive spirituel » quand ils en seront requis. La mission de
Rainier s'acheva en décembre. Malgré son retour, nous ne voyons
pas que les hérétiques aient été contraints par le glaive spirituel, encore moins par le glaive matériel. Le pape renouvela en juillet 1198
et encore en juin 1199 la légation de Rainier et il recommanda une
fois de plus le légat aux archevêques[143]. La première mission cistercienne aboutit à un échec.

L'année suivante, le 12 juin 1200, Innocent III envoya le cardinal
Jean de Saint-Prisque, à identifier avec le cardinal de Saint-Paul[144],
en mission dans le Languedoc pour y faire appliquer la décrétale *Ver-*
gentis[145]. En novembre, le cardinal fut chargé d'enquêter sur les agissements de l'archevêque de Narbonne. « Les clercs, écrit le pape, sont
insultés sans pudeur, l'insolence des tyrans s'en donne à cœur-joie
plus que jamais dans le sanctuaire du Seigneur — *tyrannorum inso-*
lentia insolentius solito in sanctuarium Domini debacchatur — les laïcs
ont transformé les églises en forteresses d'où les chrétiens se livrent
aux razzias et à la guerre contre les chrétiens. Les évêques le savent,
mais ils ferment les yeux, quelques-uns mêmes approuvent. Alors
l'hérésie exécrable... devient d'autant plus insolente. Les disciples de
Manès sont plus nombreux que les disciples du Christ, les disciples
de Simon le Magicien plus nombreux que les disciples de Simon Pierre. »
Innocent III décrit ensuite tous les scandales de l'Eglise languedocienne : cumul des bénéfices, indignité des prêtres, indiscipline du
clergé. « Ces gens-là, écrit-il encore, préfèrent les jeunes aux anciens,
les incapables aux hommes compétents, les indisciplinés aux parfaits.

---

140. P. 95 ; *P. L.*, t. 214, cc. 81 et ss.
141. P. 169 ; *P. L.*, t. 214, c. 142.
142. Pour contraindre le roi de Léon, Alphonse IX à se séparer de sa femme
Bérengère et pour contraindre en même temps le roi de Portugal Sanche Ier, à
verser au Saint-Siège le cens annuel qu'il lui devait : P. 81, 92, 103, 263, 402.
Le 30 octobre, Innocent III donne à son légat tout pouvoir pour réformer les
églises qu'il aurait à visiter au cours de son voyage : P. 402, *P. L.*, t. 214, c.
373. A. Luchaire, *Les Royautés vassales*, Paris, 1908, pp. 9 et ss..
143. Lettres des 12 juillet 1198 et 7 juin 1199, P. 764, 785, *P. L.*, t. 214, cc.
675 et ss..
144. H. L., t. V, p. 1229.
145. *H. F.*, t. XIX, p. 389.

Ils confèrent les dignités ecclésiastiques sans souci de leur devoir pastoral à des jeunes gens ignares qui n'ont même pas reçu les ordres sacrés et dont la vie et les mœurs sont trop souvent une offense à la morale. Alors l'insolence des hérétiques, les attaques des tyrans, le mépris du peuple pour Dieu et pour l'Eglise grandissent tous les jours. Les prélats sont la risée des laïcs. Tel prêtre, tel peuple — *sic populus sic sacerdos* —[146]. » En décembre, le cardinal reçut l'ordre de s'occuper de l'affaire d'Ingeburge ; en février 1201, il est en France auprès du légat Octavien ; en juillet, il revient dans le Languedoc ; en novembre, il est de retour auprès du pape[147]. Ce trop rapide passage ne pouvait donner aucun résultat.

Une seconde mission cistercienne fut envoyée en 1204. Elle se composa de trois personnages, l'abbé même de Citeaux, Arnaut-Amaury[148], Pierre de Castelnau et Raoul, moines de l'abbaye cistercienne de Fontfroide, dans le Languedoc. Innocent III leur donna en termes bibliques tout pouvoir pour « détruire et arracher, édifier et planter. » Les archevêques et évêques furent pareillement invités à prêter aux légats leur concours effectif[149]. Quelques mois plus tard, les légats, découragés, songeaient à quitter le Languedoc. En 1205, le pape dut remonter le moral très abattu de Pierre de Castelnau[150]. En 1206, le découragement des légats sembla l'atteindre à son tour : il envoya au Chapitre de Citeaux une lettre désolée[151].

La situation fut heureusement retournée sous l'influence de saint Dominique[152]. Dans le courant de l'année 1206, Innocent III reçut à

146. P. 1177, *P. L.*, t. 214, c. 918. Réminiscences bibliques : Isaïe, XXIV, 2 et Osée, IV, 9.

147. P. 1218, 1289, 1420 ; *H. F.*, t. XIX, p.404. En novembre 1201, il est à Anagni auprès d'Innocent III. Il signe une lettre du pape à l'archevêque de Lund : P. 1505 et p. 464.

148. Voir P.C.F. DAUNOU : Arnaut-Amaury abbé de Citeaux, puis archevêque de Narbonne, dans l'*Histoire Littéraire de la France*, t. XVII, Paris, 1832. Lettre d'Innocent III, 31 mai 1204 ; P. 2229 ; *P. L.*, t. 215, c. 358, avec réminiscence de Jérémie : I, 10.

149. Lettre du 31 mai 1204 : P. 2230, *P. L.*, t. 215, c. 360 : « Ex virtute obedientiae districte praecipiendo ut praedictis abbati et monachis tamquam apostolicae sedis legatis potenter et efficaciter assistentes, quae... duxerint stuenda recipiatis humiliter et inviolabiliter observare procuretis. »

150. Lettre du 26 janvier 1205 : P. 2391 ; *P. L.*, t. 215, c. 525 : « Le peuple vers lequel je t'ai envoyé est dur et incorrigible, mais Dieu qui est tout-puissant peut susciter des pierres mêmes des enfants d'Abraham » ; allusion à Matth. III, 9. Et le pape de rappeler à son légat les exhortations de saint Paul à Timothée : « Importune, opportune, argue, obsecra, increpa », II Tim. : IV, 2.

151. Lettre du 11 juillet 1206 : P. 2840, *P. L.*, t. 215, c. 940.

152. Pierre des VAUX-DE-CERNAI : *Historia Albigensis*, édition P. Guébin et E. Lyon, dans *Société de l'Histoire de France*, t. I, Paris, 1926, pp. 21 et ss. Traduction par P. GUÉBIN et H. MAISONNEUVE, dans *L'Eglise et l'Etat au Moyen Age*, coll. H.-X. Arquillière, vol. X, Paris, 1951, pp. 12 et ss. Sur saint Dominique, voir notamment dans P. MANDONNET : *Saint Dominique*, Paris, 1938, les études de H. VICAIRE : *La sainte prédication de Narbonnaise*, t. I, pp. 115-140. Du même : Saint Dominique en 1207, notes critiques, dans *Archivum fratrum Praedicatorum*, vol. XXIII, 1953, pp. 335-345.

Rome l'évêque d'Osma, Diégo de Acebes, et le sous-prieur du Chapitre de sa cathédrale, Dominique de Gusman. L'un et l'autre soumirent au pape une méthode de prédication qui, pour n'être point nouvelle, puisqu'elle remontait aux temps apostoliques : Mtt : X, 9 et ss., n'existait dans la Provence et le Languedoc que chez les missionnaires cathares. Leur projet reçut l'approbation pontificale. A leur retour de Rome, les deux pélerins, passant à Montpellier, s'en entretinrent avec les légats. Ceux-ci autorisèrent Diego et Dominique à s'adjoindre des compagnons et à prêcher, mais ils hésitaient eux-mêmes à les imiter, lorsque Innocent III ordonna à Raoul de Fontfroide, le 17 novembre 1206, d'organiser un ou plusieurs groupes de prédicateurs ambulants qui « reproduisant en eux la pauvreté du Christ, simplement vêtus et ardents de cœur, ne craignent pas d'aller vers les humbles, de prévenir auprès d'eux la hâte des hérétiques et, avec la grâce de Dieu, de les détourner de l'erreur, par l'exemple de leurs œuvres et l'autorité de leurs paroles »[153].

Conformément aux ordres du pape, Arnaut-Amaury qui s'était rendu à Citeaux après la conférence de Montpellier pour le Chapitre du 14 septembre, revint l'année suivante, en mars 1207[154] avec douze abbés cisterciens, parmi lesquels Guy, abbé des Vaux de Cernai, l'oncle du chroniqueur de la croisade, et Henri, abbé de Mont-Sainte-Marie. Ils s'adjoignirent d'autres moines et commencèrent aussitôt leur ministère de prédication selon la méthode de saint Dominique et d'Innocent III. Partagés en plusieurs groupes, Guy des Vaux-de-Cernai pour la région de Carcassonne, Henri de Mont-Sainte-Marie pour la région de Pamiers, Pierre de Castelnau pour la région du Rhône, ils parcoururent une grande partie du Languedoc. Leurs principales conférences eurent lieu à Servian, Béziers, Carcassonne, Montréal et Pamiers[155].

La plus remarquable de ces conférences fut celle de Pamiers. Elle se tint en septembre 1207 dans le château du comte de Foix, Raymond-Roger, en sa présence, en présence de sa femme, de sa famille, tous plus ou moins hérétiques ou fauteurs d'hérésie[156], de Foulques, évêque de Toulouse, Navarre, évêque de Couserans. Les partis désignèrent un arbitre, le clerc séculier Arnaut de Camprahan. Nous ne connaissons pas les détails de la discussion, nous savons seulement que l'arbitre se prononça en faveur des catholiques. On vit alors un certain nombre de Vaudois demander leur réconciliation avec l'Eglise. On cite les noms de Durand de Huesca, leur chef, un espagnol, et de

---

153. Lettre du 17 novembre 1206 : P. 2912, *P. L.*, t. 215, c. 1024, *op. cit.*
154. *Hist. Alb.*, n° 47. Robert d'Auxerre, *Chronicon*, dans *M. G. H.*, ss, t. XXVI, p. 271.
155. *Hist. Alb.*, n° 48 et ss. Guillaume de Puylaurens, *Chronicon*, ch. VIII, IX, éd. J. Beyssier, pp. 127-128. D. Vaissète, t. VI, pp. 249 et ss. A. Luchaire, *La Croisade des Albigeois*, Paris, 1905, pp. 92 et ss.
156. *Hist. Alb.*, n° 48 et ss. Voir le portrait du comte de Foix par Pierre des Vaux-de-Cernai, dans *Hist. Alb.*, n° 197-209.

quelques autres, originaires du Languedoc, Guillaume de Saint Antonin, Jean de Narbonne, Bernard de Béziers, Raymond de Saint Paul et Ermengaud qui composera un petit traité contre les hérétiques[157]. L'année suivante, ils se rendirent à Rome. Innocent III les reçut avec bienveillance et leur fit prêter un serment et une profession de foi semblables au serment et à la profession de foi des Pauvres Lombards[158].

La profession de foi contient quelques précisions relatives aux Sacrements, surtout au Baptême et à l'Eucharistie. « L'indignité de l'évêque ou du prêtre ne porte aucun préjudice ni au Baptême de l'enfant, ni à la consécration des Espèces, ni aux autres autres fonctions ecclésiastiques accomplies par leurs inférieurs... Nous croyons que le Baptême remet, outre le péché originel, tous les autres péchés volontairement commis... L'efficace de la Consécration réside, non pas dans le mérite du prêtre qui consacre, mais dans la parole du Créateur et dans la puissance du Saint-Esprit. Aussi bien, nous croyons fermement qu'aucun homme, si honnête, religieux, saint et prudent soit-il, ne peut ni ne doit consacrer les Espèces, ni offrir le Sacrifice de l'autel que s'il est prêtre régulièrement ordonné par un évêque que l'on puisse voir et toucher — *episcopo visibili et tangibili* —. » Une clause évidemment dirigée contre le manichéisme déclare que « le diable est devenu mauvais, non par l'acte de sa création, mais par l'exercice de son libre arbitre ».

Les obligations morales consistent essentiellement dans la pratique des vertus de pauvreté et de chasteté en vue de la prédication. Durand et ses frères sont d'autant plus aptes à prêcher qu'ils possèdent les qualités juridiques et théologiques requises. « Comme nous sommes presque tous clercs et presque tous instruits, nous avons résolu de nous consacrer entièrement à la lecture, à la prédication, à l'enseignement et à la discussion en vue de combattre tous les genres d'hérésie. Les discussions seront faites par nos frères les plus savants, éprouvés dans la foi catholique et instruits dans la Loi du Seigneur. Les plus considérables et les plus compétents dans la Loi du Seigneur et les sentences des saints Pères enseigneront dans notre école à nos frères et amis la parole du Seigneur, avec l'autorisation des évêques et dans le respect qui leur est dû. Ils formeront ainsi des frères capables d'enseigner au peuple la saine doctrine, de les attirer par tous les moyens à la foi et de les ramener dans le giron de la Sainte Eglise Romaine. » Les autres membres de la communauté s'occuperont de travaux manuels à l'exception, semble-t-il, des clercs. Le texte envisage l'hypothèse de l'échec de la prédication. Aussi reconnaît-il la

---

157. Opusculum contra Haereticos, *P. L.*, t. 204, cc. 1235 et ss.
158. Lettre d'Innocent III à l'archevêque de Tarragone et à ses suffragants, 18 décembre 1208, P. 3571, *P. L.*, t. 215, cc. 1510 et ss. « Ejus exemplo qui non est Deus dissentionis sed pacis, volens omnes homines salvos fieri et ad agnitionem veritatis venire. — I Tim. : II, 4, venientes ad apostolicam sedem dilectos filios Durandum de Osca et socios ejus paterna benignitate suscepimus, et ea quae nobis tam pro se quam pro fratribus suis exponere curaverunt pleno concepimus intellectu. » La réconciliation de Bernard Primus et des Pauvres Lombards est de l'année 1210. Voir ci-dessus.

légitimité du recours au pouvoir séculier « à condition que ce pouvoir agisse avec esprit de justice et non avec des sentiments de haine, avec prudence et non sans discernement »[159]. La profession de foi se termine par une promesse inconditionnée d'obéissance au pape et aux évêques[160]. Ajoutons enfin un détail vestimentaire qui semble avoir eu quelque importance. Les Pauvres Catholiques porteront des chaussures « ouvertes sur le dessus et d'une façon spéciale pour qu'on voit clairement que nous sommes séparés par le corps comme par le cœur de la Société des Pauvres de Lyon ».

Grâce à la protection du Saint-Siège, les Pauvres Catholiques se répandirent, non seulement dans le Languedoc, mais encore en Lombardie et en Aragon. Non sans peine d'ailleurs, car ils furent en butte à peu près constante à l'hostilité de l'épiscopat. L'archevêque de Narbonne, les évêques de Béziers, Uzès, Nîmes, Carcassonne et deux frères de l'ordre de Citeaux — peut-être les deux légats Pierre et Raoul — ne sont pas loin de les accuser devant le pape de retourner à l'hérésie. Ils continuent d'entretenir des relations avec les Vaudois insoumis qu'ils amènent dans leurs églises et associent à leur culte, même à la célébration de la sainte messe ; ils détournent des paroisses, sous prétexte de conférences doctrinales dans leur école, leurs frères et amis ; et ils n'ont cure ni de la récitation de l'office, ni de la prédication ; ils osent affirmer que le pouvoir séculier ne saurait sans faute mortelle verser le sang[161].

Peut-être Durand de Huesca et ses frères commirent-ils quelques imprudences. Qu'ils aient entretenu quelques relations avec leurs frères demeurés dans le schisme, voire l'hérésie, c'était assez naturel. Il n'y avait pas si longtemps que les deux branches de Vaudois s'étaient séparées. D'ailleurs, les Pauvres Catholiques se sentaient peut-être plus proches de leurs frères par la communauté de leurs aspirations que des prélats fastueux du Languedoc. Innocent III prit leur défense. Il faut attendre, car on reconnaît l'arbre à ses fruits. Et puis, ils peuvent désirer sincèrement la réconciliation de leurs frères avec l'Eglise Romaine. On ne peut leur reprocher de rester encore fidèles à de vieilles habitudes — on ne se transforme pas en un jour — s'ils restent fidèles dans la vérité. D'ailleurs, la diversité des coutumes, à plus forte raison des costumes, ne porte aucune atteinte à l'unité de la Sainte Eglise qui se tient à la droite de son Epoux comme une reine « couverte de

159. Conformément à la doctrine des canonistes qui se résume dans la formule : « Non zelo ultionis, sed amore correctionis », voir chapitre I, pp. 80-90.
160. « Je rendrai à vous, comme au successeur du Bienheureux Pierre, aux archevêques, aux évêques et à tous les prélats dans les diocèses ou les paroisses desquels je demeurerai le respect et l'obéissance empressés que je leur dois », *op. cit.*
161. D'après une lettre d'Innocent III à Durand de Huesca, 5 juillet 1209, P. 3769, *P. L.*, t. 216, c, 75 : « ...quosdam Valdenses haereticos nondum reconciliatos ecclesiasticae unitati duxeritis ad ecclesiam ut vobiscum consecrationi Dominici corporis interessent, participantes in omnibus cum eisdem... » La fréquentation des hérétiques ou des excommuniés entraînait une excommunication dite « mineure ». Voir Décret de Gratien, C. XI, Q. III, et textes conciliaires, notamment c. 27 du IIIe Concile de Latran : ci-dessus chapitre II, pp. 121-134.

vêtements variés »[162]. On mène plus facilement les hommes par des rappels bienveillants que par des menaces : la douceur de la grâce corrige plus que l'austérité de la discipline[163]. Que si néanmoins il y a de trop graves abus, il faudra en informer le pape. « Nous appliquerons le remède que nous jugerons expédient[164]. »

En même temps, Innocent III adresse à Durand de Huesca une paternelle monition. Si tel détail vestimentaire fait scandale — il s'agit encore des chaussures — qu'il le modifie, cela n'est rien. Mais que lui et ses frères fréquentent les églises « pour éviter le mépris du sacerdoce », et qu'ils s'unissent aux autres prédicateurs, conformément à la volonté de Celui qui se réserva Paul et aussi Barnabé[165]. Enfin le pape expose la théorie des deux glaives d'où il résulte sans doute que le pouvoir séculier a le droit de verser le sang[166].

Malgré l'intervention du pape, la tension demeura entre l'épiscopat et la communauté. Innocent III envoya des lettres sévères à Bérenger de Narbonne et à son successeur, Arnaut-Amaury, à Raymond d'Uzès, lui aussi légat du Saint-Siège, à Pierre, évêque de Marseille[167]. Il défend la communauté contre les intrigues, d'où qu'elles viennent, il l'autorise à se choisir un avocat, s'il y a lieu. Quand il faut redresser quelques torts, il le fait toujours avec bienveillance et douceur[168]. Mais on ne voit pas qu'il lui ait jamais accordé de privilège d'exemption : il maintient au contraire les droits des Ordinaires.

Les Pauvres Catholiques étaient également nombreux dans la région de Milan où ils pouvaient se rencontrer d'ailleurs avec leurs frères les Pauvres Lombards. Ils y possédaient une école[169]. Les rapports

---

162. « ...consuetudinem quippe diversitas, in habitu praesertim extrinseco, deformitatem in sancta Ecclesia non inducit, cum assistat a dextris Sponsi circumdata varietate regina. » Allusion à Ps. XLIV, 10.

163. Lettre à l'archevêque de Narbonne et à ses suffragants, 5 juillet 1209, P. 3769, *P. L.*, t. 216. cc. 73 et ss : « Plerique homines facilius commonitionibus quam comminationibus (jeu de mots impossible à rendre en français) revocantur et nonnullos affabilitas gratiae magis quam asperitas disciplinae. »

164. Innocent III agit pareillement au sujet des hérétiques de Metz : il se réserve le jugement définitif. Voir ci-dessus.

165. Lettre du 5 juillet 1209, déjà citée : « Volumus et mandamus ut in praedicationis officio adversus cujusmodi vulpes molientes vineam Domini demoliri aliis catholicis praedicatoribus vos jungatis, ejus exemplo qui jussit segregari sibi Barnabam et Paulum. » Actes, XIII, 2.

166. En réalité, le glaive temporel a pour but de « contraindre » les hérétiques, c'est-à-dire de leur créer des conditions de vie de telle nature que, ou bien ils soient amenés à résipiscence, ou bien ils soient empêchés de nuire. Il ne saurait être question de verser le sang. Mais dans le contexte des accusations portées par les évêques contre les Pauvres Catholiques, dans le contexte de la croisade qui va commencer, on peut se demander si la « contrainte » des hérétiques ne présente pas un caractère plus radical.

167. Lettres des 12 mai 1210, 29 et 30 mai 1212 : P. 3999, 4512, 4515, *P. L.*, t. 216, cc. 256, 607, 608 et *Gal. Christ. Noviss*, Marseille, p. 99, n° 202.

168. Lettres du 29 mai 1212 ; P. 4508, 4510, *P. L.*, t. 216, cc. 609, 607.

169. D'après une lettre d'Innocent III à l'archevêque de Milan : 3 avril 1209, P. 3694, *P. L.*, t. 216, c. 29. Les Vaudois de Milan avaient une école, bâtie sur un terrain appartenant à la Commune. Cette école avait été détruite, puis relevée. Une centaine de Vaudois convertis ou Pauvres Catholiques demandent au pape de conserver leur école. Innocent III laisse à l'archevêque le soin de décider.

avec l'épiscopat furent au début sans doute assez bons. Puis ils se gâtèrent. Innocent III dût, ici encore, intervenir en faveur de ses protégés auprès des archevêques de Milan et de Gênes et de leurs suffragants[170].

Même situation dans la région pyrénéenne. Les Pauvres Catholiques, mal différenciés des Vaudois hérétiques contre lesquels le roi d'Aragon avait porté un édit sévère[171] étaient exposés aux tracasseries des évêques et des fonctionnaires royaux, Innocent III les défendit contre l'archevêque de Tarragone et ses suffragants, contre les évêques de Barcelone et de Huesca, la patrie de Durand, contre Pierre II[172]. C'est peut-être dans cette région qu'ils remportèrent leurs plus grands succès. Beaucoup d'hommes et de femmes embrassent la pauvreté, observent la chasteté, suivent les jeûnes de l'Eglise et d'autres supplémentaires, récitent sept fois par jour les quinze *Pater, Credo* et *Miserere* qui composaient en quelque sorte la prière officielle des Pauvres Catholiques, enfin s'engagent à servir les pauvres. Un des nouveaux convertis propose de construire sur sa propriété un monastère d'hommes et un monastère de femmes, d'y élever un hôpital pour les malades, les pauvres, les infirmes, les enfants abandonnés, les femmes en couches, de fournir des draps pour cinquante lits, de construire une chapelle sous le vocable de la Sainte Vierge et de mettre cette chapelle sous la protection et dans la dépendance du Saint-Siège, en signe de quoi elle versera un cens annuel. Innocent III qui fondait à Rome dans le même temps l'hôpital du Saint-Esprit[173] ne pouvait qu'accueillir avec faveur un tel projet : toutefois il s'en remit au jugement de l'évêque d'Elne, l'invitant à accorder les autorisations nécessaires qu'avec prudence et sans préjudice de la discipline ecclésiastique[174].

Plus importante fut la réforme du clergé. Les missionnaires cisterciens trouvèrent quelques évêques dociles qui furent à leur tour nommés légats, mais la plupart des évêques dûrent être déposés.

Le 30 octobre 1198, Innocent III ordonne à l'archevêque d'Aix de recevoir la démission de l'évêque de Fréjus qui se sent incapable désormais de gouverner son Eglise, et lui commet le soin de pourvoir à l'élection de son successeur[175].

Le 23 décembre 1198, Innocent III ordonne à l'archevêque de Narbonne et au frère Rainier de recevoir la démission de l'évêque de Carcassonne, Othon, qui en raison de son âge ne se sent plus capable

170. Lettres des 12 mai 1210 et 31 mai 1212, P. 3999, 4516, *P. L.*, t. 216, cc. 256 et 608.

171. MANSI, t. XXII, cc. 673 et ss. Voir chapitre II, pp. 139-140.

172. Lettres des 5 juillet 1209 et 12 mai 1210, 30 mai 1212 et 28 mai 1212 : P. 3766, 3768, 3999, 4515, 4506 ; *P. L.*, t. 216, cc. 73, 74, 274, 607, 608.

173. A. FLICHE, La Chrétienté Romaine, *ouvr. cité*, coll. Fliche et Martin, t. 10, p. 177.

174. Lettre du 26 mai 1212, P. 4504, *P. L.*, t. 216, c. 601. Même réserve du pape qu'au sujet de l'école milanaise et même attitude à l'égard de l'Ordinaire.

175. P. 404 ; *P. L.*, t. 214, c. 374.

de gouverner un diocèse d'autant plus difficile à régir que le « venin de l'hérésie » l'a contaminé davantage, et de faire élire par les chanoines un digne successeur au vieil évêque[176].

Le 18 février 1204, Innocent III confirme l'acte de ses légats Raoul et Pierre qui ont privé de son office et de son bénéfice l'évêque de Béziers, Guillaume de Roquessels, pour avoir refusé de s'associer à leur démarche auprès du comte de Toulouse et refusé d'excommunier, malgré ses promesses, les consuls hérétiques de Béziers. « En attendant, écrit le pape à l'évêque d'Agde et à l'abbé de Saint-Pons, pourvoyez le diocèse d'un administrateur, et, s'il y a lieu, frappez les mécontents, *appellatione remota*, de la censure ecclésiastique[177]. »

Le 8 juin 1204, Innocent III ordonne à l'archevêque d'Embrun, Guillaume de Bénévent, et à l'abbé de Boscodon de faire une enquête sérieuse sur la vie et les mœurs de Pierre, évêque de Vence, dont les scandales sont tels que son église *est fere usque fundamentum ad extraneum inanitionem deducta*, de le déposer, s'il y a lieu, et de faire élire un autre évêque qui présente les qualités requises[178].

Le 20 janvier 1205, Innocent III ordonne au chapitre de Viviers d'élire un nouvel évêque. Raoul et Pierre de Castelnau, au cours de leur mission, trouvèrent en effet l'église de Viviers dans une situation lamentable. Le clergé de la ville et plusieurs chanoines affirmèrent sous la foi du serment *multa gravia contra episcopum*, mais comme l'évêque, Nicolas, « était puissant et noble », l'archevêque de Vienne intervint auprès des légats *ut non ad depositionem dirigetur ipsorum intentio, sed ad ipsius episcopi potius cessionem* ; ce qui fut fait. L'évêque se réserva néanmoins les fonctions liturgiques. Cependant, le Chapitre devait se réunir dans les huit jours pour élire en accord avec les légats un nouveau pontife. Si dans les huit jours l'élection n'était pas faite, les légats y pourvoieraient eux-mêmes, *appellatione remota*[179].

Le 25 mai 1205, Innocent III écrit à l'archevêque d'Arles et aux abbés de Villemagne et de Saint-Guillaume au sujet de Raymond, évêque d'Agde. Les deux légats, ayant appris qu'il se passait dans cette église des choses abominables : *multa sibi fuerant insinuata sinistra*, voulurent se rendre compte de ce dont il s'agissait. Les chanoines et l'évêque jurèrent de dire la vérité : leurs affirmations furent enregistrées par écrit. Mais l'évêque fit appel à Rome et présenta au Souverain Pontife, directement et par écrit, sa justification. Elle fut probablement jugée suffisante, puisque Raymond demeura sur le siège d'Agde jusqu'à sa mort qui arriva en 1213[180].

Les légats déposèrent l'évêque indigne de Toulouse, Raymond de Rabastens, qui avait cependant prêté un serment de foi orthodoxe

---

176. P. 503 ; *P. L.*, t. 214, c. 457.
177. P. 2129 ; *P. L.*, t. 215, c. 272.
178. P. 2238 ; *P. L.*, t. 215, c. 366.
179. P. 2380 ; *P. L.*, t. 215, c. 523 ; D. Vaissète, t. VI, p. 242.
180. P. 2516 ; *P. L.*, t. 215, c. 642 ; c. 18-X-V-1.

le 13 décembre 1203[181]. Mais ce personnage était accusé de simonie et ses guerres contre son vassal Raymond Fort-de-Beaupuis déterminèrent l'intervention des légats[182]. Innocent III l'autorisa néanmoins à exercer les fonctions liturgiques les jours de fête et sur l'invitation du clergé ; il ordonna également de prélever pour lui sur les biens de l'évêché une somme de 30 livres de monnaie de Toulouse *ne in opprobrium tui ordonis mendicare cogaris*[183]. Le prévôt de la cathédrale, Mascaron, qui témoigna de l'élection simoniaque de son évêque, fut également déposé pour le même motif[184].

En juillet 1205, Raoul de Fontfroide procéda à la visite canonique de l'abbaye de Mont-Majour[185]. En décembre, des statuts pour la réforme des chanoines de l'église d'Arles furent publiés[186].

Nous avons des renseignements plus précis sur le scandale de Marseille. Le vicomte de Marseille, Barral, avait marié sa fille unique à Hugues des Baux. Mais après la mort de Barral, les Marseillais, au mépris des droits de succession, arrachèrent de son couvent le frère du défunt, Roncelin, « moine, sous-diacre, abbé » et le proclamèrent vicomte. Il y consentit d'ailleurs on ne peut plus facilement. Cette révolution dressa évidemment contre Roncelin l'héritier Hugues des Baux, Guillaume, prince d'Orange, l'archevêque d'Arles et de nombreux évêques. Innocent III fulmina l'excommunication et ordonna aux Marseillais d'expulser Roncelin et de restituer l'héritage de Barral à qui de droit, sous menace d'excommunication et d'interdit[187]. Mais en vain : en 1209, le légat Milon essaya de convertir les Marseillais : ils se moquèrent de lui et le légat, la rougeur au front, dût quitter Marseille[188]. En 1211, Innocent III mandait encore à Arnaut-Amaury et à Raymond d'Uzès de faire observer la sentence d'excommunication qui avait été portée contre Roncelin[189]. Quelque temps après, celui-ci demanda à l'évêque d'Uzès sa réconciliation et la levée de l'interdit. Raymond d'Uzès lui donna l'absolution, leva l'interdit qui pesait sur Marseille, mais il ordonna au vicomte de se présenter au Souverain Pontife ou d'envoyer au moins à Rome un mandataire.

181. En mars ou avril, d'après une lettre d'Innocent III à l'archevêque de Narbonne : 11 mai 1206 ; P. 2778 ; *P. L.*, t. 217, c. 159 ; *Gal. Christ.*, t. XIII, c. 21.
182. Guillaume de Puylaurens, *Chronicon*, p. 173, n. 1 ; D. Vaissète, t. VI, p. 137, n. 1.
183. Lettre du 5 juillet 1205 ; P. 2557 ; *P. L.*, t. 215, c. 682.
184. Lettre du 6 juillet 1205 ; P. 2561 ; *P. L.*, t. 215, c. 683 ; c. 26-X-I-6.
185. *Gal. Chris. Noviss.*, t. III, Arles, n° 778, p. 314.
186. *Gal. Chris. Noviss.*, t. III, Arles, n° 779, p. 315.
187. Lettre à Arnaut-Amaury et à Pierre de Castelnau, 21 août 1207 ; P. 3163 ; *P. L.*, t. 215, c. 1206 ; *Gal. Chris.*, t. I, c. 690.
188. Rapport fait à Innocent III ; septembre 1209 ; *P. L.*, t. 216, c. 124 : « Continuo Massiliam properavi, civesque Massilienses diligenter admonui ut pacem et alia quae circumadjacentia loca juraverant jurarent et ipsi et praecipue de facto Roncelini, in quo multum Ecclesiam Dei scandalizaverant, satisfacerent competenter. In quorum nullo preces meas seu mandatum exaudire curarunt. » Milon aurait excommunié Roncelin, d'après une lettre d'Innocent III du 4 août 1211 ; P. 4295 ; *P. L.*, t. 216, c. 457.
189. Lettre du 15 avril 1211 ; P. 4230 ; *P. L.*, t. 219, c. 411.

Roncelin se mit en route, mais il dût s'arrêter à Pise *propter invaliditatem corporis*. Il se fit alors représenter par Pierre de Montlaur, archidiacre d'Aix et cellerier du monastère de Saint-Victor et par V. chanoine de Marseille. Ces deux procureurs demandèrent au pape, avec le bienfait de l'absolution, la possibilité pour Roncelin d'administrer son patrimoine. En d'autres termes, ils demandaient à Innocent III de sanctionner la révolution de 1207 qu'il avait si violemment condamnée. Le Souverain Pontife pesa le pour et le contre. L'intérêt dynastique l'emporta, Roncelin reçut l'absolution, mais les héritiers de Barral ne furent point lésés[190].

Cette même année 1211 qui vit la réconciliation de Roncelin avec l'Eglise Romaine vit aussi les dépositions épiscopales les plus nombreuses qui aient jamais eu lieu depuis la première mission de 1198.

Le 15 avril, Innocent III écrivit à ses légats pour exiger la déposition de l'archevêque d'Auch[191], de l'évêque de Valence, de l'évêque de Rodez[192] ; celui de Carcassonne, Bernard-Raymond de Rochefort, fut à son tour déposé par les légats, mais il garda son titre épiscopal et « on lui donna pour sa subsistance une prévôté dépendante du Chapitre de Carcassonne »[193]. L'archevêque de Narbonne, Bérenger, ne fut pas davantage épargné. C'était peut-être aussi le plus coupable[194].

Les premières difficultés surgirent dès 1198. Guy et Rainier durent transmettre au Souverain Pontife le dossier de l'archevêque. Innocent III dit en effet : *sicut transmissae ad nos litterae continebant*. En novembre, il chargea d'une contre-enquête le cardinal de Sainte-Prisque qu'il envoyait à la cour de France[195]. Plus tard, le 30 mai 1203, il si-

190. La vicomté de Marseille devait être divisée en deux parties. L'une reviendrait à Hugues des Baux, l'autre à Roncelin. Cette dernière serait elle-même partagée en deux ; l'une affectée par la décision commune des légats et de l'abbé de Saint-Victor à la réparation de tous les dommages causés par Roncelin ; l'autre commise par ledit abbé à Roncelin lui-même « ita quod ipse ob gratiam sibi factam novae conversationis studio se reddere studeat omnibus gratiosum, tam in habitu quam in aliis nihil prorsus attendans contra monasticam honestatem » ; lettre à Raymond, archevêque d'Embrun, Raymond d'Uzès et Hugues de Riez : 4 août 1211 ; P. 4295 ; *P. L.*, t. 216, c. 457. En même temps, Innocent III écrit à l'archevêque de Pise pour lui permettre d'absoudre, au nom du pape, le coupable, et lui donner l'ordre d'enjoindre à Roncellin de se conformer aux ordres des légats : P. 4296 ; *P. L.*, t. 216, c. 458. En 1212, Arnaut-Amaury érige à Marseille une confrérie : MARTÈNE et DURAND, *Thesaurus Anecdotorum*, t. IV, p. 165 à 168 ; item, V.-L. BOURILLY : « Essai sur l'histoire politique de la commune de Marseille, des origines à la victoire, de Charles d'Anjou », dans les *Annales de la Faculté des lettres d'Aix*, t. XII ; Marseille, 1919, 1920, p. 46 et suivantes.

191. Le 28 juin 1210, Innocent III avait ordonné à Arnaut-Amaury et à Hugues de Riez d'enquêter sur les agissements de l'archevêque d'Auch ; P. 4027 ; *P. L.*, t. 216, c. 283.

192. P. 4221 ; *P. L.*, t. 216, c. 408 et P. 4222 ; *P. L.*, t. 216, c. 409.

193. D. VAISSÈTE, *op. cit.*, t. VI, p. 349 ; P. 4224, 4225.

194. Bérenger, fils naturel de Raymond-Bérenger, comte de Barcelone, oncle de Pierre II, roi d'Aragon. Bérenger était évêque de Lérida et abbé de Mont-Aragon en 1191 ; élu à cette date archevêque de Narbonne, il garda néanmoins cette abbaye. Cf. D. VAISSÈTE, t. VI, p. 138 et *Gal. Chris.* ; t. III, c. 378.

195. Sur le cardinal de Sainte-Prisque ou de Saint-Paul, voir ci-dessus.

gnifia à Bérenger que, le cumul des bénéfices étant interdit, il avait à se démettre, soit de l'archevêché de Narbonne, soit de l'abbaye de Mont-Aragon[196]. Le 29 janvier 1204, il lui ordonne de recevoir aimablement les légats Raoul et Pierre, de pouvoir à tous leurs besoins et de les assister contre les hérétiques[197]. Le 28 mai, il dénonce toute la honte de l'Eglise de Narbonne et enjoint à ses légats Raoul, Pierre, Arnaut-Amaury de déposer, non sans ultime enquête, l'indigne prélat, *sublato appellationis obstaculo*, de postuler devant le corps électoral le nom d'un candidat vraiment digne, et, devant la carence possible des électeurs, de nommer dans les délai d'un mois un nouvel archevêque[198]. Le 29 mai, il prive Bérenger de l'abbaye de Mont-Aragon, ordonne aux électeurs d'élire un autre abbé et mande à l'archevêque de Tarragone de le nommer lui-même si au bout d'un mois l'élection n'était pas encore faite[199].

Les pouvoirs absolus que le Souverain Pontife avait donnés à ses légats provoquèrent une vive réaction de Bérenger. Sous prétexte que Raoul et Pierre avaient dépassé les ordres du pape et traité l'archevêque de Narbonne « comme le dernier des clercs », il en appela, contrairement d'ailleurs aux prescriptions de la lettre du 28 mai, au tribunal d'Innocent III. Théoriquement, cet appel était donc nul. En fait, les légats se sentirent ébranlés et le pape lui-même, dans une lettre du 26 juin 1205[200], invita l'archevêque à se présenter en personne devant lui. Il lui fixa un délai de plusieurs mois, jusqu'à la Septuagésime de l'année suivante[201]. Effectivement, Bérenger se présenta devant le Souverain Pontife, fit amende honorable et le pape lui fit miséricorde. Il lui rappela simplement les exigences de sa charge pastorale : *Visitare provinciam, celebrare concilium, haereses expugnare, excessus corrigere*. Bien plus, il défendit aux légats de molester l'archevêque, leur ordonna de l'aider au contraire ,et, s'ils avaient de nouvelles plaintes à formuler, de l'en avertir : il rendrait un *judicium aequitatis*. Précisément, les légats firent consacrer le nouvel évêque de Toulouse, Foulques, par l'archevêque d'Aix, au mépris des droits légitimes de l'archevêque de Narbonne : Innocent III protesta[202]. Mais les bonnes dispositions de Bérenger ne durèrent pas. Dès le 29 mai 1207, le pape ordonna à ses légats Arnaut-Amaury et Navarre de Couserans de le déposer définitivement et de pourvoir à l'élection de son suc-

196. P. 1928 ; *P. L.*, t. 215, c. 83.
197. P. 2103 ; *P. L.*, t. 215, c. 273. Il faudrait donc reporter à la fin de l'année précédente la mission des légats.
198. P. 2224 ; *P. L.*, t. 215, c. 355 : « Ex infirmitate capitis membra contrahunt corruptelam ut multi monachi et canonici regulares et alii viri religiosi, habitu religionis abjecto, focarias publice teneant, quarum quasdam substraxerunt ab amplexibus maritorum, usuras exerceant, allis et venationibus vacent, advocati, assessores et judices in causis saecularibus pro certa pecuniae summa fiant, personas in se joculatorum assumant, et usurpent officium medicorum. »
199. P. 2226 ; *P. L.*, t. 215, c. 360.
200. P. 2552 ; *P. L.*, t. 215, c. 674.
201. Lettre du 9 mai 1206 : P. 2774 ; *P. L.*, t. 215, c. 883.
202. Lettre du 11 mai 1206 ; P. 2778 ; *P. L.*, t. 217, c. 159.

cesseur[203]. Nous ne savons pas pour quelles causes la déposition du prélat fut retardée. Peut-être dans une nouvelle intervention, Béranger obtint-il une fois de plus l'indulgence d'Innocent III. Il obtint du moins celle des croisés : après la prise de Béziers, 22 juillet 1209, il publia de concert avec le vicomte de Narbonne, Aimery III, un édit très sévère contre les hérétiques, et sauva peut-être par ce geste sa ville épiscopale[204]. Mais l'édit de 1209 dut rester lettre morte. Le 28 juin de l'année suivante, Innocent III ordonna à Arnaut-Amaury et à Hugues de Riez d'enquêter une fois de plus sur les agissements de l'archevêque[205]. Il fut enfin déposé en 1211 ou 1213[206].

Les évêques déposés furent remplacés par des moines cisterciens ou du moins par des créatures des légats. L'évêque de Béziers fut remplacé par Hermengaud, abbé de Saint-Pons, de l'ordre de saint Benoit. Il mourut en 1208, mais ses successeurs, Renaud de Montpellier, Pierre d'Aigrefeuille et Bernard de Saint-Gervais furent tous des auxiliaires de Simon de Montfort et des croisés[207]. L'évêque de Viviers fut remplacé par Bruno *vir fundatae mentis et rerum episcopalium curator attentus*[208]. L'évêque de Toulouse fut remplacé par l'ancien troubadour Foulques de Marseille, moine cistercien de l'abbaye de Grandselve. Son élection fut saluée avec une joie profonde par le légat Pierre de Castelnau, mais quand il arriva à Toulouse, il trouva pour toute fortune 96 sous ; il trouva aussi des créanciers et beaucoup d'hérétiques « Ariens, Manichéens et Vaudois »[209]. L'évêque de Rodez fut remplacé par l'archidiacre du même diocèse, Pierre de Trille, « *vir providus et discretus, vita et moribus comprobatus, in utroque jure sufficienter instructus* »[210]. L'évêque de Carcassonne fut remplacé par le moine cistercien Guy des Vaux-de-Cernai[211]. Enfin, l'archevêque de Narbonne fut remplacé par Arnaut-Amaury lui-même qui fut élu le 12 mars 1212[212]. Les autres prélats, ou bien restèrent encore quelque temps à la tête de leurs diocèses, tel l'évêque de Fréjus, ou bien passèrent du côté des croisés, tel l'évêque d'Agde qui se trouva dans leurs rangs à la bataille de Muret : il mourut en 1213 et fut remplacé par Thédise[213], en 1215 ; tel encore l'archevêque d'Auch, dont la déposition n'aurait eu lieu qu'en 1215[214], ce qui paraît peu probable, car il parla en faveur de Simon de Montfort au IVe concile de Latran ; il fut remplacé par

203. P. 3113 ; *P. L.*, t. 215, c. 1164.
204. D. Vaissète, t. VI, pp. 290-291.
205. P. 4027 ; *P. L.*, t. 216, c. 683.
206. *Hist. Alb.*, n° 299 ; D. Vaissète, t. VI, p. 379.
207. *Gal. Christ.*, t. VI, pp. 232 et 325 à 330.
208. *Gal. Christ.*, t. XVI, p. 560.
209. *Gal. Christ.*, t. XIII, cc. 21 à 25 ; Guillaume de Puylaurens, *Chronicon*, ch. VII, éd. J. Beyssier, p. 126 ; D. Vaissète, t. VI, p. 137.
210. *Gal. Christ.*, t. I, pp. 209-210.
211. *Gal. Christ.*, t. VI, cc. 881-884 ; *Hist. Alb.*, 299-307.
212. *Gal. Christ.*, t. VI, c. 61 ; D. Vaissète, t. Vaissète, t. VI, p. 379.
213. Légat d'Innocent III en 1209 ; voir ch. IV, p. 210.
214. Chanson de la Croisade contre les Albigeois, éd. P. Mayer, dans la *Société de l'Histoire de France*, Paris, 1875, vers 3436.

un bénédictin, Garcias de l'Ort, ancien abbé de Saint-Pé de Générez[215] ; tel enfin l'évêque de Valence, le chartreux Humbert, qui témoigna lui aussi en faveur de Simon de Montfort au IVe concile de Latran[216].

Toutes ces réformes locales trouvèrent leur justification et leur consécration dans les Conciles provinciaux qui se tinrent de 1209 à 1215 dans la Provence et le Languedoc ; Avignon, 1209 ; Saint-Gilles, 1210 ; Narbonne, 1211 ; Arles, 1211 ; Pamiers, 1212 ; Lavaur, 1213 ; Montpellier, 1215[217].

Les évêques se virent rappeler les devoirs relatifs à l'exercice de leur charge pastorale : la prédication[218], la visite canonique, conformément à la formule de l'*Ad Abolendam*[219], l'exercice d'une justice plus expéditive, plus équitable et plus ferme[220], l'investiture gratuite des bénéfices et le drespect es églises[221], l'appel aux ordres des seuls clercs éprouvés dans les degrés inférieurs[222].

Les clercs se virent rappeler les interdictions relatives à la dignité de leur état : les fonctions d'avocat devant la justice séculière[223], le passage injustifié d'une église à une autre église et la possession de plusieurs canonicats[224], le prêt sur caution et l'usure[225]. La chasse resta tolérée, mais avec des clauses restrictives[226]. Toute une série de canons réglementent enfin les détails du costume, le port de la tonsure et ses dimensions[227]. Toutes ordonnances obligatoires dans les 15 jours consécutifs à celui de leur promulgation, dit le concile de Montpellier, sous peine de sanction canonique[228].

Les moines et chanoines réguliers se virent rappeler les obligations suivantes : décence du costume, port habituel de l'habit de chœur, de la couronne monastique, pratique de la pauvreté, gratuité de l'entrée au monastère, nourriture des pauvres avec le reste des repas, obligation de résidence d'au moins trois frères dans chaque obédience ou prieuré pour l'exercice de la vie canoniale[229].

215. *Gal. Christ.*, t. I, c. 990.
216. Voir dans l'édition de l'*Historia Albigensis* de Pierre des Vaux-de-Cernai par P. Guébin et E. Lyon la liste des évêques français et provençaux qui avaient pris part en faveur de la croisade, no 572, p. 262, n. 2.
217. Voir le texte de tous ces conciles dans Mansi, t. XXII, c. 783 et ss.
218. Avignon, c. 1 et Pamiers, c. 7.
219. Avignon, c. 2.
220. Avignon, cc. 11, 12, 13.
221. Montpellier, c. 11 : voir IIIe concile de Latran, c. 4, dans les Décrétales : c. 6-X-III-39.
222. Montpellier, c. 12 : voir la lettre d'Innocent III au cardinal de Sainte-Prisque, novembre 1200, ci-dessus. Item, IIIe concile de Latran, c. 3, dans les Décrétales : c. 7-X-I-6.
223. Avignon, c. 19 et Montpellier, c. 21 : IIIe concile de Latran, c. 12, dans les Décrétales : c. 1-X-I-37 et c. 4-X-III-50.
224. Montpellier, c. 25 : IIIe concile de Latran, c. 13, dans les Décrétales : c. 3-X-III-4.
225. Montpellier, c. 5.
226. Montpellier, c. 7.
227. Avignon, c. 18 et Montpellier, cc. 1, 2, 3, 4, 6.
228. Montpellier, cc. 9 et 10.
229. Montpellier, c. 13, 15, 16, 17, 23, 24. (Avignon, c. 18) 26, 27, 18. (Avignon, c. 15) 19, 28, 20. (IIIe concile de Latran, c. 10 ; c. 2-X-III-35) ; 22, 30, 31.

La plupart de ces dispositions furent reproduites dans les canons du IV⁰ concile de Latran. Ce fut pour Innocent III l'occasion de souligner l'intérêt qu'il portait aux cisterciens et la puissance de cet Ordre sous son pontificat[230].

La réforme du clergé n'était en somme que le premier moyen, de réalisation déjà difficile, mais nécessaire, d'arracher l'hérésie du Languedoc et de la Provence. Les légats avaient aussi pour mission de contraindre les princes séculiers à appliquer aux hérétiques les peines canoniques[231]. Dès 1198, Innocent III lance même l'idée de croisade en invitant tous les fidèles à se « ceindre » contre les hérétiques, sur l'invitation des légats, et en leur accordant l'indulgence de Saint-Pierre de Rome ou de Saint-Jacques de Compostelle[232]. En fait, les seigneurs se souciaient fort peu de réprimer la propagande des hérétiques. Un seul, Guillaume VIII de Montpellier, montra ses bonnes dispositions. C'est à lui qu'Innocent III recommanda le cardinal de Sainte-Prisque à son retour de France. Nous savons d'après une autre lettre d'Innocent III qu'il tenait en prison des hérétiques[233]. Mais Guillaume n'était qu'un petit seigneur et il mourut en 1201[234].

Pierre d'Aragon pouvait sans doute mieux que tout autre prince rendre au pape et aux légats les services qu'ils attendaient. En 1204, il présida une conférence contradictoire à Carcassonne. Il y avait d'un côté Bernard Simorre, évêque cathare et ses compagnons[235], de l'autre l'évêque de Carcassonne avec les légats Raoul et Pierre. Après la dis-

---

230. IV⁰ concile de Latran, c. 6, 7, 8, 10, 11, 13, 14, 15, 16, 17, 18, 19, 20, 23, 24, 25, 26, 27, 30, 31, 32, 34, 35, 36, 37, 38, 39, 40, 41, 42, 59, 63, 64, 65, 66.

231. En vertu de l'axiome : *Justus enim ex fide vivit* Rom. I, 17. Lettre aux archevêques du Languedoc : 21 avril 1198, citée ; P. 95 ; *P. L.*, t. 214, c. 81 : « Ad haec, nobilibus viris principibus, comitibus et universis baronibus et magnatibus in vestra provincia constitutis praecipiendo mandamus... ut... si qui haereticorum ab errore suo commoniti voluerint recipiscere, postquam per praedictum fratrem Rainerium fuerint excommunicationis sententia innodati, eorum terra confiscent et de terra sua proscribant, et si post interdictum ejus in terra ipsorum praesumpserint commorari, gravius animadvertant in eos, sicut decet principes christianos... dedimus autem dicto fratri Rainerio liberam facultatem ut eos ad id per excommunicationis sententiam et interdictum terrae, appellatione remota, compellat, nec volumus ipsos aegre ferre aliquatenus vel moleste si eos ad id exequendum tam districte compelli praecipimus, cum ad nil amplius intendamus uti severitatis judicio quam ad extirpandos haereticos. »

232. Item, Lettre du 21 avril 1198 : « Scribimus etiam universo populo vestrae provinciae ut, cum ab eisdem fratribus R. et G. fuerint requisiti sicut ipsi mandaverint, contra haereticos accingantur ; illis qui pro conversatione fidei christianae in tanto discrimine quod Ecclesiae imminet, ipsis astiterint fideliter et devote, illam peccatorum suorum indulgentiam concedentes quam Beati Petri vel Jacobi limina visitantibus indulgemus. »

233. Lettre de juillet 1201 à Raymond, évêque d'Agde, qui avait pris 8 hérétiques. Le pape lui ordonne de les remettre à Guillaume ; P. 1453.

234. D. VAISSÈTE, t. VI, p. 204.

235. Bernard Simorre, évêque cathare de Carcassonne, avait pris part au concile cathare de saint Félix de Caraman : voir chapitre II, p. 128. Il discutait souvent avec l'abbé des Vaux-de-Cernay : *Hist. Alb.*, 52.

cussion, le roi se prononça en faveur des catholiques[236]. En 1205, en 1206, Innocent III lui accorda la propriété de tous les biens dont il dépouillerait les hérétiques, avec cette réserve pour les seuls biens immobiliers qu'il n'en résulterait aucun préjudice pour les droits des tiers[237]. Ainsi Pierre II crut-il devoir signaler au pape que le château de Lescure, dans le diocèse d'Albi, était un nid d'hérétiques et qu'il désirait s'en emparer. Le château appartenait au Saint-Siège. Le 9 juin 1206, Innocent III ordonna à Raoul et Pierre de donner personnellement en fief à Pierre d'Aragon le château de Lescure « que ce prince se préparait à arracher aux hérétiques à condition que, comme la propriété de ce château appartenait à Saint-Pierre, il en ferait un certain cens à l'Eglise Romaine »[238]. Malheureusement, le rôle que Pierre II pouvait remplir dans le Midi de la France se trouva compromis par les exigences de sa croisade contre les Almohades. Quand il revint après Las Navas de Tolosa, la situation politique du Languedoc était devenue si grave qu'il finit, lui, le vassal du pape, par se ranger du côté de Raymond VI et des excommuniés[239].

Le comte de Toulouse était plus qualifié que quiconque pour réprimer l'hérésie dans ses domaines et dans ses fiefs. Son père avait été le premier en 1177 à solliciter l'aide du roi de France et peut-être aussi l'aide du roi d'Angleterre[240]. Raymond VI ne lui ressemblait pas[241]. En 1196, Célestin III le menaça de l'excommunication, parce qu'il avait spolié ou détruit les églises et construit sur les terres de l'abbaye de Saint-Gilles une forteresse. Le pape lui ordonna de raser la forteresse et de réparer les dommages qu'il avait causés sous peine d'excommunication, d'interdit, d'anathème et de solution du serment de fidélité[242]. L'excommunication et l'interdit furent sans doute fulminés puisque deux ans plus tard, Innocent III accordait à Raymond VI son pardon. Il lui imposait toutefois comme pénitence un pèlerinage en Terre

236. D. Vaissète, t. VI, p. 231.
237. Lettres du 16 juin 1205 et du 9 juin 1206 ; P. 2545 et 2799 ; *P. L.*, t. 215, c. 915 : « Concedimus ut universa haereticorum, sibique faventium, bona mobilia quae ad tuas manus devenerint, dum eos exterminare studueris zelo fidei orthodoxae, ad tuum usum libere liceat retinere. Bona etiam immobilia quae de ipsorum manibus eruere poteris hac de causa, retineas sine praejudicio juris alieni. »
238. Lettre du 9 juin 1206, P. 2800 ; *P. L.*, t. 215, c. 916 ; D. Vaissète, t. VI, p. 240, fait une erreur d'un an : il date la lettre du 5 juillet 1205 ; Molinier corrige : 16 juin 1205 ; P. 2540. D'abord, ce n'est pas 2540, mais 2545 ; d'autre part, le 9 juin 1206, Innocent III parle de la prise de Lescure comme d'un événement très prochain, ce qui écarte, croyons-nous, et la version de Molinier et celle de D. Vaissète.
239. L. Halphen : « L'essor de l'Europe », dans la collection *Peuples et Civilisations*, t. V ; Paris, 1932, p. 224 et suivantes.
240. Voir chapitre II, p. 130.
241. Il ne faut pas trop prendre à la lettre « le récit de l'infidélité du Comte Raymond » qu'a écrit Pierre des Vaux-de-Cernai : *Hist. Albig.*, 28-46. La partialité de cet auteur a d'ailleurs été dénoncée par D. Vaissète, t. VI, p. 550-553, dont le jugement plus nuancé est certainement plus équitable ; voir aussi, A. Luchaire : *La Croisade des Albigeois*, p. 28 à 32.
242. Lettre du 1er mars 1196 ; J. no 17338 ; *P. L.*, t. 206, c. 1155.

Sainte, mais lui permettait de l'accomplir par procuration[243]. Le ton conciliant de cette lettre et le caractère de la satisfaction imposée pourraient surprendre. Mais si l'on rapproche cette lettre de novembre des lettres d'avril, adressées aux archevêques du Languedoc, on pourra se rendre compte qu'Innocent III espère évidemment que Raymond VI assurera la proscription des hérétiques et la confiscation de leurs biens. Il le lui signifie d'ailleurs nettement en novembre-décembre 1201[244]. Plus tard, en 1205, probablement en mai, Raymond VI promit aux légats d'expulser les hérétiques[245]. Il n'en fit rien. En 1207, Pierre de Castelnau, étant allé en Provence, « obligea les nobles du pays à cesser leurs querelles et à signer une paix générale »[246]. Raymond, s'y étant refusé, fut excommunié par le légat et ses terres furent frappées d'interdit. Le 29 mai, Innocent III confirma la sentence[247]. Il reprocha au comte le refus de cette paix qu'avaient jurée tous les autres seigneurs, les dévastations des routiers dans la province d'Arles, malgré l'interdit de l'évêque d'Orange[248], le refus d'indemniser les moines de Candeil pour avoir détruit leurs vignes, l'expulsion de l'évêque de Carpentras[249], les fortifications d'églises[250], la violation de la paix du carême, des fêtes et des quatre-temps, le refus tacite d'expulser les hérétiques, contrairement à sa promesse[251], celle de 1205 évidemment, la présence de Juifs dans son administration et enfin, grief suprême, qui résume à lui seul tous les autres : la suspicion d'hérésie : *Suspectus de haeresi vehementer haberis.* En d'autres termes, Raymond VI était coupable de désobéissance envers les canons du IIIe concile de Latran. Aussi bien, pour tous ses crimes, fera-t-il aux légats sa soumission et leur fournira-t-il une satisfaction convenable, « sinon, ajoute Innocent III, nous t'enlèverons la terre que tu tiens de l'Eglise Ro-

---

243. Lettre du 4 novembre 1198 ; P. 407 ; *P. L.*, t. 214, c. 374 : « Si autem in persona propria non potueris transfretare... certum ultra mare dirigas numerum bellatorum ut vel per alios facias quod per te non poteris adimplere. »
244. P. 1549. Cette lettre est à rapprocher de celle du 1er juillet de la même année par laquelle Innocent III recommande le cardinal de Sainte-Prisque à Guillaume de Montpellier.
245. Guillaume de Puylaurens ; *Chronicon*, ch. VII ; éd. J. Beyssier, p. 126 ; D. Vaissète, t. VI, p. 237.
246. V.L. Bourilly, R. Busquet, *ouvr. cité*, p. 183 ; *Hist. Albig.*, n° 27.
247. Lettre du 29 mai 1207 ; P. 3114 ; *P. L.*, t. 215, c. 1166 ; D. Vaissète, t. VI, p. 254-257.
248. *Gal. Christ. Noviss.*, t. VI, Orange, n° 105, p. 57.
249. *Gal. Christ. Noviss.*, t. VII, Avignon, n° 351, p. 114. Raymond V avait juré pour lui et ses successeurs à l'évêque de Carpentras de ne jamais élever contre son gré de forteresses sur sa terre : Carpentras, 1155, dans A. Teulet : *Layettes du Trésor des Chartes*, t. I, p. 74, n° 139 ; de même en 1159 ou 1160, le 11 janvier le même Raymond V lui donnait à perpétuité le château de Vénasque avec ses dépendances : château des Baux avec la villa de Saint-Désiré et le château de Malemort avec la villa de Saint-Félix : A. Teulet, p. 82, n° 162.
250. Voir Victor Mortet : *Recueil de textes relatifs à l'histoire de l'architecture en France au Moyen Age : XI-XIIe s.*, Paris, 1911, n° XXXII, XXXIII, CXLI : Ier Concile de Latran, mars 1123, c. 14 : Mansi, t. XXI, c. 284-285.
251. « Non te pudet juramenta quampliurma non servasse quibus universos haereticos in tuo dominio constitutos proscribere promisisti » ; *op. cit.*

maine[252] et, si cela ne suffit pas, nous ordonnerons à tous les princes voisins de te regarder comme un ennemi du Christ et un persécuteur de l'Eglise et de retenir pour eux toutes les terres qui t'appartiennent et qu'ils pourraient occuper, pour éviter sur tes possessions le fléau de l'hérésie »[253]. Le 17 novembre, il adresse aux comtes, barons, chevaliers, fidèles du Christ établis dans le royaume de France, aux comtesses de Troyes, de Vermandois et de Blois, au comte de Bar, au duc de Bourgogne, aux comtes de Nevers et de Dreux et au noble Guillaume de Dampierre, à Philippe-Auguste enfin, une lettre collective par laquelle il les convoque à la croisade[254].

Ce n'était pas la première fois qu'il appelait Philippe-Auguste. Par tradition[255] et par droit, le Roi de France était tout désigné pour contraindre son vassal à expulser les hérétiques et au besoin à lui reprendre son fief, à supposer qu'il eût été en mesure de le faire. Mais Philippe-Auguste ne se souciait pas du tout d'aller guerroyer dans les pays méditerranéens, alors que le roi d'Angleterre, ennemi traditionnel, régnait sur la moitié de la France. Aussi, pour éviter la guerre et peut-être pour faciliter à Philippe-Auguste son rôle de croisé, Innocent III s'efforça-t-il de faire conclure la paix entre les rois[256]. Mal lui en prit : Philippe-Auguste déclara qu'en matière féodale : *jure feudi,* il n'avait pas à recevoir d'ordres du Souverain Pontife, ni à subir sa juridiction et que la querelle des rois ne le regardait pas »[257]. Innocent III répondit qu'il intervenait *non ratione feudi, cujus ad te spectat judicium, sed occasione peccati, cujus ad nos pertinet sine dubitatione censura,* au nom de la justice et de la paix, comme Vicaire du Christ[258] ; il n'en

---

252. Le Comté de Melgueil appartenait au Saint-Siège depuis le 27 avril 1085 ; D. Vaissète, t. III, p. 445.

253. Lettre du 29 mai 1207, *op. cit.*

254. Lettre du 17 novembre 1207 ; P. 3223 ; P. L., t. 215, c. 1246, 1247 ; *Hist. Fr.,* t. XIX, p. 495.

255. Voir l'intervention de Louis VII auprès d'Alexandre III pour la répression de l'hérésie cathare en Flandre, ch II, p. 117. Le 9 janvier 1198, P. 2 ; *P. L.,* t. 214, c. 2, Innocent III annonçant à Philippe-Auguste son élection au trône pontifical, lui demande de révérer et d'honorer l'Eglise Romaine, à l'exemple de son père : « ...Quatenus sanctam Romanam Ecclesiam matrem tuam taliter revereri et honorare procures, ut inclytae recordationis Ludovici patris tui vestigia in ipsius devotione sequaris. »

256. Comme autrefois à Nonancourt, en 1177, le légat Pierre de Pavie, fit faire la paix entre Louis VII et Henri II.

257. D'après une lettre d'Innocent III du 31 octobre 1203 ; P. 2009 ; *P. L.,* t. 215, c. 176 : *H. F.,* t. XIX, p. 440 : « Respondisti quod de jure feudi et homine tuo stare mandato Sedis Apostolicae vel judicio non teneris, et quod nihil ad nos pertinet de negotio quod vertitur inter reges ». Voir A. Luchaire, *Les Royautés vassales,,..* ch. v, p. 268 ; de même sur un même sujet, ch. vi, p. 217.

258. Cette théorie d'Innocent III est certainement une des plus significatives ; la théorie de la justice et de la paix lui permet, sans sortir de son rôle exclusivement religieux de Pasteur Suprême, d'intervenir dans tous les domaines. C'est au point de vue théologique ce qu'est au point de vue canonique la loi de majesté, la justification la plus solide de la doctrine théocratique ; c'est la pure doctrine grégorienne. Voir H.-X. Arquillière : « Sur la formation de la théocratie pon-

restait pas moins que Philippe-Auguste avait osé résister en face au Souverain Pontife. Cet incident fixe désormais pour toute la suite de cette histoire la position du pape et la position du roi. C'est en vain que le 28 mai 1204, Innocent III expose à Philippe-Auguste la théorie des deux pouvoirs, l'un, voué à la prière, et l'autre à la vindicte, et lui demande de poursuivre, sinon en personne, du moins par son fils, le prince Louis, ou un seigneur qualifié, les hérétiques du Midi, et pour faciliter encore la tâche du roi, il lui accorde l'indulgence même de Terre Sainte[259]. Deux jours après, le 31 mai 1204, il invite expressément ses légats Arnaut, Raoul et Pierre à intervenir dans le même sens auprès du roi et il renouvelle en faveur des croisés l'indulgence de Terre Sainte[260].

Philippe-Auguste ne répond pas : Innocent III insiste. En 1205, deux lettres coup sur coup lui rappellent encore les exigences de la croisade[261]. En 1207, après l'excommunication de Raymond VI, Innocent III multiplie ses instances, renouvelle l'indulgence de Terre Sainte et s'engage à mettre sous la protection du Saint-Siège la terre de France et tous les fiefs des croisés[262].

Philippe-Auguste n'ayant plus rien à craindre de Jean sans Terre pouvait prendre la croix et réunir à son domaine le comté de Toulouse et le duché de Narbonne. Il refusa. « Le Roi, fit-il répondre au pape, ne peut entretenir deux armées : l'une contre les albigeois, l'autre contre l'ennemi, pour défendre sa terre sans encourir un très grand danger. » Toutefois, il consent à prendre part à la croisade, mais à trois conditions : Le pape fera conclure entre les rois de France et d'Angleterre une trêve solide de deux ans au moins. Le roi de France pourra toujours rappeler ses vassaux dans le cas où Jean sans Terre ne respecterait pas la trêve. Tous les frais de la croisade seront à la charge du pape[263]. C'était une fin de non-recevoir.

tificale », extrait des *Mélanges Ferdinand Lot*, Paris, 1925, p. 5 et suivantes. L'auteur interprète le « ratione peccati » comme un recul, p. 9. Mais le recul n'existe qu'en apparence et ne fait au contraire que confirmer en l'élargissant la théorie théocratique. Voir M. PACAUT : *La Théocratie, ouvr. cité*, pp. 143 ss.

259. Lettre du 28 mai 1204 : P. 2225 ; *P. L.*, t. 215, c. 361 : « Si qui comitum, baronum vel civium eos de terra sua eliminare noluerint aut ausi fuerint confovere, ipsorum bona confisces et totam terram eorum domanio regio non differas applicare... et tu, praeter gloriam temporalem quam ex tam pio et laudabili opere consequeris, eam obtineas veniam peccatorum quam in Terrae Sanctae subsidium transfretantibus indulgemus. »

260. Lettre du 31 mai 1204 ; P. 2229 ; *P. L.*, t. 215, c. 358.

261. Lettres du 16 janvier et du 7 février 1205 ; P. 2373 ; *P. L.*, t. 215, c. 501 et P. 2404 ; *P. L.*, t. 215, c. 526.

262. Lettre du 17 novembre 1207 ; P. 3223 ; *P. L.*, t. 215, c. 1246 : « Nos enim ut securius his possis intendere, terram tuam et homines tuos ac eorum bona interim sub Beati Petri et nostra protectione suscipimus. »

263. Léoplod DELISLE : *Catalogue des Actes de Philippe-Auguste*, Paris, 1856, n° 1069, p. 247 et 512. La lettre du Pape dût être remise au roi par l'intermédiaire de l'évêque de Paris : « Quand l'évêque s'entretenait avec le seigneur roi, le roi d'Angleterre avait déjà fait assiéger par le vicomte de Thouars le château de son « homme » Guillaume de Mauléon, appelé Belle-Vue. En conséquence, le roi doit défendre sa terre. Il ne peut entretenir deux armées... »

Les choses en étaient là lorsque le 15 janvier 1208, Pierre de Castelnau était assassiné à Saint-Gilles par un familier du comte de Toulouse. Celui-ci était-il responsable, et s'il l'était, dans quelle mesure ? On lui reprocha plus tard d'avoir reçu à sa table le meurtrier de Pierre, et Raymond VI demanda aux légats de recevoir sur ce point sa justification. Quoi qu'il en soit, si cet événement ne fut pas la cause de la croisade, il en fut du moins l'occasion[264].

264. D. Vaissète, t. VI, p. 262.

Chapitre IV

LA CROISADE ALBIGEOISE

La Croisade albigeoise devait avoir pour but de contraindre les seigneurs du Languedoc, notamment le comte de Toulouse, à poursuivre les hérétiques : elle eut pour effet des transformations politiques considérables. Cette différence peut tenir à plusieurs causes.

D'abord l'attitude plus que réservée du roi de France. Si Philippe-Auguste avait repris le fief de Toulouse, comme il en avait le droit, on aurait peut-être évité la guerre ; la liquidation de la crise albigeoise eut été sans doute plus facile et plus rapide. Au contraire, Innocent III dut pourvoir par lui-même à l'organisation de la croisade et jeter sur le Languedoc des seigneurs du nord de la France dont la foi était robuste et conquérante.

Ensuite la nature même des moyens de contrainte : expulsion des hérétiques et occupation de leurs terres. Or la terre était féconde. Quelle tentation pour les « occupants » de s'y établir de façon permanente et d'y installer leurs familles !

Enfin, la mentalité du clergé, souvent dépourvu de cette « miséricorde » à laquelle Innocent III attachait une si grande importance. Les évêques du Languedoc étaient, il est vrai, mieux placés que le pape pour connaître les hérétiques et juger de leur influence. D'autre part, ils succédaient à des prélats indignes ou indolents dont ils avaient précisément pour mission de corriger les erreurs. Ils seront pour les croisés de très précieux auxiliaires. Ces transformations politiques s'accompagnent d'une intense activité juridique, canonique, et séculière, créatrice de l'Inquisition.

Il ne s'agit point ici de refaire l'histoire de la croisade[1], mais d'en

1. Le meilleur guide est certainement celui que nous considérons comme l'historiographe officiel de la croisade, Pierre des Vaux-de-Cernai : *Historia Albigensis*, édition P. Guébin et E. Lyon, Paris, t. I, 1926, t. II, 1930 : traduction par P. Guébin et H. Maisonneuve, Paris, 1951. L'auteur est bien informé, mais il est partial et fanatique. Il n'y a pour lui en pays albigeois que deux partis nettement caractérisés et nécessairement opposés, comme Dieu et Satan, le parti de Simon de Montfort et des croisés, d'une part, celui des hérétiques et de leurs « fauteurs », d'autre part. Cette conception toute manichéenne de l'Histoire Albigeoise exclut évidemment l'hypothèse que les « justes » puissent avoir quelques défauts et les « méchants » quelques vertus. — Voir notre Introduction dan

préciser les caractères juridiques, en considérant la théorie canonique de la croisade, les statuts de Saint Gilles, l'occupation de la terre et la solution qui a été donnée de la crise albigeoise.

*
* *

La théorie canonique de la croisade est contenue dans la lettre pontificale du 10 mars 1208[2]. Nous verrons d'abord qu'elles sont les peines canoniques et ensuite les conditions de la croisade.

Les peines canoniques sont de deux sortes : spirituelles et temporelles.

Les peines spirituelles sont l'excommunication, l'anathème et l'interdit personnel[3]. Elles ne sont pas définitives, mais conditionnelles : « jusqu'à ce que le comte et ses défenseurs, écrit Innocent III, reviennent au Siège Apostolique, et, moyennant satisfaction convenable, reçoivent l'absolution[4] » ; « pour contraindre le comte à résipiscence »[5], dit-il encore à ses légats. Aussi, quand Raymond VI fit demander au pape l'envoi d'un légat particulier, Innocent III ne crut-il pas devoir

---

l'*Histoire Albigeoise* —. De là une présentation tendancieuse de faits exacts. Autres sources : *La Chanson de la Croisade*, œuvre de deux troubadours, Guillaume de Tudèle et son continuateur anonyme. Le genre littéraire et la partialité de la continuation invitent l'historien à la réserve. Nous avons consulté les deux éditions de la *Chanson*, celle de P. Meyer, dans la *Société de l'Histoire de France*, Paris, 1875-1879, et celle de E. Martin-Chabot, dans la collection L. Halphen : *Les Classiques de l'Histoire de France au Moyen Age*, t. I seulement, Paris, 1931. Un chroniqueur plus sérieux est Guillaume de Puylaurens, *Chronicon*, édition J. Beyssier, *ouvr. cité*, Guillaume était, non pas chapelain de Raymond VII, mais notaire des évêques de Toulouse et de l'Inquisition ; voir Y. Dossat : Le chroniqueur Guillaume de Puylaurens était-il chapelain de Raymond VII ou notaire de l'Inquisition toulousaine ? dans *Annales du Midi*, juillet 1953, pp. 343-353. Parmi les études modernes on lira principalement A. Luchaire : *Innocent III, la Croisade des Albigeois*, Paris, 1905, qui insiste surtout de manière pertinente sur la psychologie du pape, l'art. *Albigeois* (croisade contre les) par J. Guiraud, dans *D. H. G. E.*, Paris, 1912. On consultera avec quelques réserves l'ouvrage de P. Belperron : *La Croisade contre les Albigeois et l'union du Languedoc à la France, 1209, 1249*, Paris, 1942.

2. P. 3324 ; *P. L.*, t. 215, c. 1354 et suivantes... A. Teulet : *Layettes*, t. I, p. 314, n° 841 ; *Hist. Albig.*, 56-66.

3. « Receptatores quoque vel defensores ipsius ex parte Omnipotentis Dei Patris et Filii et Spiritus Sancti, auctoritate quoque Beatorum Petri et Pauli Apostolorum ejus ac nostra, excommunicatos et anathematizatos per universas dioceses nuntietis et omnia loca prorsus ad quae ipsi vel aliquis eorum devenerint, praesentibus illis, interdicto faciatis ecclesiastico subjacere singulis diebus dominicis et festivis, pulsatis campanis et candelis accensis. » Lettre aux archevêques du Languedoc et de la Provence, aux nobles, comtes, barons et à tout le peuple de France. De même, dans la lettre du 28 mars aux légats : « Sathane in interitu carnis traditas (personas) nuntietis » ; P. 3348 ; A. Teulet, t. I, p. 317, n° 843. Sur cette expression : I Cor., V, 5.

4. « Donec ad Sedem Apostolicam accedentes per satisfactionem condignam mereantur absolvi. » *Op. cit.*

5. Lettre du 3 février 1209 ; P. 3642 ; *P. L.*, t. 215, c. 1546.

refuser. Il envoya Milon auquel il adjoignit Thédise[6]. Raymond et ses défenseurs, les seigneurs et consuls de Provence, firent amende honorable et furent réconciliés avec l'Eglise[7]. Innocent III leur adressa ses félicitations et ses encouragements[8].

Les peines temporelles consistent dans la solution du serment de fidélité et dans l'invitation faite aux princes catholiques de « poursuivre » la personne du comte et d'occuper sa terre[9].

La solution de la fidélité présente, d'après Innocent III, un caractère patristique : *Cum juxta sanctorum Patrum canonicas sanctiones,* écrit-il, *ei qui Deo fidem non servat fides servanda non sit*[10]. Un certain nombre de Pères de l'Eglise affirment, en effet, la relativité du serment[11]. Saint Ambroise, faisant allusion au fameux serment d'Hérode, montre qu'il n'est pas toujours bon de remplir ses promesses[12]. Saint Augustin dit expressément que le péché rompt la fidélité conjugale[13]. Saint Isidore n'est pas moins affirmatif : « Tout ce qui est statué contre le commandement du Seigneur est nul[14]. » Saint Bède le Vénérable dit qu'il vaut mieux être parjure plutôt que de commettre le mal[15]. Nous concluons que la valeur juridique du serment est fonction de sa valeur morale.

Ces textes ont été utilisés par les Grégoriens pour justifier la politique de Grégoire VII[16]. Manegold de Lautenbach dit expressément que le prince coupable de détruire la justice, de troubler la paix, d'aban-

6. Lettre à l'évêque de Riez, à l'abbé de Citeaux et à Milon : 1er mars 1209 ; P. 3683 ; *P. L.*, t. 216, c. 187 ; *Hist. Albig.*, 69-70.

7. Voir ci-dessous p. 208 ss.

8. Lettres à Raymond VI : 27 juillet 1209 ; *P. L.*, t. 216, c. 100 et aux seigneurs et consuls de Provence : 11 novembre 1209 ; P. 3829 ; *P. L.*, t. 216, c. 160.

9. Lettre du 29 mai 1207 ; P. 3114 ; *P. L.*, t. 215, c. 1166.

10. « Cum juxta sanctorum Patrum canonicas sanctiones ei qui Deo fidem non servat fides servanda non sit, a communione fidelium segregato, utpote qui vitandus est potius quam fovendus, omnes qui dicto comiti fidelitatis seu societatis aut foederis hujusmodi juramento tenentur astricti auctoritate apostolica denuntietis ab eo interim absolutos. » Lettre aux archevêques : 10 mars 1208. Dans une lettre du 2 mai 1208, adressée aux consuls, chevaliers, bourgeois d'Arles, au vicomte des Baux et aux autres seigneurs du bourg d'Arles, pour les détourner de Raymond VI, il écrit : « Juramentum in quantum illud ecclesiastica libertas offenditur non est, ut illicitum, observandum. » P. 3393 ; *P. L.*, t. 216, c. 1383.

11. Ces textes se trouvent dans le Décret de Gratien : C. XXII, Q. IV.

12. « Non semper igitur promissa solvenda sunt omnia », De Officiis, liv. III, ch. XII ; GRATIEN ; C. XXII, Q. IV, c. 8.

13. De bono conjugali ; ch. IV, GRATIEN, C. XXII, Q. IV, c. 20 et 21.

14. « Quod contra mandatum Domini statutum est in irritum revocetur » ; C. XXII, Q. IV, c. 19. Friedberg fait remarquer en note que ce texte s'inspire de saint Basile : Regulae brevius tractatae, interrogatio 60. Si quis praeventus constituerit se quidpiam facturum eorum que Deo non placent ? Responsio : Quod praeter Dei placita quidpiam statuere veritus non est. *P. G.*, t. 31, c. 1122, 1123. Item, dans le commentaire de Rufin : interrogatio 184. Si quis praeventus... Responsio : Quia autem oportet et irritum revocare quaecumque ex praesumptione contra mandatum Domini statuuntur » ; *P. L.*, t. 183, c. 547, 548.

15. Homelia XLIV in natali decollationis Sancti Johannis : GRATIEN ; C. XXII, Q. IV, c. 6 et 7 ; *P. L.*, t. 95, c. 239, 240.

16. Voir A. FLICHE : « Les théories germaniques de la souveraineté », dans la *Revue Historique*, t. 125 ; année 1917, p. 1 à 67.

donner la foi n'a plus le droit à la fidélité de ses vassaux. Le peuple est libre de le déposer et d'en élire un autre[17]. De son côté, Gerhard de Salzbourg dit que la fidélité due au prince est limitée par les droits de la conscience chrétienne. Si donc le prince commet des actes que la conscience réprouve, la fidélité qui lui est due cesse et le refus d'obéissance ne constitue pas un péché[18]. Nous concluons que la fidélité des sujets envers le prince est fonction de la fidélité du prince envers Dieu.

C'est en vertu de cette théorie générale que le IIIe concile de Latran a délié tous les vassaux des hérétiques de leur serment de fidélité et d'hommage et rompu tous les contrats qui pouvaient exister entre catholiques, hérétiques et routiers Innocent III ne fait ici que reprendre une tradition patristique, grégorienne et conciliaire.

L'occupation des terres est la conséquence de la solution du serment de fidélité. On peut la rattacher au principe général de la confiscation des biens, justifiée par saint Augustin, au nom du Droit divin et du Droit impérial, et exposée dans le Décret de Gratien, puis sanctionnée par les conciles du xiie siècle. Mais qui occupera la terre ? La Décrétale *Vergentis* y a pourvu d'une manière générale : « Les terres qui sont en dehors du Patrimoine sont confisquées obligatoirement sous peine de censure et sans appel par les princes séculiers. » Dans le cas de Raymond VI, le prince séculier, c'est son seigneur, Philippe-Auguste ; mais la mauvaise volonté du Roi a décidé le pape à passer outre. Il autorise maintenant n'importe quel catholique à procéder à l'occupation des terres, mais avec cette double réserve par laquelle il s'efforce de concilier les exigences du Droit Canonique et du Droit Féodal : 1o L'occupant s'appliquera de son mieux « à purger la terre de l'hérésie dont par la négligence du comte elle est honteusement souillée »[19] ; 2o L'occupant respectera les droits du seigneur principal : *salvo jure domini principalis*[20]. Le roi de France conserve donc en principe sur le comté de Toulouse ses droits éminents ; il n'en est pas moins lésé dans une partie de ces mêmes droits : celle qui consiste précisément à investir un vassal de son choix. Philippe-Auguste le fit sentir à Innocent III. Dans une lettre du mois

17. Liber ad Gebehardum, ch. 48, dans *M. G. H.* Libelli de lite, t. I, p. 392 : « Si ille non regnum gubernare, sed regni occasione tyrannidem exercere, justiciam destruere, pacem cunfundere, fidem deserere exarcerit, adjuratus juramenti necessitate absolutus existit liherumque est populo illum deponere, alterum elevare, quem constat alterutre obligationis rationem prius deseruisse. »

18. Epistola ad Heremannum Metensem, *passim*, dans *M. G. H.* Libelli de Lite, t. I, p. 276, 277 ; surtout le ch. 30, dans lequel sont rappelés les textes des Pères, et le ch. 31 : « Ecce in praelibatis catholicorum Patrum sententiis satis demonstratum est quod juramenta injuste promissa et in majus periculum vergantia servanda non sunt. »

19. « Illo praesertim obtentu quod ab haeresi per suam prudentiam fortiter expietur, qua per illius nequitiam fuit hactenus turpiter maculata. » Lettre du 10 mars 1208.

20. « Et cuilibet viro catholico licere, salvo jure domini principalis, non solum persequi personam ejusdem (comitis), verum etiam occupare ac detinere terram ipsius... quia dignum est ut manus omnium contra ipsum insurgant cujus manus exstitit contra omnes. » Lettre du 10 mars 1208.

d'avril 1208, il exprime au Souverain Pontife ses regrets pour la mort de Pierre de Castelnau et rappelle que lui aussi a des griefs contre le comte de Toulouse, mais qu'il en a plus encore contre le roi d'Angleterre, et il ajoute : « Ayant consulté des hommes instruits et éminents, nous avons appris que vous n'avez pas le droit d'agir ainsi tant que vous n'aurez pas condamné le comte comme hérétique, et quand bien même vous le feriez, vous devriez nous en avertir et nous prier de confisquer sa terre qui relève de nous[21]. » Ainsi malgré la clause *salvo jure domini principalis*, l'occupation avait pour effet une amputation du Droit Féodal pour cause d'hérésie et par conséquent un transfert partiel de la juridiction du roi à la juridiction du pape, ce qui tendait à rendre l'Eglise Romaine suzeraine de quelque manière du Languedoc et de la Provence.

Ces deux peines temporelles ne sont pas plus définitives que les peines spirituelles ; poursuivant le même but, elles présentent un caractère semblable[22]. Si le comte fournit une caution convenable, il recouvrera donc et ses titres et sa terre, non pas en vertu de la justice : l'occupation « implique en effet la possession d'une chose sans maître, dans l'intention d'en acquérir la propriété. Cette prise de possession a pour effet de donner la propriété à l'occupant »[23] ; mais en vertu de la miséricorde par laquelle Innocent III, nous l'avons vu, tempère la rigueur de la législation romaine.

Aussi intervient-il à plusieurs reprises en faveur du comte de Toulouse contre les ambitions politiques des Croisés. En 1210, il rappelle que Raymond VI conserve toujours ses droits éminents sur les personnes et sur les choses. Il ordonne à ses légats d'instruire dans les trois mois la cause de Raymond, mais il se réserve le jugement final[24].

21. « De eo autem quod vos praedicti comitis terram exponitis occupantibus, sciatis quod a viris litteratis et illustratis didicimus quod is de jure facere non potestis, quousque idem de haeretica pravitate fuerit condempnatus. Cum autem inde condempnatus fuerit, tantum demum id significare debetis et mandare ut terram illam exponamus tanquam ad feudum nostrum pertinentem. » L. DELISLE : *Catalogue des Actes de Philippe-Auguste*, nº 1085 ; texte, p. 512-513.

22. « Si quando vero satisfactionem promiserit exhibere, procul dubio ipsum hec penitudinis sue signa premittere oportebit : ut de toto penitus posse suo depellet pravitatis heretice sectatores et se paci satagat conciliare fraterne. » Lettre du 10 mars 1208.

23. L. BEAUCHET, art. *Occupatio*, dans le *Dic. des Ant. Grecq. et Rom.*

24. Lettres du 25 janvier à l'évêque d'Agen, aux archevêques de Narbonne et d'Arles, à Hugues de Riez et à Thédise. P. 3887, 3888, 3889 ; *P. L.*, t. 216, c. 183, 171, 173 : « Ne sub praestitae cautionis obtentu in perpetuum illa detineri contingat in ejus praejudicium et gravamen... ita duximus providendum ut propter hoc a praedictorum castrorum jure comes ipse non decidat, nec ei obstet quod quosdam subditorum a jure ac servitio et debito fidelitatis absolvit si ea quae injuncta fuerant non impleret dum tamen adhuc devotus adimpleat quae injuncta sibi esse noscuntur. » Dans les trois mois qui suivront la réception de la présente lettre, si un accusateur légitime se présente, le tribunal instruira l'affaire jusqu'à la sentence exclusivement ; il enverra les dossiers à Rome. C'est le pape qui prononcera la sentence. Si aucun accusateur légitime ne se présente, le tribunal délibérera sur les modalités de la justification et il les fera connaître à Raymond VI. Alors, de deux choses l'une : ou bien Raymond acceptera sa pénitence, et l'accomplira : il faudra le considérer comme catholique, le déclarer innocent du meurtre

En 1212, il déclare expressément qu'il n'y a aucun motif d'attribuer à un autre la terre qui appartient encore légitimement à la dynastie de Saint-Gilles et en particulier de confisquer les châteaux de Raymond VI, quelle que soit d'ailleurs la culpabilité du comte[25]. En 1213, il écrit dans le même sens à Simon de Montfort et aux légats[26] : « Les renards qui dévastent la vigne du Seigneur ont été pris », écrit-il à Arnaut-Amaury, le 15 janvier. La croisade n'a donc plus d'objet. Ses chefs, Simon et Arnaut, restitueront donc à Pierre II les fiefs de ses vassaux et à la Maison de Saint-Gilles le comté de Toulouse[27]. En 1214, il envoie dans le Languedoc le cardinal Pierre de Bénévent, avec des instructions très précises pour reconcilier au plus tôt Raymond VI, la ville de Toulouse, les comtes de Béarn, de Comminges et de Foix[28]. En 1215, il répond aux exigences des Pères de Montpellier en réservant au futur concile de Latran la solution du problème albigeois. Là encore, si l'on en croit la Chanson de la Croisade, Innocent III s'efforça d'adoucir les mesures extrêmes dont le concile voulait frapper la dynastie de Saint-Gilles au profit de Simon de Montfort : ce qui explique, croyons-nous, la solution bâtarde du concile.

On peut ranger sous trois chefs principaux les conditions de la croisade : conditions militaires, religieuses et financières.

de Pierre de Castelnau, lui restituer ses châteaux, exiger néanmoins une caution de sa fidélité à observer la paix. Ou bien, il refusera, soit par mauvaise volonté, soit parce que la forme de justification lui cause un préjudice quelconque : dans ce cas, on gardera ses châteaux, puis on en référera au pape et on attendra sa réponse.

25. Lettre à Raymond d'Uzès et Arnaut, archevêque élu de Narbonne, mai 1212. P. 4517 ; *P. L.*, t. 216, c. 613 : « Licet Raimundus Tolosanus comes in multis contra Deum et Ecclesiam culpabilis sit inventus, et pro eo quod legatis nostris inobediens exstitit et rebellis, sit excommunicatus ab ipsis et exposita terra ejus... non intelligimus qua ratione possemus adhuc alii concedere terram ejus quae sibi vel haeredibus suis abjudicata non est, praesertim ne videremur in dolo castra novis exhibita de suis manibus extorcisse, cum non solum a malo, sed ab omni specie mali praecipiat Apostolus abstinere. » Cette lettre, fait justement remarquer Luchaire, p. 199, « contient une menace pour les partisans de Simon de Montfort. Innocent continue d'affirmer les droits de Raymond VI, mais, prévoyant le cas où il faudrait sous la pression des circonstances sacrifier Raymond, il rappelle que le comté de Toulouse reviendrait alors, conformément au Droit féodal, à son fils, le jeune Raymond VII ».

26. Lettres des 15, 17, 18 janvier. P. 4647, 4648, 4653, 4655 ; *P. L.*, t. 216, c. 743, 744, 641, 739.

27. Lettre d'Innocent III à Simon de Montfort : 17 janvier 1213 : « Tu convertens in Catholicos manus tuas, quibus suffecisse debuerat in homines haereticae pravitatis extendi, per crucesignatorum exercitum ad effusionem justi sanguinis et innocentum injuriam provocatum terras vassalorum ipsius regis... in ejus grave praejudicium occupasti... Tu bona vassalorum ejus in propria usurpabas. » Item, lettre à Arnaut-Amaury : 18 janvier : « Tu autem, frater archiepiscope et nobilis vir Simon de Monteforti crucesignatos in terram Tolosani comitis inducentes, non solum loca in quibus habitabant haeretici occupastis, sed ad illas nihilominus terras quae super haeresi nulla notabantur infamia manus avidas extendistis. »

28. Pour éviter précisément la main-mise de Simon sur ces comtés. Sur la mission du cardinal de Bénévent, voir ci-dessous.

Les conditions militaires sont de deux sortes : la levée des troupes et l'organisation du commandement.

Le 10 mars 1208, Innocent III invite à la croisade les comtes, barons et tout le peuple de France[29]. Il écrit dans le même sens à l'archevêque de Lyon et à ses suffragants[30] ; il mande aux archevêques et évêques de Tours, de Paris et de Nevers d'insister auprès du Roi et des seigneurs pour qu'ils s'arment contre les hérétiques et rétablissent la paix du Christ dans la Provence[31].

Pour décider Philippe-Auguste qui, en décembre 1207, lui a exposé les motifs de son refus et signifié les conditions de son acceptation, il dépêche auprès des rois de France et d'Angleterre les abbés cisterciens de Perseigne et du Pin, avec mission de faire conclure autant que possible entre les rois une trêve de deux ans et de les presser d'intervenir l'un et l'autre contre les hérétiques de Provence[32]. Il conjure une fois de plus Philippe-Auguste de joindre son glaive matériel au glaive spirituel et de sceller ainsi l'alliance du Sacerdoce et de la Royauté[33] ; mais cette fois encore et pour les mêmes motifs, Philippe-Auguste se récuse[34]. Cependant, pour affirmer son droit contre les

29. Lettre déjà citée : « Eia igitur, Christi milites ! Eia strenui militie christianae tirones ! Moveat vos generalis Ecclesiae sancte gemitus, succendat vos ad tantam Dei vestri vindicandam injuriam pius zelus !... Universitatem vestram monemus attentius et propensius exhortamur ac in tante necessitatis articulo in virtute Christi confidenter injungimus et in remissionem peccaminum indulgemus quatinus tantis malis occurrere non tardatis et ad pacificandum gentes illas in Eo qui est Deus pacis et dilectionis intendere procuretis, et quibuscumque modis revelaverit vobis Deus, haereticam inde studeatis perfidiam abolere, sectatores ipsius eo quam Sarracenos securius quo pejores sunt illis, in manu forti et brachio extento impugnando. »

30. P. 3323 ; *P. L.*, t. 215, c. 1359.

31. P. 3358 ; *P. L.*, t. 215, c. 1361 : « Per apostolica scripta vobis praecipiendo mandantes quatenus tam charissimum in Christo filium nostrum Philippum illustrem regem Francorum quam universos regni sui nobiles et magnates ad conciliendam pacem in Christo et haereticos expugnandis in Provincia supradicta auctoritate nostra suffulti prudenter et efficaciter inducatis.

32. Mars 1208. P. 3355 ; *P. L.*, t. 215. c. 1360 ; *Hist. Fr.*, t. XIX, p. 500 : « Cum ergo post interfectionem sancte memoriae fratris Petri de Castronovo in eadem Provincia ita coeperit detestabilis et hostilis rabies ampliari ut post divinae virtutis potentiam nonnisi per eorumdem concordiam reprimenda credatur, discretioni vestrae per apostoliva scripta mandamus et in virtute obedientiae districte praecipimus quatenus dictos reges personaliter adeuntes ipsos tam auctoritate nostra quam vestra sollicitudine prudenter et efficaciter inducatis ad treugas per biennium saltem invicem ineundas firmiter et servandas. » La paix entre les rois en fonction de la croisade qu'Innocent III cherche à réaliser en 1208 rappelle le précédent de 1177 ; voir chapitre II, p. 131.

33. Mars 1208. P. 3353 ; *P. L.*, t. 215, c. 1358 : « Galdium quem ad vindictam malefactorum, laudem vero bonorum accepisti, gladio nostro junge ut simul de tam scelestis et inhumanis malefactoribus ulciscamur. Attende per Moysen et Petrum, scilicet Patres utriusque Testamenti, signatum inter regnum et sacerdotium unitatem, cum alter regnum sacerdotale praedixit et reliquus regale sacerdotium (Iᵃ Petri : II, 9) appellavit ad quod signandum Rex Regum et Dominus Dominantium (Apoc., XIX, 16) Jesus Christus secundum ordinem Melchisedech (Ps. 109, 5) sacerdotis et regis de utraque voluit stirpe nasci, sacerdotali videlicet et regali. »

34. *Hist. Albig.*, 72 : « Quod duos magnos et graves habebat a lateribus leones,

exigences du pape qui ose dans son propre royaume lever une armée
sainte pour combattre son vassal, il se réserve d'accorder au duc de
Bourgogne, au comte de Nevers, au comte de Châtillon et à quelques
autres la permission de se croiser[35]. Mais vers la fin de l'année, après
les premiers succès[36] les croisés de la première heure se retirent : Simon
de Montfort est isolé[37], la diplomatie de Raymond VI est active[38].
Innocent III fait un nouvel effort : il appelle à la rescousse l'empereur Othon IV[39] il ose même détourner de la croisade contre les Sarrasins les rois d'Aragon et de Castille sous prétexte qu'ils trouveront
en Provence des facilités qui n'existent pas en Espagne[40]. Il conjure
les croisés de rester auprès de Simon pour protéger la terre en attendant le prochain renfort qu'il promet pour Pâques 1210[41]. Le mouvement est désormais si bien lancé qu'il ne s'arrêtera plus[42].

A cette armée il faut un chef, Ce chef, c'est le pape lui-même dans
la personne de ses légats. Ceux-ci, Navarre, évêque de Couserans[43],
Hugues, évêque de Riez[44], Arnaut-Amaury, sont nommés dès le 28
mars 1208[45]. Leur mission consiste à « procéder au nom du Seigneur
à l'extirpation de l'hérésie et à ramener au bercail du Christ les brebis égarées »[46], et, s'il y a lieu, à fulminer l'anathème, à exposer les
personnes à l'exil et au jugement séculier, à exposer les terres à la confiscation, à presser le roi et son fils le prince Louis, les comtes, les

---

Otonem videlicet qui dicebatur imperator, et regem Angliae, Johannem qui hinc
et inde ad turbationem regni Francie totis viribus laborabant, ideoque nec ipse a
Francia ullo modo exire vellet nec filium mittere, immo satis ei videbatur ad praesens si barones suos ire permitteret ad perturbandum in Narbonensi Provincia
pacis et fidei turbatores. »

35. A l'assemblée de Villeneuve-sur-Yonne, le 1er mai 1209 ; *Hist. Alb.*, 72.

36. Prise de Béziers : 21 juillet 1209 ; de Carcassonne : août 1209 ; *Hist. Alb.*,
84 ss, 108 ss.

37. D. Vaissète, t. VI, pp. 299-303.

38. Il va en France solliciter le secours du roi ; en Italie demander la protection de l'empereur et du pape. D'après *Hist. Alb.*, 137-139, il aurait été éconduit
par le pape. D. Vaissète dit le contraire. Nous suivons de préférence cette version
parce que nous avons des preuves de la bienveillance du pape dans ses lettres du
25 janvier 1210 à l'évêque d'Agen, aux archevêques de Narbonne et d'Arles, aux
légats Hugues et Thédise.

39. Lettre du 11 novembre 1209 ; P. 3830 ; *P. L.*, t. 216, c. 153.

40. Lettre du 11 novembre 1209 ; P. 3831 ; *P. L.*, t. 216, c. 154.

41. Lettre du 13 novembre 1209 ; P. 3838 ; *P. L.*, t. 216, c. 156.

42. En 1210 de nouveaux croisés arrivent de France et d'Allemagne : *Hist.
Alb.*, 141, 168, 173, 174, 188 ; *Annales Stadenses, Parchenses, Floreffenses, Rai-
neri*, dans *M. G. H.* ss ; t. XVI, pp. 355, 606, 626, 663, entre autres les évêques
de Chartres et de Beauvais, les comtes de Dreux et de Ponthieu. Plus tard des
Lorrains : *Annales Colonienses Maximi*, dans *M. G. H.* ss ; t. XVII, p. 826. En
1211, Robert Mauvoisin amène avec lui plus de cent chevaliers : *Hist. Alb.*, 286.
En 1213, le Prince Louis se croise à son tour, mais n'accomplit son vœu qu'en
avril 1215 : *Hist. Alb.*, 417, 418, 550-553, 560-566.

43. Navarre, prémontré, 1208-1215 ; *Gal. Chris.*, t. I, c. 1130.

44. Hugues, 1201-1233 ; *Gal. Chris.*, t. I, cc. 401-402.

45. Lettre du 28 mars 1208, P. 3348 ; A. Teulet, *Layettes*, I, p. 317, n° 843.

46. « Mandantes quatinus omnes et singuli ad extirpandam haereticam pravitatem in nomine Domini procedatis, ut ad ovile Christi oves reducatis errantes. »

barons, vassaux du Languedoc et de Provence de pourvoir à cette proscription et à cette confiscation[47].

L'autorité des légats n'est pas seulement religieuse ; elle est également militaire. Innocent III le signifie expressément aux archevêques et aux évêques de France[48]. Philippe-Auguste lui-même est requis de leur fournir l'*auxilium* et le *consilium*[49]. Le haut commandement appartient à l'Eglise.

Mais la technique des opérations exige la nomination d'un chef militaire. Ce chef est tout indiqué : c'est le roi ou son fils ou du moins un seigneur qualifié agissant par délégation royale ; mais, notons-le bien, ce chef, quel qu'il soit, reste le docile instrument des légats ; il n'est que le premier des croisés. A la demande d'Innocent III, Philippe-Auguste répondit par une fin de non-recevoir[50]. Il interdit même à son fils de se croiser et la permission qu'il accorda au duc de Bourgogne, aux comtes de Nevers et de Châtillon et aux autres seigneurs, à Villeneuve-sur-Yonne, le 1er mai 1209, n'a pas du tout la valeur d'une délégation, mais d'une simple autorisation. Il fallut donc s'organiser en dehors du roi, mais, en laissant aux légats l'initiative de la création du chef militaire, Philippe-Auguste leur laissait dans le Languedoc les mains libres : il favorisait indirectement leurs ambitions, faussait la théorie canonique de la croisade et entraînait Innocent III plus loin qu'il ne l'aurait voulu.

Aux croisés, le pape accorde l'indulgence et la protection des biens.

En mars 1208, il proclame officiellement la concession de l'indulgence et en indique les conditions : confession et contrition[51]. Dans

47. « Et si que in contumacia sua forte persistant... » Innocent III espère sans doute que la mobilisation des croisés représente une forme de contrainte suffisante pour amener les hérétiques à recipiscence.

48. Lettre du 9 octobre 1208 ; P. 3511 ; *P. L.*, t. 215, c. 1469, 1470 : « Praesidia militiae christianae de circumpositis regionibus duximus convocanda, venerabilibus fratribus nostris Consotanensi et Regensi episcopis necnon et dilecto filio Cisterciensi abbate apostolicae sedis legatis deputatis ipsis in duces ut defensuri sanctae Trinitatis honorem sub trino triumphent regimine magistrorum. »

49. Lettre du 9 octobre 1208 ; P. 3512 ; *P. L.*, t. 215, c. 1470, 1471 : « Cum a praedictis legatis fueris requisitus, consilium eis ad hoc et auxilium opportunum impendas, populos tibi subditos inducendo ut ad opus tam sanctam tam per se quam per sua obsequium Deo devotum et subsidium Ecclesiae necessarium exhibere procurent. »

50. Lettre d'Innocent III, du 3 février 1209 ; P. 3638 ; *P. L.*, t. 215, c. 1545 : « Cum ergo sit provido cogitatum ut iis qul orthodoxae fidei zelo succensi ad expugnandum provinciales haereticos se accingunt unus in capitaneum deputetur sub cujus unius consilio unanimiter universi procedent, serenitatem regiam attentius et monemus, in remissionem tibi peccaminum injungentes, quatenus eis vel eorum aliquibus prout expedit convocatis, aliquem virum strenuum, providum ac fidelem eis auctoritate regia praeficere non postponas, qui praelium Domini proeliantes sub divino praesidio tuoque vexillo conducat. »

51. Lettre aux archevêques : 10 mars 1208 : « Illis autem qui orthodoxae fidei zelo succensi ad vindicandum sanguinem justum qui de terra clamare non cessat ad coelum (Gen ; IV, 10)... viriliter se accinxerint adversus hujusmodi pestilentes qui simul in unum et pacem et veritatem impugnant suorum remissionem peccaminum a Deo ejusque vicario secure promittatis indultam, ut eis labor hujusmodi ad operis satisfactionem sufficiat super illis offensis pro quibus cordis contritionem et oris confessionem veram obtulerint vero Deo. »

sa lettre aux légats, il en précise le caractère : « Nous voulons, écrit-il, que ceux qui se croisent contre les hérétiques bénéficient de la même indulgence que nous accordons aux croisés de Terre Sainte[52]. » En octobre, il la proclame une seconde fois, dans des termes semblables à ceux de sa lettre de mars[53]. L'année suivante, il ordonne à ses légats d'absoudre le comte d'Auvergne coupable d'avoir porté la main sur l'évêque de Clermont, s'il peut se mettre au service de la cause du Christ contre les hérétiques[54]. A la fin de l'année, quand il lève de nouvelles troupes, il proclame une troisième fois l'indulgence en termes semblables à ceux de l'année précédente[55].

L'indulgence se double de la protection du Saint-Siège[56]. Cette protection s'étend aux personnes et aux choses[57] : quiconque se permettra de la violer sera frappé sans possibilité d'appel par les sanctions canoniques. Nous n'insistons pas davantage. Innocent III ne fait ici qu'appliquer les dispositions qu'il a déjà données en 1207, conformément à la législation du IIIe concile de Latran.

Les conditions financières de la croisade sont de trois sortes : l'abolition des usures, le moratoire des dettes et la levée d'une aide.

L'abolition des usures n'est pas particulière à la croisade. On peut néanmoins la rattacher au principe de la protection des biens par le Saint-Siège. Innocent III ordonne que les croisés, clercs et laïcs, qui auraient consenti par serment à l'usure, soient déliés de leur serment par leurs propres créanciers. Si les créanciers s'y refusent, il faudra les contraindre par censure ecclésiastique et sans appel. Si des usures ont été versées, il faudra contraindre par les mêmes peines les créanciers à restitution[58].

Le moratoire des dettes s'inspire des mêmes considérations et se présente avec des caractères semblables. Innocent III demande aux

---

52. Lettre du 28 mars 1208 : « Illos qui contra haereticos fideliter laborarint, eadem indulgentia gaudere velimus quam in Terre Sancte subsidium transfretantibus indulgemus. »

53. Lettre du 9 octobre 1208 aux archevêques et évêques ; P. 3511 ; *P. L.*, t. 215, c. 1469.

54. Lettre du 3 février 1209 ; P. 3641 ; *P. L.*, t. 215, c. 1547.

55. Lettre du 11 novembre 1209 ; P. 3828 ; *P. L.*, t. 215, c. 158.

56. Lettre aux archevêques et évêques de France : 11 octobre 1208 ; P. 3514 ; *P. L.*, t. 215, c. 1469 ; Item, lettre aux croisés : 3 février 1209 ; P. 3640 ; *P. L.*, t. 215, c. 1546.

57. « Tam cum personis, terris, possessionibus et hominibus ac coeteris bonis vestris sub protectione sedis apostolicae maneatis. »

58. Lettres du 11 novembre 1209 ; P. 3828 ; *P. L.*, t. 215, c. 158-159 : « Volumus et mandamus ut si qui nobilium, clericorum seu etiam laïcorum contra pestilentes hujusmodi procedentium ad praestandas usuras juramento tenentur astricti, creditores eorum in vestris dioecesibus constitutos, cum ab ipsis fueritis requisiti, per censuram ecclesiasticam appellatione postposita compellatis ut eos a juramento penitus absolventes, ab usurarum penitus exactione desistant ; quod si quisquam creditorum ad solutionem ipsos coegerit usurarum, eum ad restituendas ipsas postquam fuerint, persolutae simili censura sublato appellationis obstaculo coarctetis creditores talium quam diligentius poteritis inducentes ut terminos ad solutionem debitorum praefixos, donec illi labori vacaverint hujusmodi pietatis elongent. »

archevêques et évêques de France de contraindre par sanctions canoniques et sans appel les créanciers des croisés à leur accorder le délai
nécessaire pour l'accomplissement de leurs vœux[59]. Cette législation
conduit Innocent III à s'occuper des Juifs. Mais, l'Eglise n'ayant
pas sur eux juridiction directe, le pape invite Philippe-Auguste à
contraindre les juifs à remettre aux croisés leurs intérêts et à leur
accorder des délais pour le paiement de leurs dettes[60]. Il presse également les archevêques de Bourgogne, de Provence et du Languedoc
d'insister dans le même sens auprès de tous ceux qui exercent sur
les Juifs une juridiction quelconque[61].

En même temps, Innocent III demande la levée d'une aide. Il aurait bien voulu que Philippe-Auguste se chargeât des frais de la croisade ; mais le roi l'avait simplement autorisé à lever un subside sur
les nobles et sur le clergé[62]. Du moins, Innocent III espérait-il que Philippe-Auguste engagerait ses sujets à fournir le subside[63]. Il ne semble
pas que le roi ait répondu à cet appel. Alors le pape se chargea lui-
même de cette opération difficile ; la multiplicité de ses lettres en est
la meilleure preuve. En 1208, il permet aux clercs d'engager deux ans
de leurs revenus[64]. Il demande que les vassaux des seigneurs croisés
versent la dixième partie de leurs revenus annuels. En 1209, il sollicite seulement une part de ces revenus au taux fixé par les légats[65].
En 1210, il charge ces légats d'en assurer la perception dans les provinces de Bordeaux, de Besançon et de Vienne, dans les diocèses de
Pampelune, de Limoges, de Clermont, du Puy, de Mende, de Cahors
et de Rodez. Pour les autres provinces il leur demande simplement
d'insister *monitis et precibus*[66].

*
* *

Quand il comprit que les menaces du Souverain Pontife n'étaient
pas vaines, le comte de Toulouse se décida à faire sa soumission[67].
Comme il craignait l'abbé de Citeaux, il pria le pape de nommer un

---

59. Lettre du 9 octobre 1208 ; P. 3511 ; *P. L.*, t. 215, c. 1469.
60. Lettre du 9 octobre 1208 ; P. 3512 ; *P. L.*, t. 215, c. 1470.
61. Lettres des 11 et 12 novembre 1209, déjà citée : « Quia igitur apud vos districtio forsan proficiet temporalis a quibus super hoc spiritualis inductio non admittitur, illos qui super Judaeos in vestris dioecesibus permanente habere noscuntur dominium temporale diligenter inducere procuretis ut eos inducant et tra-
dita sibi potestate compellant quod suis debitoribus in hujusmodi Dei obsequium
profecturis omnino relaxant usuras et terminos ad exsolvendum sortem praefixos,
si fieri potest, prorogent competenter. »
62. Lettre du 9 octobre 1208, déjà citée.
63. Lettre du 8 octobre 1208 : P. 3510 ; *P. L.*, t. 215, c. 1469 : « Concedimis
quatenus redditus vestros pro pietatis hujus opere adimplendo liceat vobis pignori
per biennium obligare. »
64. Lettre du 9 octobre 1208, déjà citée.
65. Lettres des 26, 27, 28 juillet et du 11 novembre 1209 ; P. 3783, 3785, 3787,
3828 ; *P. L.*, t. 216, c. 99, 98, 97, 158.
66. Lettre à Hugues de Riez et à Arnaut-Amaury : 27 juin 1210 ; P. 4022 ;
P. L., t. 216, c. 283.
67. La diplomatie de Raymond VI échoua auprès de Philippe-Auguste et

nouveau légat. Innocent III lui envoya Milon, notaire de la Curie, auquel il adjoignit Thédise, chanoine de Gênes, mais les subordonna l'un et l'autre à Arnaut-Amaury[68]. Celui-ci rencontra le nouveau légat à Auxerre et lui donna ses instructions. Ils assistèrent ensemble à l'entrevue de Villeneuve-sur-Yonne, puis Arnaut demeura en Bourgogne pour organiser l'armée sainte, tandis que Milon descendait la vallée du Rhône et invitait Raymond VI à se justifier dans le courant de juin 1209, à Valence, puis à Saint-Gilles.

La Pénitence du comte de Toulouse comprend : la reconnaissance des torts, l'imposition des devoirs, la tradition du corps et des châteaux[69].

Raymond VI dût reconnaître le bien fondé de tous les griefs qui avaient justifié son excommunication, entre autres la violation des immunités ecclésiastiques, le refus de jurer la paix de Provence et de licencier ses bandes de routiers, la suspicion d'hérésie.

Quand il eût achevé sa confession, le comte de Toulouse se vit rappeler les prescriptions des conciles antérieurs, entre autres du IIIe concile de Latran, relatives au respect des immunités, au maintien de la paix, à l'expulsion des routiers et des hérétiques. Il promit de réparer tous les dommages par lui causés aux différentes églises de Provence et de se soumettre dorénavant en toutes choses « comme il convient à un prince catholique » à toutes les exigences des légats. Il prenait enfin la Croix et s'engageait à combattre ses propres vassaux dans les rangs de l'armée sainte[70].

En témoignage de sa bonne volonté, le comte de Toulouse donna des garanties : son corps et les sept châteaux suivants : Oppède, Montferrand, Beaumes de Venise, Mornas, Roquemaure, Fourques, Largentière ou Fanjaux. Ces châteaux, Raymond VI les distrait donc provisoirement de son domaine : il les livre, dit le texte, « à titre de sa-

---

d'Othon IV : Guillaume de PUYLAURENS, ch. XIII ; J. BEYSSIER, p. 130 ; D. VAISSÈTE, t. VI, p. 271 ; A. LUCHAIRE : *La Croisade*, p. 129 et suivantes, mais réussit auprès d'Innocent III : Raymond envoya au Latran l'archevêque d'Auch, Bernard, l'ex-évêque de Toulouse, Raymond de Rabastens, l'abbé de Condom et le prieur des Hospitaliers de Saint-Gilles : *Hist. Albig.*, 68, D. VAISSÈTE, t. VI, p. 268 et note 3 de Molinier ; A. LUCHAIRE, p. 131 ; malgré les efforts de la partie adverse, représentée par Foulques, évêque de Toulouse et le légat Navarre, évêque de Couserans.

68. Thédise nommé avant le 1er mars 1209 ; P. 3683 ; *P. L.*, t. 216, c. 187. D'après *Hist. Albig.*, 71 : « Dominus papa magistro Miloni expresse dixerat : Abbas Cistercii totum faciet et tu organum ejus eris ; comes etenim Tholosanus habet eum suspectum, set tu non eris ei suspectus. » Voir D. VAISSÈTE ; t. VI, p. 273 et suivantes.

69. Processus negotii Raymundi Comitis Tolosani, dans *P. L.*, t. 216, c. 89 à 93. Quelques textes dans MANSI, t. XXII, c. 769 et suivantes.

70. Processus ; ch. III ; D. VAISSÈTE, t. VI, p. 278 ; MANSI, t. XXII, c. 770-771. Item, ch. IX : « Ego... juro... quod quando principes crucesignati ad partes meas accedent, mandatis eorum parebo per omnia tam super securitatis quam mihi pro utilitate ipsorum et totius exercitus duxerint injugenda. » Innocent III lui envoya ses félicitations et ses encouragements : lettre du 27 juillet 1209 ; P. 3784 ; *P. L.*, t. 216, c. 100.

tisfaction et de caution, au pouvoir de l'Eglise Romaine, du Seigneur Pape et de Milon, légat du Siège Apostolique ». Le légat remit les châteaux aux Ordinaires des lieux sur lesquels ils se trouvaient : chaque Ordinaire jura, entre les mains de Milon, de faire garder fidèlement sans dol, sans « mal engin » le ou les châteaux qui lui seraient confiés et de ne les restituer au comte de Toulouse qu'avec l'autorisation expresse du pape, de Milon ou d'un autre légat spécialement qualifié[71]. L'administration des châteaux se ressentit de leur condition juridique. Le *custos*, archevêque ou abbé, devait nommer un « baile » qui exercerait une justice plénière sur les personnes et sur les choses. Les soldats seraient des « hommes » du comte, mais celui-ci leur ferait prêter un serment spécial de sécurité qui portait évidemment atteinte à l'intégrité de la fidélité qu'ils lui devaient. L'entretien matériel du château incombait à la charge du comte : il devait remettre au baile la totalité des revenus et combler le déficit, s'il y avait lieu. « Si je n'obéis pas, ajoutait Raymond VI, aux ordres qui m'ont été donnés, je veux que les sept châteaux tombent dans la commise de l'Eglise Romaine et que je perde tous les droits sur le comté de Melgueuil ; je veux que mes « cojureurs », consuls et autres, et leurs successeurs soient déliés de la fidélité qu'ils me doivent et qu'ils la reportent à l'Eglise Romaine pour tous les fiefs et pour les droits que je possède dans leurs villes, leurs cités et leurs châteaux[72]. »

La pénitence de Raymond VI se complète par les serments des seigneurs et des consuls des villes.

C'est à Saint-Gilles, le 18 juin, que Milon imposa aux vassaux de Raymond VI et aux autres seigneurs de Provence des obligations semblables à celles qu'il imposa au comte de Toulouse et souvent avec les mêmes cautions.

Le 18 juin, Guillaume des Baux, prince d'Orange, prête un serment

---

71. Processus, ch. i : « Mitto corpus meum et septem castella... Confiteor me praefata castra nomine Ecclesiae Romanae possidere, et eadem quam cito volueritis et quibus volueritis corporaliter assignabo, et homines eorumdem, castrorum, quamdiu ipsa castra in Ecclesiae Romanae fuerint potestate custodibus castrorum, sicut ordinaveritis, juramenta faciam securitatis exhibere, nonobstante fidelitate qua mihi tenentur. Insuper memorata castra meis custodiantur expensis. » Item, ch. viii : « Sane illi vel illis cui vel quibus dominus papa vel tu, vel alius nuntius sive legatus domini papae cum supradicta forma ad hoc specialiter deputatus jusserit. »

72. Processus, ch. ii : « Si autem ea quae circa supradicta capitula et alia injuncta mihi fuerint in perpetuum bona fide non servabo, volo et concedo ut septem castra cadant in commissum Romanae Ecclesiae et jus quod habeo in comitatu Melgoriensi ad Romanam Ecclesiam plenissime revertatur. Volo etiam et concedo ut persona mea excommunicetur et terra supponatur ecclesiastico interdicto, et cojuratores mei tam consules quam alii et successores eorum ex hoc ipse (*sic*) absoluti a fidelitate, jure ac servitio quibus mihi tenentur, Romanae Ecclesiae pro feudis et juribus quae habeo in villis, civitatibus et castris de quibus erant tam consules quam alii qui jurarunt fidelitatem teneantur pariter et servare. » Item : MANSI, t. XXII, c. 769-770.

identique à celui de Raymond VI[73], mais en outre il s'engage avec Hugues des Baux, son frère, et Raymond, son neveu, pour eux-mêmes, pour les seigneurs qui résident à l'est du Rhône, pour les fils de Rostaing de Sabran, de Bertrand de Laudun et de son frère Guillaume, à livrer au légat les châteaux de Vitrolles, de Montmirat et de Clarensans[74]. Le même jour Pierre Bermond de Sauve, Raymond Pelet, seigneur d'Alais, Raymond Rascas, seigneur d'Uzès, Rostaing de Posquières et Raymond Gaucelin, seigneurs de Lunel, livrent au légat les châteaux de Grefeuille, de Roquefourcade et de Sade[75].

Le 21 juin, Milon imposa à Guillaume Porcelet une pénitence à peu près semblable à celle de Raymond VI[76].

Le 2 juillet, Artaud de Roussillon jura à son tour, entre autres choses, de poursuivre les hérétiques et d'assurer la paix, et livra en gage de son serment et dans les mêmes conditions que Raymond VI son propre château de Roussillon[77].

Le 12 juillet, les co-seigneurs de Montélimar, Guillaume-Adhémar et Lambert, jurèrent le même serment et engagèrent au légat la ville de Montélimar avec ses dépendances et le château de Rochemaure : toutes cautions que le légat remit à la garde de l'évêque de Viviers[78].

Le 4 septembre, Guillaume de Sabran, comte de Forcalquier, s'engagea pareillement à respecter les immunités, à poursuivre les hérétiques, à contraindre, soit par amende de 100 sous, soit par la peine du ban, quiconque, ayant été excommunié, refuserait de satisfaire à la justice ecclésiastique, à livrer enfin les trois châteaux de Lourmarin, de Pérose et de Césariste[79].

---

73. Forma juramenti Baronum, Civitatum, aliorumque locorum, Domino Papae danda, *P. L.*, t. 216, c. 127 à 138 ; ch. II.

74. Processus, ch. XII ; D. Vaissète, t. VI, p. 281.

75. Processus, ch. XIII ; D. Vaissète, t. VI, p. 281.

76. Forma juramenti ; ch. IV.

77. Forma juramenti ; ch. VI.

78. Forma juramenti ; ch. VIII. A la fin de juillet, Milon, ayant réglé toutes choses au mieux des intérêts de l'Eglise, sa mission étant par conséquent terminée, se disposait à rentrer en Italie. Mais l'abbé de Citeaux lui demanda de faire conclure la paix entre le comte de Forcalquier et le comte de Provence : Alphonse II, frère de Pierre II ; D. Vaissète, t. VI, p. 176, et de quêter pour la Croissade : cf. Lettre à Innocent III : septembre 1209 ; *P. L.*, t. 216, c. 124. De son côté, le pape prolongea la législation de Milon : lettre du 27 juillet : P. 3786 ; *P. L.*, t. 216, c. 100. Mais quand il reçut la lettre d'Innocent III, le légat était déjà en route vers la Provence. Passant à Arles, il fit démolir deux églises que Guillaume Porcelet avait fortifiées sur une île du Rhône et grâce auxquelles il levait d'injustes péages : « Me, cum circumstantibus civitatibus continuo ad ipsam destruendam accinxi » : Lettre de septembre 1209, *op. cit.* C'est donc à la tête d'une petite armée que Milon se prépara à donner l'assaut : analogie avec la croisade du cardinal d'Albano. Mais Guillaume Porcelet livra les forteresses et Milon les fit raser.

79. Forma juramenti, ch. XIII. Guillaume de Sabran qui avait conclu un traité avec Raymond VI en 1195 entretenait encore des bandes de routiers ; Cf. V.-L. Bourilly-R. Busquet, *ouvr. cité*, p. 32 ; item, G. de Tournadre : *Histoire du Comté de Forcalquier*, Paris, 1931, p. 100 et suivantes. En 1198, Innocent III lui déclara sans ambages qu'il méritait de perdre toutes ses terres et il le soumit à l'anathème et l'invita à se croiser en Terre Sainte : P. 546 ; *P. L.*, t. 214, c. 384.

Vers le même temps, Hugues et Raymond des Baux livrèrent au légat leur château d'Alançon en gage du serment qu'ils avaient prêté l'un et l'autre à Saint-Gilles le 18 juin[80].

Les serments des consuls des Villes sont à peu près identiques Ils. sont prêtés par les consuls de Saint-Gilles, le 18 juin, de Nîmes, le 19 juin, d'Avignon, le 20 juin, d'Orange, le 25 juin, le clergé de Valence, le 2 juillet, les consuls de Montpellier, le 24 juillet, d'Arles, le 30 juillet, de Largentière, le 2 août, de Cavaillon, le 10 septembre[81]. Ces serments présentent un double caractère : le premier, c'est le caractère commun de tous les serments antérieurs : mêmes clauses relatives aux immunités, à la paix, aux hérétiques. Les sanctions jurées contre les coupables consistent dans la double série des peines personnelles et réelles que prévoit la décrétale *Vergentis* : les incapacités et la confiscation[82]. La deuxième consiste dans une promesse de soustraction de la fidélité qui est due au comte de Toulouse si le comte vient à manquer à l'un ou l'autre de ses engagements : « Nous jurons sur les Saints Evangiles à Maître Thédise, notaire du Seigneur Pape, légat du Siège Apostolique, qu'en toute bonne foi, sans « mal engin », sans aucun dol, nous donnerons le conseil et nous ferons tout notre possible pour que le comte puisse satisfaire, lui ou ses successeurs, maintenant et dans l'avenir, sur tous les motifs de l'excommunication. S'il n'accomplit pas sa pénitence ou se permet de contrevenir manifestement à l'une ou l'autre des satisfactions exigées, nous lui retirerons, nous, nos « hommes », nos amis, le conseil et l'aide ; nous nous considérerons comme affranchis de la fidélité que nous lui devons : bien plus nous ferons contre lui tout ce que l'Eglise Romaine, son envoyé ou son légat nous demanderont de faire, nonobstant le droit

En 1209, Milon, revenant de Marseille à la fin d'août, s'arrêta à Aix. Il signifia au comte de Forcalquier qu'il était tenu, comme le comte de Toulouse et les autres seigneurs, d'observer les Statuts de Saint Gilles ; Guillaume de Sabran fit bien quelques difficultés, mais il finit par s'incliner devant la volonté du légat ; cf. Lettre à Innocent III sur la légation de Provence : *P. L.*, t. 216, c. 124-125. Guillaume de Sabran mourut peu de temps après, le 7 octobre 1209, d'après G. DE TOURNADRE, *ouvr. cité*, p. 120.

80. Forma juramenti, ch. XII.

81. Forma juramenti, ch. I et III. Processus, ch. V. Forma, ch. V, VII, IX, X, XI, XIV. Item, MANSI, t. XXII, ch. 774 à 784.

82. Forma, ch. III : « Si episcopus vel capitulum vel alia persona ecclesiastica nobis aliquos haereticos nominaverit vel credentes, vel per nosmetipsos cognoscere poterimus aliquos haeresim praedicare vel facere conventicula aliqua, ipsos persequemur secundum legitimas sanctiones et eorum bona *infiscabimus*. Haec omnia singulis annis per manus episcopi nostri successores nostros faciemus jurare. Si quis autem haec jurare noluerit, ipsum tamquam haereticum m unifestum habebimus nec ejus judicium sive auctoritas vigorem in aliquo sortiatur. » Le serment des consuls de Montpellier, Arles, Largentière et Cavaillon comprend en outre une clause relative à toute espèce d'excommunié : Forma, ch. IX, X, XI, XIV : « Si quelqu'un de notre diocèse a été excommunié pour ses excès et n'a pas satisfait au bout d'un mois, nous lui enlèverons 100 sous de Melgueuil (100 sous du Puy, pour les consuls de Largentière) et autant de fois qu'il restera de mois dans son excommunication, et pour finir, nous lui infligerons la peine du ban. »

ou le service que nous pourrions lui devoir encore, tant qu'il ne sera pas entièrement soumis[83]. »

Les serments de 1209 présentent avec toute une séries d'actes d'hommages contemporains des analogies curieuses. De part et d'autre, on rencontre le même appel à l'excommunication en cas de forfaiture, et la double clause de garanties : les « cautions » et les « fidejusseurs ».
En juin 1196, Baudoin IX, comte de Flandre, prête à Philippe-Auguste un serment d'hommage ; en terminant, il appelle l'excommunication des archevêques et évêques de Reims, d'Amiens, de Tournai, de Thérouanne, pour le cas où il trahirait son serment[84]. En janvier 1199 ou 1200, toutes les grandes communes de Flandre : Saint-Omer, Bruges, Bergues, Courtrai, Furnes, Bourbourg, Lille, Ypres, Aire, Gand s'engagent, au cas où Baudoin IX enfreindrait le traité de Péronne, à lui soustraire leur fidélité pour « adhérer » au roi[85]. En Mai 1206, Maurice de Craon fait hommage-lige à Philippe-Auguste et lui livre trois « plèges » comme garanties de sa fidélité[86]. En septembre 1209, Gaudin de Ramefort constitue également des « fidejesseurs » à chacun desquels il donne 100 marcs qui seraient versés entre les mains du roi en cas d'infidélité[87]. De même en septembre 1209, Thomas de Saint-Valéry fait la paix avec son seigneur Guillaume, comte de Ponthieu et Montreuil et lui livre des plèges : « si je manque à mon serment, dit-il, ils tomberont dans le pouvoir du comte, mon seigneur, avec les fiefs qu'ils tiennent de moi et les services qu'ils me doivent[88]. » A une date postérieure, nous remarquons l'acte d'hommage-lige de Ferrand de Portugal, comte de Flandre, à Philippe-Auguste, en janvier 1211 ou 1212, La clause suivante est particulièrement remarquable : « Si je viens à trahir mon serment, je veux que tous mes

83. « Nos ei nullum consilium vel auxilium seu obsequium per nos vel per homines sive amicos nostros aliquatenus impendemus, imo quousque plene paruerit, faciemus contra ipsum pro posse nostro quidquid Romana Ecclesia vel ejus nuntius sive legatus nobis mandaverit faciendum. » En 1209, Raymond VI appelait ses vassaux à l'infidélité en cas de forfaiture de sa part ; voir ci-dessus.
84. A. Teulet : *Layettes*, t. I, p. 189, nº 450 ; F. Lot : « Fidèles ou vassaux ? Essai sur la nature du lien juridique qui unissait les grands vassaux à la royauté », Paris, 1904, appendice I ; *H. F.*, XIX, p. 352 ; *P. L.*, t. 214, c. 117. Voir également parmi les actes d'hommages similaires, ceux de Renaud de Dammartin, comte de Boulogne, à Philippe-Auguste, même date : Compiègne, juin 1196 ; A. Teulet, t. I, p. 188, nº 448. Item, de Thibaut III, comte de Champagne à Philippe-Auguste renfermant, outre la clause relative aux cautions, une disposition en vertu de laquelle des hommes du comte et des hommes du roi s'engagent à se mettre dans les prisons du roi ou du comte, selon que l'un ou l'autre n'aura pas observé les conditions du traité : Melun, avril 1198 ; A. Teulet, t. I, p. 195, nº 473, 474. Mêmes caractères dans l'acte d'hommage lige de Hervé IV, sire de Douzy, à Philippe-Auguste ; Paris, octobre 1199 ; A. Teulet, t. I, p. 207, nº 502.
85. A. Teulet, t. I, p. 215 et 216, nº 562, 563, 564, 565, 566, 567, 568, 569, 570, 571 ; *H. F.*, t. XVIII, p. 552 ; Léopold Delisle : *Catalogue*; ouvr. cité, nº 579, 580.
86. Chantocé, 13 mai 1206 ; A. Teulet, t. I, p. 303, nº 805.
87. Loudun, septembre 1209 ; A. Teulet, t. I, p. 333 ; nº 882, 883, 884, 885, 886, 887.
88. Mautort, septembre 1209 ; A. Teulet, t. I, p. 335 et 336, nº 888, 889, 890, 891.

hommes, barons et chevaliers, toutes les Communes et communautés
de villes et les bourgs qui se trouvent sur ma terre se dressent contre
moi ; qu'ils servent mon seigneur le roi et me nuisent à moi-même
et qu'ils soient au pouvoir du roi, jusqu'à ce que le seigneur roi daigne
recevoir ma satisfaction. Et je veux et j'ordonne que tous les susdits,
barons, chevaliers et autres fassent et jurent au seigneur roi ce serment de sécurité. Et s'il en est qui refusent de jurer, je leur ferai tout
le mal que je pourrai, je n'aurai avec eux ni paix, ni trêve, sinon du
consentement et du bon plaisir du seigneur roi[89]. « En novembre-
décembre 1213, Thibaut, comte de Blois, Guy de Dampierre, Henri V,
comte de Grandpré, Guillaume Ier, comte de Joigny, Ida, dame de
Trainel, Hugues II, comte de Rethel conditionnent leur fidélité à
Blanche de Champagne, leur suzeraine, à la fidélité de Blanche envers
Philippe-Auguste[90].

L'analogie de ces serments avec ceux de Saint-Gilles est curieuse.
Les uns et les autres sont des serments de fidélité : ceux-ci s'adressent
au roi de France ; ceux-là à l'Eglise Romaine. La suzeraineté de l'empereur fut toujours, il est vrai, plus théorique que réelle dans le Marquisat de Provence, et surtout Othon IV est sur le point d'être excommunié ; Innocent III lui reprocherait-il à lui aussi de manquer à la
fidélité qu'il doit à Dieu et par conséquent se croirait-il autorisé à
substituer à la suzeraineté impériale celle de l'Eglise Romaine ? On
pourrait le croire. La carence de l'Empire inviterait le « Sacerdoce »
à pourvoir par lui-même à l'application des Décrétales.

Dans le Comté de Toulouse au contraire, l'Eglise n'intervient pas.
Les conditions sont ici différentes. Le « seigneur principal » n'exerce
pas une suzeraineté lointaine ; si désintéressé qu'il le paraisse, Philippe-Auguste veille sur la terre de Toulouse. Sa résistance aux appels
d'Innocent III n'est pas absolue : il autorise la levée de l'armée sainte
et le départ pour la croisade de quelques-uns de ses vassaux.

Les Statuts de Saint-Gilles reçurent dans les conciles réformateurs
leur justification canonique et leur consécration. Trois séries de canons
remettent en vigueur la législation du IIIe concile de Latran sur les
immunités, la paix, la répression de l'hérésie[91]. C'est précisément pour

---

89. « Si autem de bono et fideli servitio ei deficerem, concedo quod omnes homines mei, tam barones quam milites, et omnes communie et communitatis villarum et burgi terre mee contra me sint, eidem domino regi in auxilium et mihi
sint in nocumentum, ad posse suum, usque dum sit eidem domino regi emendatum ad gratum suum. Et volo et precipio quod predicti omnes, tam barones quam
milites, et alii hanc domino regi jurent et faciant securitatem. Si autem aliquis
esset qui nollet jurare, omne malum quod possem ei facerem, nec pacem nec treugam cum eo ullo modo haberem, nisi per voluntatem et beneplacitum domini regis esset » ; A. TEULET, t. I, p. 373, nº 978 à 981.

90. Chartres, novembre-décembre 1213 ; A. TEULET, t. I, p. 394, 395, 396 ;
nº 1054, 1055, 1057, 1058, 1059, 1060.

91. Sur les Immunités : Avignon, c. 5, 7, 8, 9 ; Arles, c. 6 ; Pamiers, c. 11.
Voir la concordance de cette législation avec celle du IIIe Concile de Latran :

contraindre les seigneurs à obéir que l'Eglise Romaine a pris des garanties. Toute négligence sera suivie de la confiscation pure et simple
des cautions. Or, affirment les légats, Raymond VI est parjure : il
n'a pas rétabli dans leurs domaines les évêques de Carpentras et de
Vaison et leur clergé ; il n'a pas chassé de ces états les hérétiques ni
leurs fauteurs et il ne les a pas livrés à la discrétion des croisés ; il
n'a pas rendu la justice aux églises, aux maisons religieuses ni aux
pauvres ; il n'a pas nommé de commissaires pour recevoir les plaintes
qu'on portait contre lui ; il n'a pas fait démolir les fortifications des
églises ; il n'a pas aboli les péages ni les autres exactions. Aussi est-il
excommunié ; sa terre est interdite ; il perd tous ses droits sur le comté
de Melgueuil et sur les sept châteaux ; ses vassaux s'apprêtent à trans-
porter leur hommage à l'Eglise Romaine ; en un mot, il est dépouillé
de ses biens et de ses titres, légalement et définitivement, dans son
marquisat de Provence, au profit de l'Eglise Romaine. Ayant perdu
sa qualité de croisé, il perd en même temps la protection du Saint-
Siège. Le comté de Toulouse redevient donc « terre exposée ». Libre
désormais à n'importe quel catholique, comme le disait Innocent III,
de poursuivre la personne du comte et d'occuper sa terre. La Croisade allait commencer[92].

*
* *

Pierre des Vaux-de-Cernai écrit sur la mentalité d'Arnaut-Amaury
cette phrase qui en dit long : « Il souhaitait vivement la mort des ennemis du Christ, mais, comme il était moine et prêtre, il n'osait pas les
faire mourir[93]. » Comme Arnaut-Amaury était muni de pleins pouvoirs, on devine quel caractère il allait donner à l'occupation ; mais
on voit tout de suite combien cette mentalité s'oppose à celle d'Innocent III, telle que nous l'avons exposée dans la théorie canonique de
la croisade.

Pendant que les croisés étaient à Montpellier[94], le vicomte de Béziers,
Raymond-Roger, se présenta devant Arnaut-Amaury et lui demanda
de recevoir sa justification. Arnaut refusa de l'entendre[95]. Les croisés

c. 14 et 19 : 5-X-III-5 et 19-X-III-30 et 4-X-III-38 et 4-X-III-49. Sur la paix,
Avignon, c. 3, 7, 10, 16, 17 ; Pamiers, c. 4, 14 ; Montpellier, c. 32 à 44 ; Voir
IIIe Concile de Latran, c. 21, 22, 25 ; 1 et 2-X-I-34 et 10-X-III-39 et 3-X-V-19.
Sur la répression de l'hérésie : Avignon, c. 2.
    92. Lettre des Légats Hugues de Riez et Milon à Innocent III ; 8 ou 10 sep-
tembre 1209 ; P. L., t. 216, c. 126-128 ; D. Vaissète, t. VI, p. 306. Raymond VI
aurait refusé de livrer aux ambassadeurs de l'abbé de Citeaux et de Simon de
Montfort les hérétiques qui lui seraient désignés et menacé d'en appeler au Pape,
au Roi et à l'Empereur : août 1209 ; D. Vaissète, t. VI, p. 300.
    93. Hist. Alb., 154.
    94. D. Vaissète, t. VI, p. 286. Les croisés quittèrent Lyon à la fin de juin :
Hist., Albig., 82.
    95. Il avait peut-être en effet quelque motif de ne pas croire à la sincérité du
vicomte : Raymond-Roger venait bien tard : son geste ne faisait que trahir son

quittèrent alors Montpellier, vers le 20 juillet 1209[96]. Leur approche
sema la panique dans toute la région. Si l'on en croit Arnaut-Amaury,
beaucoup de seigneurs s'enfuirent de leurs châteaux, mais les chevaliers et les soldats qui les gardaient se soumirent aux légats ; *Ipsa
castra in manus signatorum dederunt, fidelitatem eis et hominium facientes*[97]. Cette tradition et ce serment de fidélité ne contiennent plus
aucune des réserves qui étaient encore spécifiées dans les Statuts de
Saint-Gilles pour les châteaux de Raymond VI et les seigneurs de
Provence. Aussi, les châteaux de Raymond-Roger entrèrent-ils dans
le domaine, au plein sens féodal, de l'Eglise Romaine. C'était une
première victoire. Parmi ces châteaux, Arnaut-Amaury mentionne
celui de Servian à huit kilomètres de Béziers, duquel dépendaient
beaucoup d'autres. Le lendemain, 22 juillet, l'armée, grossie de nouveaux contingents[98], s'avança sous les murs de Béziers. Arnaut entra
en pourparlers avec l'évêque[99], au sujet de la libération des catholiques. Mais les conversations traînèrent en longueur, les catholiques
refusant de quitter la ville et faisant cause commune avec les hérétiques. Alors, dans un moment de surprise, les « ribaulds »[100] de l'armée escaladèrent les remparts, entrèrent dans la ville, massacrèrent
les habitants, pillèrent et incendièrent[101]. Le massacre de Béziers fut
le signal de la soumission de tout le pays compris entre Béziers et

---

inquiétude et son désir de détourner l'orage qui s'apprêtait à crever sur son fief.
D'Ailleurs Innocent III avait ordonné la seule réconciliation de Raymond VI. Enfin,
si le vicomte à son tour prenait la croix, sa personne et ses biens seraient inviolables : la croisade, n'ayant plus d'objet, deviendrait impossible : il faudrait
peut-être licencier l'armée sainte. L'entrevue dut avoir lieu vers le 10 juillet
(note de Molinier). Voir L. DE LACGER : *l'Albigeois pendant la crise de l'albigéisme*,
p. 851. D'après cet auteur, les légats auraient sans doute exigé du vicomte une
capitulation pure et simple, probablement semblable à celle de Raymond VI à
Saint-Gilles. Mais Raymond-Roger aurait refusé de s'incliner.

96. D. VAISSÈTE, t. VI, p. 303.

97. Rapport d'Arnaut-Amaury et de Milon à Innocent III : *P. L.*, t. 216, c. 139.
non daté, mais certainement postérieur au concile d'Avignon.

98. L'un venait de l'ouest, avec l'archevêque de Bordeaux, les évêques de Limoges, Bazas, Cahors, Agen, et parmi les seigneurs, le comte d'Auvergne. Au passage, cette armée emporta le château de Puy-la-Roque, en Quercy, et obligea le
commandant du château de Chasseneuil, en Agenais, Seguin de Boulogne, à ca-
pituler, puis incendia la place. « Les croisés, écrit Vaissète D., p. 287, firent brûler vifs plusieurs hérétiques, tant hommes que femmes, qui s'y trouvèrent et refusèrent de se convertir. » L'autre contingent descendait du Velay, avec l'évêque
du Puy. Au passage, il rançonna les deux villes de Caussade et de Saint-Antonin
et brûla le château de Villemur, sur le Tarn.

99. Renaud de Montpellier ou de Montpeyroux : 1209-1211 ; *Gal. Christ.*, t. V,
c. 708.

100. Enfants perdus, gens de mauvaise réputation : Ch. DU CANGE ; *Glossarium*, t. V, p. 765 et suivantes... Ces gens-là ne sont pas sans analogie avec les
routiers.

101. Voir E. MARTIN-CHABOT : « La Chanson de la Croisade », dans la Collection : *Les Classiques de l'Histoire de France au Moyen Age*, Paris, 1931, t. I, p. 53
à 62, n° 18 à 23. On peut lire les petits traités apologétiques de Mgr DOUAIS :
L'Eglise et la Croisade Albigeoise, Lyon, 1882, et *La soumission de la Vicomté de
Carcassonne*, Paris, 1884.

Carcassonne : plus de 100 châteaux, remarque Arnaut-Amaury[102]. Narbonne se soumit : son vicomte, assisté de l'archevêque et des principaux citoyens, prêta un serment à peu près semblable à celui des seigneurs et des villes de Provence[103] ; puis on marcha sur Carcassonne qui fut prise, malgré l'intervention de Pierre II et la bravoure de Raymond-Roger[104]. Celui-ci fut fait prisonnier. En septembre, il était encore « tenu dans les fers »[105], mais il mourut peu de temps après[106].

La vicomté de Béziers-Carcassonne revenait au fils du défunt : Raymond-Trencavel[107], ou du moins à son seigneur, Pierre d'Aragon[108]. Si l'occupation des terres, en effet, est théoriquement définitive, Innocent III lui reconnaît cependant un caractère provisoire « en vertu de la miséricorde ». Mais en attendant la majorité du jeune Trencavel, à qui confier l'occupation ? Le Droit Canonique, en faisant de la vicomté *Res nullius*, autorisait n'importe quel catholique à la recevoir. Arnaut-Amaury l'offrit aux plus illustres des croisés. Ils refusèrent[109]. Simon de Montfort hésita, mais finit par accepter. « Sire, dit l'Abbé, pour Dieu Tout-Puissant, recevez la terre dont on vous fait présent, car Dieu et le pape vous la garantissent et nous après eux et tous les autres, et nous vous aiderons toute notre vie[110]. » Simon fut élu par le Conseil de l'armée « comme chef et seigneur de la terre »[111]. Lui-même l'entendait bien ainsi. Ecrivant au pape, il se donne le titre de Vicomte de Béziers et de Carcassonne, et lui demande de bien vouloir confirmer son élection pour lui et pour ses successeurs[112]. Innocent III ratifia en effet, les 11 et 12 novembre, l'investiture de Simon

102. Rapport : « Reliquerunt castra nobilia plusquam centum, referta tamen cibariis et reliqua superlectili quam fugientes secum nequiverant asportare. »
103. D. Vaissète, t. VI, p. 290.
104. Dans les premiers jours d'août ; sur les circonstances du siège, voir *Hist. Albig.*, 92-100 ; Chanson, p. 81, n° 82 ; d'après Guillaume de Tudèle, le vicomte se serait livré en otage de plein gré ; Guillaume de Puylaurens, ch. XIV, p. 131 ; D. Vaissète, t. VI, p. 291 et suivantes.
105. Rapport, *op. cit.*, P. L., t. 216, c. 141.
106. « Infirmitate subita », d'après *Hist. Albig.*, 124. D'autres disent qu'il mourut de la dysenterie : Guill. de Puylaurens, ch. XIV, p. 131 ; *item*, Chanson, n° 40, p. 101 : plus haut, Guillaume de Tudèle fait allusion à l'assassinat du vicomte : n° 37, p. 95.
107. D. Vaissète, t. VI, p. 314.
108. Ch. Schmidt, t. I, p. 230 ; D. Vaissète, t. III, p. 361 et suivantes et t. VI, p. 292 et 293. Voir note de Molinier.
109. Après le siège de Carcassonne, les légats offrirent le commandement de la guerre avec la vicomté au duc de Bourgogne, au comte de Nevers, au comte de Saint-Pol ; voir D. Vaissète, t. VI, p. 297 et suivantes.
110. *Chanson*, édition E. Martin-Chabot, n° 35, p. 87.
111. Guillaume de Puylaurens, ch. XIV, p. 131 ; *Hist. Albig.*, 101 et 102. Comme Simon hésitait, l'abbé, usant de son autorité de légat, lui ordonna expressément et en vertu de l'obéissance de faire ce qu'on lui demandait : « Comite autem adhuc renitente, abbas, auctoritate sue legationis utens, praecepit ei districtissime in virtute obedientie ut faceret quo petebant (en note : quod petebat). » Rapport : c. 140 : « In principem et dominum terrae ipsius de communi consilio est electus. »
112. Lettre de Simon à Innocent III : Août 1209 ; P. L., t. 216, c. 142 : « Mihi et haeredibus meis... benigne dignemini confirmare », *op. cit.*

de Montfort, mais il prit soin de rappeler la double clause de l'occupation : d'une part, la sauvegarde de la foi et de la paix ; d'autre part, le respect des droits des seigneurs principaux et des autres seigneurs, s'il s'en trouvait, à condition, bien entendu, qu'ils ne soient ni hérétiques ni fauteurs d'hérésie[113].

En concédant la terre aux héritiers de Simon, Innocent III supprimait en fait les droits de l'héritier légitime, tendait à donner à l'occupation un caractère définitif et paraissait sanctionner l'expropriation de la dynastie des Trencavel. D'autre part, le seigneur principal, Pierre d'Aragon, était lésé dans son droit d'investiture : il se voyait imposer en effet un vassal dont il ne voulait point[114]. La politique envahissante de Simon[115] l'inquiétait en outre ; il refusa son hommage, souleva contre lui les seigneurs du Languedoc[116] et, s'il consentit à recevoir son serment de fidélité en janvier 1211, à la conférence de Narbonne[117], ce fut dans l'espoir de contenir les ambitions du comte pendant la durée de sa propre croisade contre les Almohades[118]. Pierre II, malgré sa qualité de vassal du Saint-Siège, de roi catholique et romain, était donc suspect aux croisés ; les exigences de la politique l'inclinant à prendre la défense des excommuniés, Simon de Montfort pouvait toujours arguer de la lettre d'Innocent III pour le dénoncer comme fauteur d'hérésie et lui retirer son hommage.

L'occupation du Comté de Toulouse reproduit en plus grand les caractères de l'occupation de la Vicomté de Béziers. Comme le vicomte

---

113. Lettre des 11 et 12 novembre 1209 : P. 3833, 3834 : *P. L.*, t. 216, c. 151, 152 : « Nos igitur... civitates et terras ipsas, sicut tibi sunt ad divinae majestatis honorem pro tutela pacis et fidei defensione concessae, tibi et haeredibus tuis in fide catholica et devotione Sedis Apostolicae permanentibus (autrement ils seraient au moins suspects d'hérésie) auctoritate apostolica confirmamus... in sancta religione studens conservare ac taliter juxta mandatum legatorum nostrorum ad exstirpandas reliquias haereticae pravitatis... principalium dominorum et aliorum etiam, si quibus forte competit, jure salvo, exceptis prorsus haereticis, fautoribus, credentibus, defensoribus et receptatoribus eorumdem...

114. Par son propre suzerain, il est vrai, et c'est peut-être ce qui explique la facilité de la confirmation d'Innocent III.

115. Soumission de Limoux, Montréal, Alzonne, Fanjaux, Castres, siège de Cabaret, attaque du comté de Foix qui était dans la vassalité de Pierre d'Aragon, prise de Mirepoix, du château de Pamiers, du château de Saverdun, de Lombez, d'Albi : confirmation par Innocent III : 28 juin 1210 : P. 4026 ; *P. L.*,, t. 216, c. 282 ; A. TEULET, t. I, p. 351, n° 917, de Minerve, de Termes et d'une grande partie de l'Albigeois : D. VAISSÈTE, t. VI, p. 301 et 308 à 311 et 329 à 340 ; L. DE LACGER, art. cité, p. 853 et suivantes. *Hist. Albig.*, 110-120. D'autre part, Simon fait venir son fils et se fait prêter par les seigneurs le serment de l'aider dans la guerre sainte : *chanson*, n° 38, p. 95. Enfin, il se fait céder, moyennant une pension annuelle de 3000 sols melgoriens et le remboursement des 2500 sols melgoriens de sa dot, par Agnès de Montpellier, veuve de Raymond-Roger, tous ses droits sur la vicomté. C'était l'expropriation pure et simple de Raymond-Trencavel : D. VAISSÈTE, t. VI, p. 314, 315 et t. VIII, n° XCIV, c. 579 à 582.

116. D. VAISSÈTE, t. VI, p. 315, et suivantes ; *Hist. Albig.*, 121-122.

117. MANSI, t. XXII, c. 813 ; H.-L., t. V, p. 1298, 1290 ; *Hist. Albig.*, 210.

118. L. HALPHEN : *L'essor de l'Europe*, p. 224 et suivantes.

de Béziers, le comte de Toulouse s'efforça de détourner l'orage. Après qu'il eût été de nouveau excommunié par les légats au concile d'Avignon, Raymond VI bénéficia tout d'abord de la « miséricorde » d'Innocent III[119], mais le concile de Saint-Gilles, qui se réunit en septembre 1210, refusa de l'entendre. Raymond, argua Thédise[120], n'ayant pas rempli les obligations qui lui avaient été imposées en 1209 ne saurait pas davantage remplir les obligations plus lourdes qui le justifieraient du crime d'hérésie et de la mort de Pierre de Castelnau. Raymond pleura : le concile renouvela l'excommunication[121]. Le 17 décembre, Innocent III, sans reconnaître expressément, il est vrai, la sentence du concile, rappela néanmoins à Raymond l'obligation de chasser les hérétiques, « autrement, lui dit-il : sache qu'en vertu des jugements divins, leurs terres seront livrées à leurs propres exterminateurs[122]. » C'était pour les légats comme une demi-victoire.

Raymond VI ayant échoué, Pierre d'Aragon plaida sa cause[123]. Mais le concile d'Arles, qui se réunit en janvier 1211[124], n'aboutit pas plus que le concile de Saint-Gilles. Au contraire, les légats exigèrent une fois de plus le licenciement des routiers et l'expulsion des hérétiques, et ils accrurent encore les obligations du comte[125], au point de les rendre inacceptables : elles furent rejetées ; les légats déclarèrent alors Raymond VI ennemi de l'Eglise, donnèrent ses possessions à qui voudrait s'en emparer et dépêchèrent à Rome l'abbé de Saint-Ruf, Arnaut, pour obtenir la confirmation d'Innocent III.

119. Lettres du 25 janvier 1210.
120. Milon mourut à Montpellier, en décembre 1209 : *Hist. Albig.*, 165. Le 23 janvier 1210, Innocent III lui substitua comme légat Maître Thédise, mais avec la même réserve par laquelle il avait subordonné Milon à Arnaut-Amaury : « Thédise, écrit-il à Arnaut, ne sera que l'hameçon dont tu te serviras pour attirer et prendre le poisson. » P. 3885, *P. L.*, t. 216, c. 174-176.
121. Mansi, XXII, p. 811 ; H.-L., t. V, p. 1288 ; *Hist. Albig.*, 162-164. D. Vaissète, t. VI, p. 335 et suiv...
122. Lettre du 17 décembre 1210, P. 4149 ; *P. L.*, t. 216, c. 356.
123. En 1211, Pierre II s'efforça de prévenir la guerre entre Simon de Montfort et Raimond VI, en jouant le rôle d'arbitre ; il reçut à Narbonne l'hommage de Simon pour la vicomté de Béziers, il lui livra même son fils Jacques, promis à la fille de Simon, mais il maria sa fille, Sancie, avec le futur Raymond VII ; D. Vaissète, VI, p. 345, 346. Ses vues n'étaient peut-être pas tout à fait désintéressées. Nous avons rappelé plus haut le motif de la croisade espagnole : il ne faut pas oublier non plus la guerre de Provence ; qui mit aux prises les deux maisons de Toulouse et d'Argon pour la suprématie du Midi. La guerre albigeoise fournit à Pierre II l'occasion de réaliser peut-être les ambitions de son père Alphonse II.
124. Mansi, t. XXII, c. 815 ; H.-L., t. V, p. 1290 ; D. Vaissète, t. VI, p. 346 et suiv.
125. Celui-ci devait, entre autres, obéir à l'Eglise, réparer tous les dommages qu'il lui avait causés et lui rester soumis jusqu'à la fin de sa vie, livrer au légat et à Simon, dans le délai d'un an, tous ceux que les légats lui indiqueraient et dont ils disposeraient à leur gré, raser toutes les fortifications de ses Etats, contraindre tout gentilhomme ou noble de ses vassaux à habiter la campagne, accorder aux croisés le droit de gîte, quitter enfin le Languedoc pour servir en Terre Sainte, dans l'Ordre des Hospitaliers de Saint-Jean, aussi longtemps que le légat le jugerait à propos ; à son retour, on lui rendrait toutes ses possessions.

Le pape répondit, en effet, le 11 avril 1211. Il ordonna à Raymond d'Uzès de reprendre Melgueil, à l'archevêque d'Arles et à ses suffragants de confisquer les châteaux de Raymond VI[126]. Dans une autre lettre, Innocent III ordonna au même archevêque d'Arles et à ses suffragants de promulguer la sentence qui a été portée, écrit-il, par l'évêque d'Uzès et par l'abbé de Cîteaux, et avec l'assentiment de beaucoup de prélats, contre le comte de Toulouse, parce qu'il est manifestement contumace[127]. Innocent III ne dit pas qu'il approuve les articles du concile d'Arles, il en ratifie simplement la sentence : excommunication de la personne et exposition de la terre : sentences d'ailleurs tout à fait canoniques et pleinement conformes à la théorie générale que nous avons exposée ; mais en autorisant la guerre, il pouvait laisser croire à Simon de Montfort qu'il lui accorderait le comté de Toulouse comme il lui avait accordé la vicomté de Béziers.

Simon de Montfort l'entendait bien ainsi. La guerre sainte reprit avec une vigueur nouvelle. L'évêque de Toulouse, Foulques, recruta en France de nouvelles bandes de croisés[128] qui permirent à Simon d'emporter à peu près toutes les places fortes du comté de Toulouse. Philippe-Auguste s'en plaignit à Innocent III. On se rappelle qu'en avril 1208, il avait déjà signifié au pape qu'il n'avait pas le droit d'exposer la terre de son vassal tant que Raymond VI n'aurait pas été condamné comme hérétique ; et quand bien même, ajoutait le roi, vous le feriez, « vous devriez nous en avertir et nous prier de confisquer sa terre qui relève de nous ». Le pape lui répondit, le 25 août 1211, que le comte de Toulouse, n'ayant pu se justifier, était considéré comme hérétique : *ipse in partibus illis pro haeretico habeatur*, et que sa terre était légitimement exposée ; mais « nous avons ordonné à nos légats, ajoute-t-il, de faire soigneusement garder cette terre pour ceux auxquels elle appartient »[129]. C'était l'application de la réserve : *salvo jure domini principalis*.

Cependant Simon de Montfort poursuivait ses conquêtes jusque dans les comtés de Foix, de Comminges et de Béarn, qui relevaient

126. Lettres du 15 avril 1211 ; P. 4225, 4226, 4227 ; *P. L.*, t. 216, c. 410, 411. Ce qui revenait à dépouiller Raymond VI de son titre de marquis de Provence ; c'est en somme la confirmation pontificale du concile d'Avignon.

127. Lettre du 15 avril 1211 ; P. 4226 ; *P. L.*, t. 216, c. 410 : « Cum... sententia promulgata fuerit ab ejusdem contumaciam manifestam, per apostolica vobis scita mandamus quatenus eamdem sententiam rationabiliter promulgatam publicari per vestras dioceses faciatis. »

128. Entre autres l'évêque de Paris, Pierre de Courtenay, son frère, Robert de Courtenay, comte d'Auxerre, d'après *Hist. Albig.*, 213, 214 ; Léopold, duc d'Autriche, d'après Césaire de HEISTERBACH : *Dialogus*, D. V, éd. D. Strange, p. 301 ; D. VAISSÈTE, t. VI, p. 350.

129. Lettre du 25 août 1211 ; P. 4300 ; *P. L.*, t. 216, c. 524 ; D. VAISSÈTE, t. VI, p. 376 : « Unde terram suam pene totam amisit nosque legatis nostris injunximus ut terram ipsam ad eorum quibus pertinet opus diligenter faciant custodiri. Nosque ad tuae petitionis instantiam legatis nostris super hoc negotio litteras apostolicas destinamus, quales ad tuum commodum et honorem credimus expedire. »

du roi d'Aragon[130]. Pierre II était alors en Espagne où il se préparait à combattre les Almohades. Simon rencontra peu de résistances. A la fin de 1212, il ne restait plus à Raymond VI que Toulouse et Montauban. Le comte de Foix était vaincu, et la plus grande partie du comté de Comminges était soumise.

La croisade albigeoise présente le caractère sauvage et fanatique d'une guerre de religion. L'hérétique et le fauteur d'hérésie sont livrés corps et biens au vainqueur qui leur applique les « sanctions légitimes » si souvent rappelées dans les lettres d'Innocent III, les Statuts de Saint-Gilles, les canons du concile d'Avignon. Mais les croisés sont des hommes du Nord : ils apportent avec eux les usages de leur patrie, et en ce qui concerne la répresison de l'hérésie, la mort et la peine du feu[131]. A Béziers, nous l'avons vu, les « ribaulds » massacrent les habitants et incendient la ville[132] ; à Minerve, Simon de Montfort fait brûler plus de 140 « parfaits »[133] ; après la prise de Termes, il fait tuer tous les gardes du château de Carcassonne[134]. Giraude, dame de Lavaur[135], est jetée vivante dans un puits que Simon ordonne de combler avec des pierres. « Beaucoup d'autres hérétiques, écrit Pierre des Vaux-de-Cernai, furent brûlés avec une joie extrême[136]. » Aux Cassés, une soixantaine de « parfaits » furent pareillement brûlés *cum ingenti gaudio*[137]. Le même chroniqueur magnifie la grandeur d'âme de Simon qui n'a pas daigné faire mourir les exilés de Penne[138]. Les habitants de Moissac rachètent le pillage de leurs maisons pour la somme de 100 sous d'or[139], mais l'abbé de Moissac se plaint à Philippe-Auguste du pillage de son monastère par les croisés[140]. La répression de l'hérésie n'était plus que le prétexte légal de l'invasion des Français du Nord.

130. *Hist. Albig.*, 354 et ss.
131. D'après la lettre des Toulousains à Pierre II : juillet 1211 : A. TEULET, t. I, p. 968, Raymond V aurait fait autrefois une ordonnance qui condamnait à la peine du feu les hérétiques ; mais nous ne savons pas si, l'époque, cette ordonnance a été appliquée.
132. Arnaut-Amaury, dans son rapport, évalue le chiffre des morts à environ 20 000 ; *P. L.*, t. 216, c. 139.
133. « Erant autem perfecti haeretici centum quadraginta vel amplius. Preparato igitur igne copioso, omnes in ipso projiciuntur. » *Hist. Albig.*, 156 ; *Chanson*, no 49, p. 177 ; en date du 22 juillet 1210.
134. *Hist. Albig.*, 189. D'après D. VAISSÈTE, t. VI, p. 343, Simon de Montfort aurait fait brûler vifs sans miséricorde les gardes du château de Termes : 23 novembre 1210.
135. Lavaur, foyer d'hérésie, avait été emporté déjà par le cardinal d'Albano en 1181.
136. *Hist. Albig.*, 227 : « innumerabiles etiam hereticos peregrini nostri cum ingenti gaudio combusserunt » ; *Item*, Guillaume DE PUYLAURENS, ch. XVII, p. 132, 133, note environ 400 parfaits ; D. VAISSÈTE, t. VI, p. 357 ; *Chanson*, no 68, p. 165 ; c'était le 3 mai 1211.
137. *Hist. Albig.*, 233 ; Guillaume DE PUYLAURENS, ch. XVII bis, p. 134.
138. *Hist. Albig.*, 332 ; 26 juillet 1212.
139. D. VAISSÈTE, t. VI, p. 391 : 8 septembre 1212.
140. D. VAISSÈTE, t. VI, p. 391, 392, et t. VIII, no CVII, c. 635, 636.

Cette conquête, imparfaite encore, mais suffisamment solide, Simon l'organisa comme un souverain, dans la grande assemblée de nobles, de clercs et de bourgeois des pays de langue d'oc qui se réunit à Pamiers, le 1er décembre 1212. Les Statuts de Pamiers traitent en 51 acticles de la réforme et des privilèges de l'Eglise, de la répression de l'hérésie, des restitutions féodales. Ceux qui concernent la répression de l'hérésie reproduisent à peu près les canons du concile d'Avignon, mais avec les précisions suivantes : l'hérétique est exclu de toute fonction administrative et judiciaire, même s'il est réconcilié. Le fauteur des hérétiques perd pour toujours sa terre et son corps est à la merci du comte de Montfort[141]. Enfin, l'article 35 ordonne d'affamer les hérétiques de Toulouse, sous peine de confiscation des biens présents et à venir. Ces dispositions reflètent la mentalité des chefs de la croisade, justifient à leurs yeux la guerre albigeoise et confirment la politique de Simon de Montfort. Elles ne sont pas tellement différentes dans leur principe de la législation d'Innocent III, mais, la réserve de la miséricorde ayant complètement disparue, la loi de majesté s'applique dans toute sa rigueur[142].

Pendant ce temps, les légats déposaient les prélats indignes ou jugés tels et les remplaçaient par des moines cisterciens ou par les hommes dans lesquels ils pouvaient avoir confiance. C'est l'époque de la déposition de l'archevêque d'Auch, des évêques de Valence, de Rodez, de Carcassonne, de l'installation de Thédise à Agde, de Guy des Vaux-de-Cernai à Carcassonne, d'Arnaut-Amaury à Narbonne. L'abbé de Cîteaux ne se contenta même pas de son titre d'archevêque : il obligea le vicomte Aimery III à lui prêter hommage au lieu et place de Raymond VI, ce qui revenait à dépouiller ce dernier de son titre de duc de Narbonne[143].

Innocent III lui-même s'enrichit aux dépens du comte de Toulouse. Simon de Montfort, aussitôt son élection à la vicomté de Béziers, s'efforça de relever et d'accroître dans le Languedoc le prestige et l'autorité de l'Eglise Romaine. Il s'engagea à assurer la rentrée intégrale des dîmes et des prémices, à lever sur chaque « feu » tous les ans trois deniers, à contraindre tout possesseur de château qui resterait 40 jours excommunié sans demander sa réconciliation à payer une amende de taux variable selon sa qualité noble ou roturière :

141. Mansi, t. XXII, c. 855 ; H.-L., t. V, p. 1292, canons 9 et 34 : « Et corpus suum (erit) in manu et misericordia comitis. »
142. Pour le détail des statuts, voir Hist. Albig., traduction, 363, n. 3.
143. D. Vaissète, t. VI, p. 379. En 1215, à l'occasion du conflit qui mit aux prises Arnaut et Simon au sujet du duché de Narbonne, le chapitre de la cathédrale rappela au pape qu'Arnaud-Amaury avait reçu le duché avec l'archevêché, lors de son investiture par Raymond d'Uzès. Voir A. Luchaire : La Croisade, p. 244. Or, d'après la version de D. Vaissète, l'évêque d'Uzès aurait d'abord confirmé l'élection, puis persuadé au nouvel élu de prendre possession du duché. La présence des évêques suffragants qui ne firent entendre aucune protestation pouvait passer pour un consentement. De toutes façons, Innocent III fut étranger et même franchement hostile à cet acte : voir lettre du 18 janvier 1213 ; P. 4655 ; P. L., t. 216, cc. 739-740.

100 sous pour un chevalier, 50 sous pour un bourgeois, 20 sous pour un « plébéien », à verser au Saint-Siège tous les ans, sans préjudice des obligations féodales, un véritable cens *in recognitionem dominii Romanae Ecclesiae*[144]. Innocent III, en lui confirmant sa conquête, lui adressa ses félicitations[145]. L'année suivante, il le pria de réserver le montant intégral du cens et de le remettre par l'intermédiaire d'un homme sûr à ceux qu'il lui désignerait[146]. De son côté, Simon de Montfort, ayant fait jurer à ses banquiers, Raymond et Elie de Cahors[147], de verser au représentant du pape un cens de 1.000 marcs d'argent, envoya au Latran un convers de l'ordre des Chartreux, Constantin, pour informer le pape de ce qu'il avait fait, solliciter la mission d'un percepteur pontifical et l'autorisation de mettre ce personnage à la tête de sa propre chancellerie[148]. Innocent III envoya Pierre-Marc, sous-diacre de l'Eglise Romaine. Il le recommanda, non seulement à Simon de Montfort[149] mais aussi aux légats, aux prélats des églises censières de l'Eglise Romaine dans les provinces de Narbonne, d'Arles, d'Aix, d'Embrun, dans les diocèses d'Albi, de Rodez, de Cahors et d'Agen, aux archevêques de Narbonne, Arles, Aix, au chapitre de l'Eglise d'Embrun[150]. L'évêque de Maguelonne qui devait 600 marcs pour le comté de Melgueil et les banquiers qui en devaient 1.000, les légats qui devaient un arriéré depuis 1209, tous furent invités à remettre le cens pontifical aux différentes maisons du Temple qui se trouvaient en Provence, à Montpellier, à Saint-Gilles[151] ; les templiers du Midi recevraient de Pierre-Marc l'ordre de transmettre leurs dépôts au frère Aymard, trésorier du Temple de Paris[152]. Enfin, l'article 46 des Statuts de Pamiers spécifie que toute maison située

144. Simon respecte les droits du seigneur principal sur la vicomté de Béziers : il n'en reste pas moins que la reconnaissance de cette terre comme « domaine » de l'Eglise Romaine en vertu de la théorie canonique, porte au roi d'Aragon un réel préjudice.
145. Lettre du 12 novembre 1209, déjà citée : P. 3834 ; *P. L.*, t. 216, c. 151 : A. Teulet : t. I, n° 898 : « ad indicium autem quod terras ipsas in devotione apostolicae Sedis et sancta religione conservare disponas, tres denarios statuisti per singulas domos ejus annuatim Ecclesiae Romanae solvendos ».
146. Lettre du 18 décembre 1210 ; P. 4150 ; *P. L.*, t. 216, c. 357 : « Mandamus quatenus... istud onus pro nobis assumas ut censum trium denariorum quos de unaquaque domo de terra contra haereticos acquisita sedes apostolica debet recipere annuatim fideliter colligas et reserves. »
147. Raymond de Cahors, banquier de la croisade : D. Vaissète, t. VI, p. 750.
148. D'après une lettre d'Innocent III : 11 septembre 1212 ; P. 4588 ; *P. L.*, t. 216, c. 693.
149. Lettre d'Innocent III à Simon de Montfort : 11 septembre 1212 ; P. 4588 ; *P. L.*, t. 216, c. 690.
150. Lettres du 11 septembre 1212 ; P. 4590, 4591, 4592 ; *P. L.*, t. 216, c. 691, 692.
151. Même date : à l'évêque de Maguelonne, Guillaume, et aux banquiers de Cahors : P. 4594, 4595 ; *P. L.*, t. 216, c. 693, 694. La lettre aux légats est du 11 octobre : P. 4606 ; *P. L.*, t. 316, c. 694.
152. Même date : aux templiers et à Pierre-Marc : P. 4593, 4596 ; *P. L.*, t. 216, c. 693, 694. Tout le produit du cens pontifical déposé à Paris fut affecté par Innocent III, vers 1215-1216, aux affaires de Terre Sainte : P. 5209. Voir M. Michaud, art. : Chambre Apostolique dans *D. D. C.*

sur les terres de Simon de Montfort verserait chaque année au pape 3 sols melgoriens *in signum et in perpetuam memoriam quod per ipsius auxilium contra haereticos acquisita fuit comiti, et ejus successoribus concessa in perpetuum.* La croisade aboutissait à la création d'une principauté censière du Saint-Siège.

* * *

Simon de Montfort était depuis 1211 vassal de Pierre II pour la vicomté de Béziers-Carcassonne. Le roi d'Aragon avaient consenti à recevoir son hommage dans l'espoir de contenir ses ambitions pendant que lui-même irait combattre les Almohades. Quand il revint de Las Navas de Tolosa, 16 juillet 1212, Simon était déjà le maître du Languedoc. Les statuts de Pamiers le décidèrent à renouveler pour les mêmes motifs les interventions déjà nombreuses, mais vaines, qu'il avait faites en faveur de Raymond-Roger Trencavel et en faveur de Raymond VI. Il en était d'ailleurs sollicité par les victimes elles-mêmes[153]. Il se plaignit au pape. Innocent III écrivit à Simon de Montfort et aux légats des lettres sévères, et il ordonna la convocation d'un concile qui examinerait les doléances du roi, mais en spécifiant que le dossier lui serait envoyé et qu'il se réserverait le jugement final[154].

Le concile se réunit à Lavaur, en janvier 1213[155]. Pierre II demanda par écrit aux Pères du concile de ne pas exproprier la dynastie de Saint-Gilles et de réserver aux moins pour Raymond VII le comté de Toulouse et de recevoir la justification de ses propres vassaux : les comtes de Béarn, de Comminges et de Foix. Sa requête fut rejetée : les Pères du concile lui signifièrent que la culpabilité de Raymond VI, « depuis si longtemps suspect d'hérésie qu'il en résulte contre lui une prévention invincible », retombait sur Raymond VII et que les vassaux du roi étaient des fauteurs d'hérésie. Alors Pierre II se déclara ouvertement contre les croisés. Le dimanche 27 janvier 1213, il reçut la fidélité de Raymond VI et de la ville de Toulouse : les comtes de Béarn, de Comminges et de Foix lui renouvelèrent la leur. Chacune des parties s'efforça de se concilier Innocent III.

La réponse du pape dénote un certain embarras. Il ne se prononce directement ni en faveur des croisés, ni en faveur du roi d'Aragon. Aux premiers, il ordonne de réconcilier, moyennant cautions, les Toulousains et les vassaux de Pierre II qui en manifesteraient le désir[156].

---

153. Lettre des Toulousains au roi d'Aragon : juillet 1211 : A. TEULET, t. I, n° 968, p. 368, De son côté, Raymond VI va en Aragon implorer le secours du roi : D. VAISSÈTE, t. VI, p. 394.
154. Lettre aux légats : 18 janvier 1213 ; P. 4655 ; *P. L.*, t. 216, c. 739.
155. Les actes du Concile de Lavaur sont contenus dans *P. L.*, t. 216, c. 833 à 849, et dans MANSI, t. XXII, c. 865 à 892 ; partiellement dans *Hist. Albig.*, 370-384 ; 387-397. D. VAISSÈTE, t. VI, p. 404 et suivantes.
156. Lettres du 21 mai ou 1ᵉʳ juin 1213, à Arnaut-Amaury, archevêque de Narbonne, Foulques, évêque de Toulouse, et à Simon de Montfort : P. 4741 ; *P. L.*, t. 216, c. 849. Sur la date voir *Historia Albigensis*, t. I, p. 105, note.

15

Au second, il promet l'envoi d'un légat, mais en attendant, il lui ordonne de faire une paix durable avec Simon de Montfort et de s'entendre avec lui pour combattre les hérétiques et leurs fauteurs[157].
Innocent III ne satisfaisait donc à proprement parler personne : il
se bornait à rappeler les principes généraux de la législation canonique ; mais en ordonnant à Pierre II de combattre les hérétiques,
il accordait implicitement aux croisés le droit de lui déclarer la guerre.

De part et d'autre, on s'y prépara activement. La bataille de Muret,
du 12 septembre 1213, consacra le triomphe des croisés[158]. La fuite
de Raymond VI, la mort de Pierre II levaient tous les obstacles qui
s'opposaient encore à l'avènement de la dynastie des Montfort. Quelques
campagnes rapides à l'est du Rhône[159] et une politique matrimoniale[160]
permirent à Simon de consolider sa puissance sur les domaines et sur
les fiefs du comte de Toulouse. Il ne restait plus qu'à en obtenir le
titre.

Le concile de Montpellier, 8 janvier 1215, le demanda pour Simon
de Montfort au légat Pierre de Bénévent. C'était dans la logique
des choses : de même qu'en 1209, Arnaut-Amaury avait donné à Simon
la Vicomté de Béziers-Carcassonne, de même en 1215, Pierre de Bénévent donnerait au même vainqueur le Comté de Toulouse. Ce serait
la suite naturelle des Statuts de Pamiers et le couronnement suprême
de toute la croisade albigeoise. Le légat ne se crut pas autorisé à accorder satisfaction à la requête des Pères du Concile. Ceux-ci envoyèrent
alors au Latran l'archevêque d'Embrun, Bernard, muni d'une sup-
plique aux termes de laquelle « tous les prélats, dit le texte, implo-
raient avec la plus grande instance le seigneur pape de leur donner
le noble comte de Montfort, qu'à l'unanimité ils avaient élu, comme
seigneur et roi de la terre (des hérétiques)[161]. » La croisade aboutissait à la création d'une royauté vassale du Saint-Siège. Mais que devenait la réserve fondamentale : *salvo jure domini principalis* ?

Dans ses lettres du 21 mai 1213, Innocent III annonçait à Pierre II
la mission prochaine d'un légat, muni de pleins pouvoirs. La bataille

---

157. Lettre à Pierre II, même date : P. 4741 ; *P. L.*, t. 216, c. 849 ; Mansi,
t. XXII, c. 878, La lettre est *in extenso* dans *Hist. Albig.*, 401-411.

158. D. Vaissète, t. VI, p. 421 et suivantes. *Item*, Guillaume de Puylaurens,
ch. XX et XXI, p. 136 et 137.

159. *Hist. Albig.*, 487 et ss... D. Vaissète, p. VI, p. 432, 433.

160. Adhémar de Poitiers, duc de Valentinois, se soumit à Simon ; de son côté,
Simon fiança son fils, Amaury, avec Béatrice, fille unique du Duc de Bourgogne.
D. Vaissète, t. VI, p. 433, 434. P. Fournier : Le Royaume d'Arles, *ouvr. cité*,
p. 102.

161. Mansi, t. XXII, c. 936 ; *Hist. Albig.*, 546-547 : « Communi essensu tam
legati quam praelatorum, Ebredunensis archiepiscopus Bernardus, vir multae
scientiae et totius bonitatis, missus est Romam, et quidam clerici cum eo, litteras tam legati quam praelatorum ferentes secum, in quibus supplicabant praelati
omnes domino papae instantissime, ut nobilem comitem Montisfortis, quem unanimiter elegerant, concederet eis in terrae dominum et monarcham. » Sur le sens
du mot « monarcha », voir P. Guébin : Le sens du mot « monarcha » au Concile
de Montpellier dans *R. H. D. F. E.*, 1931, pp. 417-418.

de Muret, en éliminant pour toujours le roi d'Aragon, pouvait à la rigueur modifier sur ce point les intentions du Souverain Pontife ; il n'en fut rien. Le 17 janvier 1214, Innocent III envoya aux arche-vêques d'Embrun, d'Arles, d'Aix, de Narbonne une lettre circulaire dans laquelle il leur annonçait officiellement l'arrivée du légat Pierre de Bénévent[162]. Le principal objet de la mission du cardinal était de réconcilier avec l'Eglise Romaine tous les excommuniés : « Bien que leurs excès, écrit Innocent III, soient considérables et très graves, il ne faut pas refuser l'entrée de l'Eglise à ceux qui demandent humble-ment leur pardon[163]. »

Conformément aux instructions du pape, le cardinal reçut donc le 18 avril 1214, dans le palais archiépiscopal de Narbonne, les serments des comtes de Comminges et de Foix : serments identiques compre-nant en premier lieu : la détestation et le rejet de toute espèce d'hé-résie « qui enseigne comme un dogme quelque doctrine contraire à la sainte Eglise catholique romaine » ; en second lieu : l'assurance que l'intéressé ne sera dans l'avenir ni croyant, ni fauteur, ni défenseur, ni protecteur des hérétiques et de leurs fauteurs, défenseurs et pro-tecteurs ; qu'il ne donnera aux traîtres et aux routiers ni *consilium*, ni *auxilium* quelconque, capable de porter préjudice aux terres que d'aucuns tiennent au nom ou par mandat de l'Eglise Romaine ; qu'à ces derniers, il ne fera aucun tort et même qu'il leur donnera contre leurs propres ennemis l'aide et le secours ; en troisième lieu, la pro-messe d'obéir entièrement à tous les ordres du légat en ce qui con-cerne la paix, l'orthodoxie, les routiers et la pénitence qui lui sera imposée. Le serment s'achève par la tradition d'un château à titre de caution : celui de Foix[164] pour le comte de Foix, celui de Salies-du-Salat pour le comte de Comminges : ce dernier livre en outre comme otage entre les mains du légat un de ses fils « sauf celui qui est che-valier ». Tout cela dans des conditions à peu près semblables à celles qui furent imposées à Raymond VI à Saint-Gilles en 1209[165]. Le 25 avril, Pierre de Bénévent réconcilia Toulouse[166]. Le serment des consuls est semblable à celui des comtes de Comminges et de Foix. Il spécifie en outre que la ville ne donnera ni de fournira, soit par elle-même, soit par au-trui, officiellement ou en secret, ni *consilium*, ni *auxilium* contre les enne-

162. Lettre du 17 janvier 1214 : P. 4882 ; *P. L.*, t. 216, c. 955, 956 ; *H. Fr.*, t. XIX, p. 587.

163. Lettre au cardinal : 22 et 25 janvier 1214 : P. 4887 ; *H. Fr.*, t. XIX, p. 589 ; J. Saenz de Aguirre : *Coll. Max. Concil. omnium Hispaniae*, t. V, c. 179 : « Etsi nobiliorum virorum Comitum Convenarum et Gastonis excessus graves sint plurimum et enormes, quia tamen humiliter pulsantibus non est Ecclesiae aditus praecludendus... » Le repentir des comtes de Comminges et de Foix s'ins-pire peut-être des mêmes motifs qui décidèrent Raymond VI à se reconcilier avec l'Eglise en 1209. A ce titre, la mission du cardinal de Bénévent ressemble à la mission de Milon.

164. Ce château fut confié par le légat à Bérenger, abbé de Saint-Thibéry : *Gal. Christ.*, t. VI, c. 711, 712 : Guillaume de Puylaurens, ch. XXIII, p. 139.

165. Voir le texte des serments de 1214 dans A. Teulet, t. I, p. 399, 400 ; n° 1068, 1069.

166. *Item*, A. Teulet, t. I, p. 401, n° 1072.

mis de la Sainte Eglise Romaine, c'est-à-dire contre le comte de Toulouse et son fils « nonobstant, ajoutent les consuls, la fidélité à laquelle
nous sommes tenus, nous, la cité, le faubourg, au comte de Toulouse
ou à son fils ou à un autre[167] » : réserve par laquelle Innocent III affirme,
malgré les victoires de Simon de Montfort et le mirage de la royauté
vassale, sa volonté de rester fidèle au principe général de sa législation ; cependant, il ne paraît pas exclure la possibilité pour les Toulousains de porter leur hommage à un étranger, mais non sans l'autorisation du Saint-Siège qui demeure toujours l'arbitre de la situation.
Pierre de Bénévent réconcilia Raymond VI lui-même. Raymond s'intitule encore : Duc de Narbonne, Comte de Toulouse et Marquis de
Provence. Il remet à la miséricorde du pape et du légat son corps,
son fils et sa terre « que d'autres, dit-il, tiennent pour moi et de moi,
en sorte que, si vous l'ordonnez, j'abandonnerai tous mes biens et je
me retirerai auprès du roi d'Angleterre ou dans tout autre endroit
où je demeurerai jusqu'à ce que je puisse visiter le Siège Apostolique
pour y demander grâce et miséricorde. De plus, je suis prêt à remettre
à vous et à vos envoyés toutes les terres que je possède en sorte que
tous mes domaines soient soumis à la miséricorde et au pouvoir absolu
du Souverain Pontife, de l'Eglise Romaine et de vous »[168]. Dans une
lettre adressée au légat, le 4 février 1215, Innocent III confirme le
fait accomplit, mais réserve la sentence définitive au futur concile de
Latran. En attendant, Raymond était réduit à la mendicité, puisque
la source de ses revenus avait été tarie par Simon de Montfort. Il s'en
plaignit à Innocent III qui chargea le cardinal de Bénévent de pourvoir à sa subsistance[169]. Ses biens furent partagés de la manière suivante : le marquisat de Provence fut confié à Guillaume des Baux[170] ;
le Languedoc, c'est-à-dire, d'une part, les terres conquises par les
croisés, et d'autre part, les terres soumises au légat, les châteaux de
Foix et de Salies et la ville de Toulouse : tout fut confié — et non pas
donné comme un royaume, selon le vœu du concile de Montpellier —
à Simon de Montfort[171] ; le comté de Melgueil, déjà repris en 1212,
fut donné en fief à l'évêque de Maguelonne, moyennant un cens annuel de 20 marcs d'argent à verser le jour de Pâques[172] ; le duché de
Narbonne, occupé par Arnaut-Amaury en 1212 et disputé par Simon

167. « Nonobstante fidelitate qua dicto comiti vel filio ejus vel alii parere tenemur nos, vel civitas nostra vel suburbium tenetur. » *Op. cit.*
168. D. VAISSÈTE, t. VI, p. 443.
169. Lettre au légat : 4 février 1215 ; P. 4950 ; A. TEULET, t. I, p. 410, n° 1099.
170. *Item* : lettre du 4 février 1215.
171. Lettres du 2 avril 1215 au cardinal de Bénévent, à Simon de Montfort,
aux archevêques de Narbonne, Auch, Arles, Aix, Embrun, et aux vassaux de
Raymond VI : P. 4966, 4967, 4968, 4969 ; A. TEULET, t. I, p. 413, 414, 415, 416,
n° 1113, 1114, 1115, 1116.
172. Lettre à Guillaume, évêque de Maguelonne : 10 avril 1215 ; P. 4971, 4972 ;
item, lettre à Arnaut-Amaury : 15 avril : P. 4975 ; aux habitants de Melgueuil :
P. 4974.

de Montfort fut laissé à l'abbé de Cîteaux[173]. Que restait-il donc à Raymond VI ? Ses titres et ses droits, mais vidés de leur substance et dans la dépendance la plus étroite de l'Eglise Romaine, comme le plus humble des vassaux dans la fidélité du plus puissant des seigneurs.

Le triomphe d'Innocent III était complet. La crainte de la croisade avait donné les Statuts de Saint-Gilles, les conquêtes de Simon de Montfort aboutirent aux serments de 1214. Dans les deux cas, les seigneurs et les consuls des villes de Provence et du Languedoc s'engageaient par serment à respecter toutes les exigences du Droit canonique. Les hérétiques et leurs fauteurs étaient exilés, leurs terres confisquées, non pas à titre définitif, comme l'exigeait la loi de majesté, mais à titre provisoire, comme le demandait la « miséricorde ». Malgré quelques hésitations dangereuses[174], Innocent III se contentait d'appliquer la théorie canonique de la croisade et restait fidèle à sa propre législation.

*
* *

Le IVe concile de Latran ne fait que réunir les éléments dispersés de la législation pontificale et leur donner une confirmation solennelle[175].

La Constitution Dogmatique reproduit à peu près textuellement les formules de profession de foi qu'Innocent III imposa aux Pauvres Lombards. On y retrouve l'affirmation du dogme trinitaire : Dieu en Trois Personnes, Père, Fils et Saint-Esprit, principe unique de toutes choses, créateur des choses visibles et invisibles, spirituelles et corporelles, par quoi est renouvelée la condamnation du catharisme. Dans sa profession de foi, Durand de Huesca reconnaissait que «le Diable est devenu mauvais, non par l'acte de sa création, mais par l'exercice de son libre arbitre ». Le concile affirme que « le Diable et les autres démons ont été créés bons dans leur nature : eux-mêmes se sont rendus méchants ». La réalité de l'Incarnation est de même affirmée en termes inspirés du symbole dit de saint Athanase. La nécessité d'appartenir à l'Eglise s'impose comme une condition *sine qua non* de salut. La théologie sacramentaire est extrêmement précise, notamment en ce qui concerne l'Eucharistie. Dans sa profession de foi, Bernard Primus déclarait : « Les espèces du pain et du vin deviennent après la consécration le corps et le sang de Jésus-Christ. » Le concile exprime le changement de substance par le terme, devenu classique, de « transsubstantiation ». A l'Eucharistie est lié le Sacer-

---

173. Sur toute cette affaire, voir D. Vaissète, t. VI, p. 458 et suivantes. P. 4985, à la date du 2 juillet 1206 ; voir les textes dans A. Teulet, t. I, p. 417, no 1119, et *Gal. Christ.*, VI, Instrumenta : no 56 et 57, c. 57 et 58.

174. Telle la confirmation au comte de Montfort et à ses héritiers de la vicomté de Béziers-Carcassonne ; voir ci-dessus.

175. IVe Concile de Latran, dans Mansi, t. XXII, col. 955 et ss... — H.-L., t. V, pp. 1316-1398. Voir A. Luchaire : *Innocent III, le Concile de Latran et la réforme de l'Eglise*, Paris, 1908 : A. Fliche, La Chrétienté Romaine, dans *Histoire de l'Eglise*, coll. Fliche et Martin, t. 10, pp. 194-211.

doce. Durand de Huesca et Bernard Primus reconnaissaient la nécessité d'une ordination régulière par le ministère d'un évêque que l'on puisse voir et toucher. Le concile proclame que personne ne peut consacrer « sinon le prêtre rituellement ordonné selon (le pouvoir) des clefs (appartenant à) l'Eglise, que Jésus-Christ a lui-même confiées aux apôtres et à leurs successeurs »[176]. Le Mariage enfin, s'il n'est pas encore défini comme un sacrement, ne saurait empêcher les époux, si leur foi est droite et si leurs actions sont agréables à Dieu, de parvenir à la béatitude éternelle[177].

La Constitution Dogmatique sert en quelque sorte de préface à la discipline inquisitoriale et de préface justificative de cette discipline. Elle se réduit aux deux points suivants.

Le premier concerne les évêques. C'est à eux et à eux seuls qu'il appartient d'appliquer les Décrétales. En cas de négligence, ils seraient déposés et remplacés par des prélats idoines. Le texte ne dit pas suivant quelle procédure, mais le contexte indique clairement qu'il s'agit des légats du pape qui ont précisément pour mission de veiller à ce que les évêques appliquent les Décrétales... Ce n'est que la consécration de l'œuvre accomplie avant et pendant la croisade par les légats d'Innocent III[178].

L'évêque, assisté des témoins synodaux, siège une ou deux fois par an dans les villes ou villages de son diocèse où la présence des hérétiques est signalée. Mais le texte ne dit pas à qui revient l'initiative des dénonciations. Tout fidèle est invité à se faire dénonciateur[179] ; mais qu'un silence indifférent ou complice taise à l'autorité épiscopale les noms des hérétiques, l'œuvre de la répression devient évidemment compromise. Dans cette hypothèse, il est vraisemblable que l'évêque et les témoins synodaux ne se contenteront pas d'un rôle purement passif. Ils chercheront évidemment à susciter les dénonciations et à découvrir par leurs propres moyens des hérétiques. Mais cela, le texte du concile ne le dit pas, et à cause de ce silence, il est peut-être encore prématuré de parler d'Inquisition Episcopale.

Il n'est pas question des religieux. Le concile ne leur est guère favorable qui déplore au contraire le grand nombre d'Ordres existants

---

176. A. Fliche, op. cit., p. 200.

177. La Constitution Dogmatique, c. 1 du Concile, dans Compilatio IV, liv. V, tit. V, c. 1 et dans les Décrétales : c. 1-X-I-1.

178. C. 3 : « Si quis enim episcopus super expurgando de sua diocesi haereticae pravitatis fermento negligens fuerit vel remissus : cum id certis indiciis apparuerit, at ab episcopali officio deponatur, et in locum ipsius alter substituatur idoneus, qui velit et possit haereticam confundere pravitatem. »

179. C. 3 : « Adjicimus insuper, ut quilibet archiepiscopus vel episcopus, per se, aut per archidiaconum suum, vel idoneas personas honestas, bis aut saltem semel in anno propriam parochiam, in qua fama fuerit haereticos habitare circumeat : et ibi tres vel plures boni testimonii viros, vel etiam, si expedire videbitur, totam viciniam, jurare compellat : quod si quis ibidem haereticos sciverit, vel aliquos occulta conventicula celebrantes, seu a communi conversatione fidelium vita et moribus dissidentes, eos episcopo studeat indicare. » Ce canon 3 est passé tout entier dans les Décrétales : c. 13-X-V-7.

et refuse toute création d'instituts nouveaux[180]. Les quelques essais
tentés au cours de la croisade par des prédicateurs comme les Pauvres
Catholiques s'étaient heurtés, nous l'avons vu, à l'opposition de l'épiscopat. Le concile n'allait pas consacrer des institutions qu'il estimait
susceptibles de porter ombrage aux Ordinaires. Il envisage néanmoins
l'existence possible d'un personnel spécialisé pour la prédication et
pour la confession auquel l'évêque pourra toujours recourir, suivant
les besoins[181]. Ce personnel serait sans doute composé de clercs diocésains. Or, il existe à Toulouse une communauté de prédicateurs
— la première en date des communautés dominicaines —. Elle ne
venait pas de l'hérésie, comme les ex-communautés vaudoises des
Pauvres Catholiques ; au contraire, elle assurait très heureusement
la relève des missions cisterciennes de l'âge précédent. Elle paraissait toute désignée pour servir de modèle à des communautés analogues que les Ordinaires pourraient organiser dans leurs diocèses,
peut-être même avec le concours d'un « frère prêcheur »[182].

Le second point concerne les princes. Tout d'abord, ils doivent prêter serment d'obéir aux Décrétales. On pense ici naturellement aux
Serments de Saint-Gilles en vertu desquels les seigneurs se reconnaissaient pratiquement vassaux de l'Eglise Romaine. Le Concile ne va
pas si loin. Il exige seulement que les princes s'engagent à poursuivre
les hérétiques et à seconder l'Eglise, c'est-à-dire à faciliter la tâche
des clercs et à traduire sur le plan de la vie civile les effets des sanctions ecclésiastiques, suivant la tradition canonique. Il ne leur est
pas demandé de rechercher précisément les hérétiques. Il n'y a donc
pas lieu de parler encore d'Inquisition Séculière.

Le prince récalcitrant sera tout d'abord excommunié par le métropolitain et les évêques comprovinciaux. S'il refuse de s'amender au
bout d'un an, il sera dénoncé par les prélats au Souverain Pontife.
Le pape déliera ses sujets du serment de fidélité et exposera sa terre
aux catholiques. Ceux qui prendront la croix pour « exterminer » les
hérétiques bénéficieront de la même indulgence et les mêmes privilèges que les croisés de Terre Sainte. Après l' « extermination » des
hérétiques, les catholiques posséderont leurs terres sans aucune espèce
de contestation possible et ils la conserveront dans la pureté de la
foi, sous réserve des droits du seigneur principal, à condition que ce
dernier ne mette aucun obstacle à la possession de la terre. La même

---

180. C. 13, dans les Décrétales : c. 9-X-III-36.
181. C. 10, dans les Décrétales : c. 15-X-I-31 : « Unde cum saepe contingat,
quod episcopi propter occupationes multas... per se ipsos non sufficiunt ministrare populo verbum Dei... generali constitutione sancimus, ut episcopi viros idoneos ad sanctae praedicationis officium salubriter exequendum assumant, potentes in opere et sermone, qui plebes sibi commissas, vice ipsorum, cum per se
idem nequiverint, sollicite visitantes, eas verbo aedificent et exemplo. » Voir A.
FLICHE, p. 203.
182. La communauté toulousaine avait été organisée par l'évêque Foulques.
Voir A. FLICHE, p. 186.

discipline vaut pour ceux qui n'ont pas de seigneur principal[183]. Somme toute, le concile ne fait qu'enregistrer la théorie canonique de la Croisade et consacrer les transformations juridiques qui en ont été la conséquence.

Toutefois, si le Concile proclame la déchéance absolue de Raymond VI, il ne refuse pas à l'héritier de la dynastie de Saint-Gilles toute sa part d'héritage.

L'ancien « Duc de Narbonne, Comte de Toulouse, Marquis de Provence » doit se retirer hors de ses terres et faire pénitence de ses péchés. L'Eglise s'engage toutefois à lui servir une rente de 500 marcs qui seront prélevés sur les revenus de ses anciens domaines[184]. La comtesse Eléonore, sa femme, recouvre intégralement sa dot[185].

Les terres sont réparties comme il suit. Le marquisat de Provence est enlevé à Guillaume des Baux et réservé directement par l'Eglise Romaine pour le jeune Raymond VII, si toutefois il l'en montre vraiment digne[186]. Le reste, c'est-à-dire : *Tota vero terra quam obtinuerunt crucesignati adversus haereticos, credentes, fautores ac receptatores eorum*

---

183. C. 3 : « Moneantur autem et inducantur, et, si necesse fuerit, per censuram ecclesiasticam compellantur saeculares potestates, quibuscumque fungantur officiis, ut sicut reputari cupiunt et haberi fideles, ita pro defensione fidei praestent publice juramentum, quod de terris suae jurisdictioni subjectis universos haereticos ab Ecclesia denotatos bona fide pro viribus exterminare studebunt : ita quod amodo, quandocumque quis fuerit in potestatem sive spiritalem, sive temporalem assumptus, hoc teneatur capitulum juramento firmare. Si quis vero dominus temporalis, requisitus et monitus ab Ecclesia, terram suam purgare neglexerit ab hac haeretica fœditate, per metropolitanum et ceteros comprovinciales episcopos excommunicationis vinculo innodetur. Et, si satisfacere contempserit infra annum, significetur hoc summo pontifici : ut ex tunc ipse vassalos ab ejus fidelitate denunciet absolutos, et terram exponat catholicis occupandam, qui eam exterminatis haereticis sine ulla contradictione possideant, et in fidei puritate conservent : salvo jure domini principalis, dummodo super hoc ipse nullum praestet obstaculum, nec aliquid impedimentum opponat : eadem nihilominus lege servata circa eos qui non habent dominos principales. Catholici vero, qui crucis assumpto charactere ad haereticorum exterminium se accinxerint, illa gaudeant indulgentia illoque sancto privilegio sint muniti, quod accedentibus in Terrae Sanctae subsidium conceditur » ; c. 13-X-V-7.

184. Mansi, t. XXII, c. 1069 et suivantes : « Ut Raimondus comes qui culpabilis repertus est in utroque, nec umquam sub ejus regimine terram possit in fidei statu servari, sicut a longo tempore certis indiciis est compertum, ab ejus dominio quod utique grave gessit perpetuo sit exclusus, extra terram in loco ideneo moraturus, ut dignam agat poenitentiam de peccatis. Verumtamen de proventibus terrae pro sustentatione sua quadringentas marcas percipiat annuatim, quamdiu curaverit humiliter obedire. » Comp. IVᵃ liv. V, tit. V, c. 1.

185. Le 14 décembre 1215, Innocent III ordonne à Arnaut-Amaury d'assigner à la comtesse 150 marcs sur le château de Beaucaire : P. 5010, inféodé par l'archevêque d'Arles à Simon de Montfort, le 30 janvier 1215 : Gal. Christ. Instrum., n. 23, p. 100.

186. « Residua autem terra quae non fuit a crucesignatis obtenta, custodiatur ad mandatum Ecclesiae per viros idoneos qui negotium pacis et fidei manuteneant et defendant ; ut provideri possit uniquo adolescenti praefati comitis Tolosae, postquam ad legitimam aetatem pervenerit, si talem se studuerit exhibere, quod in toto vel in parte ipsi merito debeat provideri, prout magis videbitur expedire. »

cum Monte-Albano atque Tolosa sera remis et concédé : *dimittatur et concedatur* à Simon de Montfort, mais à la condition, ajoute le concile, qu'il le reçoive de ceux auxquels elle appartient en Droit : *ut eam teneat ab ipsis a quibus jure tenenda est.* Le concile faisait donc sienne la théorie du pape : *Salvo jure Domini principalis*, en vertu de laquelle Philippe-Auguste reçut en avril 1216 l'hommage de Simon de Montfort pour le comté de Toulouse, le duché de Narbonne[187] et la vicomté de Béziers-Carcassonne.

Ce compromis ne pouvait durer longtemps. La guerre reprit, toute politique cette fois, entre la Maison de Saint-Gilles et la Maison de Montfort.

* * *

D'après la Chanson de la Croisade, Innocent III aurait presque invité Raymond VII à recouvrer le patrimoine que le concile venait de lui enlever[188]. Raymond VII souleva la Provence, s'empara d'Avignon, assiégea Beaucaire et entra dans Saint-Gilles. De son côté, Raymond VI recruta en Aragon un corps de routiers, rejoignit le comté de Comminges et s'avança vers Toulouse qui lui ouvrit ses portes[189]. Simon de Montfort qui s'était porté vers le Rhône se hâta de traiter avec Raymond VII et vint assiéger Toulouse. Mais il fut tué, le 25 juin 1218[190]. Son fils aîné, Amaury, continua la lutte, mais comme il ne recevait pas de France les secours attendus, il fut contraint de lever le siège de Toulouse. Comme ses soldats eux-mêmes l'abandonnaient, il dut laisser Raymond VII, Raymond-Roger, comte de Foix et le jeune Trencavel[191] emporter Lavaur, Puylaurens, Montauban, Castelnaudary, Montréal, Agen, Carcassonne. Alors, il quitta le pays pour toujours, se retira à la cour de France et céda au roi, sous conditions, il est vrai, mais conditions de pure forme, « tous les privilèges et dons que l'Eglise Romaine a accordés à Simon, notre père, de pieuse mémoire, au sujet du comté de Toulouse et des autres pays d'Albigeois »[192].

187. Après le concile de Latran, la querelle d'Arnaut-Amaury et de Simon de Montfort à laquelle Innocent III avait mis fin en se prononçant en sa faveur d'Arnaut, le 2 juillet 1215 s'envenima au point que Simon fut excommunié par l'archevêque. Mais il ne tint aucun compte de cette sentence et prêta serment de fidélité au roi de France comme duc de Narbonne. D. Vaissète, t. VI, p. 477 et suivantes.
188. Chanson de la Croisade, par P. Meyer, dans la *Société de l'Histoire de France*, Paris, 1875, vers 3 633 et suivants.
189. Pour le détail de cette campagne, voir D. Vaissète, t. VI, p. 485 et suivantes.
190. D. Vaissète, t. VI, p. 516 ; Guillaume de Puylaurens, ch. XXVIII, p. 114 ; *Hist. Albig.*, 607-612.
191. Fils de Raymond-Roger, vicomte de Béziers, assassiné en 1209.
192. D. Vaissète, t. VI, p. 567, *op. cit.*, A. Teulet, t. II, n° 1631, p. 24 : « Noveritis quod omnia privilegia et dona quae piae recordationis Simoni genitori nostro et nobis fecit Ecclesia Romana super comitatu Tolosano et alia terra Albigensi, quitadamus carissimo domino nostro Ludovico Regi Francorum illustri et haeredibus suis in perpetuum, ad faciendam voluntatem suam si dominus

Si les seigneurs de France se désintéressaient des guerres albigeoises, Honorius III faisait tout son possible pour ranimer la croisade. Non seulement il confirma Amaury de Montfort dans la possession des terres et des titres que son père avait reçus de l'Eglise Romaine[193], mais il priva Raymond VII du marquisat de Provence que le concile de Latran lui avait réservé[194]. Cette dernière mesure était grave. Au IVe concile de Latran, Innocent III était intervenu au nom de la « miséricorde » en faveur de Raymond VII. Désormais, la clause de la miséricorde disparaissant, la loi de majesté s'appliquait dans toute sa rigueur à la descendance de l'hérétique.

En même temps, Honorius III multiplia ses appels au clergé, aux seigneurs temporels, aux consuls et aux habitants des villes et au roi de France pour qu'ils fournissent à Amaury de Montfort l'aide à la fois militaire et financière de la croisade[195]. Il renouvela en faveur des croisés la concession des indulgences[196]. Ces lettres ne présentent aucune espèce d'originalité.

Malgré l'invitation pressante du Souverain Pontife[197] et de son légat, le cardinal Conrad[198], Philippe-Auguste refusa de se croiser, alléguant les mêmes motifs qu'il opposait dix ans plus tôt à Innocent III[199]. De son côté, Raymond VII priait humblement le roi d'ap-

Papa petitiones quas dominus Rex ipsi facit per venerabiles fratres archiepiscopum Bituricensem et Lingonensem et Carnotensem episcopos fecerit et efficaciter impleverit ; quod si non fecerit, sciatis pro certo quod nullam alicui facimus de praemissis quitationem. » Paris, février 1224.

193. Lettres du 17 août 1218 et du 3 juin 1221 : P. 5893 et 6673 ; *Hist. Fr.*, t. XIX, p. 667 et 696 ; A. Teulet, t. I, n° 1456, p. 519 : « Nos igitur... tuis justis precibus inclinati, terras quas ipsi patri tuo et haeredibus ejus dictus praedecessor noster noscitur confirmasse, ad ejus exemplar tibi ac haeredibus tuis apostolica auctoritate confirmamus et praesentis scripti patrocinio communimus. »

194. Lettres de juin 1220 et du 25 octobre 1221 ; P. 6284 et 6711 ; D. Vaissète, t. VI, p. 539 et 544 ; *Hist. Fr.*, t. XIX, p. 701 : « Tu vero, ejusmodi patris tui vestigiis deserendis inhaerens, fovisti et foves haereticos, fideles autem impugnasti et incessanter impugnas, ita ut non solum haereticorum fautos, sed et haereticus videaris, et tam terram ipsi patri tuo et haeredibus ejus, ut praedictum est abjudicatam omnimo, quam eam quae fuit pro tua provisione servata, violenter invadens, et in ea favens haereticis et receptans, excommunicationis sententiam propter hoc in te latam a multis jam annis pertinaciter contemnendo, ita exhibuisti apostolicae sedis gratia te indignum, ut spe provisionis quam tibi in praefata terra citra Rhodanum reservavit, jamdudum justissime potuit te privare. » Item *Hist. Fr.*, t. XIX, p. 715, la notification de la sentence à tous les fidèles.

195. P. 5610, 5611, 5642, 5643, 5644, 5645, 5648, 5650.

196. Lettres du 30 juillet 1218 et du 22 janvier 1219 ; P. 5888, 5889, 5890, 5969 ; A. Teulet, t. I, n° 1306 et 1331, p. 466 et 475.

197. Lettre du 14 mai 1222 ; P. 6828 ; D. Vaissète, t. VI, p. 546 et 547.

198. Conrad, évêque de Porto, ex-abbé de Cîteaux : D. Vaissète, t. VI, p. 537. Il insista auprès de Thibaut, comte de Champagne, pour que ce seigneur demandât au roi l'autorisation de se charger de l'affaire albigeoise. Philippe-Auguste y consentit, mais à regret.

199. « Nous ne pouvons pas nous lier dans cette affaire par aucune promesse parce que nous sommes sur le point d'avoir la guerre avec le roi d'Angleterre et que la trêve que nous avons conclue avec lui ne doit durer que de la fête de

puyer sa demande de réconciliation avec l'Eglise[200]. Alors, pour gagner
du temps, Conrad se résigna à faire conclure une trêve entre Raymond VII et Amaury de Montfort[201].

Après la mort de Philippe-Auguste, Louis VIII accepta de se croiser[202].

Sollicité par l'archevêque de Bourges, les évêques de Langres et de
Senlis d'intervenir en Albigeois, Louis VIII posa ses conditions. Il
demandait entre autres l'assurance de la neutralité de l'Angleterre et
de l'Empire, l'incorporation au domaine royal du comté de Toulouse
et de la vicomté de Béziers, une aide financière annuelle de 60.000
livres parisis pendant dix ans[203]. Honorius III hésita[204]. Il se rappro-
cha de Raymond VII et invita Arnaut-Amaury à réconcilier ce prince
avec l'Eglise ; ce qui fut fait à Montpellier dans l'été de 1224. Raymond s'intitule Duc de Narbonne, Comte de Toulouse et Marquis de
Provence ; il promet d'expulser les hérétiques et les routiers, de respecter les immunités ecclésiastiques, de verser en différents termes
une somme de 2.000 marcs d'argent, soit à titre de réparation aux
églises, soit « pour être pourvu à l'honneur du comte de Montfort »,
mais à la condition qu'Amaury accepterait le retour au *statu quo* d'avant
la croisade. De leur côté, Roger-Bernard[205], « par la grâce de Dieu,
comte de Foix » et Raymond Trencavel, « par la même grâce, vicomte
de Béziers », prêtèrent un serment semblable et reconnurent la suzeraineté du comte de Toulouse[206].

Les serments de Raymond VII, de Roger-Bernard et de Raymond
Trencavel furent remis à Arnaut-Amaury qui les fit porter à Rome
par une ambassade que présidait Hugues Bérouard, archevêque d'Arles.
De son côté, le roi de France envoya auprès du pape une autre ambassade dont faisait partie Guy de Montfort, frère de Simon : Louis VIII

Pâques prochaine en un an. Il ne nous convient pas de nous livrer à d'autres
entreprises et nous devons laisser toutes celles qui nous détourneraient de notre
défense et de celle du royaume, laquelle doit nous occuper principalement. » D.
Vaissète, t. VI, p. 547, 548, *op. cit.*

200. Le 16 juin 1222 ; A. Teulet, t. I, n° 1537, p. 546.

201. Guillaume de Puylaurens, ch. XXXII, p. 147.

202. Avant de mourir, raconte D. Vaissète, t. VI, p. 568, Philippe-Auguste
se plaignit en ces termes : « Je sais qu'après ma mort, les ecclésiastiques ne man-
queront pas de solliciter mon fils de se charger en personne de l'expédition contre
les Albigeois, et, comme il est délicat, il ne pourra en supporter les fatigues :
il succombera et mourra bientôt, et le royaume, demeurant ainsi entre les mains
d'une femme et d'un enfant, sera exposé au péril. »

203. D. Vaissète, t. VI, p. 577 ; *Item*, M. Pissard : *La guerre sainte*, p. 64.

204. « Nous ne voyons pas que le pape ait jamais pensé sérieusement avant
l'année 1225 à donner le comté de Toulouse au roi de France. Il voulait plutôt
se servir du nom redouté de celui-ci pour amener Raymond VII à composition.
En effet, mieux valait pour la Cour Romaine ce dernier prince affaibli et à peu
près à la discrétion du pape que Louis VIII, alors le second prince de l'Europe,
belliqueux, riche, puissant, et qui, bien certainement, aurait plus d'une fois tra-
versé les desseins du Pontife. On s'explique donc pourquoi, en présence des propositions si précises du roi, le pape se retourna tout à coup vers Raymond VII,
avec lequel du reste il était depuis longtemps déjà en rapports indirects. » D.
Vaissète, t. VI, p. 578 : note 2 de Molinier.

205. Fils de Raymond-Roger : D. Vaissète, t. VI, p. 563.

206. D. Vaissète, t. VI, p. 582 et suivantes.

défendait son vassal et sa terre. Honorius III hésita. Il lui était difficile, en effet, de confirmer tels quels les serments de Montpellier parce que ces serments tendaient à rien moins qu'au rétablissement de la situation politique d'avant la croisade, comme si Innocent III, Simon de Montfort et le concile de Latran n'avaient jamais rien fait en Albigeois. Pour résoudre ce délicat problème, le Souverain Pontife agit comme en d'autres circonstances avait agi Innocent III[207] : Il envoya dans le Languedoc un légat : Romain, cardinal-diacre de Saint-Ange[208].

Romain de Saint-Ange convoqua tout d'abord un concile national à Bourges, le 29 novembre 1225. Raymond VII y renouvela les promesses qu'il avait faites à Montpellier, mais refusa de se laisser deshériter. Amaury de Montfort produisit les lettres et la charte de Philippe-Auguste et invoqua les décisions du concile de Latran. Le cardinal invita chaque métropolitain à en délibérer avec ses suffragants et à lui faire connaître par écrit son sentiment. Le concile condamna Raymond VII. Le légat pressa le roi d'en finir. Il l'assura de la neutralité de l'Aragon, de l'Angleterre et de l'Empire, fit prêcher la croisade dans tout le royaume et lever une aide annuelle de 100.000 livres sur les revenus ecclésiastiques et excommunia Raymond VII[209]. La croisade recommençait, sans complications juridiques ni incidences politiques. L'Eglise invite le roi à « exterminer » l'hérétique. Le roi obéit avec docilité. Les principes du Droit Canonique et ceux du Droit Féodal, loin de se contrarier, s'unissent au contraire et même se complètent.

Avant de partir, Louis VIII promulgue en avril 1226 une première Ordonnance déclarant que tout hérétique excommunié par l'évêque ou quelque autre ecclésiastique qualifié sera puni sans délai de l'*animadversio debita* : que tout fauteur des hérétiques sera puni des incapacités et de la confiscation de tous ses biens qui ne seront jamais restitués ni à lui, ni à sa descendance[210]. L'Ordonnance royale est évidemment dirigée contre Raymond VII et sa famille. Elle a néanmoins une portée générale. L'exhérédation de toute descendance de l'hérétique, sans autre précision, donc en principe même catholique,

---

207. Ainsi en 1213, au lendemain du concile de Lavaur.

208. Lettres d'Honorius III des 13 et 15 février 1225 : P. 7358, 7360, 7361 ; du 26 février 1226 : P. 7371, 7372, 7373.

209. D. VAISSÈTE, t. VI, pp. 593 et ss. MANSI, t. XXIII, cc. 10, 11. Le concile de Sens a été transféré à Paris par le légat Conrad, cf H.-L., t. V, p. 1442. Lettres d'Honorius III : février-mars 1226, P. 7542.

210. Ordonnance des Rois de France, t. XII, p. 319 : « Statuimus quod heretici qui a catholica fide deviant, quocumque nomine consentur, postquam fuerint de heresi per episcopum loci vel per aliam personam ecclesiasticam que potestatem habeat condempnati, indilate animadversione debita puniantur, ordinantes et firmiter decernentes ne quis hereticos receptare vel defensa quomodolibet aut ipsos favere praesumat, et, si quis contra praedicta praesumpserit facere, nec ad testimonium nec ad honorem aliquem de cetero admittatur, nec possit facere testamentum, nec successionem alicujus hereditate habere : bona ipsius mobilia et immobilia ipso facto (sint confiscata) ad ipsum vel ad ipsius posteritatem nullatenus reversura. »

n'est autre que la transposition dans le droit séculier des peines sévères de *Vergentis in senium.*

A la fin de mai, Louis VIII, parti de Bourges, descend sur le Languedoc. La plupart des seigneurs et des villes se soumettent. Avignon
seule ose résister, mais elle est prise après un siège de trois mois[211].
Le roi établit un sénéchal à Beaucaire, un autre à Carcassonne et
reçoit à Pamiers en octobre 1226 les serments de fidélité des évêques
du Languedoc. Il y promulgue une autre Ordonnance pénalisant les
excommuniés : quiconque, en effet, après la troisième monition[212], sera
excommunié, paiera une amende de neuf livres et un denier ; en cas
de contumace, ses biens seront confisqués[213].

La guerre albigeoise était finie.

La mort du Roi — 3 novembre 1226 — remit tout en question.
La minorité de saint Louis causa quelques troubles dans le royaume.
« Ces divisions, écrit Dom Vaissète, opérèrent une diversion favorable
au comte de Toulouse qui chercha à s'appuyer de l'autorité et du
crédit de l'empereur Frédéric, lequel avait été toujours porté pour
lui[214]. » L'empereur était d'autant mieux disposé à intervenir en faveur de Raymond VII que la prise d'Avignon et les conditions draconiennes que le légat avait imposées aux habitants de cette ville
comme prix de leur réconciliation[215] lui portait un réel préjudice[216].
La guerre recommença[217].

Un concile de Narbonne, réuni pendant le carême de 1227 par le
nouvel archevêque Pierre Amiel, successeur d'Arnaut-Amaury, dénonce
ceux qui ont rompu la paix conclue à Pamiers l'année précédente, il
fulmine l'excommunication contre Raymond VII, comte de Toulouse,
le jeune Trencavel, héritier de l'ancienne vicomté de Béziers-Carcassonne, Roger-Bernard, comte de Foix, les gens de Toulouse et de Limoux, et autres hérétiques avec leurs fauteurs ; il veut que tous les
dimanches les sentences d'excommunication soient rappelées dans les
églises paroissiales. En même temps, le concile essaie d'organiser l'Inquisition épiscopale suivant les formules traditionnelles. « Les évêques,
dit-il au canon 14, institueront dans chaque paroisse des témoins synodaux qui feront une enquête sur l'hérésie et les autres crimes notoires et transmettront un rapport à l'évêque[218]. »

211. Guillaume DE PUYLAURENS, ch. XXXIII, éd. J. Bessier, p. 149.
212. Conformément à la législation d'Innocent III, c. 48-X-V-39 au IVe concile de Latran.
213. D'après le concile de Narbonne de 1227, C. 1 dans MANSI : t. XXIII,
col. 19.
214. D. VAISSÈTE, t. VI, p. 620, *op. cit.*
215. Le cardinal leur ordonnait entre autres de secourir en toutes choses le roi
de France et les croisés, de détruire leurs murailles, de combler leurs fossés et de
ne rien établir sans la permission du roi, de remettre enfin au roi toutes leurs ma-
chines de guerre.
216. Il s'en plaignit au pape qui s'efforça de le rassurer : lettre du 22 novembre 1226 : P. 7614.
217. Guillaume DE PUYLAURENS, ch. XXXV, p. 150-152.
218. MANSI : t. XXIII, col. 19 et ss... H.-L., t. V, pp. 1452-1454, c. 14 : « Vo-

Cependant, le légat lève le décime malgré l'opposition du clergé[219]. Grégoire IX prolonge la légation du cardinal et invite la régente et son fils à reprendre la croisade du roi défunt[220]. Saint Louis promulgue pendant la semaine sainte, avril 1229, la fameuse Ordonnance *Cupientes*, laquelle, renchérissant sur les Ordonnances paternelles, ne se contente plus de rappeler que les hérétiques et leurs fauteurs sont passibles d'incapacités civiles et de confiscation définitive et totale de leurs biens ; elle veut encore que tous les seigneurs et les officiers du roi prennent une part active à la recherche des hérétiques. « Nous décidons et nous ordonnons, dit le roi, que nos barons et nos officiers s'appliquent avec le plus grand soin à purger la terre des hérétiques et de la corruption de l'hérésie[221]. Nous ordonnons, dit encore le roi, que lesdits seigneurs et officiers s'efforcent avec diligence et fidélité de rechercher les hérétiques et de les découvrir... » Et quand ils les auront trouvés, il faudra les remettre aux autorités ecclésiastiques. S'ils sont convaincus d'hérésie, il faudra leur infliger en toute justice, sans aucune considération de haine ou d'amour ou de crainte ou d'argent, les peines qu'ils auront justement mérités[222]. Le roi veut enfin que celui qui se sera assuré de la personne d'un hérétique, condamné comme tel, touche une prime de deux marcs pendant deux ans, et d'un marc dans la suite[223].

Cette Ordonnance est remarquable, moins par la reconnaissance officielle, sur le plan séculier, de la législation conciliaire, moins par l'aide qu'elle apporte à l'exécution des sentences ecclésiastiques, que par la coopération active qu'elle impose à tous les sujets du roi. Elle

---

lumus insuper et districte mandamus, ut ab episcopis testes synodales in singulis instituantur paroechiis, qui de heresi et de aliis criminibus manifestis diligenter inquirant, postmodum episcopis quid invenerint relaturi. »

219. A tel point que Grégoire IX dut intervenir : P. 7985, 7986. En août 1227, l'archevêque de Sens et l'évêque de Chartres engagent au roi pour quatre ans, s'il y a lieu, 1.500 livres parisis : A. Teulet, t. II, n° 1942, p. 133.

220. Le 21 mars 1228 : P. 8150 et 8267, dans *Registres de Grégoire IX*, dans Bibliothèque des Ecoles d'Athènes et de Rome, par L. Auvray, t. I, Paris, 1896, n° 229 et 230.

221. Mansi : XXIII, col. 185-186, n° 3 et 4 : « Ordinantes etiam et firmiter decernentes, ne quis hereticos receptare vel defensare quomodolibet aut ipsis favere aut credere quoquo modo praesumat. Et si aliquis contra praedicta facere praesumpserit, nec ad testimonium nec ad honorem aliquem de cetero admittatur, nec possit facere testamentum, nec successionem alicujus haereditatis habere. Omnia bona ipsius mobilia et immobilia quae sint ipso facto publicata, decernimus ad ipsum vel ad posteritatem ipsius nullatenus reversura. Statuimus etiam et mandamus ut barones terrae et ballivi nostri et alii subditi nostri praesentes et futuri soliciti sint et intenti terram purgare haereticis et haeretica feoditate. »

222. N. 4, suite : « Et praecipientes quod praedicti diligenter ipsos investigare studeant et fideliter invenire, et cum invenerint praesentent sine morae dispensio personis ecclesiasticis superius memoratis, ut eis praesentibus de errore et heresi condemnatis, omni odio, prece, pretio, timore, gratia et amore postpositis, ipsius festinate faciant quod deberent. »

223. N° 5 : « Statuimus et volumus et mandamus ut baillivi nostri in quorum bailliviis capti fuerint haeretici pro quolibet haeretico : postquam fuerit de haeresi condemnatus, usque ad biennium solvant duas marchas integre capienti, postbiennium autem unam. »

annonce un changement de procédure. La vieille procédure accusatoire n'est point exclue, assurément : elle nous paraît même confirmée par cette intention qui doit être au cœur de tout français de dénoncer les hérétiques, mais une autre procédure la renforce et la dépasse, la procédure inquisitoire en vertu de laquelle vassaux et officiers du roi doivent précisément rechercher hérétiques et fauteurs d'hérésie. Nous voyons dans cette recherche, et à cause de cette recherche, exigée pour la première fois, croyons-nous, et élevée à la hauteur d'une institution, l'origine pour le royaume de France de l'Inquisition séculière.

Le comte de Toulouse, se sentant perdu, entre par l'intermédiaire de l'abbé cistercien de Grandselve, Elie Guarin, en négociations avec le cardinal de Saint-Ange[224]. Les propositions de paix étant acceptées, le comte se rend à Meaux : il y rencontre le légat et plusieurs évêques. Ensuite, il vient à Paris, il jure en présence du roi, le jeudi saint 1229, de respecter les clauses suivantes du traité de paix[225].

Les clauses politiques se résument en trois points. — Les terres comprises entre la frontière anglaise et la limite orientale du diocèse de Toulouse, c'est-à-dire : l'Agenais, le Rouergue, le Quercy (sauf Cahors et quelques petits fiefs relevant directement du roi), l'Albigeois au delà du Tarn, le Toulousain, sauf Verfeil et le village de Las Bordas, restaient à Raymond VII, mais à la double condition qu'il détruirait tous les ouvrages fortifiés et qu'il comblerait les fossés de plus de trente villes et châteaux, et sous la double réserve que ses sujets lui retireraient au profit de l'Eglise et du roi, en cas de parjure, la fidélité qu'ils lui doivent, et que son unique héritière, Jeanne, épouserait un frère du roi[226]. — Les terres comprises depuis les limites orientales du diocèse de Toulouse jusqu'au Rhône, c'est-à-dire : le duché de Narbonne, la vicomté de Carcassonne, l'Albigeois en deçà du Tarn, le Gévaudan et la terre du maréchal de Lévis dans le Toulousain, seraient immédiatement réunies au domaine royal. Saint Louis y rétablit les deux sénéchaussées que son père avait créées à Beaucaire et à Carcassonne. — Les terres situées au delà du Rhône, c'est-à-dire-le marquisat de Provence, seraient entièrement cédées « à perpétuité » à l'Eglise Romaine[227], mais le cardinal de Saint-Ange en commit l'administration aux sénéchaux du roi[228].

Les clauses religieuses sont importantes. Raymond VII s'engage à poursuivre les hérétiques sur ses terres et à aider les baillis du roi à

224. H.-L., t. V, p. 1491.
225. Guillaume DE PUYLAURENS, ch. XXXVIII, pp. 153-154. Acta ad pacem, dans *Registres de Grégoire IX*, t. II, cc. 1263 et ss, n° 4783 et s . H.-L., t. V, pp. 1492-1493. P. BELPERRON, *ouvr. cité*, pp. 389-391.
226. Le cardinal de Saint-Ange, en vertu des pouvoirs à lui conférés par Grégoire IX : 25 juin 1228, cf. A. TEULET, t. II, n° 1969, pp. 140-141, accorde à Alphonse de Poitiers et à Jeanne de Toulouse la dispense de l'empêchement de consanguinité aux troisième et quatrième degrés : juin 1229, A. TEULET, t. II, n° 2009, pp. 158-159.
227. D. VAISSÈTE, t. VI, pp. 632 et ss. A. TEULET, t. II, n° 1992, pp. 147-153.
228. Mornas, le 29 décembre 1229, A. TEULET, t. II, n° 2025, p. 165.

les poursuivre sur les anciennes possessions de son père qui entrent dans le domaine royal. Il offre aux dénonciateurs la même prime que le roi et dans les mêmes conditions. Il promet de confisquer les biens meubles et immeubles de quiconque oserait demeurer dans l'excommunication pendant un an[229]. Il s'engage enfin à prendre la croix dans un délai de deux ans pour une durée de cinq ans en Palestine[230].

En septembre de la même année, le comte de Foix, Roger-Bernard, se réconcilie avec l'Eglise et avec le roi dans les mêmes conditions[231].

Au mois de novembre, le légat préside à Toulouse une assemblée solennelle à laquelle participent le comte et deux consuls de Toulouse, le sénéchal de Carcassonne, les archevêques de Bordeaux, d'Auch et de Narbonne et un grand nombre d'évêques. Le concile, après avoir rappelé les clauses du traité de Paris, revient avec insistance sur l'institution des témoins synodaux. Il veut que les Ordinaires désignent dans chaque paroisse — et les abbés exempts dans le ressort de leur juridiction — dans les villes et dans les faubourgs, un prêtre et deux ou trois laïcs de bonne réputation, plus si c'est nécessaire, qui s'engageront par serment à rechercher avec soin les hérétiques et leurs fauteurs, à visiter pour cela toutes les maisons depuis le grenier jusqu'à la cave et tous les souterrains où les hérétiques pourraient se cacher, à prendre toutes précautions pour les empêcher de fuir, et à les dénoncer en toute hâte aux seigneurs ou à leurs représentants qui leur infligeront les peines prévues par le Droit[232].

Cette disposition nous paraît aussi importante que l'Ordonnance *Cupientes* à laquelle elle ressemble et de laquelle certainement elle s'inspire. La vieille institution des témoins synodaux se transforme.

---

229. A. TEULET, t. II, n° 1992, p. 148 : « Et ne de caetero in terra illa claves Ecclesiae contempnantur, sententias excommunicationis servabimus et servari a nostris et per nostros faciemus. Excommunicatos vitabimus et vitari faciemus, sicut in sacris constitutionibus continetur. Et si aliqui per annum in excommunicatione permanserint, ex tunc ad mandatum Ecclesiae, ipsos ad sinum matris Ecclesiae redire compellemus, occupando omnia bona sua mobilia et immobilia, et tenebimus donec ad plenum satisfaciant de causa pro qua excommunicationis vinculo fuerint innodati, et de dampniis datis occasione excommunicationis predicte. »

230. *Registres de Grégoire IX*, n° 4788, 4791.

231. A. TEULET, t. II, n° 1998 et 2003, 2004, 2019, pp. 154, 156, 157, 162, 163. *Reg. de Grégoire IX*, n° 4792.

232. MANSI, t. XXIII, cc. 191 et ss, canons 1 et 2 : « Statuimus itaque ut archiepiscopi et episcopi in singulis paroechiis, tam in civitate quam extra, sacerdotem unum et duos vel tres bonae opinionis laïcos vel plures, si opus fuerit, sacramento constringant, qui diligenter, fideliter frequenterque inquirant haereticos in eisdem paroechiis, domus singulas et cameras subterranneas aliqua suspicione notabiles perscrutando et appensa seu adjuncta in ipsis tectis aedificia seu quaecumque alia latibula, quae omnia destrui praecipimus, perquirendo ; et si quos invenerint haereticos, credentes, fautores et receptatores, seu defensores eorum, adhibita cautela ne fugere possint, archiepiscopo vel episcopo, dominis locorum seu ballivis eorumdem, cum omni festinantia studeant intimare, ut adnimadversione debita puniantur. — Hoc idem faciant abbates exempti in locis suis, quae non sunt ordinariis jure dioecesano subjecta. »

Ce n'est plus, comme jadis, une sorte de magistrature chargée par l'évêque d'instruire la cause des hérétiques dénoncés conformément à la procédure accusatoire, c'est une police spécialisée dans la recherche des suspects. Les décrétales en avaient énoncé le principe que le concile de Latran avait rappelé, celui de Narbonne en avait précisé l'application, celui de Toulouse en détermine les modalités. Au terme d'un long effort législatif il organise pour le royaume de France l'Inquisition épiscopale.

Le concile rappelle encore aux seigneurs les obligations qui leur incombent en termes à peu près identiques à ceux de l'Ordonnance *Cupientes*[233]. « Quiconque, poursuit le texte, autorise en connaissance de cause un hérétique à demeurer sur sa terre, perd à jamais cette terre, et se remet lui-même aux mains de son seigneur, lequel fera son devoir[234] », conformément, le texte ne le dit pas, mais c'est de toute évidence, à la législation d'Innocent III et du IVe concile de Latran. Il est en outre prévu que tout fidèle, à partir de quatorze ans pour les hommes et de douze ans pour les femmes, doit prêter serment de poursuivre les hérétiques. Ce serment doit être renouvelé tous les deux ans[235].

Enfin, l'*animadversio debita* se précise suivant les catégories d'hérétiques. Ceux qui « abandonnent spontanément » l'hérésie, porteront obligatoirement deux croix d'étoffe sur leurs habits, et, pour qu'elles soient visibles, elles seront de couleur différente, l'une à droite, l'autre à gauche. Ils seront frappés d'incapacité juridique aussi longtemps qu'ils n'auront pas été réconciliés : ils pourront être invités, le cas échéant, à changer de domicile[236]. Les autres, qui reviennent à l'unité catholique par crainte des châtiments, seront emprisonnés par l'évêque. La prison doit être conditionnée de telle sorte qu'ils ne puissent communiquer avec les autres prisonniers[237]. Enfin, les irréductibles. L'expérience de la croisade a montré l'inefficacité de l'exil ou extermination

---

233. Toulouse, c. 3 : « Soliciti etiam sint domini terrarum circa inquisitionem haereticorum in villis, domibus et nemoribus faciendam... » — Ordonnance *Cupientes* : « Statuimus... ut barones terrae et ballivi nostri... soliciti sint et intenti... »

234. C. 4 : « Statuimus etiam ut quicumque in terra sua de caetero permittit scienter morari haereticum, sive propter pecuniam, sive propter aliam quamcumque causam, et fuerit inde confessus aut convictur, amittat in perpetuum terram suam et corpus suum fit in manu domini ad faciendum inde quod debebit. »

235. C. 12 : « Universi tam mares quam feminae, masculi a XIV anno et supra, feminae a XII, abjurent emnem haeresim extollentem se adversus sanctam et catholicam Romanam Ecclesiam et fidem orthodoxam... Hujusmodi autem juramentum singulis bienniis renovetur. »

236. C. 10 : « ...non remaneant in villa in qua fuerant antea conversati, si villa suspecta de haeresi habeatur, sed collocentur in villa catholica, quae nulla sit haeresis suspicione notata... »

237. : C. 11 : « Haeretici autem qui timore mortis vel alia quacumque causa, dummodo non sponte redierunt ad catholicam unitatem, ad agendam poenitentiam per episcopum loci in muro cum tali includantur cautela, quod facultatem non habeant alios corrumpendi. Quibus ab illis qui bona eorum tenuerunt, provideatur in necessariis secundum dispositionem praelati : si vero bona non habuerint, eis provideatur per praelatum. »

dans un pays où, malgré les rigueurs de la guerre, les hérétiques sont encore extrêmement nombreux. Puisqu'on ne peut les chasser, et que la prison est réservée à d'autres comme une pénitence, il ne reste que la peine capitale. Le texte précédent porte en incise : « ceux qui, par crainte de la mort ou pour tout autre motif... » On en conclut logiquement que l'irréductible est passible de la peine de mort. Les souvenirs de la croisade inspirent évidemment cette législation. Quant aux peines réelles, elles consistent dans la destruction des immeubles appartenant aux hérétiques et dans la confiscation de la terre, suivant la discipline traditionnelle[238].

Le port des croix d'étoffe, la prison et la mort constituent, sinon une nouveauté dans les faits, du moins une innovation législative. Les peines canoniques perdent leur caractère médicinal, elles deviennent vindicatives. Les circonstances sont devenues telles que la « miséricorde » s'estompe devant les rigueurs de la « majesté ».

Après avoir présidé un autre concile à Orange sur lequel nous n'avons aucun détail — il dut promulguer pour la Provence les canons du concile de Toulouse — le cardinal-légat Romain de Saint-Ange, ayant accompli sa mission et organisé en plein accord avec le roi la double Inquisition, épiscopale et séculière, rentra en Italie[239].

---

238. C. 5 : « Illam autem domum, in qua fuerit inventus haereticus, diruendam decernimus et locus ipse sive fundus confiscetur. »
239. MANSI, t. XXIII, c. 205. — H.-L., t. V, p. 1501.

CHAPITRE V

LES DÉBUTS DE L'INQUISITION

L'accord parfait du Sacerdoce et de la Monarchie capétienne avait donné à la France l'Inquisition épiscopale et l'Inquisition séculière. Un accord aussi parfait entre le Sacerdoce et l'Empire eut été capable de donner à l'Allemagne et à l'Italie une pareille Inquisition. Mais les conditions politiques de la Péninsule ne le permirent pas. Trois puissances en effet, s'y opposaient : la Papauté, l'Empire, les Villes. L'Eglise Romaine se sentait doublement menacée par le roi des Deux-Siciles qui était aussi le roi d'Allemagne, l'empereur Frédéric II. Contre la puissance gibeline, l'Eglise Romaine recherchait traditionnellement l'alliance des villes italiennes, mais c'était une alliance peu sûre et souvent décevante : les villes qui épousaient la querelle de l'empereur devenaient pour l'Eglise Romaine une menace ; les autres, pour n'être point avec l'empereur, n'entendaient pas servir docilement les intérêts du pape ; il leur arrivait même de signifier leur esprit d'indépendance en tolérant dans la cité, voire en portant aux magistratures municipales, des hérétiques. Dans ces conditions, l'application de la législation conciliaire devenait évidemment très difficile.

Toutefois, dans les années qui suivirent immédiatement le concile de Latran, Frédéric II manifesta des sentiments de parfaite soumission.

Dès son avènement, il publie à la Diète de Francfort, le 23 avril 1220, une constitution qui, sans viser directement les hérétiques, est promulguée principalement contre eux. L'empereur, considérant que le glaive matériel n'a été institué que pour aider le glaive spirituel — formule banale et vieillie — frappe tous les excommuniés d'incapacités civiles, entre autres du droit d'ester en justice, sans néanmoins leur refuser celui de se défendre, mais *sine advocatis* ; il veut encore que, s'ils ne se sont pas amendés dans les sept semaines, ils soient passibles de l'exil[1].

---

1. *Constitutiones et Acta Publica Imperatorum et Regum, M. G. H. Legum*, sectio IV, t. II, pp. 90 et ss... La constitution aurait été préparée par Honorius III, d'après Ch. THOUZELLIER : La Chrétienté Romaine, dans *Histoire de l'Eglise*, coll. Fliche et Martin, t. 10, p. 301.

Dès son couronnement, 23 novembre 1220, il publie à Rome une première constitution directement ordonnée au châtiment des hérétiques. En fait, il reproduit à peu près textuellement les dispositions du IVe concile de Latran, contenues dans le canon 3 : *Catharos* ou *Gazaros* et *Staluimus*[2].

Mais autre chose est de promulguer une loi, autre est d'en assurer l'exécution. C'est peut-être la raison pour laquelle l'empereur, occupé en Sicile, promulgue à Catane, en 1224 une nouvelle et terrible constitution contre les hérétiques lombards : « Quiconque aura été manifestement convaincu d'hérésie par l'évêque de son diocèse sera à la demande de celui-ci saisi sur-le-champ par les autorités séculières de l'endroit et livré au bûcher. Si ses juges pensent devoir lui conserver la vie, notamment pour convaincre d'autres hérétiques, on lui tranchera la langue qui n'a pas hésité à blasphémer la foi catholique et le nom de Dieu[3]. » Cette loi draconienne est assurément dans la ligne de la tradition germanique[4], elle est ignorée de la tradition romaine. Va-t-elle s'imposer à l'Eglise ?

L'attitude d'Honorius III est sur ce point quelque peu déconcertante. En 1221, il envoie la constitution de Francfort à son légat en Lombardie et Toscane, le cardinal Hugolin, évêque d'Ostie, qui deviendra son successeur. Il le charge de faire connaître ladite constitution et de la faire insérer, si possible, dans les Statuts municipaux[5]. Ce n'était guère compromettant. En 1224 et en 1225, il charge les évêques de Brescia, de Modène, puis de Rimini, d'assurer contre les hérétiques lombards l'exécution de la législation conciliaire[6]. Or, la constitution sicilienne est du 22 février, la première lettre du pape aux évêques est du 4 mai. Le pape ne pouvait pas ne pas connaître cette constitution impériale. Comme il n'y fait aucune allusion, il faut sans doute conclure qu'il la veut ignorer. Mais, en janvier 1227,

2. D'après G. DE VERGOTTINI : *Studi sulla legislazione impériale di Frederico II in Italia. Le leggi del 1220* ; Milan 1952, la législation impériale présente un caractère à la fois traditionnel et nouveau : défendre la foi conformément à la notion du Sacrum Imperium, et se faire pardonner l'union du royaume de Sicile avec l'Empire, accomplie malgré les promesses solennelles faites au Saint-Siège.

3. « Praesenti edictali constitutione nostra in tota Lombardia inviolabiliter de cetero valitura duximus sanciendum, ut quicumque per civitatis antistitem vel diocesis, in qua degit, post condignam examinationem fuerit de heresi manifeste convictus et hereticus judicatus, per potestatem, consilium et catholicos viros civitatis et diocesis earumdem ad requisitionem antistitis illico capiatur, auctoritate nostra ignis judicio concremandus, ut (vel) ultricibus flammis pereat aut, si miserabili vita ad coercitionem aliorum elegerint reservandum, eum lingue plectro deprivent, quo non est veritus contra ecclesiasticam fidem invehi et nomen Domini blasphemare... *M. G. H. Legum*, IV, *Constitutiones*, t. II, n° 157, p. 195. Traduction Ch. THOUZELLIER, *ouvr. cité*, p. 302.

4. Voir ci-dessus, les *Capitula de Remedius de Coire*, ch. I, p. 56.

5. Le 25 mars 1221, P. 6598. Soumission de Bergame et de Mantoue, mais résistance d'Ezzelin de Romano, à Trévise, Ch. THOUZELLIER, p. 301, H.-Ch. LEA, *ouvr. cité*, t. II, pp. 236-237.

6. Lettres des 4 mai et 11 septembre 1224 et du 9 janvier 1225 : P. PRESSUTTI : *Regesta Honorii Papae III*, t. II, Rome, 1895, n° 4960, 5114, 5262-5265 ; *M. G. H.*, Epistolae saeculi XIII, éd. C. Rosenberg, t. I, n° 264, 265, 266.

il propose aux délégués de la Ligue lombarde l'insertion dans les statuts municipaux et des lois de l'Eglise et des lois de l'Empire, notamment « de celles qui ont été promulguées jusqu'à ce jour ou qui seraient promulguées à l'avenir par Frédéric, empereur toujours auguste et roi de Sicile, contre les hérétiques et leurs fauteurs »[7]. De ce texte important, il faut évidemment conclure que le pape reconnaît comme légitime la mort des hérétiques, et particulièrement la mort par le feu.

Trois mois plus tard, le nouveau pape, Grégoire IX, inaugure son pontificat en reprenant à son compte les dernières volontés de son prédécesseur. En avril 1227, lui aussi invite expressément les podestats de Lombardie « à observer et à faire observer inviolablement tout ce que le concile général et notre cher fils dans le Christ, Frédéric, empereur des Romains, ont décidé pour la liberté de l'Eglise »[8]. La formule est plus nuancée, à dessein peut-être, comme si quelque pudeur retenait l'Eglise de donner à une discipline si vindicative une trop éclatante justification. Il n'en reste pas moins vrai que la liberté de l'Eglise, pour reprendre l'expression pontificale, exige l'extermination des hérétiques au sens conciliaire et au sens impérial.

En février 1231, Grégoire IX publie à son tour une constitution contre les hérétiques. Ce document résume la législation conciliaire, mais il la dépasse dans le sens d'une sévérité accrue. On lit, en effet, dans le Registre et dans les Décrétales : « Nous fulminons l'excommunication et l'anathème contre les hérétiques Cathares, Patarins, Pauvres de Lyon... Ceux qui ont été condamnés par l'Eglise doivent être abandonnés au jugement séculier qui leur infligera la peine qu'ils ont méritée : *animadversione debita.* » Les clercs hérétiques doivent être auparavant dégradés. « Si quelques-uns parmi ceux dont on vient de parler, continue le texte, après avoir été saisis, ne veulent pas revenir à résipiscence en accomplissant une pénitence convenable — *noluerunt ad agendam condignam poenitentiam* — ils devront être emprisonnés jusqu'à leur mort[9]. » Ce texte présente quelques difficultés portant sur la nature de l'*animadversio debita* et sur l'exception : « si quelques-uns parmi ceux... »

7. Lettre du 5 janvier 1227 : P. 7641, Reg, nº 6142, *M. G. H.* Epist. saec. XIII, I, nº 327 : « Constitutiones vero, leges et statuta ab Ecclesia Romana et Romanis Imperatoribus et specialiter ab ipso imperatore contra hereticos, receptatores, defensores, credentes et fautores eorum, hactenus promulgata recipiant et observent inviolabiliter et efficaciter exequantur. »

8. C'est un des premiers actes du pontificat. Grégoire IX a été élu le 19 mars 1227 : cf. A. Fliche, t. 10, p. 225. La lettre est du 29 avril 1227, dans *Regesta Gregorii IX*, édition L. Auvray, Paris 1896, 1907, nº 54 ; Epist. saec. XIII, I, nº 355 : « Universitatem vestram monemus, rogamus et obsecramus in Domino Jesu Christo ac per apostolica vobis scripta praecipiendo mandamus quatenus... ea que pro ecclesiastica libertate apostolica et imperialis sancxit auctoritas, et specialiter que supra hiis statuta fuerunt in concilio generali, nec non ea que karissimus in Christo filius noster Fredericus, Romanorum imperator... super eisdem constituit... sincere ac fideliter observetis et faciatis a civibus vestris et subditis... inviolabiliter observari. »

9. P. 9675 ; Reg. nº 539 ; c. 15-X-V-7 : « Excommunicamus et anathematizamus universos hereticos... Damnati vero per ecclesiam saeculari judicio relinquan-

L'*animadversio debita* peut signifier toute espèce de peine. Dans la législation conciliaire elle veut dire l'exil des hérétiques. Si elle garde ici le même sens, le texte signifie : les hérétiques sont expulsés ; leur exil présente un caractère médicinal, conformément à la tradition canonique d'après laquelle on espère que la privation des relations humaines les fera venir à résipiscence[10]. Quant aux irréductibles, qu'il serait sans doute dangereux d'envoyer en exil — chassés d'une cité, ils trouveraient asile dans une autre — il faudra les emprisonner et ils resteront en prison jusqu'à leur mort. Si, au contraire, l'*animadversio debita* signifie la mort, et plus précisément la mort par le feu, le texte devient difficilement intelligible. Il signifierait : les hérétiques sont brûlés, les clers sont dégradés afin de pouvoir être traduits devant la justice séculière. Quant aux irréductibles, qui refusent de faire pénitence, ils seront emprisonnés. Il y a contradiction entre les deux parties du texte. Les victimes du feu sont évidemment les hérétiques obstinés qui ont refusé de faire pénitence, alors que signifie cette autre catégorie d'hérétiques endurcis qui verraient leur peine commuée en prison perpétuelle ?

La première version de l'*animadversio debita* témoignerait d'un recul législatif, en contradiction avec la lettre pontificale de 1227 aux podestats de Lombardie, et peu conforme, au demeurant, avec le tempérament de Grégoire IX. C'est sans doute pourquoi on a proposé[11] de corriger le *noluerint* en *voluerint* et de traduire en conséquence : « les hérétiques seront brûlés. Toutefois ceux qui voudraient faire pénitence seront emprisonnés... » Cette correction est grave et ne saurait être reçue sans justification. Or, elle se justifierait par quelques références à d'autres textes ou à des faits contemporains.

Il y a d'abord la lettre de 1227 à laquelle on vient de faire allusion. Il y a encore le concile de Toulouse de 1229 qui, nous l'avons vu au chapitre précédent, laisse peser sur les hérétiques incorrigibles une menace de mort et n'envisage la prison que pour les convertis par crainte[12]. Il y a plus. En février 1231 précisément, le sénateur de Rome, Annibaldo, instruit le procès de quelques hérétiques. « Les uns ont été brûlés, écrit le chroniqueur Richard de San-Germano, parce qu'ils étaient inconvertissables, les autres furent dirigés, jusqu'à ce qu'ils aient fait pénitence, vers le Mont Cassin et l'abbaye de La Cava[13].

tur, animadversione debita puniendi, clericis prius a suis ordinibus degradatis. Si qui autem de predictis postquam fuerint deprehensi redire noluerint ad agendam condignam poenitentiam, in perpetuo carcere detrudantur, credentes autem eorum erroribus hereticos similiter judicamus. » Le texte de Mansi, t. XXIII, cc. 73-74, porte : « voluerint ».

10. Voir chapitre II, Concile de Tours, et chapitre III, Décrétale *Vergentis in senium*, pp. 127, 156.

11. E. Vacandard, *L'Inquisition*, ouvr. cité, p. 132, n. 1, suivi par Ch. Thouzellier, pp. 303, 309.

12. Voir chapitre IV, p. 241.

13. Richard de San Germano : *Chronica regni Siciliae*, dans *M. G. H.*, ss, t. XIX, p. 363 ; « Edem mense (février) nonnulli Patarenorum in Urbe inventi sunt, quorum alii sunt igne cremati, cum inconvertibiles essent, alii, donec poeniteant, sunt ad Cassinensem ecclesiam et apud Cavas directi. »

En même temps Annibaldo publie un statut qui reproduit dans son esprit et jusque dans sa lettre une constitution promulguée à Viterbe par Innocent III, le 23 septembre 1207, pour tout le Patrimoine. Le statut d'Annibaldo condamne les hérétiques à l'*animadversio debita*. On sait désormais ce que cela veut dire. De plus, tous les biens des hérétiques sont confisqués. Il n'est point question de la descendance, même catholique. On fera donc trois parts : l'une reviendra aux dénonciateurs, ce qui est évidemment de nature à favoriser toutes les délations, l'autre alimentera le trésor du sénateur, la dernière sera réservée pour la restauration des murs de la ville. Quant aux immeubles, ils seront démolis de fond en comble. Un additif précise que tout sénateur, entrant en charge, doit prêter le serment d'obéir à ladite constitution à peine de nullité de tous actes officiels, d'amendes et d'incapacité perpétuelle aux magistratures[14].

En ce même mois de février, le pape rappelle à l'empereur que l'hérésie pullule dans la région napolitaine et en Sicile. Frédéric II lui répond qu'il fera tout son possible pour la détruire[15]. C'est peut-être ce qui l'a déterminé à promulguer à Ravenne, en février-mars 1232 la constitution *Commissi nobis*. Après avoir rappelé celle de Rome, il précise que tous les immeubles appartenant à des hérétiques ou à leurs fauteurs seront à jamais détruits[16], il ajoute : « Nous décidons que les hérétiques soient punis *animadversione debita...* Si quelques-uns parmi ceux dont on vient de parler, après avoir été saisis, épouvantés par la crainte de la mort, veulent revenir à l'unité de la foi, ils seront emprisonnés conformément aux sanctions canoniques pour faire pénitence jusqu'à leur mort[17]. » L'année suivante, l'empereur

14. *Reg.*, n° 540, *item*, dans P. Frédéricq : *Corpus...*, t. I, n° 80 : « Omnes heretici in Urbe, videlicet... credentes, receptatores, fautores et defensores eorum in urbe, singulis annis a senatore, quando regiminis sui prestiterit juramentum, perpetuo diffidentur. Item hereticos qui fuerint in urbe reperti, praesertim per inquisitores datos ab Ecclesia vel alios viros catholicos, senator capere teneatur et captos etiam detinere, postquam fuerint per ecclesiam condempnati, infra octo dies animadversione debita puniendos. Bona vero ipsorum omnia infra eumdem terminum publicentur, ita quod de ipsis unam partem percipiant qui eos revelaverint et hii qui eos ceperint, senator alteram, et tercia murorum urbis refectionibus deputetur. Item ut ibi fiat receptaculum sordium ubi fuit latibulum perfidorum, domus illorum in qua hereticorum aliquem ausu temerario aliqui in urbe praesumpserint receptare, nullo reficienda tempore funditus diruatur hoc idem de domibus illorum urbis qui manus impositionem receperint ab hereticis, similiter observetur... Item quicumque in Urbe sciverit hereticos in Urbe et non revelaverit, viginti librarum pena mulctetur, et si solvendo non fuerit (sc. emendatus) diffidetur, nec relaxetur diffidatio, nisi digna satisfactione premissa. » Sur les peines infligées au sénateur parjure, *Reg.*, n° 541. Sur la constitution d'Innocent III, voir chapitre III, p. 171.

15. Lettre du 28 février 1231 : *Reg.*, n° 570 ; Epist. sæculi XIII, I, n° 432.

16. Ravenne, 22 février 1232, *M. G. H. Legum*, IV, *Constitutiones*, t. II, n° 157 : « ...et quod domus Patarenorum, receptatorum, defensorum et fautorum eorum, sive ubi docuerint aut manus aliis imposuerint, destruantur, nullo tempore restricture. »

17. « Statuimus itaque sanctientes ut heretici, quocumque nomine censeantur, ubicumque per imperium dampnati fuerint ab ecclesia et seculari judicio assi-

informe le pape qu'il a brûlé des hérétiques et il demande à Grégoire de l'aider[18]. Ajoutons enfin qu'Innocent IV dans une décrétale et Saint Raymond de Peñafort dans sa *Summa*, reproduisant le texte de Grégoire IX, écrivent *voluerint*.

Ces remarques et références autorisent, croyons-nous, malgré la lettre du Registre, la correction de *noluerint* en *voluerint*[19]. On comprend donc que le pape reconnaît la légitimité de la peine du feu ; s'il fait grâce aux repentants, c'est pour les emprisonner jusqu'à leur mort.

Sur les caractères de la prison, Grégoire IX donne à l'abbé de La Cava précisément, le 4 mars 1231, des instructions détaillées. La cellule, strictement individuelle, doit être pourvue de murs solides et épais, sans autre ouverture qu'un trou dans le plafond par où seront descendus les aliments destinés au prisonnier, lequel doit être enchaîné[20].

La législation du pape et celle du sénateur — elles se suivent dans le Registre — forment ce qu'on appellera désormais les Statuts du Saint-Siège. Ces Statuts, le pape les enverra aux évêques, comme jadis Innocent III leur avait envoyé la décrétale *Vergentis*. Et, de même que les évêques contemporains d'Innocent III qui, dans le midi de la France notamment, se montrèrent négligents ou incapables, furent plus ou moins subordonnés aux légats, de même les contemporains de Grégoire IX qui ne réagissaient pas assez vigoureusement contre les hérétiques seront-ils supplantés par des hommes nouveaux.

Depuis longtemps les papes avaient eu recours dans la lutte contre l'hérésie aux moines cisterciens. Le dernier en date et le plus important, Arnaut-Amaury, peut être considéré dans une certaine mesure comme l'ancêtre spirituel des moines inquisiteurs. La croisade albigeoise témoigne à ce sujet de l'apogée tout ensemble et du déclin de l'Ordre de Cîteaux. Elle voit aussi naître l'Ordre Dominicain dans lequel Innocent III et le IVe concile de Latran voyaient peut-être le principal auxiliaire des évêques dans l'œuvre de la répression de l'hérésie. Son concours n'était assurément que d'ordre pastoral, mais il pouvait aisément, sans perdre ce caractère essentiel, en l'élargissant au contraire, présenter la forme d'une assistance active, voire d'un organisme de juridiction.

gnati, animadversione debita puniantur. Si qui vero de predictis, postquam fuerint deprehensi, territi metu mortis redire voluerint ad fidei unitatem, juxta canonicas sanctiones ad agendam penitentiam in perpetuum carcerem retrudantur. »

18. Lettre du 15 juin 1233, *Reg.*, n° 1463 ; Epist. sæculi XIII, I, n° 538.

19. On remarquera que dans les deux constitutions, celle de Grégoire IX et celle de Frédéric II, les expressions sont à peu près identiques, sauf le *territi metu mortis* qui dans la constitution frédéricienne justifie le *voluerint*.

20. Lettre du 4 mars 1231, P. 8672, *Reg.*, n° 562 : « ...discretioni tuae mandantes quatenus singulos singulis carceribus deputes, vinculis ferreis compeditos quibus victus necessaria de eleemosina tui monasterii humanitatis gratia tribuantur, proviso quod carcer ita sit muro forti munitus ut de ipsorum evasione non valeat formidari nec in circuitu ejus aliqua sit fenestra qua visitantes valeant vitiare sed aliqua fiat tantum modica in superiori testitudine apertura qua dimittantur victualia carceratis... De même, lettre du 17 juin 1235 à l'évêque de Padoue : *Reg.*, n° 2641.

Cette évolution se traduit dès le pontificat d'Honorius III. Le 8 janvier 1221 le pape définit le nouvel institut des Frères Prêcheurs comme ordonné à la répression de l'hérésie autant qu'à la réforme de l'Eglise[21], mais c'est Grégoire IX qui lui a confié la charge de l'Inquisition.

Dès le début de son pontificat, il donne au Maître Général Jourdain de Saxe le droit de prêcher et de confesser partout[22], il étend ce privilège à tous les dominicains[23]. Il leur accorde diverses exemptions[24] ainsi qu'aux franciscains[25]. Les uns et les autres deviennent les meilleurs agents du Saint-Siège pour la répression de l'hérésie. C'est d'eux très certainement qu'il s'agit dans la constitution du sénateur de 1231 et dans la constitution de l'empereur de 1232. Les expressions sont de part et d'autre à peu près identiques. On lit dans la première : *...haereticos qui fuerint in urbe reperti. praesertim per inquisitores datos ab Ecclesia vel alios viros catholicos...* et dans la seconde : *...quicumque haeretici reperti fuerint in civitatibus, opidis seu locis aliis imperii per inquisitores ab Apostolica Sede datos et alios orthodoxe fidei zelatores...*

Toutefois l'expression *inquisitores* ne paraît pas avoir en Italie de sens très précis. Les dominicains sont avant tout des prédicateurs. De leur couvent de Bologne[26], ils partent sur l'ordre de leurs supérieurs, souvent aussi sur l'ordre du pape, pour prêcher dans les églises et sur les places publiques. Leur prédication est sans doute destinée à éclairer les fidèles sur les dangers de l'hérésie, elle est aussi pour les hérétiques une invitation à revenir à résipiscence, elle contient même une menace. La prédication tend naturellement à l'inquisition. Il y a là, plutôt que deux charges distinctes, deux aspects ou deux modalités de l'unique mission dominicaine. De plus, quand les Frères Prêcheurs « poursuivent » les hérétiques, c'est le plus souvent sous la dépendance des Ordinaires qu'ils le font. Ils ressemblent, pourrait-on dire, à un corps de spécialistes, passant de diocèse en diocèse suivant les urgences locales, soit à l'appel des chefs responsables, soit plutôt en vertu d'un ordre supérieur.

Il ne sont pas les seuls. Les constitutions d'Annibaldo et de Frédéric II font allusion à d'autres hommes pleins de zèle pour la foi. Il s'agit peut-être de ces témoins synodaux qui viennent d'assumer dans la législation conciliaire du midi de la France la charge de l'Inquisition. Ici, on ne voit pas encore à leur sujet de législation particulière. Chacun, s'il est moralement tenu en conscience de dénoncer les héré-

---

21. Lettre du 18 janvier 1221 : P. 6508 ; P. Pressuti, *Reg.*, nº 3009 : « Quoniam abundavit iniquitas... ecce ordinem dilectorum filiorum fratrum Praedicatorum Dominus suscitavit qui... tam contra profligandas haereses quam contra pestes alias mortiferas se dicarunt evangelisationi verbi Dei in abjectione voluntariae paupertatis. »

22. Lettre du 16 avril 1227, P. 7906.

23. Lettre du 27 septembre 1227, P. 8042.

24. Autorisations de sépulture dans leurs églises, de célébrer dans leurs églises en temps d'interdit, d'avoir des cimetières particuliers ; lettres des 30 novembre 1227, 12 février et 8 avril 1228, P. 8067, 8127, 8166.

25. Lettres des 10 juin 1228, 9 et 10 mars 1233 ; P. 8207, 9118, 9119.

26. J. Guiraud, *Histoire de l'Inquisition au Moyen Age*, t. II, Paris, 1938, p. 455.

tiques, n'y est sans doute pas obligé en vertu d'un précepte. Ce qu'il fait est bien fait et mérite récompense. Grégoire IX félicite en avril 1231 le « scriniaire » de Rome, un certain Donadeus Petri Rabiei, du zèle dont il a fait preuve, et il lui accorde une pension viagère de 4 livres, gagée sur les revenus de la Chambre Apostolique, et qui lui sera versée tous les ans au moment de Noël[27]. Ces zélateurs de la foi devaient naturellement se communiquer leurs impressions, peut-être se partager la tâche et rechercher l'appui, voire la direction, de ceux qui avaient précisément pour mission la défense de la foi et des libertés de l'Eglise. De là probablement sortirent les « Milices de Jésus-Christ » qui, en évoluant vers des formes de piété moins combattives, seraient devenues le Tiers-Ordre dominicain. En fait, ces Milices différaient les unes des autres et par leur recrutement et par leur caractère. Elles différaient encore, malgré certaines analogies, du Tiers-Ordre de la Pénitence[28].

En 1232 naissent à Milan deux associations dont on attribue la fondation à saint Pierre de Vérone : une Congrégation Mariale et une Société de la Foi ou des fidèles, celle-ci destinée précisément à combattre l'hérésie. Grégoire IX la prit sous sa protection en 1233[29]. L'année suivante, une autre Milice de Jésus-Christ est organisée à Parme par le dominicain Barthélémy de Vicence. A la différence de la Société milanaise, c'est un « véritable ordre religieux ». Grégoire IX le recommande à la sollicitude de l'évêque et lui donne pour maître spirituel le Maître Général des Dominicains, Jourdain de Saxe[30]. En 1235, le pape accorde à toutes les Milices des privilèges d'exemption d'interdit et confirme leurs statuts[31].

Le personnel inquisitorial est constitué, et il l'est, pensons-nous, à deux degrés représentés, le premier, par les dominicains itinérants, spécialisés dans la procédure, le second par des laïques sédentaires, ordonnés à la recherche des hérétiques.

*
* *

L'effort inquisitorial s'étend sur une dizaine d'années avec des chances diverses. Il se manifeste dans la Haute Italie, en Allemagne et en France.

En 1227, nous l'avons dit, Honorius III invitait les podestats de Lombardie à insérer dans les statuts municipaux les lois de l'Eglise

---

27. Lettre du 18 avril 1231, *Reg.*, nº 662.

28. G. MEERSSMAN, O. P. : « Etudes sur les anciennes confréries dominicaines, IV : Les Milices de Jésus-Christ », dans *Archivum Fratrum Praedicatorum*, vol. XXIII, Rome, 1953, p. 275 et ss.

29. G. MEERSSMAN, O. P. : « Etudes... II : Les confréries de saint Pierre Martyr » dans *Archiv. Fratr. Praedic.*, vol. XXI, Rome, 1951, pp. 51 et ss. Lettre de Grégoire IX : 10 décembre 1233, *Reg.*, nº 1603 ; Epist. saec. XIII, nº 566.

30. Lettres de Grégoire IX : 13 avril 1234, 18 mai 1235 : P. 9910, 9911, 9912 ; *Reg.*, nº 1871, 2561, 2562, 2564.

31. Lettres des 18 et 23 mai 1235 : P. 9912, 9921, 9922 ; *Reg.*, nº 2564, 2565, 2581.

et celles de l'Empire. Le résultat ne se fit guère attendre. Dès 1228, Milan, devenue guelfe, expulse les hérétiques, non seulement de la cité, mais aussi des bourgs et de tous les lieux soumis à la juridiction de la commune ; elle leur inflige les peines traditionnelles de la confiscation des biens et de la démolition des maisons ; elle condamne à une amende de 25 livres quiconque logerait un cathare, de 15 livres quiconque lui louerait une maison, de 100 livres quiconque prétendrait lui venir en aide ou le prendre sous sa protection ; elle prévoit enfin une commission inquisitoriale de douze membres et de quatre moines mendiants[32]. Il n'est pas question de la peine du feu[33]. Cette constitution milanaise, bien que jurée l'année suivante par le podestat en présence du légat Geoffroy, dut rester lettre morte, ou bien elle fut jugée insuffisante. En 1231, Grégoire IX invita l'archevêque et ses suffragants à faire appliquer les Statuts du Saint-Siège[34]. Il dut aussi inviter les dominicains milanais à seconder l'archevêque, voire à prendre l'initiative de l'Inquisition. En novembre 1233, il félicita, en effet, l'archevêque et le clergé pour le concours qu'ils avaient apporté à frère Jacques, prieur du couvent[35]. La répression fut terrible. L'archevêque étrangla l'hérésie, le podestat brûla les cathares. Le nombre des citoyens fut grandement diminué, remarque Matthieu de Paris[36]. Toutefois, au témoignage du chroniqueur, les intentions des milanais n'étaient pas absolument pures. « Poussés, dit-il, par la crainte du châtiment plus que par l'amour de la vertu, pour se refaire une réputation et pour donner aux accusations impériales un formel démenti, ils brûlèrent les hérétiques[37] ». Aussi, après la défaite de l'empereur, il fallut tout recommencer[38].

32. D'après Ch. SCHMIDT, t. I, p. 156, qui s'inspire de Bernard CORIO, *Historia di Milano*, Milan, 1503, fol. 75 b. et ss.

33. D'après H.-Ch. LEA, II, p. 240 : « Les autorités séculières avaient ordre de mettre à mort dans le délai de dix jours tous ceux que l'Eglise aurait condamnés. » Il y a sans doute erreur de date. Il s'agirait plutôt ici de la constitution d'Annibaldo. Grégoire IX aurait chargé Pierre de Vérone par lettre du 15 septembre 1233 d'en assurer l'exécution à Milan : cf. E. VACANDARD, l'*Inquisition*, p. 137. Références de LEA et de VACANDARD à Bernard Corio. Réserves de Ch. THOUZELLIER, p. 324, n. 1 ; défiance justifiée par de « lourdes erreurs » de chronologie, cf. A. DONDAINE : Saint Pierre Martyr, dans *Archivum Fratrum Praedicatorum*, vol. XXIII, 1953, p. 71, n. 12.

34. Lettre du 22 mai 1231, *Reg.*, n° 659.

35. Lettre du 26 novembre 1233, P. 9334, à la date du 1er décembre, *Reg.*, n° 1597.

36. Inscription funéraire de l'archevêque, d'après H.-Ch. LEA, II, pp. 249-250 : « Instituto inquisitore jugulavit haereses. » Inscription de la statue du podestat : « ...fidei tutoris et ensis, qui solium struxit, Catharos, ut debuit, uxit. », d'après E. VACANDARD, p. 138, n. 1. Matthieu de PARIS, *Chronica majora* : M. G. H., ss. t. XXVIII, p. 197 : « numerus civium nimis est mutilatus » ; *Memoriae mediolanenses*, ann. 1233, M. G. H., ss t. XVIII, p. 402.

37. « Mediolanenses autem tunc temporis, formidine poenae potius quam virtutis amore, haereticos, qui civitatem suam pro magna parte inhabitabant, ut famam suam redimerent et accusationi imperiali liberius responderent, combusserunt : quamobren numerus... » *op. cit.*

38. Le 20 mai 1237, Grégoire IX essaie de réorganiser l'Inquisition dominicaine en Lombardie : MANSI, t. XXIII, cc. 74-75.

Brescia fut domptée par le dominicain Guala Ronio, homme de confiance de Grégoire IX[39], devenu évêque de cette ville en 1230. Il réussit à imposer au podestat l'insertion dans les statuts municipaux des lois canoniques et impériales, notamment de la constitution sicilienne de 1224[40]. Il eut aussi à s'occuper de Bergame.

Les gibelins de Bergame avaient réussi à faire élire comme podestat le milanais R. de Mandello qui libéra plusieurs hérétiques emprisonnés. L'évêque Guala et le frère Albéric, le seul dominicain peut-être qui ait été chargé expressément de l'Inquisition en Lombardie[41], tentèrent vainement de l'amener à résipiscence. Il fut excommunié ; la ville fut interdite. Le pape ordonna à l'archevêque de Milan et à tous les évêques lombards de signifier chaque dimanche, au son des cloches et à la lueur des cierges, dans toutes les églises de Lombardie, des Marches et de la Romagne, la défense d'élire comme podestat un citoyen de Bergame. Il rappela que les gens de Bergame, complices des hérétiques et de leurs fauteurs, ne sauraient posséder des bénéfices ecclésiastiques ni exercer des charges publiques[42]. L'évêque de Brescia dut se rendre à Bergame, sommer le podestat de se démettre et la commune de le chasser, à peine de nouvelles censures[43].

Comme Bergame, Plaisance avait nommé un podestat milanais, fauteur des hérétiques, nommé Lantelmo. Grégoire IX y dépêcha le dominicain Roland de Crémone[44]. Comme ledit Roland prêchait sur la place devant l'église, il fut assailli de gens armés ; un de ses compagnons fut mortellement blessé, lui-même laissé à demi-mort. L'évêque excommunia le podestat et interdit la ville ; une révolution populaire s'empara du podestat et de vingt-quatre chevaliers[45] ; le pape chargea l'évêque auquel il adjoignit l'archidiacre de Novare de faire une enquête précise sur cette affaire[46]. Le podestat, libéré moyennant

---

39. Le pape l'avait chargé de plusieurs missions délicates auprès de Frédéric II : cf. J. Guiraud, *Histoire de l'Inquisition*, t. II, pp. 454-455.

40. D'après E. Vacandard, *l'Inquisition*, p. 130, n. 4.

41. Lettre de Grégoire IX : 3 novembre 1232, P. 9041, *Reg.*, nᵒ 947. D'après Potthast, Albéric est désigné comme inquisiteur. Le Registre ne le dit pas.

42. Lettres des 16 et 23 décembre 1233, P. 9353, *Reg.*, nᵒ 1624 et 1668.

43. Lettre du 28 janvier 1235, *Reg.*, nᵒ 2412. R. de Mandello est invité à s'en aller en Terre Sainte.

44. J. Guiraud, *Histoire de l'Inquisition*, II, p. 460.

45. *Annales Placentini guelfi*, M. G. H., ss, t. XVIII, pp. 454-455, *item*, Muratori : *Rerum italicarum scriptores*, t. XVI, col. 461, reproduit en partie dans L. Auvray : *Reg.*, t. II, col. 72, n. 1. « Eodem anno (1233) de mense octobri cum frater Rolandus de Cremona, ordinis fratrum praedicatorum predicaret in platea majoris ecclesiae multitudini clericorum, ecce multido haereticorum cum fautoribus eorum advenientes cum lapidibus et gladiis percusserunt ipsum fratrem Rolandum et etiam quemdam monachum sancti Savini vulneraverunt ad mortem. Et Jacobus Maynerius erat Potestas Placentie, qui presens fuit ad predicta. Sequenti vero die potestas cum judicibus et militibus suis, multi heretici et culpati de predictis capti fuerunt et carcerati de mandato domini Vicedomini tunc episcopi Placentie, et ad exhortationem dicti fratris Rolandi post hec dicti malefactores et fautores eorum Romam missi ad dominum papam fuerunt. » Grégoire IX mande à l'évêque de les garder en prison jusqu'à ce qu'il ait statué sur leur sort : 15 octobre 1233, *Reg.*, nᵒ 1560.

46. Lettre du 22 octobre 1233, *Reg.*, nᵒ 1569.

caution, se retira près de Lodi dans un château, mais il y recevait des hérétiques et ne songeait aucunement à demander l'absolution. Pour l'y contraindre, l'évêque de Côme reçut du pape l'ordre de le saisir en quelque ville qu'il se trouverait et de le promener dans les rues, le torse nu et la corde au cou, puis de le remettre au tribunal de Roland[47]. Ses complices parmesans pourraient être réconciliés, moyennant cautions[48].

Bologne avait été à ce point remuée par le dominicain Jean de Vicence pendant le carême de 1233 que les ennemis s'étaient réconciliés, les dettes avaient été abolies, les statuts municipaux corrigés, les hérétiques expulsés ; au cas où, dans la suite, il réapparaîtrait, ils seraient arrêtés, et, en cas d'obstination, brûlés[49].

A Florence les hérétiques étaient nombreux. Leur chef, un certain Philippe Paternon, exerçait une juridiction sur la Toscane, « de Pise à Arezzo ». Arrêté en 1226, il abjure, est relâché, se parjure et se cache[50]. Pour en finir, Grégoire IX, dès 1227, aurait créé un véritable tribunal d'Inquisition « monastique », le premier en date, croyons-nous. Composé du dominicain Jean de Salerne, prieur de Sainte-Marie-Nouvelle, d'un cistercien de l'Abbaye de Sainte-Marie et d'un chanoine florentin, il devait procéder contre Philippe conformément à la discipline conciliaire[51]. Il n'est pas question de l'Ordinaire. Quelle fut l'activité du tribunal ? On ne voit pas que Philippe Paternon ait jamais été appréhendé. C'est peut-être pourquoi, dès l'année suivante, en 1228, c'est l'abbé de San Miniato qui exerce l'Inquisition. Il réussit à s'emparer de deux hérétiques. Ceux-ci abjurèrent et renouvelèrent un peu plus tard leur abjuration, à Pérouse, en présence du pape et de la cour pontificale, en signe de quoi, nous dit-on, ils mangèrent de la viande[52]. Ce n'était pas une solution. Le 22 mai 1231, Grégoire IX

47. H.-Ch. LEA, II, p. 242. Lettre de Grégoire IX à l'évêque de Côme, 3 octobre 1234, P. 9707, *Reg.*, no 2107.

48. D'après une lettre de Grégoire IX aux évêques de Parme et Plaisance, 26 août 1234, au patriarche d'Antioche, légat pontifical, 4 juin 1235, P. 9513, *Reg.*, no 2065 et 2603.

49. D'après J. GUIRAUD, *ouvr. cité*, p. 446.

50. H.-Ch. LEA, II, p. 372 ; J. GUIRAUD, II, p. 438.

51. D'après H.-Ch. LEA, I, pp. 371-372 et J. GUIRAUD, II, p. 438 qui donne comme référence : *Reg.*, no 659 où il s'agit d'une lettre du 22 mai 1231 par laquelle le pape envoie sa Décrétale aux évêques de Toscane. La lettre de Grégoire IX serait du 20 ou 21 juin 1227. On la chercherait en vain dans les Regesta de Potthast, le Registre de Grégoire IX, les Epist. saeculi XIII de Rosenberg. J. Guiraud s'inspire probablement de Lea, peut-être aussi de Schmidt, I, p. 157. Ces deux derniers auteurs se réfèrent l'un et l'autre à G. LAMI : *Lezioni di antichita Toscane ; e specialmento della cita di Ferenze*, t. II, Florence, 1766, pp. 493 et ss.

52. D'après H.-Ch. LEA, I, p. 372, Jean de Salerme « resta investi du mandat pontifical jusqu'à sa mort ; on le remplaça alors par un autre dominicain, Aldobrandino Cavalcanti. Cependant leur juridiction était encore tout à fait indéterminée, car au mois de juin 1229 on nous parle de l'abbé de San-Miniato... ». Le fait de consentir à manger de la viande pouvait être considéré comme une preuve d'abjuration. On sait, en effet, que les cathares estimaient œuvre du démon tout ce qui était matériel ou charnel. En même temps, les deux hérétiques remettent

envoya aux évêques de Toscane, comme aux évêques lombards, les Statuts du Saint-Siège. Le 28 avril 1233, il insista auprès de l'évêque de Florence Ardingho, pour l'insertion du double document dans les statuts de Florence[53]. C'est peut-être pour le seconder qu'il envoya en même temps Jean de Vicence, à deux reprises, semble-t-il[54]. Le succès aurait été complet. Florence aurait reçu la législation ponti-ficale et au moins en partie la législation impériale[55], mais l'appli-cation en aurait été relativement bénigne, soit que la bourgeoisie ait pu endormir le zèle des inquisiteurs, soit que la puissance des héré-tiques ait neutralisé l'Inquisition elle-même. En 1234, deux marchands florentins furent appréhendés. Ils fournirent une caution de deux mille marcs d'argent. Grégoire IX chargea Roland de Crémone, qui avait sans doute remplacé Jean de Vicence, d'instruire leur procès et de les relâcher, s'il y avait lieu[56]. Le cas des deux marchands n'était sans doute pas le seul. On sait, d'après les dépositions ultérieures, que de nobles familles sympathisaient avec l'hérésie, hébergeaient des « parfaits », recevaient quelquefois le *consolamentum* et faisaient de la propagande en faveur des Cathares[57].

La Marche de Trévise formait une manière de seigneurie qui subis-sait la tyrannie d'Ezzelin de Romano. Grégoire IX envoya dans cette région Jean de Vicence. Jean réussit à convertir momentanément le terrible Ezzelin, qui le laissa opérer de nombreuses arrestations d'héré-tiques dont une soixantaine furent brûlés[58]. Comme à Bologne, mieux qu'à Bologne, Jean réconcilia les villes ennemies, les seigneurs, les parties en présence[59]. Reçu en triomphateur dans sa ville natale, il révisa les statuts municipaux et brûla des hérétiques[60]. Succès éphé-

---

à l'abbé de San-Miniato « le sommaire des croyances hérétiques qu'ils avaient pro-fessées » dont une copie authentique fut faite par le notaire impérial Rainier, sur l'ordre du cardinal-diacre Rainier de Sainte-Marie-in-Cosmedin, à la demande de l'abbé de Saint-Simon de Florence : cf. J. Guiraud, II, p. 439 et pp. 456-457 où est reproduit le document d'après les archives de Sainte-Marie-Nouvelle de Flo-rence.

53. Lettres des 22 mai 1231 et 28 avril 1233, P. 9170, *Reg.*, nº 659, 1272.

54. Lettres des 28 et 29 avril et des 26 et 28 mai 1233, P. 9171, 9175, 9205, *Reg.*, nº 1268, 1269, 1270, 1339.

55. D'après H.-Ch. Lea, I, p. 372 et II, p. 244.

56. Lettre du 20 mai 1234, P. 9766, *Reg.*, nº 2216. H.-Ch. Lea écrit à ce sujet : II, p. 243 : « C'étaient apparemment des personnages importants, car Grégoire ordonna leur élargissement, attendu qu'il avait reçu d'eux, comme caution, la somme énorme de deux mille marcs d'argent. » J. Guiraud, II, p. 463, note sim-plement : « Ils avaient donné une caution de 2.000 marcs d'argent, preuve qu'ils étaient d'importants personnages ; ils devaient être relâchés si Roland les recon-naissait innocents. »

57. D'après les dépositions faites en 1245 devant l'Inquisition de Florence. Cf. J. Guiraud, II, pp. 486-488.

58. H.-Ch. Lea, II, pp. 244-245 et J. Guiraud, II, pp. 472-473.

59. A la grande assemblée de Pasquara, dite la « grande dévotion », le 28 août 1233.

60. Parisius de Cereta, *Annales Veronenses*, dans *M. G. H.*, ss, t. XIX, p. 8 : « Ferrarienses, Paduani, Trivisani, Vicentini, Mantuani et Brixienses post paucos dies de mandato ipsius fratris Joannis dederunt eidem fratri Joanni carrochium Veronensium et in eo et super eo carrocio ipse frater Joannes ascendit in foro

mère. Un ennemi de sa famille réussit à le faire prisonnier[61]. Son crédit s'effondra. Les hérétiques et leurs fauteurs reprirent avantage et les statuts qui pouvaient les contraindre restèrent sans doute lettre morte.

A l'autre extrémité de la Plaine du Pô, Verceil s'engagea à expulser les cathares, à démolir leurs maisons, à confisquer leurs biens. Son podestat s'engagea à désigner des catholiques éprouvés — *viros catholicos* — pour l'arrestation des hérétiques. Ces catholiques éprouvés toucheraient un salaire et bénéficieraient de certains avantages. Ils trouveraient enfin auprès de la population l'aide nécessaire, car tout citoyen se doit, non seulement de ne pas défendre les hérétiques, mais encore de les dénoncer, à peine d'amendes de 10 livres pour un chevalier, de 5 livres pour un homme du peuple[62]. On dit encore que, sous l'influence du franciscain Henri de Milan, Verceil aurait, dès 1233, adopté la constitution romaine d'Annibaldo et la constitution sicilienne de Frédéric II, donc la peine du feu, à l'exception de cette clause qui lui substitue l'amputation de la langue[63].

Somme toute, les prélats, malgré leur bonne volonté, les dominicains, malgré leur énergie, se heurtent à trop d'indifférence, voire à trop de complicité, pour assurer l'exercice normal de l'Inquisition. Quand ils réussissent, leur succès, même s'il se traduit par la reconnaissance officielle de la double législation ecclésiastique et impériale, voire par quelques flambées d'hérétiques, est incertain. La remarque de Matthieu de Paris le laisse entendre, les événements de la Marche de Trévise le révèlent, l'insistance de Grégoire IX le confirme. En 1236, il envoie coup sur coup deux légations dans la Haute Italie, en juin, le cardinal-évêque de Préneste ; en novembre, le cardinal-évêque d'Ostie, assisté du cardinal-prêtre de Sainte-Sabine, qu'il recommande aux patriarches de Grado et d'Aquilée, aux archevêques de Milan, Ravenne, Gènes et à leurs suffragants, aux abbés, prieurs, doyens et autres clercs, aux comtes, marquis et podestats de Lombardie, de la Marche de Trévise et de la Romagne pour assurer l'exécution des statuts ecclésiastiques et impériaux contre les hérétiques : *ad pravitatem haereticam abolendam*[64].

L'écrasement de la Ligue Lombarde à Cortenuova, le 22 novembre 1237, rendait Frédéric II maître de l'Italie du nord comme il l'était du royaume de Sicile. Cette grande victoire impériale pouvait amener

Veronae et de voluntate populi Veronensis ipse frater Joannes se elegit in ducem et potestatem Veronae et de voluntate populi Veronensis ipse frater Joannes populo clamante fuit electus in ducem et rectorem Veronae, 21 julii frater Joannes dictus in tribus diebus fecit comburi et cremari in foro et glara (note : arena, amphitheatrum Veronense) de Verona 60 ex melioribus inter masculos et foeminas de Verona, quos ipsos condemnavit de haeretica pravitate. »

61. Lettre de Grégoire IX, 22 septembre 1233, P. 9294, *Reg.*, n° 1515.
62. D'après J. Guiraud, II, pp. 445-446, articles 26, 370-377 des statuts.
63. D'après E. Vacandard, p. 138, qui se réfère à B. Corio, *Storia di Milano*.
64. Lettre du 10 juin 1236, P. 10184, *Reg.*, n° 3179 et 3180 : Lettre du 29 novembre 1236, P. 10268, *Reg.*, n° 3384 et 3385.

le triomphe de l'Inquisition. En effet, les précédentes constitutions de Rome, de Catane, de Ravenne, furent de nouveau promulguées à Crémone le 24 mai 1238, à Vérone, le 26 juin 1238, à Padoue, le 22 février 1239 : *Commissi nobis, Inconsutilem, Gazaros* et *Statuimus*. L'hérésie est réaffirmée comme crime public ou de lèse-majesté : « Si les coupables de lèse-majesté sont par nous condamnés... dans leurs personnes et dans celles de leurs enfants, c'est avec infiniment plus de raison que nous nous élevons contre les blasphémateurs du nom divin et les détracteurs de la foi catholique[65]. » Ces gens-là méritent la mort par le feu : « En vertu de notre présente loi, nous décidons que les cathares et autres hérétiques, de quelque nom qu'on les appelle, condamnés (par l'Eglise) subissent la mort qu'ils recherchent (ou qu'ils s'attirent pour l'avoir en quelque sorte provoquée), à savoir : que, vivants, ils soient brûlés en présence des hommes et dévolus au jugement des flammes[66]. » Avec la peine de mort sont également rappelées les incapacités traditionnelles qui affectent la descendance jusqu'à la deuxième génération, sous prétexte que Dieu punit sur les enfants les péchés de leurs pères (Ex : XX, 5). Toutefois, une clause expressément « miséricordieuse » exempte des incapacités ceux, dit le texte, qui, « loin de suivre l'hérésie paternelle, en auraient au contraire dénoncé la perversité »[67]. Cette prime à la délation[68] faisait en principe de tout sujet de l'Empire, qu'il fut italien ou allemand, un inquisiteur.

Que serait-il arrivé si le pape et l'empereur s'étaient réconciliés comme un demi-siècle auparavant Lucius III et Frédéric Barberousse?

Mais Frédéric II, en reprenant à son compte la loi de majesté d'Innocent III, qui la tenait lui-même des empereurs romains[69], ne pouvait qu'indisposer un pontife qui revendiquait au nom de la pseudo-

---

65. Crémone, 24 mai 1238, reproduisant la constitution de Ravenne de 1232. *M. G. H. Legum*, IV, *Constitutiones*, t. II, pp. 281-285. « Si reos lese majestatis in personis eorum et suorum liberorum exheredatione dampnamus, multo dignius justiusque contra divini blasphematores nominis et catholice detractores fidei provocamur. »

66. Vérone, 26 juin 1238 : « Presentis nostre legis edicto dampnatos mortem pati Paterenos aliosque hereticos, quocumque nomine censeantur, decernimus, quam affectant, ut vivi in conspectu hominum comburantur, flammarum commissi judicio. »

67. Crémone, 24 mai 1238, reproduisant la constitution de Ravenne de 1232 : « ...eorumdem hereticorum, receptatorum, fautorum et advocatorum suorum heredes et posteros usque ad secundam progeniem beneficiis cunctis, temporalibus, publicis officiis et honoribus imperiali auctoritate privantes, ut in paterni memoria criminis continuo merore tabescant, vere scientes quia Deus zelotes est peccata patrum in filios potenter ulciscens. Nec id a misericordie finibus duximus excludendum ut si qui paterne heresis non sequaces latentem patrum perficiam revelarint. »

68. Padoue, 22 février 1239 : « ...publicatis bonis omnibus relegandos in perpetuum esse censemus et ipsorum filii ad honores aliquos nullatenus admittantur. Si tamen aliquos de filiis fautorum hujusmodi detexerit aliquem Paterenum de cujus perficia manifeste probatur, in fidei premium quam agnovit, fame pristine de imperiali clementia restitutionis beneficium in integrum consequatur. »

69. Décrétale *Vergentis in senium* d'Innocent III, 25 mars 1199, c. 19-X-V-7.

donation de Constantin le pouvoir politique en Italie[70]. La lutte séculaire du Sacerdoce et de l'empire entre adversaires également absolus compromit pour un temps l'exercice régulier de l'Inquisition.

* *

En Allemagne, l'hérésie, malgré la répression du siècle précédent, s'était développée dans la vallée du Rhin, présentant le caractère étrange des sectes découvertes auparavant dans cette région et qui avaient été plus ou moins heureusement combattues par les évêques et par les princes. Grégoire IX, sur la foi des rapports qui lui avaient été adressés, la décrit avec horreur[71]. Les hérétiques possèdent à Trèves trois écoles, ils y enseignent notamment le culte de Lucifer créateur, injustement damné, mais promis à une revanche glorieuse et définitive ; ils en tirent cette conséquence qu'il faut agir constamment de manière à offenser Dieu et son Eglise. De là, évidemment, le mépris de toute Hiérarchie, la profanation des Sacrements : l'eucharistie, reçue à Pâques, est jetée aux latrines ; les turpitudes charnelles à quoi s'ajoutent les baisers impurs aux animaux et les apparitions de Satan, lumineux et velu.

Contre ces populations dépravées ce furent de simples laïcs et de petites gens qui prirent l'initiative de l'Inquisition. Les Annales de Worms nomment un certain Conrad Dorso *qui erat laicus totalis et de ordine praedicatorum* et un infirme, Jean dit le Borgne, *vere totus nequam*[72]. Ces deux personnages s'étaient juré l'extermination des hérétiques. Leur procédé était simple. Ils commençaient par dire qu'ils connaissaient les hérétiques. Ceux-ci, effrayés, se dénonçaient et la plupart était brûlés. Au contraire de toute la tradition canonique d'après laquelle « il vaut mieux laisser un coupable impuni que de châtier un innocent »[73] ces juges insuffisants et impitoyables, *judices imperfecti et sine misericordia*, déclaraient vouloir brûler cent innocents pour un coupable[74]. Nombreuses furent leurs victimes qui dans les flammes invoquaient le Christ et la Vierge et les Saints. Ils se vantaient encore de brûler les riches et ils offraient leurs biens soit à leurs seigneurs, soit pour moitié au roi et pour l'autre moitié à l'Ordinaire du lieu. Or, ces propositions furent agréables aux princes. La lutte contre l'hérésie devenait le prétexte d'une agitation sociale où la justice n'avait rien à voir.

---

70. Bulle du 23 octobre 1236, P. 10.255 : *Reg.*, n⁰ 3362 : Epist. saeculi XIII, I, n⁰ 703, p. 604.

71. Lettre du 13 juin 1233, P. 9230, *Reg.*, n⁰ 1391, traduction dans HÉFELÉ-LECLERCQ, t. V, pp. 1542-1543. Voir L. FÖRG : Die Ketzerverfolgung in Deutschland unter Gregor IX dans *Historische Studien*, fasc. 218, Berlin, 1932.

72. *Annales de Worms*, M. G. H., ss., t. XVII, pp. 38-40.

73. Voir notamment la correspondance d'Alexandre III avec Henri de Reims à propos des « Poplicains flamands », ch. II, p. 117. De même Innocent III à propos des hérétiques de la Charité, ch. III, p. 158 ss.

74. « Vellemus comburere centum innocentes inter quos esset unus reus », *op. cit.*

17

Dans tous les cas, il est difficile de rattacher cette poussée inquisitoriale à une institution canoniquement établie. Les Annales de Worms disent que Conrad Dorso et Jean le Borgne livraient aux juges par un geste spectaculaire leurs victimes désignées. On ne nous dit pas de quels juges il s'agissait, sans doute des juges d'Eglise qui condamnaient et des juges séculiers qui exécutaient la sentence. Il faudrait alors caractériser la procédure non pas comme une procédure inquisitoire, mais comme une procédure accusatoire, suivant les traditions germaniques, canonisée, il est vrai, dans une certaine mesure par le concile de Latran[75] ; encore eut-il fallu que les accusateurs eussent été choisis par leurs ordinaires comme « témoins synodaux ». Le texte ne le dit pas.

Là-dessus Conrad Dorso et Jean le Borgne s'abouchèrent avec Conrad de Marbourg qui avait le prestige d'un prophète et qui était, lui aussi, *judex sine misericordia*. Maître Conrad, que l'on dit écolâtre de Mayence[76], avait reçu en 1227 mission de « poursuivre » les hérétiques et de réformer l'Eglise allemande[77]. Sans avoir précisément le titre d'inquisiteur, il en assumait pratiquement la fonction. Il devait s'attacher des collaborateurs, rechercher activement les hérétiques et les remettre à l'Ordinaire, seul chargé « d'arracher l'ivraie dans le champ du Seigneur : *ut per illos ad quos pertinet zizania valeat de agro Domini extirpari* »[78]. Sa mission ne présentait donc pas le caractère exclusif ou absolu qu'on lui a trop facilement attribué[79].

Quand les Annales de Worms disent que Conrad Dorso et Jean le Borgne attirèrent à leur parti Conrad de Marbourg, c'est plus probablement l'inverse qui se produisit. On voit mal Conrad *homo litteratus et apprime disertus* suivant l'expression des Annales, pourvu d'une mission canonique en bonne et due forme, se mettre à la remorque d'un simple frère et d'un laïc, l'un et l'autre dépourvus de tout mandat officiel. Au contraire, en s'attachant Conrad et Jean, inquisiteurs improvisés, il légitimait leur « mission ».

---

75. Voir ch. IV, p. 229.

76. D'après Ch. Schmidt, I, p. 376, n. 8 : « Il est constant que Conrad a été dominicain. » D'après H.-Ch. Lea, II, p. 390, n. 2 : « Des preuves négatives, en nombre suffisant, établissent que Conrad n'a jamais été dominicain. » D'après Honorius III : lettre du 9 mars 1218, p. 5716, Epist. XIII saec., I, n° 51, Conrad de Marbourg était prédicateur dans le diocèse de Mayence et en Misnie.

77. Lettres du 12 juin 1227, P. 7931, *Reg.*, n° 109, P. Frédéricq, *Corpus*, t. I, n° 72, et du 20 juin 1227, P. 7945, *Reg.*, n° 113. Grégoire IX autorise Conrad à contraindre par censure les clercs concubinaires.

78. Lettre du 12 juin 1227, d'après Epist. XIII saec., I, n° 362 : « ...quia vero efficacius procedere poteris ad haeresim de illis partibus abolendam, si aliqui a te fuerint in partem hujus sollicitudinis evocati, districte tibi per apostolica scripta mandamus, quatinus assumptis ad eandem sollicitudinem quos noveris expedire, diligenter et vigilanter inquiras haeretica pravitate infectos in partibus memoratis ut per illos ad quos pertinet zizania valeat de agro Domini extirpari. »

79. H.-Ch. Lea écrit, II, p. 395 : « Ce n'est pas faire tort à Grégoire que de penser qu'un des motifs de cette nomination était le désir de substituer l'autorité papale à la juridiction episcopale, jusqu'alors chargée de persécutions locales et intermittentes. » Le texte de la lettre du 12 juin 1227 dément cette affirmation.

Ils ne furent pas les seuls. On lit encore dans les Annales de Worms :
« Chose étonnante ! Un certain nombre de dominicains et de franciscains s'attachèrent pleinement à eux. Ils reçurent d'eux qui étaient
sans mandat du Siège Apostolique leur mission, ils leur obéirent et
comme eux brûlèrent des hérétiques[80]. » En réalité, c'est au contraire
suivant l'esprit et la lettre des instructions pontificales que Conrad
de Marbourg et avec lui ses deux principaux collaborateurs durent
utiliser le personnel « monastique » qui s'offrait à eux. La « mission »
des frères prêcheurs et mineurs attachés au triumvirat se présente,
suivant notre hypothèse, comme tout à fait régulière.

Comment caractériser canoniquement le triumvirat ? D'abord, ce n'est
pas un tribunal. Seuls, conformément à la bulle pontificale, les évêques
sont qualifiés pour « extirper l'ivraie dans le champ du Seigneur ».
Conrad de Marbourg et ses collaborateurs ne sont, si l'on tient absolument à leur trouver une catégorie canonique, que des « témoins
synodaux » avec cette différence qu'ils reçoivent leur mission du pape
et sur un territoire plus vaste qu'un diocèse. Il n'y a donc pas lieu de
parler à ce sujet d'inquisition épiscopale, ni d'inquisition monastique,
malgré la qualité de plusieurs « inquisiteurs », encore moins d'inquisition séculière, mais plutôt de commission pontificale d'enquête *sui
generis* itinérante et redoutable. Si elle ne supprime pas les juridictions ordinaires, ecclésiastiques et séculières, elle les stimule, elle les
harcèle, elle tend naturellement à les supplanter, et par là, sans aucun
doute, à sortir de la légalité.

Peut-on parler de procédure ? Dans la mesure où le triumvirat
continue d'utiliser les méthodes de Conrad Dorso et de Jean le Borgne,
on dira que sa procédure est accusatoire ; dans la mesure où il se substitue aux juridictions établies, on dira que sa procédure est inquisitoriale. Dans les deux cas, elle est d'une rigueur inouïe : une terreur
policière règne sur les bords du Rhin ; on voit partout des hérétiques,
on dénonce, soit par conviction, soit par crainte. Le suspect n'avait
aucune garantie. On ne cherchait guère à connaître des motifs de
l'accusation, ni à contrôler les dires de l'accusateur. L'accusé pouvait
à ses risques et périls affirmer son innocence par la voie du serment,
mais il était plus habile de plaider coupable si l'on voulait sauver sa
vie. On était alors rasé et on demeurait tel aussi longtemps qu'il le
fallait suivant le caprice des « inquisiteurs ». Autrement, on était sans
autre forme de procès jeté au feu[81].

80. *Annales de Worms*, p. 39 : « Et ecce mirum ! Quidam de praedicatoribus
et de fratribus Minoribus totaliter adhaeserunt eis, quod ipsi ab eis mandata recipientes, qui tamen nullum mandatum a sede apostolica habebunt, et obedierunt
eis et combusserunt sicut et illi », *op. cit.*
81. *Annales de Worms*, p. 39 : « Qui vero confitebatur haeresim, sicut plures
fecerunt innocentes ut vitam retinerent, illos raserunt in capillis super aures, et
sic oportebat illos incedere quamdiu ipsis placebat. Qui vero negaverunt illos combusserunt, Et prevaluit ubique voluntas eorum, quia frater Conradus erat homo
litteratus et apprime disertus », *op. cit.* — *Annales d'Erfurt, M. G. H.*, ss, t. XVI,
p. 29 : « ...ut aliquis infamatus ab heresi, publico examini presentaretur, et confessus errorem ac reverti volens tonderetur, suam vero innocentiam fide juratoria

Les victimes furent innombrables dans toutes les classes de la société[82].

Ces exécutions en masse posaient le problème des biens des victimes. Le triumvirat n'en avait cure. Le désintéressement de Conrad était au-dessus de tout soupçon[83]. Les dispositions légales étaient sans doute assez flottantes. La Diète impériale qui se réunit en mai 1231 adopta à l'unanimité les suggestions de l'abbé de Saint Gall. La constitution fut promulguée par Henri VII le 2 juin suivant : les biens patrimoniaux reviendraient naturellement aux héritiers, les bénéfices retourneraient aux collateurs, les biens meubles des serfs appartiendraient à leurs seigneurs, avec cette réserve que leur valeur couvrirait les dépenses de l'Inquisition[84]. Ces dispositions prouvent qu'on ignorait encore les Statuts du Saint-Siège.

Que devenait dans cette poussée de fièvre inquisitoriale les tribunaux des évêques ? Sans doute, comme les textes le suggèrent, furent-ils pratiquement annihilés. Ils fonctionnaient cependant. Les Annales de Worms et une lettre du pape apprennent que trois hérétiques comparurent devant l'archevêque de Trèves. C'étaient probablement les trois chefs d'écoles de cette ville. Deux furent relâchés, le troisième fut condamné à la peine du feu[85]. Auprès des exécutions massives du triumvirat, c'était assurément minime.

C'est évidemment pour revigorer l'Inquisition Episcopale que Grégoire IX envoya les Statuts du Saint-Siège aux archevêques de Salzbourg et de Trèves et à leurs suffragants[86]. En même temps, il octroyait

---

defendens, postea convictus pro heretico, cremaretur », *op. cit.* L'expression : *publico examini praesentaretur* signifie vraisemblablement : qui était soumis à l'interrogatoire du tribunal. Ces usages ne sont pas sans analogie avec ceux que décrivent les *capitula* de Remedius de Coire, voir ch. I, p. 56.

82. *Annales de Worms*, p. 39 : « Impulsabant itaque hii tres multos dominos et nobiles ac milites et cives, et multos ex illis raserunt et plures combusserunt. » de même Aubry de Trois Fontaines, *M. G. H.*, ss. XXIII, p. 391 : « Per Allemanniam vero facta est tanta haereticorum combustio, quod non possit numerus comprehendi. »

83. H.-Ch. Lea, II, pp. 390-391 : « Conrad vécut dans un état d'absolue pauvreté et gagna son pain par la mendicité... Uniquement dévoué à la tâche de servir le Seigneur, il dirigeait tous les efforts de son âme ardente et inflexible vers un seul but : avancer sur la terre le royaume céleste, suivant la lumière divine qui était en lui. »

84. Constitution sur les biens des hérétiques : 2 juin 1231, dans *M. G. H. Legum*, IV, *Constitutiones*, t. II, n° 308 p. 422 : « Quesitum fuit Wormatie coram nobis in sententia : cui de jure cadere deberet cujuslibet hominis bona qui propter heretice pravitatis errorem condempneretur ad mortem. Abbas vero sancti Galli requisitus talem promulgavit sententiam approbatam ab omnibus : quod heredes condempnati bonis ejus deberent hereditariis ac patrimonio gaudere, beneficiis ejus similiter ad jus et potestatem dominorum a quibus habebant, redeuntibus, domino vero, cujuscumque esset homo condempnatus, bonis ejus mobilibus innitente, hoc tamen excepto, quod sumptus ad incendium hereticorum faciendi et meras comitis de bonis eorum forent mobilibus recipienda... »

85. D'après les *Annales de Worms*, p. 38 et une lettre de Grégoire IX à l'archevêque de Trèves, 25 juin 1231, P. 8754.

86. Lettres des 20 et 25 juin 1231, P. 8753, P. Frédéricq, *Corpus*, I, n° 81-82.

à Conrad de Marbourg des « pouvoirs discrétionnaires »[87]. En fait, il il lui renouvela sa mission de 1227, mais il lui envoya les Statuts comme aux prélats, et il lui donna les pouvoirs de fulminer des censures et d'absoudre : *...et si quos culpabiles et infamatos inveneritis, nisi examinati velint absolute mandatis Ecclesiae obedire, procedatis contra eos juxta statuta nostra contra haereticos noviter promulgata*[88]. Il n'est pas question des Ordinaires.

Grégoire IX envoya de même les Statuts aux Dominicains de Friesach en Carinthie, et aux Dominicains de Strasbourg[89]. Il n'est pas davantage fait mention des Ordinaires, comme si le pape élevait l'Inquisition Monastique au même rang que l'Inquisition Épiscopale. En réalité, Grégoire IX ne voyait qu'une chose : la persistance de l'hérésie, et par conséquent la nécessité de l'abattre. Comme il estimait sans doute le clergé séculier insuffisant[90], il cherchait naturellement le concours de ses fidèles Dominicains. Il souhaitait assurément la collaboration de tous.

Il réussit en partie. L'archevêque de Salzbourg voulut bien que le personnel de son tribunal collaborât avec les Dominicains de Friesach pour appliquer les Statuts, et aussi, dit le texte, la constitution impériale de 1232[91]. A Mayence au contraire, on sent plus qu'une réserve, une résistance. En octobre 1232, Grégoire IX insista auprès de l'archevêque Siegfried pour qu'il s'assurât le concours « d'hommes religieux » pour exercer l'Inquisition[92]. De quels « hommes religieux » peut-il s'agir, sinon précisément de Conrad de Marbourg dont la mission avait été confirmée et élargie l'année précédente et de ses assesseurs dominicains et franciscains ?

En janvier 1233, le pape, indigné des horreurs lucifériennes, lança un appel à la croisade. Il s'adressa en même temps à Siegfried de Mayence et à Conrad de Marbourg, comme aussi d'ailleurs à Conrad d'Hildesheim et aux évêques de la province de Mayence[93]. Il pria instamment Frédéric II et son fils Henri VII d'intervenir dans l'espoir

---

87. H.-Ch. Lea, II, p. 398. La bulle d'octobre 1231 n'existe ni dans Potthast, ni dans le Registre de Grégoire IX. Elle se trouve dans les *Analecta Hassiaca*, édition J.-Ph. Kuchenbecker, Marbourg, t. II, 1730, pp. 73-75, d'après Ch. Touzellier, *ouvr. cité*, p. 312, n. 3.

88. Citation d'après E. Vacandard, *L'Inquisition*, p. 139, n. 1, qui renvoie à Kuchenbecker, t. III, p. 73.

89. Lettres du 27 novembre 1231 et du 2 décembre 1232, dans *Acta Imperii*, éd. J. Boehmer, J. Ficker et Ed. Winkelmann, Insbrück, 1892, n° 6881.

90. Peut-être pourrait-on tirer argument de cette double consultation donnée par le pape à l'évêque de Strasbourg et à l'archevêque de Salzbourg, 19 octobre et 22 novembre 1232, P. 9046, *Reg.*, n° 933 et 1541, Ep. XIII, s. I, n° 485. Le pape rappelle l'obligation de déposer les clercs hérétiques avant de les livrer à la justice séculière. Que si les formalités canoniques ne peuvent avoir lieu, faute du nombre prévu d'évêques, on procédera avec les clercs et les abbés du lieu.

91. Le 30 mai 1232, d'après les *Acta Imperii*, n° 11.114.

92. Lettre du 29 octobre 1232, P. 9031, *Reg.*, n° 936, *Acta Imperii*, n° 6920, Ep. XIII s, I, n° 430.

93. Lettres des 10 juin 1233 à Siegfried de Mayence, Conrad d'Hildesheim et Conrad de Marbourg, P. 9226, *Reg.*, n° 1387 ; 13 juin 1233 aux mêmes, P. 9230 ; aux évêques de la province de Mayence, P. 9231, *Reg.*, n° 1392.

de coaliser toutes les inquisitions existantes contre les hérétiques[94]. Mais l'opposition latente qui dressait contre le triumvirat l'épiscopat rhénan et la monarchie allemande, sinon l'empereur, loin de se réduire, s'accusa au contraire. Le conflit éclata en 1233. Le triumvirat soupçonnait d'hérésie ou de complicité le comte de Sayn, un des seigneurs les plus puissants de la région, et il le cita en justice. Le suspect refusa de comparaître, mais il demanda à l'archevêque Siegfried de l'entendre. L'archevêque réunit un concile à Mayence en juillet 1233. Le concile prit d'énergiques mesures contre les hérétiques. Il décida que la Décrétale de Grégoire IX et les Constitutions récentes de l'empereur seraient expliquées en synode diocésain et commentées devant les fidèles. Le concile fait évidemment allusion à la Constitution impériale de Ravenne de l'année précédente, laquelle, nous l'avons dit ci-dessus, se réfère à la Décrétale et en éclaire le sens. Il reconnaît donc la légitimité de la peine de mort contre les hérétiques ou de l'emprisonnement et de la confiscation des biens jusqu'à la deuxième génération. De plus, le concile entend régulariser la procédure et donner pendant l'instruction des garanties à l'accusé : « ses biens demeureront inviolables jusqu'à ce que son crime ou son innocence aient été reconnus ». Dans le premier cas, si le coupable avoue et demande à être réconcilié, il conservera ses biens ; si au contraire il est condamné, la confiscation sera totale conformément aux lois canoniques et impériales. Dans le second cas, il est évident qu'il conserve ses biens. Enfin, pour contraindre les hérétiques puissants qui se retranchent dans leurs châteaux et au milieu de leurs fidèles et refusent de répondre aux citations inquisitoriales, le concile veut que l'Ordinaire du lieu organise la croisade contre eux et contre leurs fauteurs[95].

Le concile de Mayence n'entendait pas pour autant canoniser les méthodes du triumvirat. Au contraire, il innocenta le comte de Sayn, ce qui provoqua et la colère de Conrad et au sein même du concile d'âpres discussions. Cette affaire réglée, l'occasion parut bonne à la plupart des évêques d'entreprendre à leur tour le procès du triumvirat. « Les méthodes de Maître Conrad, disent les Annales d'Erfurt, déplurent à la majorité des clercs et des seigneurs allemands[96]. » Le roi Henri VII, les archevêques de Mayence et de Trèves, le doyen de Mayence, un certain Volzo, chanoine de Worms, *clericus peroptimus*, d'autres de Spire et de Strasbourg, décidèrent d'informer le pape. Une délégation, présidée sans doute par un certain Conrad, écolâtre de Spire, partit pour Rome. Grégoire IX s'étonna des procédés de Conrad et déclara vouloir remédier à de tels scandales. Là-dessus, il apprit l'assassinat de Conrad et de son fidèle associé, le franciscain Gerhard, l'un et l'autre tués près de Marbourg le 30 juillet, le meurtre de Conrad Dorso, tué à Strasbourg, et de Jean le Borgne, pendu près

---

94. Lettre du 11 juin 1233, P. 9229, *Reg.*, n° 1393, 1394.
95. D'après HÉFÉLÉ-LECLERCQ, t. V, pp. 1546-1547.
96. « Siquidem plerisque per Teutoniam prelatis ac clericis seu etiam laicis magistri Conradi visitandi hereticos seu examinandi forma displicuerat... »

de Friedberg[97]. Le pape, indigné, aurait voulu, si l'on comprend bien le texte des Annales d'Erfurt, révoquer les mesures d'apaisement qu'il venait de prendre ; toutefois sur l'insistance des cardinaux, il se ravisa[98]. Mais il déplora en termes lyriques la mort de Conrad, ce « paranymphe de l'Eglise, cet homme de vertu consommée, ce héros de la foi chrétienne »[99]. Il fulmina l'excommunication contre les meurtriers et leurs complices et l'interdit sur leurs terres jusqu'à ce qu'ils aient donné satisfaction à l'Eglise. Le 21 octobre, les archevêques Théodore de Trèves et Siegfried de Mayence, l'évêque Conrad d'Hildesheim, et Conrad, provincial des Dominicains d'Allemagne, reçurent l'ordre de procéder contre les hérétiques conformément aux Statuts du Saint-Siège : Concile de Latran, Décrétale de Grégoire IX et Constitution Sénatoriale[100]. Dix jours plus tard, le pape, revenant sur la mort de Conrad de Marbourg, ordonna de prêcher la croisade[101].

Lui-même était intervenu auprès des princes. En 1232, il les invitait à seconder les inquisiteurs en leur donnant *consilium, auxilium et favorem*[102]. Le duc de Brabant, Henri, répondant aux désirs du pape, ordonna à ses sujets de faire aux dominicains l'accueil le plus empressé[103]. Un comte de Kibourg — région de Zurich — qui avait « persécuté » les hérétiques, fut reçu, en janvier 1233, sous la protection du Saint-Siège[104]. Le langrave de Thuringe qui s'était croisé contre les hérétiques fut également reçu sous la protection du Saint-Siège. Grégoire IX en informa les évêques de la région. Le pape mit encore sous sa protection et pour le même motif Henri, comte d'Ascanie, Conrad, comte palatin de Saxe, Othon, duc de Brunswick, Henri, margrave de Misnie, Othon et Jean, margraves de Brandebourg[105]. Dans quelle mesure ces princes ont-ils réellement pris les armes contre les hérétiques ? Il est sans doute difficile de le dire. Peut-être ont-ils fait seulement vœu de croisade. Les lettres pontificales sont toutes du 11 février 1234. Ce même jour, Henri VII promulguait à Francfort une Constitution invitant les inquisiteurs à procéder contre les hérétiques avec le plus grand soin et à « préférer l'équité d'un juge-

---

97. *Annales de Worms*, pp. 39-40.
98. *Annales d'Erfürt*, p. 29. Sur l'interprétation d'un passage délicat, voir H.-L., t. V, p. 1552, n. 3.
99. Lettre du 21 octobre 1233 au clergé allemand : *Vox in Rama...*, P. 9316, *Reg.*, nᵒ 1571, Epist. XIII s., I, nᵒ 560, à la date du 23 octobre.
100. Lettre du 21 octobre 1233, P. 9314-9315, *Reg.*, nᵒ 1541, Ep. XIII s., I, nᵒ 558.
101. Lettre du 31 octobre 1233, P. 9322, *Reg.*, nᵒ 1581, Ep. XIII s., I, nᵒ 561.
102. Lettres à Henri, duc de Brabant, 3 février 1232, P. 8859, P. Frédéricq, *Corpus*, I, nᵒ 83 : à Louis, duc de Bavière, 4 février 1232, P. 8866.
103. Le 4 mai 1232, P. Frédéricq, *Corpus*, I, nᵒ 86 : « ...vobis omnibus mandamus, rogamus vobis autem officialibus nostris districte praecipientes, quatenus exhibitores praesentium et fratres ordinis praedicatorum ad praenotatum negotium specialiter missos exequendum, cum ad vos venerint, benigne recipiatis et colligatis... »
104. Le 8 janvier 1233, *Reg.*, nᵒ 1032, *Acta Imperii*, nᵒ 6929.
105. Lettres du 11 février 1234, P. 9399, 9400, *Reg.*, nᵒ 1785 à 1791, *Acta Imperii*, nᵒ 7009.

ment à une injuste persécution »[106]. Ce désavœu du triumvirat était peut-être aussi destiné à neutraliser la croisade.

Elle eut lieu cependant, mais non contre les lucifériens.

Au nord de l'Allemagne, dans la région de la Weser, les populations rurales, appelées Stedinger, étaient en état de révolte permanente contre les archevêques de Brême ; leur refus de payer les dîmes les exposaient aux censures, le mépris des censures les faisait soupçonner d'hérésie, l'obstination dans l'hérésie menait à la croisade[107]. Elle se fit en deux étapes. En 1232-1233, Grégoire IX, confondant les Stedinger avec les lucifériens, et dénonçant leurs prétendues infamies, invita les évêques de Minden, Lübeck et Ratzebourg à organiser une armée sainte et par conséquent à donner des indulgences[108]. En 1233-1234, le pape, s'adressant aux mêmes destinataires, insista sur la nécessité de réduire les hérétiques et il accorda aux croisés les indulgences de Terre Sainte[109]. La croisade aboutit à l'extermination des Stedinger : deux mille morts, d'après les Annales de Cologne, une quantité innombrable, d'après Matthieu de Paris[110].

Au sud et hors de l'Allemagne, la Bosnie, vieille citadelle de l'hérésie bogomile, s'était momentanément soumise au temps d'Innocent III[111] En fait, le « ban » Culin avait sans doute cherché dans une soumission trop facile à neutraliser le roi de Hongrie et à conserver son indépendance[112]. Cette tactique, son successeur, Ninoslav, la fit sienne. Loin de persécuter les cathares, il les toléra, il les favorisa à tel point que le christianisme disparut à peu près totalement de ce pays. Le

106. Constitution générale des jugements et de la paix, 11 février 1234, *M. G. H. Legum*, IV, *Constitutiones*, t. II, n° 319, p. 428, « Ad hec universis judiciariam potestatem habentibus, auctoritate regia precipimus, quatinus ad reprimandam hereticorum perfidiam toto nisu solerter intendant ac injuste persecutioni judicii preferant equitatem. »

107. Sur cette affaire, voir H.-L., t. V, pp. 1538-1542. *Les Annales d'Erfurt* ne parlent pas de dîmes, mais de vengeances et de rapts : *M. G. H.*, ss, t. XVI, p. 28.

108. Lettre du 29 octobre 1232, P. 9030, *Reg.*, n° 940, Ep. XIII s. I, n° 489, *Acta Imperii*, n° 6921. De même, lettre du 19 janvier 1233 aux évêques de Paderborn, Hildesheim, Verden, Osnabrück, P. 9076, *Acta Imperii*, n° 6932.

109. Lettre du 17 juin 1233 aux évêques de Minden, Lubeck et Ratzebourg, P. 9236, *Reg.*, n° 1402, Ep. XIII s, I, n° 539. De même, lettre du 18 mars 1234, P. 9420.

110. *Annales Colonienses Maximi*, *M. G. H.* ss, t. XVII, p. 844 : « ...Quorum in predicto bello circiter duo millia perierunt, paucis superstitibus ad vicinos Frisones confugientibus. » De même, Matthieu DE PARIS, *M. G. H.*, ss. t. XXVIII, p. 128 : « In partibus Allemanie fines contigentibus hereticos quosdam multiplicatos consimili miseria involvit Dominus Omnipotens, ut fidelis unus fugaret mille et duo decem millia persequerentur. Conclusit enim eos Dominus in quodam loco palestri, in quo refugium speraverunt, mari ex parte altera existente illis pro repagulo in quo peremptus est infidelium hereticorum a christianis numerus infinitus. » La croisade aurait été menée par Henri, duc de Brabant et Florent, comte de Hollande, d'après *Annales Ecclesiastici*, t. XXI, ann. 1233, n° 47, p. 83 et ann. 1234, n° 42, 43, p. 103.

111. Voir ch. III, p. 169.

112. Il y a sans doute une analogie entre la soumission de Culin en 1203 et celle de Raymond VI en 1209.

clergé, impuissant ou complice, se fondait dans la masse hérétique. Le Saint-Siège et la Hongrie menacèrent. Le ban de Bosnie fit acte de soumission au Saint-Siège : il gagna du temps et neutralisa son adversaire[113].

Une première fois, en 1221, André II et Honorius III intervinrent. Sur les doléances du roi, le pape invita l'épiscopat hongrois à sévir contre les hérétiques, voire à prêcher la croisade[114]. En même temps, il dépêcha en Hongrie son légat Accontius de Viterbe qui prit contact avec l'archevêque de Kalocza, Ugrinus, et avec le roi pour organiser la croisade[115]. En fait, il n'y eut pas de croisade, mais une mission dominicaine hongroise qui fut anéantie. Craignant des représailles, Ninoslav se soumit et en gage de sa conversion il donna son fils en otage aux dominicains.

Une deuxième fois, en 1225, Honorius III, devant la stagnation religieuse du pays, renouvela à l'archevêque Ugrinus de Kalocza l'ordre de prêcher la croisade[116]. Le succès fut médiocre. Deux princes se croisèrent : Coloman, fils du roi, lui-même duc de Dalmatie et d'Esclavonie, et Jean, son cousin, duc de Syrmie. Le premier accomplit quelques prouesses pour lesquelles il reçut les félicitations du pape. Le second, qui avait pourtant reçu de l'archevêque une somme de deux cents marcs d'argent, n'intervint pas, malgré les menaces du pape[117]. Le légat de Grégoire IX en Hongrie, Jacques de Préneste, reçoit pour mission de réformer l'Eglise Bosniaque et de convertir les hérétiques[118]. Il nomma évêque de Bosnie le dominicain Jean de Wildeshausen, et il eut sans doute jeté de nouveau Coloman sur le pays si Ninoslav, renouvelant son geste des années précédentes, n'avait juré d'observer les ordres de l'Eglise. Le pape, tout heureux, le prit sous la protection du Saint-Siège et il en fit part à Coloman et aux dominicains[119]. Mais ses espérances furent déçues.

Grégoire IX, comprenant qu'il avait été joué, envoya un nouveau légat, le prieur des chartreux de Saint-Barthélémy de Trisulco, pour prêcher la croisade[120]. Lui-même excita le zèle des évêques de Zagreb et de Bosnie et l'ardeur de Coloman[121]. Celui-ci, intervenant vers la fin de 1234 et dans les années suivantes, aurait mis la Bosnie « à feu

---

113. « En 1221, écrit Ch. Schmidt, I, p. 112, on entendit dans toute la Bosnie, au lieu de prédications orthodoxes, que celles des ministres cathares, et le nombre des fidèles de Rome diminuait de jour en jour. » Référence à Farlati : *Illyria sacra, Venise* 1751-1819, t. III, p. 253.

114. Lettres du 13 avril 1221, P. 6612.

115. Lettre du 3 décembre 1221, P. 6725.

116. Lettre du 15 mai 1225, P. 7406, 7407, *Reg.*, nᵒ 5489, 5490.

117. Lettre de Grégoire IX : 22 décembre 1238, P. 10688, *Reg.*, nᵒ 1492, *Annales Ecclesiastici*, t. XXI, ann. 1238, nᵒ 53, 54, p. 183.

118. Lettre du 30 mai 1233, P. 9211, *Reg.*, nᵒ 1377.

119. Lettres du 10 octobre 1233, P. 9303, 9304, 9305, *Reg.*, nᵒ 1523, 1521, 1522.

120. Lettre du 13 février 1234, P. 9402, *Reg.*, nᵒ 1798, Ep. XIII s. I, nᵒ 574, *Acta Imperii*, nᵒ 7010.

121. Lettres des 14, 16, 17 octobre 1234, P. 9733-9798, *Reg.*, nᵒ 2121-2129, Ep. XIII s, I, nᵒ 601.

et à sang » ; la lutte aurait été « meurtrière et longue »[122]. En fait, il y eut plus de menaces que d'exterminations[123]. La croisade languit malgré les efforts du pape pour la relancer[124]. A la fin de 1238, Jean de Wildeshausen, qui n'avait pas encore été sacré, fut remplacé par un autre dominicain, Jean Ponza. En 1239, Coloman se retira[125]. En 1240, Jean Ponza offrit au pape sa démission[126]. Innocent IV s'efforça d'organiser une nouvelle croisade. Elle permit sans doute au roi de Hongrie, Bela IV, d'occuper au moins provisoirement la terre des hérétiques. Il reçut, en effet, les félicitations du pape. Le pays fut désolé, mais Ninoslav réussit en fin de compte à conjurer une fois de plus le péril et l'hérésie ne fut point exterminée. Tant d'efforts aboutissaient à un échec[127].

*
* *

L'exercice de l'Inquisition dans le nord de la France offre une curieuse analogie avec l'exercice de l'Inquisition en Allemagne rhénane. De part et d'autre, le fanatisme d'un inquisiteur fait régner pendant quelques années une terreur que les évêques réussissent à conjurer.

Le 13 avril 1233, Grégoire IX annonce au clergé français la prochaine arrivée des inquisiteurs dominicains[128]. Parmi ceux-ci, Robert, dit le Bougre pour avoir été cathare pendant plusieurs années, reçoit une mission particulière. Le 19 avril 1233, le pape, déplorant les ravages de l'hérésie dans les provinces de Besançon, Reims, Rouen, Sens et Tours, envoie à la Charité-sur-Loire où les hérétiques étaient nombreux et puissants une mission dominicaine, composée de frère Robert

122. H.-Ch. LEA, *op. cit.*, II, pp. 353-354.

123. D'après Ch. SCHMIDT, I, pp. 118-119 : « Pendant les années 1234 et 1235, les églises catholiques de la Dalmatie, de la Bosnie et de l'Esclavonie retentissent d'exhortations à se croiser contre les odieux « Manichéens » : le duc Coloman réunit une armée pour les anéantir, et le nouveau roi de Hongrie, Bela IV, sommé par le légat, jure publiquement d'extirper l'hérésie dans son royaume et de réduire tous les habitants à l'obéissance au pape. Mais ces serments restent sans effet, ces menaces ne sont point exécutées : l'histoire du moins se tait sur ce point : chaque année, au contraire, le pape renouvelle les mêmes décrets, le pouvoir séculier proteste avec la même ardeur de son empressement à les exécuter : et la secte subsiste exerçant toujours la même influence sur les populations slaves. »

124. Lettres des 20 septembre 1235, 22 et 23 décembre 1238, P. 10019, 10052, 10688, 10689, 10693, *Reg.*, nos 2769, 2770, 4692, 4695, 4691.

125. En 1238, il fait savoir au pape qu'il a extirpé l'hérésie, mais l'insistance du pape à ranimer la croisade prouve au contraire que, selon la remarque de Ch. SCHMIDT, I, p. 119, « ces déclarations officielles que l'hérésie est détruite et que l'ordre est rétabli ne doivent pas être prises à la lettre. » En 1239, Coloman quitte la Bosnie. Le pape voulait, à défaut de croisade, envoyer une mission dominicaine. Lettres du 5 décembre 1239 à Coloman et du 6 décembre 1239 aux dominicains, P. 10822 et 10823.

126. D.P. BALAN : *La Chiesa Cattolica e gli Slavi*, Rome, 1885, pp. 47 et ss.

127. Lettres d'Innocent IV : 7 juillet, 3 août 1246, 30 janvier, 26 août 1247, 27 mars 1248, P. 11204, 12246, 12247, 12407, 12664, 12876, *Registre d'Innocent IV*, par Elie BERGER, Paris, 1884, 1911, nos 2006, 2050, 2051, 2953, 3204, 3748.

128. Lettre du 13 avril 1233, P. 9143, P. FRÉDÉRICQ : *Corpus*, t. I, no 89.

et de deux autres religieux, le prieur du couvent de Besançon et un certain Guillaume. La mission procédera contre les hérétiques en plein accord avec les Ordinaires et conformément aux Statuts du Saint-Siège. Elle fera appel, le cas échant, au bras séculier[129].

Dans l'exercice de ses fonctions, la mission dominicaine dut manquer de mesure. Deux lettres du pape aux archevêques de Reims et de Sens en février 1234 révèlent qu'il y eut des violences scandaleuses et des violations de juridiction.

Un vieux principe canonique déclarait que l'Eglise avait horreur du sang[130]. Les événements de la croisade albigeoise lui avaient infligé un cruel démenti. Dans la suite, la canonisation des lois impériales et les appels à peu près constants à la croisade contre les hérétiques l'avaient pratiquement aboli. Cette constatation, Grégoire IX la justifie dans un texte curieux, bourré de réminiscences bibliques. « *Nec enim decuit Apostolicam Sedem, in oculis suis cum Madianita coente Judeo, manum suam a sanguine prohibere, ne, si secus ageret, non custodire populum Israhel nec super grege suo noctis vigilias vigilare, sed dormire seu dormitare potius videretur... Le Saint-Siège, considérant la coexistence trop étroite du Madianite et du Juif (Nombres : XXV, 6-8, et 14-15), n'a pas estimé qu'il put lui être interdit d'aller jusqu'à verser le sang. S'il ne l'eut pas fait il eut paru non pas garder le peuple d'Israël ni veiller pendant la nuit sur le troupeau (Luc : II, 8), mais s'abandonner au sommeil et dormir[131].* » Les réminiscences bibliques signifient que la défense des fidèles peut exiger en certains cas la mort des corrupteurs de la foi. S'il n'y a pas lieu d'attribuer à ce passage plus d'importance qu'il n'en a, vu son contexte littéraire, il ne faut pas non plus en minimiser la portée. Il se situe, en effet, dans un courant de pensée et de décrétales qui témoigne de l'évolution de la théorie canonique de la « contrainte » dans un sens

129. Lettre du 19 avril 1233, P. 9152, *Reg.*, n° 1253, P. FRÉDÉRICQ, t. I, n° 90 : « Ne igitur super hiis mora periculum ad se trahat, dictum negotium tue prudentie duximus committendum, devotionem tuam rogantes attentius et monentes, et in remissionem tibi peccaminum injungentes quatenus una cum dictis collegis tuis vel eorum altero, si ambo non potuerint interesse, ac diocesanorum consilio, ad extirpandam de villa praefata et circumvicinis regionibus, juxta priorum continentiam litterarum, haereticam pravitatem, et hujusmodi vulpeculas capiendas, que tortuosis anfractibus vineam Domini sabaoth demoliri nituntur, advocato ad hoc, si necesse fuerit, brachio seculari, des diligens studium, et operam efficacem in receptatores et defensores et fautores eorum excommunicationis et in terram eorum interdicti sententias promulgando, et alias prout expedire videris... » Sur l'hérésie à la Charité-sur-Loire, voir E. CHÉNON, *art. cité*, pp. 326 et ss. Le 6 mai 1231, le pape, écrivant à l'archevêque de Besançon et à l'évêque d'Autun, se plaignait de ce que l'hérésie pullulait à la Charité, malgré les ordonnances des évêques de Troyes et d'Autun, *Reg.*, n° 637. Le 28 octobre 1233, le pape invitait Saint Louis à protéger le prieur clunisien de la Charité, Etienne, qui s'efforçait en vain de convertir les hérétiques, *Reg.*, n° 1145.

130. « Reos sanguinis defendat Ecclesia », d'après saint GRÉGOIRE, dans *Gratien*, c. 7, c. XXIII, Q. V.

131. Lettre à l'archevêque de Sens, 4 février 1234, P. 9388, *Reg.*, n° 1763 ; P. FRÉDÉRICQ, I, n° 93. Voir l'explication embarrassée de E. VACANDARD : *L'Inquisition*, p. 159, n. 4.

de plus en plus vindicatif. Il n'a sans doute pas le caractère d'une déclaration officielle, mais celui d'une justification, à la vérité dangereuse, par laquelle le pape entendait sanctionner le zèle de ses inquisiteurs.

Il lui était peut-être plus difficile d'excuser les violations de juridiction. Robert le Bougre et ses assesseurs devaient procéder, nous l'avons noté, avec le conseil ou l'avis des Ordinaires. Ou bien, ils ne l'avaient pas fait, ou bien, l'ayant fait, ils n'en avaient pas tenu compte. Le malaise devait être bien grave entre Dominicains et Ordinaires pour que le pape consentît à retirer de la province de Sens la mission dominicaine. Toutefois, il voulut encore espérer que les Ordinaires ne refuseraient pas de faire appel à la compétence des frères prêcheurs « qui sont d'autant plus aptes à confondre les hérétiques que la doctrine qu'ils enseignent et la vie qu'ils mènent se soutiennent davantage »[132]. Quelques jours après, le pape invitait les dominicains à agir avec prudence et après avoir pris l'avis de l'archevêque et des évêques, ses suffragants[133].

L'année suivante, Grégoire IX relança l'Inquisition. Le 21 août 1235, il invita le Provincial des Dominicains de France à confier la charge de l'Inquisition à Robert, nommément cité, et à tous autres frères qu'il jugerait compétents. Le champ était vaste : tout le royaume de France. La procédure exigeait qu'on prît l'avis des prélats — pour éviter les conflits de juridiction, — des autres frères — ceux, évidemment, sous-entend le texte, qui demeurent dans la région actuellement visitée, — des hommes sages — sans doute les « témoins synodaux » — et qu'on agisse avec discernement « de manière à ce que les innocents ne périssent pas et que les pécheurs ne restent pas impunis ». Le lendemain 22 août, le pape, écrivant de nouveau à l'archevêque de Sens, l'invita comme précédemment, à recourir aux bons offices des dominicains, notamment de Robert, dont il a tempéré l'ardeur indiscrète[134] ; on procédera conformément aux canons du concile de Latran et aux statuts récents du Saint-Siège. Enfin, le 23 août, il envoya Robert en mission inquisitoriale dans les provinces de Sens et de Reims, et aussi dans les autres provinces du royaume. Il lui rappela l'obligation de procéder avec l'avis favorable des prélats et de ses frères en religion, et conclut comme précédemment sur la nécessité de sauver les justes et de châtier les pécheurs[135].

---

132. « Ceterum quia dicti fratres eo sunt ad confutandos hereticos aptiores, quo magis in eis vivificat vita doctrinam et doctrina vitam informat », op. cit.
133. Lettre du 15 février 1234, Reg., n° 1754.
134. Allusion à une lettre du 31 août 1235, Reg., n° 2728.
135. Lettres des 21, 22, 23 août 1235, P. 9993, 9994, 9995, Reg., n° 2736, 2737, 2735, P. FRÉDÉRICQ, I, n° 100, 101. Lettre du 21 août : « Dicto fratri Roberto et aliquibus aliis fratribus quos ad hoc idoneos videris, negotium Inquisitionis dictae committas, qui per universum regnum Franciae passim contra hereticos cum praelatorum et aliorum fratrum religiosorum sapientium quoque consilio, ea cautela procedant ut innocentia non pereat et iniquitas non remaneat impunita. » — Lettre du 22 août : « ...multorum ascendente postmodum murmure, astruentium de quibusdam provinciis, quod in eis hujusmodi non deberet inqui-

Ce que fut le comportement de Robert le Bougre, les chroniques contemporaines le disent avec quelques précisions. Robert sévit principalement en Flandre et en Champagne. Il appliquait avec une impitoyable rigueur l'*animadversio debita*, brûlant des hérétiques, emprisonnant les autres, parfois même il condamnait ses victimes, au lieu du feu, à être enterrées vives. Son dernier exploit ou du moins le plus remarquable fut en 1239 la destruction de la communauté cathare de Montwimer, un des plus anciens foyers d'hérésie[136]. Le 13 mai, il brûla près de deux cents cathares en présence d'un nombre imposant de prélats et de seigneurs[137].

Néanmoins, ses excès provoquèrent une réaction. A vrai dire, il ne s'agissait pas tellement de la combustion des hérétiques, traditionnelle dans cette région du nord de la France : la mentalité des contemporains ne s'en montrait guère offusquée[138]. Il s'agissait surtout des

sitio fieri, que de heresi non fuerant infamate scripsimus fratri Roberto et aliis, qui in commisso sibi negotio procedere ceperant, quatenus in locis in quibus non devenerat alicujus infamie heresis, notam non persequeretur erroris... mandamus, omni mora et occasione cessantibus, per te ipsum et fratrem Robertum, ordinis Praedicatorum, cui tam specialem gratiam contulit Dominus, ut omnis venator extimeat cornu ejus, ac per alios fratres praedicatores necnon et per alios qui ad hoc idonei videbuntur, festines, secundum statuta concilii generalis et alia noviter contra hereticos edita, procedere in inquisitionis negotium et ad dominicum certamem accingi, praestans fratribus memoratis in eadem prosecutione consilium, auxilium et favorem » — Lettre du 23 août : « ...mandamus quatenus per Senonensem, Remensem et alias provincias regni Francie passim contra hereticos, cum praelatorum et fratrum tuorum consilio ea cautela procedas ut innocentia non pereat et iniquitas non remaneat impunita. »

136. Voir notamment AUBRY DE TROIS FONTAINES, *M. G. H.* ss, t. XXIII, pp. 944-945 ; *Chronique de Saint-Médard de Soissons, M. G. H.*, ss, t. XXVI, p. 522 : « Hereticorum maxima multitudo quos quidam vocabant Bulgaros, alii Piflos, per diversas civitates et castella Francie, Flandrie, Campanie, Burgondie et ceterarum provinciarum, procurante quodam Roberto, fratre Predicatore, capti examinati et probati per archiepiscopos, episcopos et ceterorum graduum ecclesiasticorum prelatos, ad ultimum dampnati et tamquam heretici secularibus potestatibus sunt traditi. Quidam vero ipsorum ad agendam penitentiam in carcere sunt detrudi. Alii vero, qui heresibus renuntiare noluerunt, igne consumpti sunt, et bona ipsorum a secularibus potestatibus sunt recepta » ; Matthieu DE PARIS, *Chroniques, M. G. H.* ss, t. XXVIII, p. 133 : « ...sed diligenti ministerio et indefessa predicatione Minorum et Predicatorum, precipue fratris Roberti de ordine Predicatorum qui cognomento Bugre dicebatur quia ab illo conversus habitum suscepit Predicatoris, qui malleus hereticorum dicebatur, confusa est eorum superstitio, et error deprehensus. Quam plures autem ex utroque sexu ad fidem converti refutantes fecit incendio conflagrari, ita quod infra duos vel tres menses circiter quinquaginta fecit incendi vel vivos sepeliri. » Nombreuses références dans P. FRÉDÉRICQ, *Corpus*, t. I, n⁰ 94, 96, 97, 98, 104, 108, 116, 119, 121, et t. II, n⁰ 23, 24, 25.

137. AUBRY DE TROIS-FONTAINES, pp. 944-945. De même Etienne DE BOURBON, *Anecdotes Historiques, ouvr. cité*, n⁰ 170 et 482 : « ...circa annum Domini M⁰ CC⁰ XXX⁰ ...Et parum post ibi capti sunt multi Manichei heretici, circa centum octoginta, quorum examinationi, facte ibidem a prelatis Francie, ego interfui ; qui ibidem fuerunt judicati, condempnati et combusti. »

138. J. GUIRAUD, t. II, pp. 215-216 reproduit les témoignages d'Aubry de Trois-Fontaines, de Philippe Mousket et de Matthieu de Paris. D'après ce dernier, la

imprudences de l'inquisiteur qui, malgré les recommandations officielles, entrait en conflit avec les Ordinaires. L'affaire de Pierre Vogrin, deux fois absous par les évêques, condamné cependant par Robert et excommunié pour avoir fait appel au pape, l'affaire de Pétronille et de son gendre Landry, justifiés par *purgatio canonica* de toute accusation d'hérésie, arrêtés néanmoins par Robert et emprisonnés[139], d'autres affaires peut-être qui témoignaient de l'irrégularité de la procédure et des outrances de l'inquisiteur, furent portées à la connaissance du pape. Grégoire IX suspendit Robert de ses fonctions et ordonna une enquête. Sur les conclusions défavorables de cette enquête, il aurait condamné le terrible inquisiteur à la prison perpétuelle[140]. Après l'effacement de Robert le Bougre, l'Inquisition dite Monastique subit un temps d'arrêt. Les évêques, réunis en concile à Tours, essayèrent d'organiser l'Inquisition Episcopale suivant la formule du concile de Latran[141].

Dans le midi de la France toutes les conditions étaient réunies pour le bon exercice de l'Inquisition : le personnel, l'épiscopat, le bras séculier.

C'est aux dominicains de Toulouse que Grégoire IX confia la charge de l'Inquisition[142]. Le provincial de Toulouse désigna Pierre Cella et Guillaume Arnaud auquel fut adjoint ultérieurement Arnaud Catala. A ces trois religieux officiellement nommés il y a lieu d'ajouter les noms de quelques autres qui leur prêtèrent ici ou là leur concours empressé, entr'autres Pons de Saint-Gilles, prieur de Toulouse, Raymond du Fauga, évêque dominicain de Toulouse, Guillaume Pellisson, auteur d'une chronique qui permet de suivre les itinéraires des inquisiteurs[143], François Ferrier, le franciscain Etienne de Saint Thibéry et l'abbé de Saint-Sernin de Toulouse. Les inquisiteurs sont invités à s'assurer le concours de quelques personnes « discrètes » pour assurer dans les meilleures conditions le fonctionnement de la procédure. Peut-

---

répression aurait eu aussi un caractère social : la haine du peuple contre les riches marchands et banquiers de Flandre. Analogie avec l'Inquisition organisée en Allemagne par le triumvirat. ci-dessus.

139. D'après les lettres de Grégoire IX des 8 novembre 1235 et 10 avril 1236, *Reg.*, n⁰ 2825, et 3106.

140. Matthieu DE PARIS, p. 147 : « auctoritate igitur papali jussus est precise ne amplius in illo officio fulminando desaeviret. Qui postea manifestius clarescentibus culpis suis quas melius aestimo reticere quam explicare, adjudicatus est perpetuo carceri mancipati », cité dans E. CHÉNON, p. 342, n. 6.

141. Concile de Tours, dans MANSI, t. XXIII, cc. 497-500.

142. Lettres des 20 et 22 avril 1233, P. 9153, 9155, 9263, MANSI, t. XXIII,, c. 74 : « Discretionem tuam rogamus... quatenus aliquos de fratribus tuis tibi commissis, in lege Domini eruditos, quos ad hoc esse noveris ideneos, ad partes tibi secundum tuum ordinem limitatos transmittas, qui clero et populo convocatis generalem predicationem faciant, ubi commodius viderint expedire, et adjunctis sibi discretis aliquibus ad haec solicitius exequenda, diligenti perquirant sollicitudine de haereticis et etiam infamatis, et si quos culpabiles vel infamatos repererint, nisi examinati velint absolute mandatis Ecclesiae obedire, procedant contra eos juxta statuta nostra contra haereticos noviter promulgata. »

143. *Chronicon* 1230-1235, édition Ch. Molinier, Paris, 1880.

être le pape fait-il allusion aux « témoins synodaux » prévus par les conciles. Mais il ne fait aucune mention des Ordinaires[144].

L'épiscopat languedocien avait subi au cours de la Croisade Albigeoise une épuration qui l'avait à peu près entièrement renouvelé. Néanmoins les évêques se sentaient impuissants devant la persistance de l'hérésie et incapables de poursuivre convenablement les hérétiques. « Comment, disaient-ils, condamner des gens qui n'avouent pas leur crime et dont on ne peut établir la culpabilité[145] ? » C'est évidemment pour cette raison que le pape, considérant non, semble-t-il, un soupçon de blâme, le « tourbillon » de leurs soucis et le « poids de leurs inquiétudes », leur envoie pour les décharger d'une besogne ingrate ses inquisiteurs dominicains[146]. C'est peut-être aussi pourquoi il les maintient sous la surveillance constante de ses légats.

Au cardinal de Saint-Ange qui avait présidé le concile de Toulouse de 1229 succéda Gautier, évêque de Tournai, qui réunit un concile à Béziers en 1233 pour confirmer le précédent et pour aggraver encore la législation inquisitoriale. Le concile déclare, en effet, et décide, entre autres réformes, ce qui suit : tout chrétien : *quilibet privatus* peut sur la terre de quiconque : *in terra cujuslibet* rechercher des hérétiques et s'en emparer ; il présentera sa capture à l'évêque ou au baile de l'évêque ; il a droit de la part de n'importe quel chrétien : *quilibet christianus* à l'aide et à la faveur[147]. Les hérétiques réconciliés devront nécessairement porter sur leurs habits les deux croix d'étoffe, à peine d'être considérés comme relaps. Les curés devront veiller avec le plus grand soin, à peine de suspense, voire de privation d'office et de bénéfice, à ce que les suspects assistent aux cérémonies de l'Eglise. Les évêques se voient rappeler sèchement leurs responsabilités[148].

A Gautier de Tournai succéda Jean de Bernin, archevêque de Vienne, assisté de l'évêque d'Auch. Il avait juridiction des Alpes aux Pyrénées sur toutes les églises, notamment en matière de répression d'hé-

---

144. Noter la ressemblance entre la mission des dominicains de Toulouse en 1233 et celle de Conrad de Marbourg en 1231 : les termes des lettres pontificales sont à peu près identiques.

145. D'après Luc DE TUY : *De altera vita fideique controversiis adversus Albigentium errores*, ch. XIX, dans *Biblioth. Patrum*, 4e éd., t. IV, cc. 575 et ss, cité d'après E. VACANDARD : *L'Inquisition*, p. 143, n. 3.

146. Lettre du 13 avril 1233, P. 9143 ; P. FRÉDÉRICQ, *Corpus*, t. I, n° 89 : « Nos, considerantes quod vos diversis occupationum turbinibus agitati, vix valetis inter inundantium sollicitudinem angustias respirare, ac per hoc dignum ducentes ut onera vestra cum aliis dividantur, dictos fratres Praedicatores contra haereticos in regno Franciae et circumjacentes provincias duximus destinandos, mandantes quatenus ipsos benigne recipientes et honeste tractantes... »

147. Concile de Béziers, 1233 ?, MANSI, t. XXIII, cc. 269-277, c. 2 : « Ut possit quilibet privatus in terra cujuslibet inquirere et capere haereticum, et captum necesse habeat episcopo ostendere, vel baculo (sc : bajulo) ipsius episcopi praesentare : nec ipsum praesumat aliquis impedire, sed in captione quilibet christianus praestet auxilium et favorem. » *Item*, H.-L., V, p. 1556.

148. c. 5 : « ...Dominus autem requiret de manibus episcoporum sanguinem pereuntium, si eis non adhibuerint vigilantiam pastoralem. »

résie[149]. Lui aussi réunit un concile, à Arles en 1234, qui rappela une fois de plus la législation précédente des conciles de Narbonne et de Toulouse de 1227, 1229, sur les témoins synodaux, comme aussi la législation de ce même concile de Toulouse et de la décrétale de Grégoire IX de 1231 sur la nécessité d'emprisonner à vie les hérétiques convertis par crainte de la mort[150].

Le bras séculier était représenté par le comte de Toulouse, Raymond VII, qui n'avait pu se maintenir qu'au prix d'une reddition totale à son seigneur le roi de France. Par le traité de Meaux, il s'engageait, entr'autres, — nous l'avons vu précédemment — « à poursuivre les hérétiques sur ses terres et à aider les officiers du roi à les poursuivre sur le domaine royal ». Conformément à ses promesses, quoique avec un certain retard, Raymond VII publia un édit, le 29 avril 1233, ordonnant à ses officiers et à ses vassaux de rechercher les hérétiques, de payer la prime prévue aux dénonciateurs, de pourvoir enfin tant à la destruction des maisons et autres repaires des hérétiques qu'à la confiscation définitive de tous les biens des hérétiques, même « revêtus » des croix d'étoffe, de leurs fauteurs ou complices[151]. Toutefois le texte présente quelques difficultés d'interprétation. Les biens des hérétiques, dit-il, ne sauraient d'aucune manière revenir à leurs enfants et autres héritiers appelés normalement à leur succéder, s'ils étaient orthodoxes. Ce texte veut-il dire que seuls seraient frustrés de leur héritage les successeurs hérétiques à l'exception des successeurs catholiques, ou bien que tous les héritiers, quels qu'ils soient, sont frustrés de toute succession d'un hérétique, précisément parce qu'étant excommunié il a perdu, conformément à la doctrine et à la législation canoniques, tout droit de propriété ? La première hypothèse laisserait entendre qu'on chercherait à obtenir des conversions par l'appât des biens temporels ; mais le contexte de l'édit qui envisage la destruction « sans miséricorde » des immeubles, la référence implicite à l'Ordonnance *Cupientes* de saint Louis, une lettre de Grégoire IX de 1236 dénonçant les héritiers des hérétiques convertis, croisés et morts en croisade, qui se sont emparés de leurs biens « au mépris de la foi », tout incline en faveur de la seconde hypothèse, la plus sévère, conformément à *Vergentis in senium*.

149. Lettres des 27 et 28 juillet 1233, *Reg.*, n° 1472-1483.
150. Concile d'Arles, Mansi, t. XXIII, c. 336, H.-L., V, p. 1560.
151. A. Teulet, *Layettes*, II, n° 2234, p. 248 : « Et eorum cabane suspecte, a communi castrorum habitatione remota, et spelunce infortiate et clusella in locis suspectis et diffamatis destruantur vel obturentur, nullusque de cetero in predictis locis tales audeat facere mansiones aut in eisdem habitare. In quibus si quis fuerit deprehensus post edictum nostrum, omnia ipsius bona mobilia confiscentur. Item statuimus quod omnes hereditates eorum qui hereticos se fecerunt vel facient in futurum, confiscentur et occupentur, sic quod ad liberos eorum vel ad alios successores, qui ab intestato eis deberent succedere si fuissent orthodoxae fidei, per venditionem aut donationem aut alio modo bona predicta reddita non valeant pervenire ; et, si talibus bona predicta reddita fuerint vel ab eis aliter detinentur, ab ipsis penitus auferantur. Domus autem illorum qui a tempore dicte pacis heretici facti sunt vel de cetero fient, quas ipsis eo tempore inhabitabant, sine omni misericordia destruantur. »

Malgré l'imposant appareil de la triple inquisition : monastique, épiscopale et séculière, la répression de l'hérésie ne fut exercée pratiquement que par les dominicains. Ils découvrirent de nombreux hérétiques, tant par la crainte qu'ils inspiraient que par la subtilité de leurs questions[152]. Ils en condamnèrent un certain nombre à la peine du feu. Ils ne se contentèrent pas de brûler des vivants, ils firent exhumer des morts. On tirait les cadavres sur des claies, ensuite on les brûlait[153]. Ces procédés aigrirent les rapports entre les dominicains et le comte de Toulouse. Celui-ci, fort de son édit qui avait reçu confirmation pontificale[154], se plaignit au pape. Le pape invita son légat et les évêques de la région toulousaine où sévissait davantage l'inquisition dominicaine, à opérer avec prudence contre les hérétiques et à ménager le comte de Toulouse[155]. Il adressa également à Raymond VII une lettre d'encouragement, bientôt suivie, il est vrai, d'une autre plus insistante et presque menaçante[156]. Il intervint aussi indirectement contre ses inquisiteurs. Ceux-ci avaient condamné contre toute justice deux veuves de Cahors à la réclusion perpétuelle dans un couvent. Elles en appelèrent au pape et se rendirent à Rome. Le pape ordonna à l'abbé cistercien de Grandselve et au provincial de Toulouse de faire une enquête à ce sujet[157]. Ce n'était là qu'un cas particulier, car on ne voit pas que Grégoire IX ait jamais signifié directement à ses inquisiteurs la nécessité d'un tempérament.

Ceux-ci continuèrent à brûler des hérétiques vivants et morts. De tels procédés soulevèrent cette fois contre eux les populations de Toulouse et de Narbonne. Les dominicains, chassés de leur couvent de Toulouse, accusèrent les consuls et le comte, leur protecteur, de pactiser avec les hérétiques et les excommunièrent[158]. Le légat confirma la sentence et interdit la terre. Grégoire IX, indigné, alerta le roi de France, le légat et le comte de Toulouse. Que Raymond VII observe le traité de 1229, qu'il verse dix mille marcs d'argent en réparation des torts causés à l'Eglise, qu'il aille en Terre Sainte et qu'Alphonse de Poitiers prenne sa place, que les hérétiques convertis aillent eux aussi en Palestine, que les lieux de réunion des hérétiques soient rasés, que les héritiers des hérétiques convertis, croisés et décédés, qui se sont emparés de leurs biens « au mépris de la foi » soient condamnés

152. Exemples d'interrogatoire d'après J. Guiraud, II, p. 66. L'inquisiteur de Narbonne, François Ferrier, demandait « si c'est Dieu ou l'homme qui rend la femme mère. S'ils disaient « l'homme » : « Vous êtes hérétiques » leur répondait-il, car les hérétiques soutenaient que la procréation est due à l'esprit mauvais et à l'homme et non à Dieu. S'ils répondaient « Dieu » : « Vous êtes hérétiques, s'entendaient-ils dire, car parler ainsi, c'est faire supposer que Dieu connaît la femme. »
153. D. Vaissète, t. VI, p. 688 ; H.-Ch. Lea, II, pp. 9 et ss ; J. Guiraud, II, pp. 37 et ss.
154. Lettre du 13 janvier 1234, *Reg.*, n° 1719.
155. Lettre du 18 novembre 1234, *Reg.*, n° 2218.
156. Lettres des 22 novembre 1234 et 15 mai 1235, P. 9904, *Reg.*, n° 2283, A. Teulet, *Layettes*, II, n° 2318, p. 656.
157. Lettre du 7 juin 1235, P. 9932, *Reg.*, n° 2630.
158. Les onze consuls de Toulouse qui présidèrent à l'expulsion des dominicains étaient des familiers du comte. Voir J. Guiraud, II, p. 47, n. 2.

à restitution[159]. Mais le comte de Toulouse pria le roi de France d'intervenir auprès du pape. L'arbitrage de Saint Louis amena une détente. Grégoire IX ordonna au légat de modérer le zèle des inquisiteurs[160]. Lui-même nomma inquisiteurs avec les dominicains d'autres religieux et des évêques, il confia à une commission mixte de dominicains et d'évêques certaines affaires obscures, il invita ses inquisiteurs à plus de mesure, il suspendit pour trois mois les condamnations qui avaient été portées contre les « hommes » du comte qui s'étaient plaints à Rome ; il aurait même suspendu pendant six mois l'exercice de l'Inquisition[161]. Finalement, il envoya de nouveaux légats, l'évêque de Préneste, puis l'évêque de Sora, dont les légations se confondent au point qu'on peut se demander s'il ne s'agit pas d'un seul et même personnage[162].

Les légats, recommandés comme de coutume aux Ordinaires, mais aussi aux inquisiteurs, avaient principalement pour mission de pacifier le pays. Le cas de Raymond VII fut particulièrement étudié. Le comte de Toulouse avait exprimé ses doléances en dix-huit points qui furent portés à la connaissance du pape. Il obtint huit réponses négatives et dix réponses favorables. Grégoire IX rejeta tous les griefs du comte contre les dominicains et leur manière d'agir[163], et aussi contre l'archevêque de Vienne qui, d'après Raymond, était parent et allié de ses ennemis ; il refusa d'entendre divers prélats présentés comme témoins en faveur du comte et il refusa également de donner la sépulture à Raymond VI. Mais il autorisa le comte de Toulouse à se croiser « librement », il lui fit remise des dix mille marcs d'argent, il reconnut implicitement l'irrégularité de la procédure d'excommunication dont lui et les consuls toulousains avaient été l'objet, il consentit à ce que le comte fut jugé sur sa terre et que cette terre fut relevée de l'interdit. En somme, le pape ne voulut à aucun prix désavouer

159. Lettres des 28 avril, 7 mai, 14, 23 juin 1236, *Reg.*, n° 3126-3130, 3138, 3188-3191, 3201 ; A. Teulet, *Layettes*, II, n° 2445, p. 314.

160. Lettres à l'archevêque de Vienne des 3 et 26 février 1237, *Reg.*, n° 3490, 3527.

161. Lettres des 26 juin et 22 décembre 1237, *Reg.*, n° 3765, 3774, 4023 ; Lettres des 23 avril, 9 et 18 mai 1238, *Reg.*, n° 4295, 4337, 4775, 4776, P. 10584, 10598, A. Teulet, *Layettes*, II, n° 2711. Les lettres aux inquisiteurs du 18 mai portent chacune dans le registre : bulle annulée, ce qui permet de douter de la suspension de l'Inquisition et de l'envoi en Terre Sainte des hérétiques repentis.

162. Lettres des 13 mai et 21 mai, 3 juin et 23 août 1238, P. 10598, *Reg.*, n° 4759, 4768, 4767, 4347.

163. *Reg.*, n° 4758, notamment l'article 4 contre les dominicains : « Supplicat ut fratres de ordine Praedicatorum ab officio inquisitionis in terra ipsius comitis removeantur, tum quia ei et suis merito sunt suspecti, tum quia in inquisitionibus semper contra juris ordinem civilis et canonici, ipso comite et suis reclamantibus, spretis etiam litteris Sanctitatis Vestrae ab eodem comite impetratis, multipliciter processerunt, et ut inquisitiones fiant per episcopos terre sue vel alios prelatos non suspectos, qui secundum Deum et juris ordinem predictum officium exequantur, et quod contra juris formam factum per dictos fratres vel alios invenerint, auctoritate apostolica per illos ad juris ordinem reducatur, et quod inquisitores de iis que commissa fuerint ante pacem non inquirant vel pro inquisitis penitentiam non imponant. »

officiellement ses inquisiteurs, mais il voulut bien se montrer conciliant. Les légats examineront sur place le cas de Raymond VII et de ses « hommes », ils avertiront le roi de l'absolution du comte et de ses projets de croisade, ils pourront atténuer la rigueur des pénitences, ils donneront enfin l'absolution aux hérétiques qui reviennent spontanément à l'Eglise[164].

Ces mesures de clémence marquent, sinon l'arrêt, au moins le déclin provisoire de l'Inquisition monastique dans le midi de la France, mais il serait excessif, croyons-nous, d'y voir un « véritable édit de grâce »[165]. Ce qui est aboli, semble-t-il, c'est uniquement cette disposition des conciles de Toulouse et de Béziers relatives aux hérétiques qui abandonneraient spontanément l'hérésie. Entre leur abjuration et leur absolution il pouvait s'écouler un temps plus ou moins long pendant lequel ils devaient porter les croix d'étoffe et subir des incapacités. Ce délai paraît bien désormais supprimé, mais tout le reste demeure : le « mur », malgré les atténuations possibles, et la mort.

De l'autre côté des Pyrénées le Saint-Siège trouvait des auxiliaires dociles de l'Inquisition.

Dès la fin du xiie siècle Pierre II d'Aragon avait promulgué un édit extrêmement sévère qui condamnait les hérétiques à la mort par le feu. Dans quelle mesure l'édit fut-il appliqué ? Il paraît difficile de le dire. Sans doute n'y eut-il point d'exécution d'hérétiques pour cette raison que, si l'orthodoxie du roi l'invitait à sévir, ses intérêts l'inclinaient du côté des victimes de la croisade albigeoise qui passaient précisément pour des complices des hérétiques[166]. Jacques Ier, son fils, publia à son tour en avril 1226 un édit rigoureux. Cet édit, demandé au roi par Louis VIII et le cardinal de Saint-Ange, avait pour but d'empêcher l'exode en Aragon des hérétiques languedociens. Jacques Ier s'adresse avant tout à ses sujets : il leur défend de recevoir les hérétiques et leurs fauteurs, il leur ordonne plutôt de les traiter en ennemis de l'Eglise et de les éviter, il les menace, en cas de désobéissance, de peines rigoureuses[167]. La même année Nugnez-Sanche,

164. Lettres aux légats des 13 et 19 mai, 4 et 5 juin et 9 août 1238, *Reg.*, nº 4760, 4778, 4764, 4765, 4348, A. TEULET, *Layettes*, II, nº 2736, 2738. — Lettres au roi de France au sujet du pélerinage du comte de Toulouse en Terre Sainte, 4, 8, 9 juin 1238, *Reg.*, nº 4763, 4762, 4761, P. 10758. — Lettres au légat évêque de Préneste et aux archevêques pour leur annoncer l'évêque de Sora : 21 mai et 23 août 1238, *Reg.*, nº 4769 et 4347. — Lettres aux légats du 2 juin et du 10 août 1238, *Reg.*, nº 4766 et 4495.

165. Ch. TOUZELLIER, *ouvr. cité*, p. 333.

166. Voir *Histoire Albigeoise*, *ouvr. cité*, pp. xxviii-xxx et 145-184.

167. Barcelone, 15 avril 1226 : A. TEULET, *Layettes*, t. II, nº 1758, p. 75 : « Ad preces domini Romani cardinalis... et illustris regis Franciae... firmiter et districte praecipiendo mandamus, quatinus non receptetis nec recipi sustineatis haereticos et inimicos Ecclesiae, aut fautores seu coadjutores eorum, in posse vestro aut dominio, nec eis consilium vel auxilium impendatis : sed potius ut inimicos Dei et Sanctae Romanae Ecclesiae, eos quanto arctius poteritis devitetis : alioquin ex tunc ipso facto se sciat indignationem nostram graviter incurrisse : et nos, suo tempore, studebimus acriter severitate regis animadvertere in edicti regii transgressores. »

comte de Roussillon et Guillaume, comte de Cerdagne promettent au
roi d'Aragon aide et secours contre les hérétiques[168].

Ici encore l'édit dût rester lettre morte, non certes que le roi ait eu,
comme son père, des raisons politiques de ménager les hérétiques ou
leurs fauteurs[169], mais parce qu'il ne fut guère obéi. En 1232, Grégoire IX, écrivant à l'archevêque de Tarragone, constate avec peine
que l'hérésie, loin de s'éteindre, s'infiltre au contraire chaque jour
davantage et conclut à l'urgence de l'Inquisition. Il propose à l'archevêque l'assistance des dominicains et lui indique la procédure à suivre,
conformément aux Statuts du Saint-Siège[170]. C'est évidemment en
relation avec l'initiative du pape que le roi promulgua au cours d'une
assemblée où figuraient entre'autres l'archevêque de Tarragone et les
évêques du royaume, en février 1233, un édit par lequel était créées
l'Inquisition épiscopale et l'Inquisition séculière. L'Ordinaire désignerait un prêtre, le baile du roi désignerait de son côté deux ou trois
laïcs. Le prêtre et les laïcs rechercheraient avec le plus grand soin les
hérétiques. Leur droit d'inquisition s'exprime en des termes à peu
près semblables à ceux des conciles du midi de la France. Les inquisiteurs signaleront aussitôt à l'Ordinaire du lieu et au baile royal les
lieux de réunion des hérétiques, lesquels seront évidemment détruits,
et les personnes qui les fréquentent, lesquelles seront punies comme
il se doit[171].

Grégoire IX, en confirmant l'édit royal, adjoignit aux Ordinaires
des dominicains[172], puis il envoya au nouvel archevêque de Tarragone,
Guillaume Montgrin, qui lui avait soumis quelques doutes, le « code
de procédure » qu'avait rédigé le pénitencier pontifical, Raymond de
Peñafort. En fait, il s'agissait de déterminer le sort des hérétiques qui
se convertissaient plus par crainte de la peine que par sincérité, comme
si on ignorait encore les statuts du Saint-Siège que Grégoire IX avait
envoyés cependant dès 1232 au prédécesseur de l'archevêque. Aussi,
le pape se contenta de rappeler pour les hérétiques dont il s'agit la
nécessité de la « pénitence séculière » qui ne peut être que le « mur »,
conformément à la législation[173].

---

168. Barcelone, 29 avril 1226 : A. Teulet, t. II, n° 1768, 1776, pp. 79-81.

169. Dans une lettre du 27 août 1229, Grégoire IX félicitait le roi de son attitude envers l'Eglise, d'après J. Guiraud, t. II, p. 158 sans référence. Nous n'avons
rien trouvé ni dans Potthast, ni dans le Registre.

170. Lettre du 26 mai 1232, P. 8932.

171. Assemblée conciliaire de Tarragone, Mansi, t. XXIII, cc. 329-332 : H.-L.,
t. V, p. 1559. H.-Ch. Lea, II, p. 193.

172. D'après J. Guiraud, II, p. 161 sans référence, la bulle est adressée à Espérago. D'après H.-Ch. Lea, II, p. 194, Espérago meurt le 3 mars 1233. La bulle
pontificale serait donc de février 1233 ou des tout premiers jours de mars. Nous
n'avons rien trouvé.

173. Lettre du 30 avril 1235, Reg., n° 2531 : « ...Inquisitioni tue taliter respon-
demus, quod satis tolerari potest, ut sic revertentibus post abjuratam haeresim
penitentia secularis, prout magis vel minus culpae qualitas postulat, injungatur. »
D'après ce texte, il n'y a pas lieu de parler de « code de procédure » : H.-Ch. Lea,
II, p. 194, ni même de « règlement » : J. Guiraud, II, p. 162, mais plutôt de
simple rappel.

L'Inquisition aragonnaise, bien qu'elle fut plus homogène que l'Inquisition toulousaine, n'a pas été, semble-t-il, aussi ardente. En 1238, Grégoire IX priait l'évêque élu de Huesca d'inviter le roi d'Aragon à poursuivre les hérétiques d'après les statuts du Saint-Siège[174]. On signale notamment le cas de Robert, comte de Rousillon et celui de Roger-Bernard, comte de Foix. Le premier, accusé d'hérésie par l'évêque d'Elne, avait été emprisonné par le roi d'Aragon. Il s'était sauvé dans les montagnes, puis avait demandé sa réconciliation. Grégoire IX la lui accorda à la condition de coopérer pendant trois ans à la conquête de Valence. Mais il fut précisé que ses biens retourneraient, en cas de forfaiture, à la couronne[175]. Le second avait de telles relations avec les hérétiques et il se trouvait en opposition trop constante avec l'évêque d'Urgel pour n'être point soupçonné d'hérésie. L'Inquisition épiscopale de Tarragone, assistée de dominicains et de franciscains, opéra dans la vicomté de Castelbon qui relevait du comte de Foix : elle condamna quarante-cinq hérétiques vivants et brûla dix-huit cadavres[176].

En dehors du royaume d'Aragon l'Inquisition paraît inexistante. En 1236, Ferdinand III, roi de Castille et de Léon, crut devoir marquer au fer rouge des hérétiques arrêtés sur ses terres et confisqua leurs biens. Les victimes, ayant sollicité leur réconciliation, Grégoire IX chargea l'évêque de Palencia de les absoudre[177]. En 1238, le pape organisa l'Inquisition en Navarre. Il chargea le dominicain Pierre de Leodegaria de Pampelune et le ministre franciscain de Navarre de faire observer les Statuts du Saint-Siège contre les hérétiques[178].

Ces consultations et ces rappels constants à la législation pontificale témoignent des hésitations et sans doute des difficultés de l'œuvre inquisitoriale dans le nord de la péninsule ibérique.

*
* *

Indifférente aux circonstances historiques, une littérature inquisitoriale, de caractère exclusivement juridique, paraît avec les premiers glossateurs. Nous avons relevé entre autres la glose de Joannes Teutonicus, dite glose ordinaire, sur le Décret de Gratien, la glose de Vincent d'Espagne sur la Troisième Compilation qui inspire assurément les commentaires qu'il donne sur les mêmes textes dans son *Apparatus super Decretales*, et la glose de Tancrède sur la même Compilation.

174. Le 9 février 1238, Grégoire IX chargeait l'évêque élu de Huesca d'inviter le roi d'Aragon à poursuivre les hérétiques conformément aux Statuts du Saint-Siège, *Reg.*, n° 4071, ce qui peut aussi vouloir dire que le pape entendait faire appliquer sa propre législation plutôt que la législation du roi, mais comme la législation royale ne paraît guère différente de celle du pape, on peut à bon droit conclure qu'il s'agit ici de relancer l'Inquisition.
175. Lettre à Raymond de Peñafort, 8 février 1237, P. 10292, *Reg.*, n° 3481.
176. H.-Ch. LEA, II, p. 195 et J. GUIRAUD, II, pp. 153-154 et 166-168.
177. Lettre du 10 avril 1236, *Reg.*, n° 3271.
178. Lettre du 23 avril 1238, *Reg.*, n° 4288.

Il y a lieu de joindre à ces gloses, par souci de chronologie, la Somme, plus tardive, de Saint Raymond de Peñafort[179].

Joannes Teutonicus affirme tout d'abord et le droit de l'Eglise de corriger les hérétiques[180] et le devoir des princes de défendre et d'aider l'Eglise contre les entreprises des méchants[181]. Ce double principe une fois posé, Joannes Teutonicus se demande s'il y a lieu de punir de mort les hérétiques, et il répond qu'il ne faut recourir à cette extrémité qu'après avoir épuisé tous les autres moyens de persuasion et de répression. C'est au juge qu'il appartient de punir les « incorrigibles » non dans un esprit de vengeance, mais par amour de la justice, suivant la formule des décrétistes. Néanmoins, quiconque a le droit de tuer, s'il se trouve en état de légitime défense ou en présence de « voleurs publics » ou autres bandits de grands chemins. Et de citer un texte d'Huguccio `avec références au Code Justinien et aux Décrétales[182]. La citation d'Huguccio nous rappelle justement la comparaison que l'illustre canoniste établit entre l'hérétique et le voleur, plus précisément le voleur sacrilège que la jurisprudence romaine, sinon le Droit, condamnait à une mort infamante[183]. Nous retrouvons ici une pareille idée, moins développée assurément : plutôt une simple analogie, plus suggérée qu'exprimée, mais appuyée sur le Droit Romain,

179. Joannes Teutonicus aurait achevé sa glose après le IVe Concile de Latran, les gloses de Vincent d'Espagne et de Tancrède seraient contemporaines, vers 1215-1220. La *Somme* de St Raymond DE PEÑAFORT serait dans ses trois premières parties, donc en ce qui concerne les hérétiques, antérieure à 1234. D'après A. van HOVE : *Proleg.*, pp. 431, 444, 446, 513.

180. Decretum Gratiani, éd. de Grégoire XIII, Lyon, 1618 : Q. IV, c. 25 : « ...Quaesivit Faustus ab Augustino an Ecclesia debeat corrigere haereticos et obstinatos ? Et respondet quod sic, ex dilectione corrigendi ad instar medici, qui ex dilectione sanandi phreneticos ligat et lethargicos excitat. »

181. Q. V, c. 19 : « Dicitur in hoc capitulo quod principes saeculi ad hoc sunt instituti ut ecclesiasticam disciplinam defendant, ut quis sacerdotalis sermo non corrigit, coerceat saecularis potestas. De quo, si non fecerunt, apud Deum reddituri sint rationem. »

182. Q. V, Casus : An peccet judex vel minister occidendo eos ? Et respondet quod non, ut infra eadem c. Miles (13) et c. Cum minister (14), dummodo faciat hoc amore justitiae ut supra Q. proxima, c. ea vindicta (c. 51, Q. IV) et quandoque qui non est judex sine paccato potest alium occidere, scilicet si se defendendo occidat, ut infra ea c. Cum homo (19) et supra 50 Dist. c. Quia te obnoxium (quasi obnoxium, 38). Similiter publicum latronem vel nocturnum depopularem agrorum potest occidere, ut C. Quando liceat unicuique sine jud. se vind. l. una (C. J. III, XXVIII : Quando liceat unicuique sine judice se vindicare, 1)... Nulli licet occidere nisi habeat potestatem gladii, nec tunc licet, nisi cum hoc amore justitiae, ut supra Quaest. prox. c. ea vindicta (c. 51, Q. IV) et infra ead, cap. Miles (13). Item, si spes correctionnis, non debet occidere : sed, si non est spes correctionis, potest occidere, vel reddere inutilem ad male faciendum, ut supra quaest. prox. c. est injusta (c. 33, Q. IV) infra eadem, cap. rex debet (c. 40, Q. V). Si autem paratus sit corrigi, nec occidi debet, nec debilitari in membris, ut hic et infra ead. c. 1, 2 et 3, et haec vera sunt quod judex solus potest occidere, nisi sint aliqui nocturni depopulares agrorum, vel sint latrones in publicis stratis, quos quilibet potest occidere, ut C. Quando liceat unicuique sine jud. seipsum vind. l. I, et supra ead. Q. 3, c. fortitudo (c. 5, Q. III) vel nisi defendendo se, occidat aliquem extra de homic. c. 2 circa fidem (c. 2-X-V-12) j ead. c. cum homo (c. 19, Q. V). Hug.

183. Sur Huguccio, voir ci-dessus, ch. I, pp. 83-88.

sur des textes d'origine surtout patristique, la plupart de saint Augustin, insérés dans le Décret, auxquels l'auteur de la Glose a cru devoir ajouter un extrait de Pénitentiel inclus dans les Décrétales. Aussi est-ce avec raison qu'il peut écrire, à propos du Dictum Gratiani qui suit le c. 48 et clôt pratiquement la Q. V : *Concludit Gratianus ex supradictis canonibus quod mali non solum flagellandi, sed etiam interfici possunt.* Il est évident que le verbe *flagellandi* veut dire punis ou châtiés au sens large de l'*animadversio debita*.

La confiscation des biens pose de graves problèmes. La décrétale *Vergentis in senium* refuse à la descendance de l'hérétique, même à la descendance catholique, tout droit à l'héritage. Joannes Teutonicus oppose à cette rigueur la mansuétude relative de l'authentique *De Nestorianis* Novelle CXV, ch. III, § 14, reproduite partiellement au Code : I, V, après la loi 19 qui excepte précisément de l'exhérédation les descendants orthodoxes. Cette Novelle, citée par tous les décrétalistes, mérite une brève analyse.

Justinien rappelle le principe général d'après lequel il est défendu à toute parenté en ligne directe de deshériter ses descendants, à moins que ceux-ci ne soient pas dignes d'hériter. Pour clarifier sur ce point la législation qui ne laisse pas d'être confuse, l'empereur précise quels sont les cas d'indignité[184]. Au § 14, il s'agit des hérétiques. Quiconque n'est pas en communion avec le patriarche et ne suit pas la vraie foi qui a été définie aux quatre premiers conciles est de droit deshérité[185]. Donc, les fils orthodoxes des hérétiques — il s'agit uniquement des Nestoriens et des Acéphales — ou, à défaut de fils, les parents ou alliés catholiques — les termes orthodoxes et catholiques sont synonymes — ont seuls droit à la succession. Cependant, les fils hérétiques, s'il y en a, ne sont pas entièrement frustrés : ils conservent jusqu'à leur mort un droit sur leur part d'héritage. En cas de conversion, ils recouvrent cette part, dans l'état où elle se trouve, donc sans possibilité de recours contre ceux qui l'ont détenue et en auraient perçu les fruits, ou bien, suivant la version du Code, sans l'usufruit ni la gestion[186]. A défaut d'héritiers orthodoxes, la succession reviendra,

---

184. Novelle CXV, ch. III : « ...Sancimus igitur non licere penitus patri vel matri, avo vel aviae, proavo vel proaviae suum vel filiam, vel coeteros liberos praeterire, aut exheredes in suo facere testamento... nisi forsan probabuntur ingrati : et ipsas nominatim ingratitudinis causas parentes suo inseruerint testamento. Sed quia causas ex quibus ingrati liberi debeant judicari, in diversis legibus dispersas, et non aperte declaratas invenimus... ideo necessarium esse perspeximus eas nominatim praesenti lege comprehendere... Causas autem justas ingratitudinis has esse decernimus... »

185. § 14 : « Si quis de praedictis parentibus orthodoxus constitutus senserit suum filium vel liberos non esse catholicae fidei, nec in sacrosancta Ecclesia communicare, in qua omnes beatissimi patriarchae una conspiratione et concordia fidem rectissimam praedicant, et sanctas quatuor synodos Nicaenam, Constantinopolitanam, Ephesinam primam, et Chalcedonensem amplecti seu recitare noscuntur : licentiam habeant pro hac maxime causa ingratos eos et exheredes in suo scribere testamento... »

186. « ...Quod si forte ex filiis alii quidem sunt orthodoxi, et Ecclesiae catholicae communicantes, alii vero ab ea separati, omnem parentum substantiam ad

suivant les cas, soit à l'église du domicile des parents ou au fisc impérial, soit au trésor privé[187].

Nous avons analysé succinctement la Novelle CXV, qui revient à chaque instant sous la plume des décrétalistes. Joannes Teutonicus ne le fait pas. Il note simplement le contraste qui existe entre les deux législations sans chercher une *concordia discordantium*. Mais c'est peut-être pour conjurer l'impression défavorable que peut donner la décrétale qu'il se plaît à insister sur la « miséricorde », en soulignant combien le sort de l'hérétique qui revient à l'Eglise est plus enviable que celui du déserteur qui rentre chez les siens[188].

Cette difficulté retient spécialement l'attention de Vincent d'Espagne. L'*Apparatus super Decretales* n'est qu'un commentaire succinct du titre *De Haereticis*. On y lit notamment, à propos des canons *Ad Abolendam* et *Excommunicamus* du IVe concile de Latran, que le clerc, déposé par son évêque, est livré à la justice séculière qui lui inflige « la peine du dernier supplice », mais l'auteur ne cherche, ni à préciser la nature de ce dernier supplice, ni à justifier la discipline alors en usage[189].

---

filios tantum catholicos pervenire sancimus : licet ultimas voluntates hujusmodi personae fecerint contra tenorem hujus nostrae constitutionis aliquid disponentes. Si vero posthac fratres ab Ecclesia separati, ad eam conversi fuerint, pars eis competens, in statu in quo inventa fuerit tempore quo redditur, eis praebeatur, ut nullam de fructibus aut gubernatione medii temporis inquietudinem vel molestiam catholici patiantur qui ante praedictas res detinebant. » Le texte du Code est un peu différent : « Ipsis, si conversi fuerint, restituenda quidem, sed absque ratione fructuum et administrationis. »

187. « ...Si vero liberi et propinqui agnati vel cognati ab orthodoxae religionis communione sunt extranei : tunc siquidem schema clericorum parentes eorum habuerint : ad ecclesiam civitatis ubi domicilium habebant, res eorum volumus pertinere : ita ut, si ecclesiastici intra annale spatium hujusmodi personarum vindicare res neglexerint : earum dominium nostri fisci juribus vindicetur. Si autem laici sunt, sine aliqua districtione substantias eorum ad res privatas nostras similiter pervenire sancimus. »

188. Q. VII avant le c. 1 : « Non solum haeretici, sed omnes hostes licite possent spoliari rebus suis, dummodo bellum sit justum : et ille qui rem abstulit jure factus est dominus illius rei, supra ead. Q. V, c. Dicat (25) et s. dist. I, c. Jus naturale (7) et ff de acq. re do. l. naturalem, § ultim (Dig : XLI, I, De acquirendo rerum dominio, 5, § 7). Haereticis autem licitum est auferri ea quae habent, ut supra dist. 8, c. Quo jure (1) et i.e.c. I (c. 1, Q. VII) et s. e. Q. V, c. Si vos (c. 35, Q. V), melius tamen est quod auctoritate judicis fiat, ut sup. e. Q. 3, c. Sex sunt (c. 1, Q. III). Si ergo condemnatus est laicus de haeresi, confiscantur bona ejus, ut extra de haere. c. Vergentis, si clericus, tunc res ejus sunt Ecclesiae applicandae, ut extra ead. c. Ad Abolendam (cc. 9, 10-X-V-7), et haec vera sunt, etiamsi aliquis haereticus habet filios vel agnatos, ut extra eod. c. Vergentis, in fi. et sic corrigitur lex quae dicit bona haereticorum ad filios vel agnatos devolvi, ut C. de haere. Auth. De Nestorianis. Licet autem bona sint ablata haereticis, si tamen fuerint reverti ad fidem, priora bona eis ex misericordia restituantur et etiam Episcopatus, ut supra ead. Q. 4, c. ipsa pietas (c. 24, Q. IV) et infra ead. c. 3 (Q. VII). Sic est melioris conditionis ille qui revertitur ab haeresi quam qui revertitur ab hostibus. Nam si desertor revertitur sponte ad suos, licet indulgeatur ei vita, tamen in insulam deportatur, ut ff de re milit. l. non omnes, § desertorem (Dig : XLIX, XV : De re militari, 5, § 4 : qui in desertione fuit...)

189. Vincent d'Espagne : Appatatus super Decretales, *B. N.* mss lat. 3967, De

Par contre, il insiste assez longuement sur l'exhérédation. Il écrit
au sujet de *Vergentis*, au mot : *Filiorum* : « Il est dit ici expressément
que les biens des hérétiques doivent être confisqués, qu'ils aient des
fils ou non, et que rien ne doit être laissé aux fils catholiques des hérétiques. Mais ce n'est pas conforme aux lois romaines *De Haereticis* ;
Manichaeos, Cognovimus, De Nestorianis, où il est dit que les biens
des hérétiques sont dévolus à leurs fils catholiques, et, à défaut de
fils catholiques, à leur parenté ou à leurs alliés catholiques. » Et de
rapporter à ce sujet l'opinion de Laurent (d'Espagne) et de Jean (de
Galles !) d'après laquelle « cette décrétale corrige les lois et substitue
au droit antique un droit nouveau »[190].

Vincent d'Espagne ne se contente pas d'opposer les deux législations, il se déclare nettement en faveur des lois romaines parce qu'elles
sont plus équitables. « L'équité, dit-il, doit être préférée au droit strict :
Equitas autem juri stricto preferenda est », et de justifier sa position
par une double référence au Droit Romain : le principe d'Hermogène,
au Digeste : *de Poenis*, XLVIII, XIX, 42, déclarant que « dans l'interprétation des lois les peines doivent être plutôt adoucies qu'exagérées », et une constitution de Constantin et Licinius, au Code : *de
Judiciis*, III, I, 8, décidant « qu'en toutes choses il y a lieu de suivre
les principes de justice et d'équité plutôt que les exigences du droit
pur ». En vertu de ces règles, Vincent d'Espagne estime pouvoir minimiser la portée de la décrétale. « Je dis que cette décrétale l'emporte
sur les lois seulement sur les terres soumises à la juridiction du seigneur pape. Sur les autres terres, ce sont les lois qui prévalent à cause
de leur plus grande équité[191]. » Ce en quoi il se trompe. La décrétale
est adressée, il est vrai, au clergé et au peuple de Viterbe, mais elle
a été envoyée hors du domaine pontifical, notamment dans le midi
de la France, elle y a trouvé son application au temps de la Croisade
albigeoise qui a dépouillé plus ou moins entièrement les dynasties

Haereticis, fol. 183 v⁰ b à fol. 185 v⁰ a. Au mot relinquantur : « Sic dicitur tradi
curie ab episcopo quando deponuntur... et haec quando ultimi supplicii pena in-
fligenda est ab ecclesia tradi posset curie directe... fol. 184 v⁰ b.

190. « Expresse dicitur hic quod bona hereticorum confiscantur, sive filios habent sive non, nec catholicis filiis hereticorum est aliquid relinquendum, sed dicunt leges c. de hereticis Manicheos et Cognovimus et authen. idem de Nestorianis ubi dicitur quod bona hereticorum devolvuntur ad filios catholicos et si filios
orthodoxos non habent devolvuntur ad cognatos vel agnatos catholicos ad hec
dixerunt Laur. et Jo. quod haec decretalis corrigit illas et jus illud antiquum
trahitur ad istud novum. ar ff de legibus et consuetudine, non est novum (Paul
au Dig : I, III, 26 : Non est novum ut priores leges ad posteriores trahantur) et
S. de Cog. spi, c. 1 (c. 1-X-IV-11). fol. 184 v⁰ a.

191. « Ego dico hanc decretalem praevalere legibus supradictis in terris illis
duntaxat quae subsunt temporali juridictioni domini papae sicut ex lectura precedenti probatur. In aliis autem terris praevalent leges... nam majori equitate
nituntur. Haec decretalis de severitate loquitur ut ex lectura patet. Equitas autem juri stricto preferenda est S ...placuit, nam cum hoc sic pena molienda est
et non exasperanda » : Placuit, dans C.J : III, 1, 8 : « Placuit in omnibus rebus
praecipuam esse justitiae aequitatisque quam stricti juris rationem » ; Hermogène au Dig : XLVIII, XIX, 42 : « Interpretatione legum poenae molliendae sunt
potius quam asperandae. »

indigènes qui étaient peut-être suspectes d'hérésie, mais non qualifiées d'hérétiques[192]. Quoi qu'il en soit, il est intéressant de noter cette prise de position qui sera suivie par les décrétalistes, en faveur de l'équité romaine plutot que de la rigueur canonique.

Plus loin, au mot : *Puniantur*, Vincent d'Espagne déclare que l'exhérédation ne s'applique qu'en trois circonstances graves : pour crime d'hérésie, suivant précisément *Vergentis*, pour lèse-majesté, suivant la constitution *Quisquis* ou *Si quis cum militibus* qui est passée du Code : IX, VIII, 5, au Décret : c. 22, C. VI, Q. I, et pour meurtre des clercs, d'après le c. 45 du IVe concile de Latran, *In quibusdam* : c. 12-X-V-37[193].

Tancrède de Bologne insiste, dans sa glose sur la décrétale *Vergentis*, sur les incapacités et sur l'exhérédation[194].

L'hérétique, étant infâme, devient incapable de remplir une fonction publique, d'exercer une magistrature, de devenir ministre d'église et d'en créer, de faire un testament, d'exiger le respect des contrats[195]. Mais une question se pose. Tancrède se demande au mot : *firmitatem*, quelle serait la valeur d'une sentence prononcée par un juge dont on ignorerait l'infamie. Il rappelle une opinion de Vincent : en rigueur de droit la sentence est injuste, le pseudo-magistrat n'ayant aucune juridiction. L'argument peut être tiré de la Cause, XI, Q. III, qui traite précisément des sentences des évêques et de la valeur qu'il faut leur attribuer, notamment dans les canons 44 et suivants. Toutefois un *Dictum Gratiani* après le c. 1, C. III, Q. VII rappelle, sans le dire expressément, cette opinion d'Ulpien au Digeste : *de Officio Praetorum*, I, XIV, 3, estimant que la sentence d'un juge incapable — il s'agit d'un esclave qui par erreur aurait été porté à la préture — peut être néanmoins considérée comme valide, ou, ce qui revient au même, validée par la nécessité sociale[196]. Mais ce n'est qu'une opinion, et dans tous les cas cette opinion ne serait qu'une exception.

D'ailleurs, l'autorité suprême ecclésiastique peut toujours intervenir *ratione peccati*, comme le disait Innocent III, pour déclarer sans

---

192. Voir ci-dessus ch. III, pp. 179 ss. et ch. IV, *passim*.

193. « Puniantur : sic quod in duobus casibus exheredantur in crimine hereseos ut hic, item in crimine lesae majestatis ut VI, q. I si quis cum militibus et pro parte exheredantur et inlegibiles efficiuntur filii patronorum illorum qui prelatos vel clericos ecclesiae suae occidere vel mutilatione *(sic)* praesumpserint ut S de Poenis, c. In Quibusdam », fol. 184 v° a.

194. TANCRÈDE : Glossa super Compilatione Tertia, dans *Commentaria Decretalium*, B. Mun. Lille, mss lat. 697, fol. 120 à 232.

195. « Publica officia : ad publica non... possunt hi heretici nec creari ad regimen aliquis *(sic)* civitatis vel reipublicae... nec possunt creari ministri ecclesiae nec alios possunt dare... nec capiunt ex alicujus hereditate vel ultima voluntate ut XXIII, Q. II Sane et eo ultim... (cc. 3, 6, C. XXIV, Q. II). Intestabilis : non possit condere testamentum. A negotio : cum sit excommunicatus... non teneor et solvere dum est in excommunicatione, C. XV, Q. VI, nos sanctorum et c. juratos (cc. 4, 5, C. XV, Q. VI). fol. 217 v° a.

196. « Firmitatem : quid si ab ignorantibus ipsum esse talem eligitur ut judicem et sententiam dicat ? Responso tamquam a non suo judice lata non valet ut XI, Q. 3... S. III, Q. VII... tamen ff de offi praetorum, Barbarius. Vinc. fol. 217 v° a.

doute l'infamie des juges et des princes et pour les déposer. « Le pape, écrit Tancrède, peut priver de leur dignité les juges séculiers, non seulement pour motif d'hérésie, mais encore pour d'autres iniquités, comme il est dit XVI *(sic)* q. VI, *alius* (c. 3, C. XV, Q. VI) : il peut même transférer l'empire d'un lieu à un autre *(sic)* comme il est dit dans les Décrétales, *de Electione venerabilem* (c. 34-X-I-6)... et non seulement le pape, un prélat, peut user de l'excommunication, mais encore n'importe quel ecclésiastique, pour contraindre n'importe quelle autorité séculière à observer la justice à l'égard de ses sujets, comme il est dit XXIII, Q. V, *administratores* (c. 26, C. XXIII, Q. V)[197].

Aux mots *Exheredatio filiorum* et *Puniantur*, le texte de Tancrède est à peu près identique à celui de Vincent : on y retrouve le même style, les mêmes expressions à peine modifiées, les mêmes références. On en conclut, ou bien que Tancrède a copié Vincent, ou bien que, les deux glossateurs ont eu des réactions semblables et qu'ils se sont communiqués leurs impressions[198].

Saint Raymond de Peñafort a consacré dans sa *Summa* un Titre « aux hérétiques et à leurs fauteurs et à ceux qui sont ordonnés par eux »[199]. On voit par là quelles sont les préoccupations du compilateur des Décrétales. Elles rejoignent celles de Vincent et de Tancrède sur la valeur des actes accomplis par des infâmes.

Saint Raymond rappelle d'abord sans commentaires les définitions traditionnelles de l'hérésie, d'après saint Jérôme et saint Augustin, cc. 27, 28, 29, 31, C. XXIV, Q. III, qu'il précise d'après l'épitre de Nicolas Ier à l'empereur Michel III, c. 2, C. IV, Q. I, et les propos

---

197. « Praecipimus : quod facere potest dominus papa sub obtentu peccati ut S. de judi, novit (c. 13-X-II-1) Vinc... potest papa seculares judices privare dignitatibus suis non tamen propter heresim, sed etiam propter alias iniquitates ut XVI, Q. VI alius, nam et imperium transfert de loco ad locum ut S de elec. venerabilem... et non solum papa prelatus per excommunicationem potest, sed etiam quilibet ecclesiasticus per excommunicationem potest quemlibet cogere secularem ad faciendam justitiam de subditis suis ut XXIII, Q. V, administratores. fol. 217 v° b.

198. « Exheredatio filiorum : expresse dicitur hic quod bona hereticorum confiscantur cum filios habeant sive non nec catholicis filiis hereticorum aliquid relinquendum est, sed contradicunt leges de hereticis Manichaeos et l. Cognovimus et authen. idem de Nestorianis ubi dicitur quod bona hereticorum devolvenda sunt ad filios orthodoxorum et si filios orthodoxos non habent devolvuntur ad cognatos et agnatos orthodoxos. Ad hoc dixerunt JO. et LA. quod illa decretalis corrigit illas leges et jus illud antiquum trahitur ad istud novum arg. ff. de legibus et cons. non est novum (Dig : I, III, 26) et S. de cogna. spi. l. I... (c. 1-X-IV-II). Ego dico hanc decretalem prevalere supradictis in terris illis dumtaxat quae subsunt temporali juridictioni domini papae sicut et lectura precedens probat... equitas enim juri stricto preferanda est ut Placuit... Puniantur : nota quod in duobus casibus filii exheredantur in crimine hereseos ut hic, in crimine lesae majestatis ut VI, q. I si quis cum militibus... » fol. 217 v° b.

199. Sancti Raymundi de Peñafort, ordinis praedicatorum, *Summa*, Lib. I, Tit. V : De Haereticis et fautoribus eorum et ordinatis ab eis, Vérone, 1744, pp. 30 et ss.

sur la simonie du patriarche Taraise de Constantinople au pape
Hadrien Ier, c. 21, C. I, Q. I.

Sur les peines personnelles, Saint Raymond se contente de citer
deux textes du Décret, le premier de la plus haute importance, mais
sans rapport précis avec le sujet : il s'agit de la déposition d'un pape
hérétique[200], l'autre est cette fausse décrétale de Libère condamnant
aux incapacités, voire aux châtiments corporels et à l'exil, suivant
leur condition, les contempteurs de l'Eglise[201]. Les autres textes sont
bien connus : *Ad abolendam, Excommunicamus* du IVe concile de Latran et de Grégoire IX : ce dernier canon porte le verbe *voluerint* ce
qui lève toute difficulté d'interprétation[202].

Sur la confiscation des biens, saint Raymond rappelle quelques
textes, également bien connus, la plupart tirés de la Cause XXIII,
qui justifient d'après l'Ecriture et les Pères[203] la spoliation des hérétiques. Il ajoute le *c. Excommunicamus* du IVe concile de Latran,
§ *Catholici vero*, qui consacre la théorie de la Croisade.

Ici, deux questions se posent. Si les hérétiques se convertissent,
leur rendra-t-on leurs biens sinon à eux-mêmes, du moins à leurs enfants ? La décrétale *Vergentis* y pourvoie : les biens seront restitués
« en vertus de la miséricorde ». Et si les hérétiques ont une descendance catholique, la spoliation dont ils sont victimes atteindra-t-elle
les innocents ? Nous venons de voir comment Vincent et Tancrède
ont cru devoir répondre. Saint Raymond ne fait aucune allusion, ni
à la portée réduite de la décrétale, ni à l'équité des lois romaines. Il
se contente de mentionner la différence qui existe entre la Novelle
de Nestorianis et *Vergentis in senium.* et de justifier la décrétale, comme
elle se justifie elle-même, par l'argument de la lèse-majesté divine[204].
Toutefois, saint Raymond incline davantage du côté de la loi justinienne dont la décrétale ne serait qu'une des trois exceptions.

« Remarquez, dit-il, que la privation de l'héritage paternel ne se
réalise qu'à propos de trois crimes : celui d'hérésie, comme le dit *Vergentis* à la fin. » Encore y a-t-il lieu de préciser très exactement le délit
d'hérésie du père. Il se réalise « quand le père enseigne publiquement
contre la foi catholique ou avoue publiquement ou défend son erreur,
ou bien quand en présence de son Ordinaire il est convaincu d'hérésie
ou avoue être tel ou est condamné par sentence comme hérétique,

---

200. C. Si Papa 6, Dis. XL. Ce texte, attribué à saint Boniface, a joué un rôle
important dans la genèse des théories conciliaires. Voir Brian Tiernye : *Foun-
dations of the conciliar theory. The Contribution of the Medieval Canonists from Gratian to the Great Schism*, Cambridge, 1955, pp. 57 et ss.

201. c. Qui contra 32, C. XXIV, Q. I, dans P. Hinschius : *Decretales Pseudo-
Isidorianae...*, p. 478. Voir ci-dessus ch. I, p. 53.

202. *Summa*, pp. 31, 32, 33.

203. Références : c. 1, Dis. VIII, c. 7, Dis. I, C. XXIII, c. 4, Q. I, c. 1, Q. II,
c. 1, Q. III, cc. 32 et 35, Q. V, cc. 1, 2, 3, Q. VII, cc. 13, 24, Q. VIII.

204. « Quid si habeat filios catholicos vel alios consanguineos, numquid illi saltem debeat habere sua ? Videtur quod sic, quia ita dicitur C. de Haereticis Auth.
Idem est de Nestorianis. Dominus tamen Innocentius argumentans a minori de
crimine laesae Majestatis terrenae ad crimen majestatis coelestis constituit etiam
filios orthodoxos a paternis bonis penitus excludendos », p. 35.

De verb. signif. c. super Quibusdam ». Il s'agit d'une lettre d'Innocent III à Raymond VI de Toulouse, lettre qui se présente comme une consultation authentique où le pape définit, sur la demande du comte, entre autres choses, ce qu'il faut entendre exactement par « *haeretici manifesti* » : c. 26-X-V-40. Saint Raymond ne fait que reprendre les termes de la consultation pontificale. On pourrait évidemment serrer les textes et, en pesant tous les mots, réduire la portée juridique de la décrétale. On remarque, par exemple, qu'il n'est question que de l'héritage paternel et que des héritiers mâles. Hostiensis en tirera des conséquences que nous verrons plus loin.

Autre exception : « Dans le crime de lèse-majesté, et, selon certains, dans le crime de simonie, qui lui est assimilé. » Deux références sont données au Décret : cc. 4 et 5, C. XV, Q. III. La première est tirée d'une constitution de l'empereur Léon assimilant au crime de lèse-majesté le délit de simonie, C. J : I, III, 31 *in fine*, la seconde est une décrétale du pape Jules réglant un détail de procédure sur ce sujet. Comme la simonie est elle-même assimilée à l'hérésie d'après l'épitre de Taraise à Hadrien, citée plus haut, et combien d'autres textes de la Cause I, l'hérésie devient une forme, la plus grave peut-être, de la lèse-majesté, comme attentatoire à la majesté dicine.

Dernier exemple : « Celui qui est compromis dans le meurtre d'un clerc est privé de tout bénéfice ecclésiastique, *de Poenis, c. In Quibusdam* », c. 12-X-V-37 déjà signalé par Vincent et Tancrède.

En dehors de ces trois exceptions, « les biens des condamnés sont régulièrement dévolus aux héritiers, *C. de bonis damnatorum, Auth. Bona* »[205]. Il s'agit de la novelle CXXXIV, rapportée dans le Code : IX, XLIX, après la loi 11. En voici l'essentiel : « Les biens des condamnés et des proscrits ne sauraient être confisqués suivant les anciennes lois, mais doivent être réservés à la parenté sur toute la ligne directe et en ligne collatérale jusqu'au troisième degré... C'est à défaut de la susdite parenté que les biens des délinquants seront versés au fisc[206]. »

Saint Raymond est aussi préoccupé des problèmes relatifs à la réconciliation des hérétiques et à la valeur des sacrements qu'ils auraient

205. « Unde nota quod in tribus criminibus ab haereditate paterna, scilicet in crimine haeresis, de haeret. c. Vergentis, in fine. Quod videtur intelligendum quum pater publice praedicat contra fidem catholicam, vel publice confitetur, vel defendit errorem, vel coram praelato suo convictus est vel confessus aut sententialiter condemnatus de haeresi. De verb. signif. c. Super quibusdam. Item in crimine lesae majestatis et secundum quosdam simoniae, quia ei parificatur *(sic)* 15 quaest. 3 c. sane et c. nemini. Item in infectore clerici qui privatur omni beneficio ecclesiastico, de poenis, c. in Quibusdam, et dicemus infra de homicid. Aliter regulariter bona damnatorum ad haeredes devolvuntur, Auth. Bona », p. 35.

206. « Bona damnatorum seu proscriptorum non fiunt lucro judiciis aut eorum officiis : neque secundum veteres leges fisco applicantur, sed ascendentibus et descendentibus et ex latere usque ad tertium gradum, si supersint. Uxores vero eorum dotem et ante nuptias donationem accipiant. Si vero sine dolo sint, de substantia mariti accipiant partem legibus definitam sive filios habeant sive non. Sed si neminem praedictorum habent qui deliquerunt, eorum bona fisco sociantur. In majestatis vero crimine condemnatis veteres leges servari jubemus. »

administrés. Il trouve facilement dans le Décret procédure et formules de réconciliation[207]. Mais que faire des convertis qui auraient reçu les Ordres de prélats hérétiques ? Un principe général est qu'en dehors de l'Eglise il n'y a pas de vrais sacrements, d'après Pélage et saint Augustin : c. 34, C. XXIV, Q. I et c. 36, Dist. II *de cons.* Toutefois une discrimination s'impose : l'évêque actuellement hérétique, mais qui a reçu l'imposition des mains dans l'Eglise, confère validement l'Ordre, mais non l'exercice de l'Ordre : l'ordonné de bonne foi et reconnu idoine pourrait demander une dispense qui l'autoriserait à exercer les fonctions de son ordre, mais il ne saurait être promu. Au contraire, l'évêque hérétique, créé hors de l'Eglise, ne saurait pas même conférer l'Ordre. Il ne s'agit plus ici d'illicéité, mais d'invalidité[208]. Quant aux convertis, y compris sans doute l'évêque, ils ne sauraient être reçus qu'à la communion laïque, sauf dispense. Il y a quatre sortes de dispenses que saint Raymond énumère en terminant, sans commentaires : *semi-plena, plena, plenior, plenissima*[209].

*
* *

De ces considérations une impression de sérénité se dégage qui contraste curieusement avec cette période orageuse des premières années de l'Inquisition. Tandis que les inquisiteurs, animés d'un esprit de vengeance plutôt que de miséricorde, remplissent leur mandat avec un zèle excessif et brouillon, les canonistes s'étonnent de la rigueur de la discipline ecclésiastique et ne laissent pas de manifester leur préférence pour l'équité des constitutions impériales romaines.

207. Références : c. 9, C. I, Q. VII, c. 42, Dis. II de cons., c. 9-X-V-7, c. 32, de Poenit. Dis. III.
208. Références : c. 6, Dis. XXXII, c. 36, Dis. II de cons., c. 43, Dis. IV de cons., C. I, cc. 71, 87, 89, 96, Q. I ; cc. 4, 24, Q. VII ; C. IX, cc. 3, 4, 5, Q. I ; C. XXIV, c. 34, Q. I.
209. Références : c. 42, C. I, Q. I : c. 4, C. I, Q. VII ; c. 8, Dis. XII ; c. 24, C. XXIII, Q. IV.

Chapitre VI

LÉGISLATION ET DOCTRINE DE L'INQUISITION

Après la crise de l'Inquisition monastique, due à ses propres excès et à la carence même de l'Inquisition sur les terres impériales, succède une période d'intense activité législative, plus conciliaire que pontificale, d'où est sortie l'organisation définitive de l'Inquisition.

Le concile provincial de Tarragone, réuni en 1242 par l'archevêque Pierre d'Albalat dans sa ville épiscopale, représente un premier essai d'organisation de l'Inquisition espagnole par les évêques aragonais et catalans. Le concile revêt une particulière importance à cause de la présence de Saint Raymond de Peñafort, le compilateur des Décrétales, l'ancien Maître Général des Dominicains, qui venait de rentrer dans son pays natal[1].

L'œuvre du concile peut se résumer de la manière suivante :

— Définitions — On appelle *heretici* ceux qui s'obstinent dans leur erreur. C'est en termes équivalents la définition même donnée par saint Augustin et rapportée dans le Décret de Gratien[2]. Ici, l'hérétique dont il s'agit est plus vaudois que cathare. Il ne reconnaît pas la valeur du serment, il n'admet pas l'obéissance aux autorités ecclésiastiques et civiles ni la légitimité de la peine temporelle. On appelle *credentes* ceux qui ajoutent foi aux enseignements des hérétiques et ils leur sont assimilés. On appelle *suspectus de haeresi* celui qui assiste aux prêches des hérétiques et participe si peu que ce soit à leur liturgie. On appelle *celatores* ceux qui, connaissant des hérétiques, ne les dénoncent pas aux autorités compétentes, *occultatores* ceux qui se sont engagés à ne pas révéler la présence d'hérétiques dans leurs demeures ou en tout autre lieu, *defensores* ceux qui prennent en toute connaissance de cause la défense des hérétiques en paroles ou en actes et qui s'ingénient à neutraliser l'exercice de l'Inquisition, *fautores* ceux qui,

---

1. J. Saenz de Aguirre : *Collectio maxima Conciliorum omnium Hispa nia et Novi Orbis*, t. V, pp. 190 et ss. Mansi, t. XXIII, cc. 553 et ss.
2. « Heretici sunt qui sua errore perdurant », c. 31, C. XXIV, Q. III.

à quelque titre que ce soit donnent aux hérétiques le conseil, l'aide et la faveur, *relapsi* ceux qui, après abjuration, retournent à l'hérésie[3].

— Règles d'appréciation — En réponse à certaines objections, le concile qui doit connaître les statuts de Grégoire IX — Saint Raymond de Peñafort est plus qualifié que quiconque pour les interprêter — pose un certain nombre de règles d'appréciation. D'aucuns se sont demandés ce qu'il fallait faire des chefs hérétiques : *heretici dogmatizantes* et des relaps qui se déclarent prêts à faire pénitence. Il n'y a pas lieu, quoi qu'on ait pu penser, de les livrer à la justice séculière. Il faut les emprisonner. Toutefois, ce principe général peut quelquefois fléchir. Si hérétiques et croyants se présentent en foule et se déclarent prêts à abjurer, le juge pourra substituer à la prison des peines canoniques, sans doute les flagellations et le port des croix d'étoffe, comme on le lit ailleurs. Si au contraire ils viennent en petit nombre, les hérétiques proprement dits seront emprisonnés, les croyants seuls pourront bénéficier de quelque indulgence[4]. Cette interprétation relativement bienveillante des statuts du Saint-Siège a sans doute pour but de provoquer le plus grand nombre de conversions possibles.

Un problème très délicat se posait à la sagacité des Pères du concile : dans quelle mesure la confession des hérétiques et assimilés suivant les définitions précédentes pouvait-elle les justifier au for externe

---

3. « Heretici sunt qui suo errore perdurant sicut sunt Insabbati qui dicunt in aliquo casu non esse jurandum et potestatibus ecclesiasticis vel saecularibus non esse obediendum et poenam corporalem non esse infligendam in aliquo et similia — Credentes vero dictis haeresibus similiter haeretici sunt dicendi — Suspectus de haeresi potest dici qui audit praedicationem vel lectionem Insabbatorum, vel qui flexit genua orando cum eis, vel qui dedit osculum eis, vel qui credit ipsos Insabbatos esse bonos homines vel similia quae possunt probaliter suspicionem inducere... — Celatores credimus eos qui viderunt Insabbatos in platea vel in domo vel in alio loco et cognoverunt eos Insabbatos et non revelaverunt eos, cum haberent aptitudinem revelandi eos Ecclesiae, vel justitiario vel aliis qui possent eos capere — Occultantes dicimus qui fecerunt pactum de non revelando haereticos vel Insabbatos in domo sua vel in alio loco suo... — Defensores dicimus qui scienter defendunt haereticos vel Insabbatos verbo vel facto vel quocumque ingenio in terris suis vel alibi, quominus Ecclesia possit exercere suum officium ad extirpandam haereticam pravitatem — Fautores credimus omnes supradictos posse dici secundum magis et minus : et etiam qui alias quocumque modo eis dederint consilium, auxilium vel favorem... — Relapsos dicimus illos qui post abjuratam haeresim vel renunciatam, revertuntur in pristinam credentiam haeresis.

4. « Dubitatio etiam oritur apud quosdam utrum relapsi in credentiam et haeretici dogmatizantes, si postquam fuerint deprehensi voluerint poenitere, relinqui deberent judicio saeculari ? Et videtur nobis quod non, sed in quocumque casu tales ad intrusionem sunt condemnandi — Item si multitudo haereticorum seu credentium fuerit multa et parati sunt haeresim abjurare, discretus judex secundum magis et minus, juxta provisionem Apostolicae Sedis, poenas canonicas potest infligere talibus, et sic poenam intrusionis vitare : vel etiam si multitudo non est tanta circa credentes, discretus judex consideratis circumstantiis potest moderari prout viderit expedire, proviso tamen quod perfecti haeretici vel dogmatizantes eorum errores vel credentes relapsi in credentiam post abjuratam in haeresim vel renunciatam in perpetuo carcere intrudantur, haeresi penitus abjurata et absolutione habita excommunicationis, ut ibi salvent animas suas et alios de caetero non corrumpant. »

et par conséquent les soustraire aux peines temporelles de l'Inquisition ?

Deux hypothèses sont envisagées selon le temps de la confession. Première hypothèse : des hérétiques ou fauteurs se confessent à « leur prêtre », c'est-à-dire à leur curé suivant la formule du IVᵉ concile de Latran, c. 14-X-V-38, au moment où l'Inquisition s'apprête à fonctionner, *ante inquisitionem inceptam*, puis ils sont cités par les inquisiteurs. Leur confession était peut-être sincère ; elle pouvait aussi bien n'être qu'un moyen d'échapper aux peines temporelles. Pour le savoir, on interrogera le confesseur, dit le texte, et on ajoutera foi à sa parole. Cela veut-il dire que le confesseur serait appelé à déclarer simplement avoir entendu en confession tel ou tel pénitent — ce qui ne paraît guère compromettant — ou bien serait-il invité à dire ce qu'il a entendu en confession — ce qui signifierait la violation directe du secret sacramentel, laquelle entraîne la déposition du coupable et son internement dans un couvent sévère : c. 2, D. VI *de Poenit.* et c. 12-X-V-38 ?

On lit dans le texte : « *...si inventus fuerit bene confessus per confessionem sacerdotis* », ce qui peut signifier, ou bien que tel pénitent s'est effectivement confessé, ou bien qu'il a fait une bonne confession. Dans les deux cas, notamment dans le second, il y a, vu le contexte, une certaine violation du secret sacramentel. C'était peut-être nécessaire dans l'intérêt de la vérité pour la justification du pénitent au for externe. Mais c'était d'une extrême gravité, vu la tradition canonique, si constante et si sévère avec raison sur ce point. Aussi bien, c'est sans doute la raison pour laquelle le concile regrette que le curé ait entendu son paroissien en confession. Il a mal agi, dit le texte, car il aurait dû remettre le coupable à l'évêque, ce qui suppose assurément que le curé connaissait par ailleurs son pénitent comme hérétique ou comme fauteur. Néanmoins, le concile ne dit pas que l'absolution est invalide, il la déclare seulement illicite. Mais ce n'était là que solution provisoire d'un problème irritant qui se posera de nouveau quelques années plus tard au concile de Narbonne, lequel évitera de se prononcer — nous le verrons ci-dessous — mais décidera qu'on s'en remettrait pour chaque cas particulier à la décision du Souverain Pontife.

Le témoignage possible du confesseur peut être pour le pénitent une tentation : celle de faire une confession nulle ou sacrilège. Cela, comment le saurait-on ? On lit encore dans le texte : « *...ille tamen confitens per talem confessionem evitet poenam temporalem, nisi inveniatur in falsa poenitentia, vel relapsus post poenitentiam vel publice diffamatus.* » Faut-il donner au mot *poenitentia* le sens de vertu ou de contrition, ou bien celui d'accomplissement de la pénitence sacramentelle ou de satisfaction ? Le premier sens n'est évidemment pas à rejeter ; encore voit-on mal comment le confesseur pourrait discerner l'absence de contrition d'un pénitent au cours d'une confession astucieuse. Le second sens paraît de beaucoup plus probable, d'abord parce que l'accomplissement de la pénitence sacramentelle est évidemment le meilleur signe de la sincérité du pénitent, ensuite parce que

19

le confesseur est aussi le curé du pénitent et qu'à ce titre il le contrôle, enfin parce que la *falsa poenitentia* est mise en relation avec la réincidence ou la diffamation, selon que le pénitent devient relaps ou est notoirement connu comme hérétique ou comme fauteur.

On jugera donc de la sincérité du pénitent d'après son attitude. Lui-même, d'ailleurs, certifiera par serment avoir accompli sa pénitence, ou, ce qui revient au même, avoir été réconcilié. Le serment sera confirmé par deux témoins, conformément, bien que le texte ne le dise pas, à la vieille procédure de la *purgatio canonica* qui comprend, outre le serment du prévenu, celui des *compurgatores*.

Deuxième hypothèse : ceux qui, en dehors de tout contexte inquisitorial, *ante inchoatam inquisitionem*, se sont confessés, étaient hérétiques ou fauteurs notoires ou occultes. Les premiers doivent faire publiquement leur abjuration et satisfaire à quelque autre formalité non précisée. Les autres sont dispensés et de l'abjuration et de tout autre formalité, sans doute pour éviter le scandale. Mais on peut alors se demander comment de tels hérétiques peuvent être connus des inquisiteurs, sinon par l'indiscrétion du confesseur ? Dans tous les cas, les uns et les autres sont exempts de la peine temporelle.

Au contraire, ceux qui ont cherché à tromper les inquisiteurs, quel qu'ait été le motif du dol : honte ou crainte, et qui dans la suite ont reconnu avoir menti, doivent être considérés, vu leur faute d'obreption ou de subreption, comme parjures et punis très sévèrement[5].

— Peines — Elles consistent dans la tradition du Bras Séculier, ou la prison perpétuelle, ou diverses pénitences.

La tradition au Bras Séculier, par conséquent la mort, est infligée aux hérétiques impénitents, l'emprisonnement aux hérétiques repentants. On a vu ci-dessus dans les Règles d'appréciation qu'en certaines circonstances l'emprisonnement peut être commué en pénitences. Celles-ci consistent à recevoir la discipline et à porter les croix d'étoffe. A certains jours de fête et à certains dimanches de l'année les pénitents vont en procession à la cathédrale ou à l'église paroissiale, les hommes *in braccis et camisa*, les femmes vêtues normalement. Les uns et les autres sont fustigés par l'évêque ou le curé. Ils assistent

---

5. « Item quaeritur quis ante inquisitionem inceptam fuit confessus sacerdoti suo de haeresi vel fautoria, et vocatus modo ab inquisitoribus ? In casu isto creatur confessori suo, et si inventus fuerit bene confessus per confessionem sacerdotis, licet sacerdos male fecerit, quia ipsum non remisit ad episcopum, ille tamen confitens per talem confessionem evitet poenam temporalem, nisi inveniatur in falsa poenitentia, vel relapsus post poenitentiam vel publice diffamatus. Si autem allegat manifestam poenitentiam vel reconciliationem, probet per duos testes. Si quos vero constat ante inchoatam inquisitionem de his fuisse confessos, debent publice abjurare haeresim, et aliam solemnitatem facere, nisi ita fit secretum factum, quod non habeat contra se famam vel testes : et tamen in utroque casu sunt ab omni poena temporali immunes. Si vero aliqui vocati ab inquisitoribus dejerant *(sic)* tempore suae dispositionis, et postea ad instantiam inquisitorum vel metu probationum discooperiunt veritatem, sed dicunt quod haec tacuerunt propter verecundiam vel timorem, tales credimus perjuros, quia qui scienter falsum dicunt vel verum tacent perjuri sunt, et ideo poenitentia canonica est eis gravis imponenda. »

à l'office ; toutefois à partir du mercredi des Cendres ils suivent l'office dehors et ne rentrent dans l'église que le jeudi saint. Ensuite ils portent sur leurs vêtements deux croix d'étoffe différente, sur les côtés. Les jours de fêtes et les dimanches prévus pour la flagellation sont en nombre variable suivant les catégories de pénitents. La durée de l'exclusion de l'église pendant le carême est également variable. Les lieux de pénitences sont dans la cité pour les *cives*, en dehors pour les *forenses*. Ceux-ci, néanmoins, doivent venir au moment du carême dans la cité, sauf dispense de l'évêque obtenue « sans fraude ni dol »[6].

— Formules — Enfin, le concile donne un certain nombre de formules et de condamnation suivant les catégories d'hérétiques et de *purgatio canonica* de l'hérétique et de ses *compurgatores*, de fidélité à l'Eglise, etc...

Le texte de Tarragone n'est pas à proprement parler un code de procédure, à l'exception de ce qui concerne les pénitences. Il est plutôt, comme on l'a dit très justement « un véritable directoire de procédure inquisitoriale »[7]. On pourra noter la rigueur de la discipline, mais aussi un sens de justice, nuancée de miséricorde, qu'on pourrait appeler de l'équité.

Malgré cet effort de précision doctrinale et canonique il ne semble pas que le concile de Tarragone ait régularisé l'exercice de l'Inquisition[8]. En octobre 1248, Innocent IV ordonna au prieur des dominicains d'Espagne et à Saint Raymond de Peñafort d'envoyer des inquisiteurs dans cette partie de la province de Narbonne qui relevait politiquement du roi d'Aragon, mais il demanda en même temps à l'archevêque et aux inquisiteurs de Narbonne d'envoyer au prieur et à Raymond la procédure de Grégoire IX. Or, cette procédure avait été envoyée par Grégoire IX lui-même aux archevêques et elle avait

---

6. Les jours de pénitence et la durée d'exclusion de l'église peuvent, malgré certaines obscurités du texte, se résumer dans le tableau suivant :

Catégories de Pénitents	Jours	Durée
Credentes et Relapsi in fautoriam	Toussaint – 1er Dim. de l'Avent – Noël – Circoncision – Epiphanie – Chandeleur – Ste Eulalie – Annonciation – Dimanches de Carême.	10 ans
Non relapsi in fautoriam sed fautores et vehementissime suspecti	Toussaint – Noël – Epiphanie – Chandeleur – Dimanches de Carême.	7 ans
Fautores et vehementer suspecti	Toussaint – Noël – Chandeleur – Rameaux.	5 ans
Fautores et suspecti	Toussaint – Chandeleur – Rameaux	3 ans

7. A. DONDAINE : *Le Manuel de l'Inquisiteur* (1230-1330) dans *Archivum Fratrum Praedicatorum*, vol. XVII, 1947, pp. 88 et 96-97.

8. Les sentences contradictoires portées au sujet de Raymond de Malleolis et de sa femme Helena, en fourniraient sans doute une preuve : Lettre d'Innocent IV : 13 décembre 1244, *Reg.*, n° 799, H.-Ch. LEA : II, p. 198, J. GUIRAUD : II, p. 165. Peut-être aussi les hérétiques, en usant de la confession, réussissaient-ils quelquefois à circonvenir le tribunal. Le 25 mai 1248, Innocent IV, écrivant à l'évêque de Lérida, rappelle que l'hérétique qui se convertit doit abjurer publiquement et fournir une caution en gage de sa sincérité : *Reg.*, n° 3904.

été interprétée au concile de Tarragone. On se demande alors suivant quelles normes les hérétiques étaient jugés. Ce n'est qu'en 1254 sur les instances de Jacques II qu'Innocent IV organisa en Espagne l'Inquisition dominicaine[9].

*
* *

Le Languedoc, après la révolte du comte de Toulouse, s'abandonne définitivement au vainqueur[10]. Raymond VII vint à Lorris en 1243 pour y renouveler entre les mains de Blanche de Castille ses promesses antérieures. Avec lui, comme lui, les seigneurs et les consuls des villes du Languedoc s'engagèrent pareillement envers le Roi de France[11]. Cependant Raymond avait été excommunié par l'archevêque de Narbonne et par les dominicains, tant pour avoir au moins toléré le meurtre des inquisiteurs dans le château d'Avignonnet que pour avoir prétendu éliminer l'Inquisition dominicaine[12]. Il se rendit en Italie pour demander au pape sa réconciliation. Il l'obtint. En 1243, il fut absout par l'archevêque de Bari sur l'ordre d'Innocent IV. L'année suivante, il fut réhabilité devant l'épiscopat et même préservé pour cinq ans contre l'arbitraire des Ordinaires et des inquisiteurs qui ne pourraient désormais ni l'excommunier ni interdire sa terre sans l'autorisation du Saint-Siège[13]. En 1247 il exerça l'Inquisition séculière contre les hérétiques d'Agen[14], il se préparait à rejoindre Saint Louis en Orient, mais il mourut à Millau le 27 septembre 1249.

9. Lettres des 6 et 20 octobre 1248 : P. 13040, 13056, 130 57, *Reg.*, n° 4185 4157, 4156, Mansi, t. XXIII, c. 568-569.

10. Ch. Schmidt : I, pp. 311 et ss. P. Belperron, *ouvr. cité*, pp. 399 et ss.

11. A. Teulet : *Layettes*, t. II, n° 3012, 3029, 3030, 3041-3045, 3056-3074, 3085-3096, 3111-3114, 3168-3171, pp. 488 et ss.

12. Le 21 avril 1243, le comte de Toulouse invitait les évêques à exercer l'Inquisition et à se procurer d'autres auxiliaires que les seuls dominicains : « Ad honorem Dei omnipotentis et exaltationem fidei et extirpandam hereticam pravitatem de terris nostris, nos, R. Dei gratia comes Tolose, marchio Provincie, supplicamus cum omni instantia et devotione vobis venerabilibus patribus Tolosano, Agennensi, Caturcensi, Albiensi et Ruthenensi episcopis quatenus per vos vel per idoneas personas Cisterciensis ordinis, fratrum Praedicatorum, Minorum vel per alios, prout melius fraternitati vestre videbitur expedire, inquisitionem contra haereticos, credentes, receptatores, defensores et fautores eorumdem, in terris nostris in vestris diocesibus constitutis, faciatis vel fieri faciatis cum cura vigili et sollicitudine diligenti... D. Vaissète : *Preuves*, t. VIII, n° 363, cc. 1121-1122. Raymond VII était alors sous le coup d'une double excommunication, celle que les inquisiteurs dominicains avaient fulminée contre lui, et celle de l'archevêque de Narbonne, Pierre Amiel, qui confirmait la précédente : D. Vaissète, t. VIII, n° 352, cc. 1090-1091.

13. Lettres des 2 et 12 décembre 1243, 1er, 4, 7, 28 janvier, 27 février, 14 mars, 16 ou 17 mai 1244, P. 11187, 11192, 11213, 11228, 11265, 11390, *Reg.*, n° 360, 364, 415, 491, 697, A. Teulet : *Layettes*, t. II, n° 3144, 3148, 3156, 3163, 3184.

14. Le 1er mai 1242, le comte de Toulouse s'était engagé envers l'évêque d'Agen à poursuivre les hérétiques : D. Vaissète, t. VIII, n° 350, cc. 1088-1090. « Il avait ordonné de procéder dans la ville à une véritable râfle d'hérétiques. Après un interrogatoire en sa présence il en fit brûler 80, qui avaient été convaincus d'hérésie » : P. Belperron, *op. cit.*, p. 438. Voir lettre d'Innocent IV à l'évêque d'Agen : 24 juillet 1246, *Reg.*, n° 2043.

A la faveur de la paix capétienne l'Inquisition commença par porter un coup très dur à l'hérésie. En 1243, Pierre Amiel, archevêque de Narbonne, Durand, évêque d'Albi et Hugues d'Arcis, sénéchal de Carcassonne, investirent le château de Montségur, citadelle du catharisme. Après un siège d'un an, Montségur fut emporté. Deux cents hérétiques, sommés d'abjurer, s'y refusèrent. Ils furent placés au centre d'une palissade circulaire et brûlés[15].

En même temps l'Inquisition se réorganisa. Malgré les doléances de Raymond VII, Innocent IV maintint les inquisiteurs dominicains dans le Languedoc. Comme ils étaient peut-être un peu désemparés, il leur donna quelques directives[16]. De leur côté, les évêques, réunis en conciles à Narbonne en 1243, Béziers 1246, Valence 1248, Albi 1254, réglèrent les rapports entre Ordinaires et Inquisiteurs et promulguèrent une législation cohérente et complète. Le premier des quatre conciles fut présidé par l'archevêque de Narbonne qu'assistaient les archevêques d'Arles et d'Aix et leurs suffragants. Le second, le plus important, ne fit que canoniser les règlements du légat Pierre d'Albano. Les deux autres furent effectivement présidés par des légats, celui de Valence par le même Pierre d'Albano et son collègue Hugues de Sainte-Sabine, celui d'Albi par Zoën, évêque d'Avignon. Ce dernier concile a été tenu, dit le texte, « sur l'ordre de Louis, Roi de France »[17]. La réorganisation de l'Inquisition au milieu du XIIIe siècle est bien l'œuvre commune, ici encore, de l'Eglise et de la Monarchie.

Cette législation se résume de la manière suivante.

Les deux Inquisitions, épiscopale et monastique, fonctionnent parallèlement. On a cependant l'impression que la première est davantage ordonnée à la recherche des hérétiques et au contrôle des pénitences. L'instruction et le jugement seraient davantage dans les attributions de la seconde. Ce n'est qu'une impression. Les conciles légifèrent à la fois pour les Ordinaires et pour les Dominicains. Le Directoire très précis du Concile de Béziers[18] vaut aussi bien pour ceux-ci que pour ceux-là. Quant à l'Inquisition séculière, elle est évidemment au service des deux autres.

Les conciles définissent avec quelques précisions les différentes

---

15. Guillaume DE PUYLAURENS, ch. XLIV, éd. J. Beyssier, p. 165 : « Ubi erat publicum refugium quorumlibet melefactorum et haereticorum, qui conversionem ad quam invitabantur recusantes, in claustra sibi facta de palis et sudibus igne immisso combusti ad ignem Tartarorum transierunt. » Sur les circonstances du siège, voir P. BELPERRON, pp. 429-433.

16. Lettres des 10 juillet et 12 décembre 1243 et 21 avril 1245 : P. 11083, 11193, 11631, Reg., n° 317, Annales Ecclesiastici. t. XXI, ann. 1243, n° 31, p. 267 ; A. TEULET : Layettes, t. II, n° 3344.

17. Voir les textes dans MANSI, t. XXIII, cc. 353-366, 691-704 et 715-724 ; 769-778 ; 829-852.

18. Le concile de Béziers n'a pas seulement rappelé dans ses 46 canons, dont les 20 premiers seulement concernent les hérétiques, des règles de discipline, MANSI, t. XXIII, cc. 691-704, il a fait à l'usage des Inquisiteurs, Ordinaires et religieux, un Directoire en 37 chapitres, ibid., cc. 715-724. Les références à Béziers c... renvoient aux canons, à Béziers ch... aux chapitres du Directoire.

catégories d'hérétiques et les signes qui permettent de les reconnaître.

Tandis que le concile de Tarragone classait les hérétiques plutôt d'un point de vue théologique et moral, suivant la doctrine et les formes de la complicité, les conciles du Languedoc les classent plutôt suivant leur comportement envers l'Inquisition. On distingue ainsi les « rebelles » qui après monition refusent de se convertir, ou même ne répondent pas dans l'année à la citation, les « relaps » qui, après abjuration ou purgation canonique, deviennent parjures ou même de leur propre chef éludent les peines de l'Inquisition, les « fauteurs » qui entravent l'exercice de l'Inquisition, soit en agissant contre elle, soit en refusant d'agir pour elle, ou qui, après monition de l'Ordinaire, ne se sont pas amendés, les « suspects » qui refusent de prêter le serment de fidélité à l'Eglise ou qui entretiennent des relations avec les hérétiques[19].

Les fidèles doivent évidemment se défier des hérétiques et les éviter le plus possible. Le concile de Narbonne cite à ce propos un texte de saint Jean qui pouvait être — et fut sans doute — un thème de prédication : IIe Ep., v. 10, 11 : « Si quelqu'un vient à vous et n'apporte pas cette doctrine (du Christ), ne le recevez pas à la maison et ne lui dites pas le salut, car celui qui lui dit le salut participe à ses œuvres mauvaises. » Dans cet esprit, le concile de Béziers veut que tous les dimanches les curés enseignent à leurs fidèles et avec simplicité les articles de foi. Il veut encore que, tous les dimanches également, hérétiques et fauteurs soient excommuniés. Il ne précise pas de quelle manière : on peut légitimement supposer que les évêques fulmineront l'excommunication suivant les formules du concile de Latran, reprises par Grégoire IX, et que les curés en informeront leurs fidèles.

Ces rappels, nécessairement monotones, n'avaient sans doute pas l'efficacité qu'on en pouvait attendre. Le concile d'Albi en manifeste quelque impatience. Il exige de nouveau que les fidèles évitent absolument le commerce des hérétiques et même de tous les excommuniés. Il fulmine contre quiconque, clerc ou laïc, fut-il évêque ou prince, fait d'un excommunié son conseiller ou son baile une excommunication mineure, et contre quiconque reçoit à sa table un excommunié, on ne précise pas de quelle excommunication il s'agit, un interdit *ab ingressu ecclesiae* d'un mois dont il ne pouvait être relevé que par l'évêque, ou, s'il s'agit d'un évêque, que par son supérieur, vraisemblablement l'archevêque ou le légat du pape[20].

Le concile de Toulouse avait prévu l'institution des témoins synodaux dans toutes les paroisses des villes et des faubourgs. Le concile de Béziers donne aux témoins synodaux les droits de police les plus étendus : perquisitionner fréquemment et avec le plus grand soin dans les maisons, en ville et en campagne, visiter les chambres, les caves, les débarras, les dépendances, murer ou démolir, s'il y a lieu,

19. Narbonne, cc. 12, 14, 15, 16 ; Béziers, ch. 31, 33 ; Valence, cc. 9, 13 ; Albi, cc. 12, 27, 28.
20. Narbonne, c. 29 ; **Béziers, cc.** 7 et 8 ; Albi, cc. 19, 31, 32, 33.

surveiller de très près l'accomplissement des pénitences et signaler sans retard aux autorités ecclésiastiques les délinquants. Le concile d'Albi revient encore sur l'urgence de l'institution. Il réduit les témoins synodaux au nombre de deux : un seul prêtre et un seul laïc, sans exclure, au contraire, la possibilité pour quiconque de s'emparer d'un hérétique en n'importe quel lieu, et le concile de rappeler sans la nommer l'Ordonnance de Saint Louis d'après laquelle quiconque se serait emparé d'un hérétique aurait droit à une prime d'un marc d'argent, ou au moins, précise le concile, de vingt sous tournois, prime qui serait levée sur les biens de l'hérétique ou, à son défaut, versée par le seigneur et la commune[21].

Les témoins synodaux sont essentiellement les hommes de l'évêque. C'est lui qui les nomme, c'est de lui qu'ils relèvent, c'est à lui qu'ils adressent leurs rapports. Ils sont les agents les plus actifs de l'Inquisition épiscopale. Toutefois le contrôle de l'accomplissement des pénitences en fait aussi les serviteurs de l'Inquisition monastique.

Dans son directoire, le concile de Béziers, précisant un canon du concile de Toulouse, veut que les évêques ou leurs délégués imposent aux populations, à l'occasion de la visite pastorale ou en toute autre circonstance, un serment général de fidélité à l'Eglise et d'obéissance à ses lois. Les hommes à partir de quatorze ans, les femmes à partir de douze ans, doivent rejeter toute hérésie et jurer de servir et de défendre la foi catholique et de poursuivre les hérétiques. En cas d'absence au moment de la prestation du serment, chacun devra dans la quinzaine qui suit son retour satisfaire à cette obligation à peine d'être « soupçonné d'hérésie ». Les autorités séculières s'engagent en outre à seconder l'Eglise de tout leur pouvoir contre les hérétiques

---

21. Béziers, c. 1 : « ...Statuimus ut episcopi per suam doecesim in locis suspectis, bonae opinionis viros laicos duos vel tres cum rectore ecclesiae vel eo qui ejus curam gerit instituant, et juramenti religione adstringant, quod diligentem curam et solicitudinem adhibeant circa haereticos, credentes, receptatores, fautores, defensores eorumdem, perquirendos ut, si quos tales repererint, episcopo loci vel dominis locorum sive ballivis vel officialibus eorumdem, studeant cum omni festinantia intimare... » ; ch. 34 : « In singulis etiam paroechiis, tam in civitatibus quam extra, sacerdos unus vel duo, vel tres bonae opinionis laici, vel plures, si opus fuerit, juramenti vinculo adstringantur, amovendi vel mutandi, quando vobis visum fuerit : qui diligenter, fideliter et frequenter investigant haereticos in villis et extra, domos singulorum et cameras subterranneas, cabanas et clausella, et alia latibula perquirendo : quae omnia obturari vel destrui faciatis. Praefatis etiam sacerdoti et laicis sic juratis, committatis curam observationis poenitentiarum, quae singulis de sua paroechia injungentur : ita ut ipsi penes se habentes singulorum parochianorum poenitentias, et circa earum observationem solicite vigilantes, contemptores, si qui fuerint, vobis denuntient sine mora... » ; Albi, c. 1 : « Statuimus ut archiepiscopi et episcopi in singulis parochiis, tam in civitatibus quam extra, unum sacerdotem et hominem unum loci laicum bonae famae sine mora constituant... », c. 2 : « Praecipimus ut pro quolibet haeretico quem sacerdos et laicus memorati, aut quilibet alius, captum reddiderint, unam marcam argenti vel saltem viginti solidos Turonenses, loci dominus in cujus jurisdictione captus fuerit haereticus, capientibus infra octo dies de bonis ipsius haeretici solvere teneatur », c. 3 : « Si vero de ipsius haeretici bonis pecunia non poterit supradicta persolvi, dominus loci et ipsius loci communitas in quorum territorio captus fuerit, solvant eam infra terminum supra scriptum... »

et leurs complices. Pour faciliter le contrôle du serment, le directoire exige que les noms de tous les jureurs soient inscrits tant sur les registres de la paroisse que sur les registres de l'Inquisition. Le concile d'Albi qui rappelle mot pour mot cette obligation veut qu'elle se renouvelle comme le concile de Toulouse l'avait ordonné tous les deux ans[22].

Parallèlement à l'Inquisition épiscopale fonctionne l'Inquisition monastique. Les inquisiteurs dominicains, nommés sur l'ordre du pape par leurs supérieurs, exercent leur mandat en toute indépendance. Ils n'ont pas à être informés par les témoins synodaux de la présence des hérétiques dans une localité pour s'y rendre. Qu'il y ait eu en maintes circonstances des relations entre les uns et les autres, c'était dans la nature des choses. Ce n'est pas dans les textes. Ils allaient et venaient à leur guise, conformément à la mission qu'ils avaient reçue du Saint-Siège. Comme ils ne pouvaient aller partout, ce qui eut été dangereux, dit le texte de Béziers, ch. 1, confirmé par une lettre d'Innocent IV[23], ils s'installaient dans la localité de leur choix d'où ils pouvaient instrumenter dans la région avoisinante.

A ce sujet, le concile de Narbonne précise quelques règles de compétence. Ces règles peuvent s'appliquer aux tribunaux des Ordinaires, mais le texte indique qu'il s'agit surtout des tribunaux dominicains. Le tribunal est compétent à raison du lieu et à raison du délit. A raison du lieu est justiciable quiconque a son domicile ou exerce une fonction publique ou privée ou se trouve de passage sur le territoire actuellement visité par l'Inquisition. A raison du délit, quiconque a eu à faire à un tribunal d'Inquisition demeure justiciable de ce tribunal et relève du seul inquisiteur qui a instruit sa cause, à moins qu'il n'y ait danger pour la vérité, pour l'instance elle-même ou pour les âmes. Dans ces conditions, il est évident que les inquisiteurs doivent se tenir au courant les uns les autres des causes qu'ils instruisent[24].

---

22. Béziers, ch. 31 : « ...Praeterea universos tam mares quam feminas, masculos a XIIII, feminas a XII anno et supra, faciatis abjurare omnem haeresim, et jurare quod fidem servent ac defendant catholicam, et haereticos persequantur... », c. 32 : « Adjecto in juramento comitum, baronum, rectorum et consulum ac bailivorum civitatum ac aliorum locorum quod fideliter et efficaciter, cum ab eis fuerit requisitum, ecclesiam contra haereticos et eorum complices adjuvabunt juxta officium et posse suum... », Albi, cc. 11, 12 : « ...Et si aliquis absens fuerit, et post reditum, infra 15 dies juramentum non praestiterit memoratum, quod ex inspectione nominum poterit apparere, suspectus de haeresi habeatur. » c. 13 : « Hujusmodi autem juramentum singulis bienniis renovetur. » Voir Toulouse, 1229, c. 12.

23. Lettre d'Innocent IV aux archevêques de Bordeaux, Narbonne et Arles, aux évêques de Toulouse, Cahors, Le Puy, Mende, Rodez et Albi : 19 novembre 1247, P. 12766, Reg., n° 3424.

24. Narbonne, c. 20 : « ...Etenim cum in locis diversis et per inquisitores diversos, Deo auctore, inquisitio celebretur, tutius et salubrius est, ut quisquis culpabilis in quibuscumque locis deliquerit, uni et illi tantum inquisitori permaneat obligatus, a quo primo ex aliqua de causis praescriptis, sine fraude, et sine periculo negotii et animarum, fuerit occupatus », c. 21 ; Béziers, ch. 14.

Les inquisiteurs commencent par donner une prédication générale. Ils convoquent toute la population, clergé et fidèles, font un sermon, produisent leurs lettres de créance rappelant l'objet de leur mission, invitent tout catholique à dénoncer les hérétiques et tout hérétique ou fauteur à faire sa confession, dans un délai déterminé, appelé « temps de grâce » pendant lequel les peines demeurent suspendues[25].

Pendant le temps de grâce, les inquisiteurs accueillent tous ceux qui désirent se réconcilier avec l'Eglise. Ils reçoivent leur abjuration, leur donnent l'absolution, leur font prêter le serment général, leur imposent, s'ils le jugent à propos, des pénitences, mais exigent aussi des gages de sincérité. Il y en a deux : l'un, pourrait-on dire, personnel, l'autre réel. Le premier consiste à seconder activement l'Inquisition dans la recherche, l'accusation, la saisie des hérétiques ou de leurs fauteurs. Le second consiste dans une sorte d'hypothèque de tous les biens prise par l'Inquisition et par l'Eglise[26].

25. Béziers, ch. 1 : « « Consulimus ut infra terminos inquisitionis limitatae vobis, ad locum de quo expedire videbitis, juxta mandatum Apostolicum declinetis, ut inquisitionem de illo, vel de locis aliis faciatis : cum tutum non sit vos ad loca singula declinare, atque ibi convocatis clero et populo, et proposito verbo Dei, mandatum vobis factum et adventus vestri causam, lectis litteris quarum auctoritate procedere habetis, sicut oportere noveritis, exponatis. Ac deinde mandatis ut omnes qui se vel alios sciverint in crimine labis haereticae deliquisse, compareant coram vobis veritatem dicturi », ch. 2 : « Assignato eis termino competenti, quod tempus gratiae vocare solitis, quibus tamen alias hujusmodi gratia non est facta : infra quem terminum venientes poenitentes, et dicentes plenum de se et de aliis veritatem habeant impunitatem mortis, immurationis, exilii, et confiscationis bonorum », ch. 3 : « Ut cum de locis aliis fuerit inquisitio facienda, hujusmodi generalem faciatis citationem, ac tempus gratiae assignatis : clericis et laicis in loco illo de quo fiet citatio convocatis, per aliquam personam ecclesiasticam, cui hoc per vestras patentes litteras committatis : qui in testimonium recepti mandati sigillum suum litteris eisdem appendat, et nihilominus rescribat per suas patentes similiter litteras cum suo sigillo pendenti, qualiter, et coram quibus et quando mandatum impleverit sibi factum. »

26. Conformément aux instructions d'Innocent IV : Lettre aux inquisiteurs, 12 décembre 1243, P. 11193, Reg., n° 317, Annales Ecclesiastici, t. XXI, an. 1243, n° 31, p. 267 : « ...praesentium auctoritate mandamus quatenus in singulis locis ad quae vos causa inquisitionis hujusmodi pervenire contigerit, omnes haereticos vel credentes, seu quocumque nomine censeantur, qui non condemnati neque convicti vel in jure confessi, sed sua spontanea voluntate redire voluerint ad ecclesiasticam unitatem, auctoritate nostra recipiatis : nulla eis poena imposita publica vel privata, ecclesiastica seu mundana : idque faciatis per eadem loca statim cum ad ipsa veneritis, publice nuntiari, praefigentes in singulis locis terminum competentem, infra quem redire debeant, si fuerint eis divinitus inspiratum : si vero post hujusmodi terminum tales fuerint in eodem vitio deprehensi, contra ipsos utpote salutis propriae contemptores asperius, prout expedire videritis, procedatis, invocato ad id, si necesse fuerit, auxilio brachii saecularis » ; Béziers, ch.5 : « ...facientes videlicet ipsos abjurare omnem haeresim... et jurare quod fidem catholicam... servabunt pariter ac defendent : et haereticos cujuscumque sectae, vestitos pariter et condemnatos... persequentur pro viribus... et quod super his qui inventi sunt, vel fuerint in eodem crimine deliquisse, stabunt mandatis inquisitorum et ecclesiae ac poenitentiam quae sibi fuerit quandocumque per ipsos injuncta, recipient et implebunt : pro ea recipienda et implenda, bona sua omnia inquisitioni et ecclesiae solemniter obligantes. »

Passé le temps de grâce, la procédure commence[27]. Les Inquisiteurs envoient des citations en nom propre à tous ceux qu'ils estiment devoir convoquer[28]. Les textes ne disent pas sur quelles informations ils se fondent. Mais il est facile de le deviner. Il y a très certainement les témoins synodaux, il y a aussi les procès-verbaux des serments qui doivent être rédigés en double exemplaire, nous l'avons noté ci-dessus, et dans les registres des paroisses et dans les registres de l'Inquisition ; il y a encore, et c'est peut-être la meilleure source, la dénonciation de leurs coreligionnaires par les hérétiques réconciliés pendant le temps de grâce.

Ceux qui ne répondent pas à la citation, sauf excuses justifiées, le concile de Valence les considère comme fauteurs des hérétiques et il veut que cette note soit signifiée par l'Ordinaire, ou par les inquisiteurs qui l'ont donnée, aux évêques voisins qui en tiendront compte. Plus sévère, le concile d'Albi veut qu'au bout d'un an ils soient considérés comme hérétiques, quand même on n'aurait rien d'autre à leur reprocher[29].

Le concile de Béziers dans ses canons et dans son directoire insiste sur deux points très importants : d'abord la nécessité de l'*Ordo Judiciarius*[30], ensuite l'esprit de miséricorde qui doit en quelque sorte informer toute la procédure.

Le concile de Narbonne, qui s'inspire peut-être du concile de Tarragone, et le directoire de Béziers qui reproduit à peu près textuellement le canon de Narbonne invitent les inquisiteurs au discernement et à la sagesse. Le texte vaut la peine d'être cité. « Efforcez-vous d'amener les hérétiques à se convertir, montrez-vous à l'égard de ceux qui en manifesteraient l'intention pleins de mansuétude : votre mission en recevra une consécration magnifique. » Ce qui peut signifier tout simplement : votre mission sera grandement facilitée, ou bien : elle trouvera dans la conversion de l'hérétique sa justification suprême et sa meilleure récompense. La première exégèse est évidemment possible, la seconde paraît plus vraisemblable. Le texte, en effet, continue : « Ceux qui refusent de se convertir, ne vous hâtez pas de les condamner, insistez fréquemment, soit en personne, soit par d'autres que vous, auprès d'eux pour les exciter à la conversion » et ne les livrez au pouvoir séculier — nous traduisons largement — qu'en désespoir de cause et avec regret[31].

---

27. Narbonne, c. 19 : « ...contra eos tamquam contra praesentes non dubie procedatis. »

28. Béziers, ch. 6 : « Illos qui cum sint culpabiles contemnunt comparari, infra tempus gratiae aut malitiose supprimunt veritatem, citetis suo tempore nominatim. »

29. Valence, c. 9 et Albi, c. 28.

30. Béziers, cc. 5 et 17 et ch. 37 : « Inter alia quae ad vestrum laboriosum latissimumque spectant officium, hoc summopere providere curetis ut juris ordinem... servare studeatis.

31. Narbonne, c. 5, Béziers, ch. 16 : « Perfectos haereticos seu vestitos coram discretis aliquibus et fidelibus examinetis secreto, ipsos ad conversionem prout poteritis inducentes, et converti volentibus vos exhibeatis favorabiles et beni-

Ces considérations témoignent d'un climat d'apaisement et de sérénité. Elles définissent l'esprit de l'Inquisition suivant les normes canoniques traditionnelles. Elles tendent à transformer la mentalité des inquisiteurs. Au lieu d'être de fanatiques artisans de la vindicte, ils seraient plutôt des confesseurs et des directeurs d'âmes : ils n'useraient de la force qu'après avoir épuisé tous les moyens de persuasion.

Dans ces conditions, il est évident que nul ne saurait être convaincu d'hérésie sans preuves formelles. Le concile de Narbonne et le directoire de Béziers insistent l'un et l'autre sur ce point : les termes sont identiques : « Ne procédez à aucune condamnation sans preuves nettement établies. Il vaut mieux laisser un crime impuni que de condamner un innocent[32]. »

Il y a deux sortes de preuves : le témoignage et la confession judiciaire.

N'importe qui peut en principe témoigner devant le tribunal. Il y a lieu, toutefois, de faire un certain nombre de réserves. On recevra avec prudence la déposition des criminels et des infâmes, ce qui dans le contexte signifie les gens de mauvaise réputation, et de leurs complices. Leur témoignage, s'il n'est pas nul, est de faible portée, et il l'est d'autant plus qu'ils sont davantage en état de péché[33]. On écarte résolument les dépositions de ceux qui n'agissent point par amour de la justice, mais par désir de nuire ou pour satisfaire quelque vengeance. C'est pourquoi l'accusé donnera, s'il y a lieu, les noms de ses ennemis et les motifs d'inimitié[34]. On incline à rejeter, contrairement au concile de Tarragone, la déposition du confesseur. S'il y a lieu de l'entendre, on consultera d'abord le Souverain Pontife[35]. Les noms

---

gnos, cum per tales multum fuerit illuminatum negotium et promotum... », ch. 17 : « Converti nolentes, ubi commode poteritis, damnare tardetis, ipsos frequenter tam per vos quam per alios ad conversionem moventes. Ac tandem in sua malitia pertinaces, faciatis errores suos ad eorum detestationem publice confiteri : et sic eos damnatos praesentibus saecularibus potestatibus, eorumque ballivis, secundum mandatum Apostolicum, relinquentes », ch. 29 : « ...ut eos secundum discretionem vobis traditam a Domino, negotii utilitate, qualitate personarum, culparum, quantitate, aliisque pensatis circumstantiis, ita caute ac provide dispensetis. »

32. Narbonne, c. 23 ; Béziers, ch. 11 : « Ad nullius vero condemnationem procedatis sine confessione propria vel probationibus dilucidis et apertis : satius enim est relinquere facinus impunitum quam innocentem damnare. »

33. Narbonne, c. 24 : « ...quamvis in hujusmodi crimine propter ipsius enormitatem omnes criminosi et infames, et criminis etiam participes ad accusationem vel testimonium admittantur », reproduit presque mot à mot par Béziers, ch. 12. Item, Narbonne, c. 25 : « ...Alia vero crimina, etsi debilitent, non repellunt, praesertim si testes de crimine fuerint emendati. »

34. Narbonne, c. 25 : « ...illis tantum exceptionibus fidem testium ex toto evacuantibus, quae non ex zelo justitiae, sed de malignitatis fomite procedere videantur : ut sunt conspirationes et inimicitiae capitales... » reproduit presque mot à mot par Béziers, ch. 13. Item, Narbonne, c. 22 et Béziers, ch. 10 : « ... Sed si instat contra quem inquisitio fit, dicens forte se habere inimicos vel in se aliquos conspirasse : inimicorum ab eo, seu conspiratorum nomina, et inimicitiarum seu conspirationis causa, et veritas exigantur ut sic et testibus consulatur, et ipsis etiam convinciendis. »

35. Narbonne, c. 28 : « ...Utrum autem soli confessori credi debeat de absolutione seu poenitentia defuncti, seu vivi, licet videatur quod non, ne quid tamen ecclesiae possit impingi, domini papae responsio expectetur. »

des témoins doivent être tenus rigoureusement secrets[36]. En principe, les témoins ne sont interrogés qu'une seule fois, à moins qu'ils n'aient à présenter quelques observations sur des circonstances étrangères à l'objet de l'interrogatoire[37].

La confession judiciaire peut être spontanée pendant le temps de grâce, ou provoquée par les témoignages au cours de la procédure. Dans le premier cas, nous l'avons vu, l'hérétique est réconcilié à certaines conditions. Dans le second cas, il est invité à se justifier des accusations qui ont été portées contre lui. Le tribunal doit lui accorder des délais, prendre en considération les exceptions qu'il pourrait soulever, entendre sa défense[38]. Le directoire de Béziers ne fait aucune mention des avocats. On ne saurait donc affirmer ni qu'il les autorise, ni qu'il en interdit l'usage. Peut-être s'en trouvait-il pour plaider éloquemment la cause des hérétiques. Les conciles de Valence et d'Albi s'élèvent, en effet, contre les agitations des avocats qui ralentissent la procédure et ne représentent rien d'autre qu'une forme de complicité. En conséquence, les avocats des hérétiques sont assimilés aux fauteurs et s'exposent aux mêmes châtiments[39].

Si l'accusé n'arrive pas à se justifier, ou bien il finit par avouer, ou bien il s'y refuse. Dans le premier cas, il doit abjurer publiquement, il reçoit ensuite des lettres testimoniales qu'il devra produire le cas échéant[40], il est condamné à la prison ou à des pénitences. Dans le second cas, il est condamné « sans miséricorde », dit le directoire de Béziers, qui paraît bien être ici en contradiction avec lui-même. Il s'agit, il est vrai, d'hérétiques obstinés ou endurcis qui persistent dans leur refus d'avouer, malgré les preuves qui les accablent. Toutefois, avant de les livrer au Bras Séculier, on s'efforcera encore, nous l'avons noté précédemment, de les convertir, et ce n'est qu'après avoir épuisé tous les moyens de persuasion qu'on fera exécuter la sentence par l'Inquisition séculière[41].

---

36. Narbonne, c. 22 et Béziers, ch. 10, identiques : « Illud autem caveatis secundum providam Sedis Apostolicae voluntatem ne testium nomina verbo vel signo aliquo publicentur. »

37. Narbonne, c. 27, Béziers, ch. 4 : ...Propter quod nec sit necesse ut testes qui semel deposuerint in tam generali ac notaria inquisitione, producantur iterum... nisi de aliquibus circumstantiis, de quibus requisiti non fuerant, viderentur forsitan requirendi. »

38. Béziers, ch. 7 et 8 : « Eisque, si veritatem contra se inventam confiteri noluerint, exponatis capitula super quibus inventi sunt culpabiles et dicta similiter testium publicetis — Ac datis dilationibus competentibus et defendendi facultate concessa, benigne admittatis exceptiones et replicationes legitimas eorumdem. »

39. Valence, c. 11 ; Albi, c. 23, semblables : « Item, ne inquisitionis negotium per advocatorum strepitum retardetur, providendo statuimus quod ab inquisitoribus non admittantur in processibus advocati. Circa vero advocatos haereticorum, fautores et defensores, constitutionem de haereticis praecipimus observari. »

40. Béziers, ch. 29 : « ...Facientes eos culpas suas convocatis clero et populo publice confiteri : et abjurare ac parere sicut in reconciliandis superius est expressum. Ita quod singuli mandent inde fieri publica instrumenta continentia culpas, abjurationes, promissiones et poenitentias eorumdem. Et singulis dentur testimoniales vestrae litterae haec eadem continentes... »

41. Narbonne, c. 26 : « Si quis tamen culpam suam ex qua possit credens vel

Les peines sont à la fois personnelles et réelles.

Les peines personnelles sont de trois sortes. La plus grave consiste à livrer au Bras séculier, nous venons de le dire, les hérétiques rebelles et peut-être aussi les hérétiques relaps[42]. Le Bras Séculier leur inflige la peine qu'ils ont mérité : *animadversione debita*. Cette expression signifiait autrefois l'extermination, c'est-à-dire l'exil des hérétiques. Dans les « Statuts du Saint-Siège » elle signifie la mort, sans préciser d'ailleurs la nature du dernier supplice. Si le Saint-Siège a canonisé les Constitutions impériales de Frédéric II, ce n'était que pour l'Empire. Mais en ne blâmant point l'usage de brûler les hérétiques dans les autres pays, il en reconnaissait implicitement la légitimité.

Les hérétiques qui se repentent par crainte de la mort ou pour tout autre motif, comme disait le concile de Toulouse, sont emprisonnés jusqu'à la fin. C'était le « mur ». Les conciles insistent sur la nécessité de construire des prisons, ils rappellent à peu près textuellement les directives de Grégoire IX et du concile de Toulouse sur les conditions d'existence du prisonnier : les murs doivent être épais, les cellules séparées et obscures, les frais d'entretien couverts par les biens du prisonnier, à leur défaut par les biens du seigneur et de la commune[43]. Le « mur » est la peine des relaps, des contumaces, des fugitifs et des parjures[44]. Il s'impose rigoureusement sans considération de famille, d'âge ou de sexe. Toutefois, le directoire de Béziers en atténue quelque peu la rigueur en faveur du mariage : il autorise les époux à se voir, soit que les deux conjoints soient également emmurés, soit que l'un d'eux seulement le soit[45]. Cette exception du directoire est

---

haereticus judicari, de qua plene per testes seu aliam probationem constat, per-tinaciter negare non metuit : quamdiu in hujusmodi negatione persistit, licet alias conversionem praetendat, haereticus absque dubio est censendus : evidenter namque impoenitens est qui peccatum nec vult etiam confiteri » ; Béziers, ch. 9 : « ...non enim sunt ad misericordiam admittendi, dum in sua negatione persistunt, quan-tumcumque voluntati Ecclesiae se supponant » et 17 : « Ac tandem in sua mali-tia pertinaces, faciatis errores suos ad eorum detestationem publice confiteri : et sic eos damnatos praesentibus saecularibus potestatibus... relinquentes. »

42. Narbonne, c. 10 et 11 : « ...saeculari judicio sine ulla penitus audientia re-linquatis, animadversione debita puniendos. »

43. Narbonne, cc. 4 et 9, Béziers, ch. 23 : « Curetis tamen ut talibus immuran-dis fiant juxta Sedis Apostolicae ordinationem, separatae et occultae camerulae, sicut fieri poterit in singulis civitatibus dioecesum corrumptarum, ut alterutrum vel se vel alios pervertere nequeant : et eos enormis rigor carceris non extinguat, quod ab illis qui bona illorum tenuerint, fieri, et in necessariis provideri faciatis eisdem secundum statuta concilii Tolosani », Albi, c. 24 : « ...Si vero non habent ulla bona, dominus et loci communitas ubi inventi fuerint providere eis in necessariis non postponant : et ad hoc, si opus fuerit, a diocesano per censuram ecclesiasticam compellantur. »

44. Narbonne, c. 12, Béziers, ch. 20 : « Damnatos haereticos, relapsos, contu-maces et fugitivos redire volentes, similiter etiam deprehensos qui videlicet post tempus gratiae, non nisi nominatim citati venire curarunt, aut veritatem sup-presserunt scienter et contra proprium juramentum : ex apostolico mandato in perpetuo carcere detrudatis... » ; Valence, c. 13.

45. Narbonne, c. 19 : « ...addendum ut a carcere nec vir propter uxorem, licet juvenem, nec uxor propter virum, nec quisquam propter liberos seu parentes, seu aliter necessarios, aut propter debilitatem vel senium, vel aliam similem cau-

à rapprocher d'une consultation d'Innocent IV donnée à l'archevêque de Narbonne. Il arrivait souvent qu'un conjoint catholique demandait le divorce à cause de l'hérésie de son conjoint sans qu'il y ait nécessairement *contumelia Creatoris*. Le pape autorise uniquement la séparation « afin que le chagrin de l'un des conjoints invite l'autre à résipiscence »[46].

Le « mur » est en principe perpétuel. Toutefois, ici encore, le directoire de Béziers envisage, dans l'esprit de Tarragone, une mitigation possible de la peine, voire une commutation en pénitences, mais à la condition que l'emprisonnement ait quelque peu duré, que l'évêque propre de l'emmuré ait donné un avis favorable, que le délinquant prenne des engagements semblables à ceux des hérétiques qui ont été réconciliés pendant le temps de grâce, et qu'il sache qu'au moindre soupçon d'hérésie il sera de nouveau emmuré sans autre formalité et « sans miséricorde »[47]. Innocent IV adoucit encore la discipline. Non content de confirmer les dispositions conciliaires, il les étend aux fugitifs qui ont réintégré spontanément leur prison[48]. Il envisage avec faveur la commutation du « mur » en pénitence de croisade. Saint Louis s'apprêtait à partir, Raymond VII, nous l'avons vu, se disposait à le suivre. Innocent IV, reprenant une idée de son prédécesseur qui ne s'était pas réalisée, informa les archevêques et évêques d'Auch, Albi et Agen qu'il autorisait les emmurés de Toulouse à se croiser, et il accorda à son légat, chargé précisément des affaires de la croisade, le pouvoir de réconcilier les fauteurs des hérétiques qui prendraient la croix[49]. Ces dispositions miséricordieuses soulignent le caractère canonique du « mur » : il demeure en principe vindicatif, mais il devient aussi peu à peu médicinal.

sam excusetur, absque indulgentia Sedis Apostolicae speciali... » ; Béziers, ch. 25 : « Sit autem liber accessus uxori ad virum immuratum, et e converso, ne cohabitatio denegetur eisdem, sive ambo immurati fuerint, sive alter. »

46. Lettre du 12 mai 1246, *Reg.*, n° 1844 : réponse analogue à celle donnée par Innocent III à Huguccio : c. 7-X-IV-19.

47. Béziers, ch. 20 : « ...nec injungatis alicui poenitentiam carceris temporalis, sed hujusmodi perpetui carceris poenam seu poenitentiam, ex domini Papae indulgentia super hoc vobis concessa, mitigare vel commutare poteritis de praelatorum quorum jurisdictioni subdunt, consilio, postquam fuerint in carcere aliquamdiu detenti vestris humiliter parendo mandatis, et signa poenitentiae apparuerint in eisdem, quae vos ad misericordiam moveant, simulque noveritis expedire », ch. 21 : « Receptis prius ab illis satisdationibus quod injunctas sibi pro posse faciant poenitentias, et juramentis de persequenda haeresi et fide catholica defendenda, sicut in reconciliandis superius est expressum : lata etiam in ipsos sententia, quod si levi argumento comperiri poterit eos de caetero deviare a fide, poena sine misericordia debita puniantur, ch. 22 : « Haec semper vobis potestate retenta, ut si videritis negotio fidei expedire, sine nova etiam causa possitis ad carcerem reducere supradictos. »

48. Lettre du 3 décembre 1247 à l'évêque d'Albi, P. 12774 à la date du 2 décembre, *Reg.*, n° 3454. D. Vaissète, t. VIII, n. 404, col. 1238-1241.

49. Lettres des 4 décembre 1247, 2 mars, 30 avril, 21 juillet 1248, P. 12854, 12914, 12985, *Reg.*, n° 3508, 3677, 3866, 4663. Voir lettres de Grégoire IX à Raymond VII, 28 avril 1236, et au légat Jean de Bernin, 14 juin 1236 ; *Reg.*, n° 3126 3188 ; ci-dessus ch. V, p. 274.

Les pénitences doivent être infligées publiquement, à moins que le délit ne soit tout à fait occulte. On convoquera le peuple et le clergé pour entendre la confession publique des coupables, leur abjuration et la prestation de leur serment d'obéissance à l'Eglise. Ensuite, chacun recevra une attestation officielle de tout ce qu'il aura dit et promis[50]. Les pénitences consistent notamment en flagellations et port de croix d'étoffe, conformément à la discipline des conciles de Toulouse et de Tarragone. Les pénitents, dit le concile de Narbonne, assisteront chaque dimanche à la messe, aux vêpres et au sermon. Au cours de la messe paroissiale, entre l'épitre et l'évangile, ils se présenteront, le buste nu, à leur curé, ils lui offriront un paquet de verges, et le curé leur donnera la discipline. Il en sera de même à chaque procession solennelle. Le premier dimanche du mois, après la messe ou la procession, les pénitents visiteront dans le même appareil les maisons où jadis ils rencontrèrent des hérétiques. En signe de détestation de leurs erreurs passées, ils porteront, dit le directoire de Béziers, deux croix de couleurs différentes, l'une à gauche, l'autre à droite. Les dimensions sont très minutieusement précisées[51].

Outre les flagellations et le port des croix, il y a la participation à la croisade. Le concile de Narbone, interprétant une décision pontificale — il s'agit de Grégoire IX — interdit d'envoyer les pénitents au delà de la mer. Le directoire de Béziers autorise les évêques à les envoyer combattre sarrasins ou hérétiques, soit en Orient, soit en Europe, mais en s'entourant de toutes les précautions requises : d'abord, être moralement sûr de leur conversion pour éviter le scandale et la perversion des âmes honnêtes et droites, ensuite les munir de lettres testimoniales qu'ils devront produire au supérieur ecclésiastique du lieu de leur pélerinage et remettre à leur retour. S'ils vont en Terre Sainte, ils se présenteront le plus tôt possible au patriarche de Jérusalem ou à l'évêque de Saint Jean d'Acre ou à tout autre prélat. Avant de repartir, ils demanderont un certificat attestant qu'ils ont fait leur pélerinage[52]

Comme la prison, les pénitences peuvent être mitigées ou commuées ;

---

50. Béziers, ch. 29 : « Hujusmodi autem poenitentias injungatis publice : nisi ubi esset peccatum occultum quod neque esset revelatum per alium nec revelari speraretur. Facientes eos culpas suas convocatis clero et populo publice confiteri : et abjurare ac jurare sicut in reconciliandis superius est expressum... ». Voir ci-dessus, Béziers, ch. 5 : la réconciliation des hérétiques pendant le temps de grâce.
51. Narbonne, c. 1, Béziers, ch. 26.
52. Narbonne, c. 2, Béziers, ch. 26 : « ... ut fidem et ecclesiam quam taliter offenderunt defendant ad tempus pro vestro arbitrio designatum, per se vel par alios magis idoneos ultra mare vel citra contra Saracenos vel haereticos et fautores eorum aut aliter fidei et ecclesiae rebellantes... » ch. 29 : « ...Quibus autem fuerint peregrinationes injunctae, teneantur dictas testimoniales litteras ostendere in singulis peregrinationibus ei qui praefuerit ecclesiae quam visitaverint et ejusdem litteras de peregrinatione illa peracta vobis reportare. Qui vero transfretaverint, cum fuerint ultra mare, ut citius poterunt, praesentent se cum vestris litteris venerabilibus patribus vel patriarchis Hierosolymitano vel Aconensi aut cuicumque episcopo vel eorum cujuslibet locum tenenti, et reportent vobis cum redierint de sua peregrinatione laudabiliter ibi completa, litteras cujuslibet

elles peuvent aussi être aggravées, s'il y a lieu, et s'imposer même de quelque manière aux descendants. En cas de décès, il appartient, en effet, aux héritiers, sinon d'achever la pénitence du défunt, au moins de satisfaire à certaines exigences. Un crime à ce point considérable, dit le texte de Béziers, qui a été solennellement avoué, ne doit pas rester impuni[53]. Les pénitences, ordonnées à l'expiation du délinquant, mais aussi à la réparation du délit, ne sont pas seulement médicinales, elles sont aussi vindicatives.

A ce point de vue, elles s'apparentent aux incapacités. Tous les conciles rappellent suivant la tradition et avec une insistance significative que les hérétiques et les fauteurs des hérétiques ne sauraient exercer aucune fonction publique ; même les convertis en sont exclus, sauf dispense du pape ou du légat. On leur défend encore toute recherche dans la toilette ou le vêtement, on peut même leur imposer un changement de domicile. Leurs descendants sont exclus jusqu'à la deuxième génération de toute possibilité de remplir un office ou d'obtenir un bénéfice ecclésiastique[54].

Aux peines des vivants on ajoutera celles des morts. Une vieille discipline défendait d'enterrer avec les fidèles défunts les cadavres des excommuniés et autres interdits. Raymond VI de Toulouse, malgré les efforts de son fils, ne reçut jamais la sépulture ecclésiastique[55].

---

episcopi transmarini », ch. 30 : « Ne autem per tales religionis corrumpatur simplicitas, nullum de praefatis culpabilibus, sine apertis conversionis signis, et nisi omne scandalum atque periculum abesse noveritis, religionem quamcumque ingredi permittatis : et si secus actum fuerit, revocetis. »

53. Lettres d'Innocent IV à l'archevêque de Narbonne et au frère Algisius, son chapelain et pénitencier, 13 janvier, 21 février 1248, *Reg.*, n° 3540, 4093 ; Béziers, ch. 19 : « Ab eorum heredibus qui confessi et reconciliati, non accepta poenitentia, decesserunt, satisfactionem congruam exigatis, ne tantum ac tale crimen, quod etiam publice in judicio confessi sunt, remaneat in aliquibus impunitum. Et idem faciatis de illis qui decesserunt accepta poenitentia nec impleta... » ; Albi, c. 25 : « ...Pro iis autem quibus cruces, si viverent, essent imponendae : ipsorum heredes dioecesani aut inquisitorum arbitrio satisfacere compellantur. »

54. Béziers, ch. 28 : « Et ne bailivias seu administrationes teneant : nec sint in consiliis vel familiis potentum : neque utantur vel medici vel notarii officio nec ad alia officia publica vel ad actus accedant legitimos : nec portent aurifrisia vel similia ornamenta, vel vittas croceas nec sericum, vel corrigias auro vel argento membratos vel solutares incisos seu pictos : et ubi expedius visum fuerit, ejiciuntur de villa in qua conversati fuerant, in alia certa villa seu provincia moraturi ad tempus », ch. 36 : « ...et expresse de filiis haereticorum, receptatorum et defensorum usque ad secundam generationem ad nullum beneficium ecclesiasticum vel officium admittendis » ; ces exclusives ne sont pas sans analogie avec la législation de Frédéric II. Voir ch. V, p. 256. Valence, cc. 14, 15, 17, 19 ; Albi, c. 9 : « Si vero aliqui haeretici vestiti haeresi sponte dimissa reversi fuerint ad catholicam unitatem, suum recognoscentes errorem, non remaneant in loco in quo fuerant antea conversati, si locus ille suspectus de haeresi habeatur, sed collocentur in alio loco catholico qui nulla sit haeresis suspicione notatus », c. 10 : « ...nulla de caetero prorsus officia publica ab aliquibus committantur, nec ad aliquos actus legitimos admittantur, nisi per dominum papam vel ejus legatum prius fuerint in integrum restituti. »

55. Saint Léon à Rusticus, évêque de Narbonne, c. 1, C. XXIV, Q. 2 : « Nos autem, quibus viventibus non communicavimus, mortuis communicare non possumus », rappelé par Urbain II à l'évêque d'Aversa, c. 3, C. XXIV, Q. 2 : « In-

Les premiers inquisiteurs dominicains exhumèrent les corps des hérétiques décédés et les brûlèrent. L'usage finit par recevoir une consécration canonique[56].

Les peines réelles sont aussi de trois sortes. Suivant la législation traditionnelle les hérétiques sont condamnés à la confiscation des biens. Pour éviter toute hâte, le concile de Béziers précise que la confiscation ne doit jamais être faite avant que la sentence ait été prononcée, à moins qu'il ne s'agisse de complices dont la participation est nettement établie[57]. C'est évidemment pour prévenir des abus qu'Innocent IV rappela aux évêques qu'il n'y avait pas lieu de confisquer les dots des épouses catholiques des hérétiques[58].

Le concile de Narbonne voulait — nous venons de le dire — que les hérétiques « revêtus » fissent un pélerinage de pénitence aux maisons dans lesquelles ils avaient rencontré des hérétiques. Au contraire, le directoire de Béziers et le concile d'Albi veulent que les maisons où des hérétiques, même convertis, furent découverts, où ils vécurent, où ils moururent, soient démolies de fond en comble et que le terrain soit confisqué[59].

Enfin, les amendes, que le concile de Narbonne défend aux inquisiteurs d'infliger « pour l'honneur de l'Ordre Dominicain », sont au contraire autorisées par le directoire de Béziers, mais avec prudence ;

ter ceteros quippe nostrae fidei Patres beatus Leo Papa Doctor egregius : Quibus vivis, inquit, non communicavimus, nec mortuis communicare debemus. Constat ergo quoniam quibus vivis (ut ex opposito loquamur) communicavimus, mortuis quoque communicare possumus », rappelé par Innocent III, c. Sacris, 12-X-III-28 : « ...Unde si contingat interdum quod vel excommunicatorum corpora per violentiam aliquorum vel alio casu in coemeterio Ecclesiae tumulentur, si ab aliorum corporibus discerni poterunt, exhumari debent et procul ab ecclesia sepultura jactari... » — Grégoire IX ayant refusé de recevoir les doléances de Raymond VII au sujet de la sépulture de son père : Reg. de Grégoire IX, n° 4758, 13, Innocent IV fit faire une enquête par l'évêque de Lodève, le dominicain Raymond et le fransciscain Guillaume de Brive sur les derniers moments de Raymond VI : Lettre du 1er mars 1247, P. 12427 bis, Reg., n° 2432. L'enquête ne donna aucun résultat positif, s'il est vrai que le corps de Raymond VI, resté sans sépulture, finit par être dévoré par des rats, cf. E. KREHBIEL : The Interdict, its history and its operation with special attention to the time of pope Innocent III, Washington, 1909, pp. 59-60.

56. Albi, c. 25 : « Statuimus insuper et mandamus ut si per inquisitionem reperiatur aliquos defunctos fuisse haereticos tempore mortis suae, exhumentur et eorum cadaver sive ossa publice comburantur, defensione legitima eorum heredibus renovata... »

57. Béziers, c. 3 : « ...nullatenus confiscentur, donec per sententiam fuerint condemnati, nisi scienter eisdem criminosis in eodem crimine adhaesissent, postquam eos infectos hujusmodi crimine cognoverint. »

58. Lettre aux archevêques de Bordeaux, Narbonne, Arles, aux évêques de Cahors, Toulouse, Albi, Rodez, Le Puy, Mende, 12 novembre 1247, P. 12743, Reg. n° 3422.

59. Béziers, ch. 35 : « Domos etiam in quibus inventi sunt vel fuerint haeretici vivi vel mortui, vestiti seu damnati, scientibus et consentientibus dominis domorum existentibus legitimae aetatis, dirui faciatis et bona omnium ibidem tunc habitantium confiscari : nisi suam innocentiam et justam ignorantiam probare poterunt manifeste. Bona quoque haereticorum et credentium quos damnaveritis, vel pro haereticis, vel ad murum, faciatis similiter confiscari... » ; Albi, c. 6.

elles devront servir à construire des prisons, à nourrir les emmurés sans ressources et à couvrir d'une façon générale les frais de l'Inquisition[60].

La procédure inquisitoriale est écrite. Tous les actes doivent être nécessairement transcrits sur les registres ou versés aux archives en double exemplaire et gardés en lieu sûr[61].

L'Inquisition séculière, avons-nous dit, est au service des deux autres.

Le concile de Narbonne estime « gravement fauteur » le prince qui refuse d'exterminer les hérétiques. Le concile de Béziers, plus explicite, rappelle avec insistance aux seigneurs et aux consuls l'obligation qui leur incombe de prêter à la requête des évêques le serment d'exterminer les hérétiques. Le concile d'Albi, qui reproduit à peu près textuellement le canon précédent, exige que le serment soit renouvelé tous les trois ans[62]. Mais que signifie l'extermination ? Le mot avait autrefois le sens d'exil. Dans la législation inquisitoriale l'exil serait un non-sens. Il y a ici, comme pour l'*animadversio debita* une transposition à faire ; l'extermination peut signifier ou bien la recherche des hérétiques ou bien la destruction des hérétiques, pratiquement les deux à la fois.

Le concile d'Albi veut que les seigneurs et les bailes prêtent leur concours à toute recherche des hérétiques dans les villes et dans les campagnes, dans les maisons et dans les bois. Il veut encore qu'ils exécutent en tous points les sentences des inquisiteurs, notamment en ce qui concerne la confiscation des biens et l'exhumation des morts. Tout cela à peine de censures, conformément à la législation portée par le concile de Valence contre les contempteurs des monitions inquisitoriales, et à peine d'exposition de leurs terres, suivant les sanctions du concile de Toulouse et la tradition de la croisade albigeoise[63].

60. Narbonne, c. 17, Béziers, ch. 27 : « Peregrinationes similiter ac poenas seu poenitentias pecuniarias pro carceribus construendis et ministrandis necessariis expensis, immurandis pauperibus ac personis negotio inquisitionis necessariis injungatis culpabilibus memoratis : et ne usuras exerceant ac restituant jam acceptas. »

61. Béziers, ch. 37 : « ...et omnia quae feceritis, videlicet citationes, gratias sive indulgentias, interrogationes, confessiones, depositiones, abjurationes et obligationes, sententias et poenitentias et caetera omnia quae occurrerint taliter in actis inquisitionis vel par manum publicam, vel per duos viros idoneos, ut praediximus, et juratos designatos locis et temporibus et personis competenti conscribi ordine faciatis... » ; Albi, c. 21 : « ...de scriptis autem quae super his fient, de coetero annis singulis ab omnibus inquisitoribus idem fiat, ut scilicet duplicentur scriptis, ut dictum est, tuto loco servandis. »

62. Narbonne, c. 15, Béziers, c. 9 : « Moneantur etiam comites, barones, rectores et consules civitatum et aliorum locorum ac aliae potestates saeculares quibuscumque fungantur officiis quod ad commonitionem diocesanorum promittant juramento corporaliter praestito, quos fideliter et efficaciter contra haereticos et eorum complices adjuvabunt ecclesiam bona fide juxta officium et posse suum, et quod de terris suae jurisdictioni subjectis universos haereticos ab Ecclesia denotatos pro viribus exterminare curabunt » ; Albi, c. 20 : « ... et hoc juramentum de triennio in triennium renovetur.

63. Albi, c. 4 : « Soliciti etiam sint domini terrarum et bajuli eorumdem circa inquisitionem haereticorum in civitatibus, villis, castris, domibus, latibulis et

La réorganisation de l'Inquisition suivant la formule des conciles du Languedoc est l'aboutissement d'un long effort. L'Inquisition s'est développée suivant un processus logique : la recherche des hérétiques mène à la contrainte, les difficultés de la contrainte à la croisade, la réussite de la croisade à la consécration juridique du fait accompli. Mais cette belle construction ne laisse pas d'être instable, non du côté des clercs, mais du côté des laïcs dont la collaboration peut être incertaine. La réorganisation de l'Inquisition en Italie en apporte une fois de plus la preuve.

* *

C'est en vain qu'en 1243 Innocent IV invita Frédéric II à tourner contre les hérétiques les armes qu'il dirigeait contre l'Eglise[64]. La cacrence impériale, bientôt la guerre, lorsque l'empereur eut été excommunié au concile de Lyon en 1245[65] contrarièrent singulièrement l'exercice de l'Inquisition.

Néanmoins, en cette même année 1245 l'inquisiteur de Florence, Roger Calvagni, qu'aurait assisté Pierre de Vérone, et avec eux les catholiques organisés en Société de la Foi, analogue aux Milices de Jésus-Christ, avaient remporté sur les hérétiques une victoire éphémère[66]. Deux ans plus tard, en 1247, Jean de Vicence, qui avait précédemment exercé l'Inquisition dans la Marche de Trévise, fut envoyé en Lombardie[67]. Le succès fut sans doute modeste si l'on en juge d'après les doléances ultérieures du pape sur les ravages de l'hérésie dans cette région.

nemoribus faciendum : et circa hujusmodi appensa, adjuncta, seu subterrannea latibula destruenda », c. 8 : « ...statuimus ut quilibet in terra alterius possit libere haereticos inquirere ac capere et locorum bailivi, etiamsi praesentes fuerunt domini, teneantur inquirentibus et capientibus bona fide praestare consilium, et auxilium et favorem », c. 26, c. 22 : « Et quoniam circa executionem sententiarum ipsorum inquisitorum reperiuntur aliqui negligentes, adhaerentes in his concilio Valentino statuimus quod moneantur comites et barones, consules, vicarii, judices et ballivi civitatum et aliorum locorum ac potestates aliae saeculares, per inquisitores vel loci diocesanum ut ipsorum sententias cum omni diligentia exequantur... », c. 5 : « Statuimus etiam, Tolosanum concilium innovando ut quicumque in terra sua de caetero permittat scienter haereticos commorari, sive propter pecuniam, seu propter aliam quamcumque causam, et inde confessus fuerit vel convictus, amittat perpetuo totam terram suam et ad faciendum inde quod debebit, fit in manu domini corpus ejus. Si autem de scientia convictus non fuerit et approbata fuerit negligentia dissoluta, vel si frequenter in terra inveniantur haeretici, aut super hoc fuerit diffamatus, ut defensor et fautor haereticorum ab omnibus censeantur. »

64. Lettre d'Innocent IV à Pierre, archevêque de Rouen, Guillaume, évêque de Modène et à l'abbé de Saint Facond : 26 août 1243, *Reg.*, n⁰ 89 ; *M. G. H. Legum*, IV, *Constitutiones*, t. II, n⁰ 241, p. 331, 332.

65. Bulle d'excommunication et de déposition, 17 juillet 1245 ; P. 11733, *Reg.*, n⁰ 1368, *M. H. G.*, *item*, t. II, n⁰ 400, p. 512.

66. En août 1245. Voir H.-Ch. Lea : II, p. 252-254, J. Guiraud : II, p. 488-495. sur le rôle de Pierre de Vérone dans cette affaire, voir A. Dondaine : *Saint Pierre Martyr*, *art. cité*, Archivum... 1953, pp. 77-81 et 150-152.

67. Lettre du 13 juin 1247. P. 12566, *Reg.*, n⁰ 3045.

Après la mort de l'empereur, Innocent IV rentra en Italie. Il s'attarda longuement à Gènes et à Milan, du 15 mai environ au 13 septembre 1251. Il en profita pour organiser une mission inquisitoriale sur laquelle nous avons quelques renseignements. Par la bulle *Misericors et miserator*, du 8 juin. Vincent de Milan et Jean de Verceil furent envoyés à Venise, Pierre de Vérone et Vivien de Bergame à Crémone où ils devaient prendre des collaborateurs parmi leurs frères en religion. Tous ensemble exerceraient l'Inquisition en accord avec les Ordinaires[68]. Les inquisiteurs tiennent leur mandat directement du pape. La mention de l'Ordinaire dont ils doivent prendre l'avis ne paraît être qu'une concession destinée à ménager la susceptibilité des évêques. Pratiquement ce sont eux et eux seuls qui exercent l'Inquisition. Le pape n'insiste pas sur la procédure : elle est connue. Les hérétiques repentants seront réconciliés, s'ils sont sincères, *juxta formam ecclesiae*, les autres seront jugés *juxta sanctiones canonicas*. On fera appel, le cas échéant, au Bras Séculier. C'était là précisément la plus grande difficulté. Contre les communes récalcitrantes les inquisiteurs prêcheront la croisade, ils pourront même accorder de vingt à quarante jours d'indulgence à ceux qui s'enrôleraient à leur appel. La croisade contre les hérétiques lombards apparaît au pape comme au moins aussi urgente que la croisade de Terre Sainte, davantage même, vu la proximité des lieux[69].

C'est sans doute au cours de cette mission que Pierre de Vérone fut nommé par le pape inquisiteur à Milan et un peu plus tard par le chapitre provincial prieur du couvent de Côme. Il devait être assassiné quelques mois après, le 6 avril 1252 et canonisé l'année suivante[70].

En septembre 1251, par la bulle *Tunc potissime Conditori*. une autre mission inquisitoriale fut confiée au prieur de Lombardie pour la Lombardie et la Romagne, et confirmée en novembre[71]. C'est peut-être à cette oc-

68. Lettre du 8 juin 1251, P. 14332, 14333 (à la date du 13 juin) *Reg.*, n° 5345 : « Mandamus... quatinus hujusmodi fidei negotium, quod principaliter insidet cordi nostro... Cremonam personaliter accedati, cum et per alias civitates et alia loca Lombardie discretos alios ad exequendum idem negotium duxerimus deputandos, et ad extirpandam de civitate ipsa et ejus districtu haereticam pravitatem sollicite ac efficaciter prehabito diocesani consilio laborantes, si quos ibidem pravitate ipsa culpabiles inveneritis vel infectos seu etiam infamatos, nisi examinati velint absolute mandatis Ecclesiae obedire, contra ipsos et receptatores, defensores ac fautores eorum, humano timore postposito, juxta sanctiones canonicas auctoritate apostolica procedatis, invocato ad hoc contra eos, si opus fuerit, auxilio brachii secularis... Ep, XIII s. t. III, pp. 88-89.

69. « ...Scire vos volumus et aliis aperte predicere quod si forte, quod non credimus, aliqua civitas seu communitas, sive aliqui magnates vel nobiles aut potentes huic negotio se opponere, seu illud praesumpserint aliquatenus impedire... nos... in illos gladium ecclesiastice potestatis acriter extendemus, et reges et principes aliosque Christi fideles, sive pro Terre Sancte succursu sive alias pro Christi servitio crucis caractere insignitos necnon et ceteros catholicos invocabimus contra eos, ut et celum et terra adversus detestabilem temeritatem ipsorum pariter moveantur, cum non minus expediat, immo magis, fidem in locis prope positis quam procul distantibus defensare. »

70. J. GUIRAUD, II, pp. 496-500, A. DONDAINE, *art. cité*, pp. 97-106.

71. Lettre du 27 septembre, P. 14406, et, d'après A. DONDAINE, du 10 novembre 1251, *art. cité*, p. 97, n. 97 : *Tunc potissime Conditori*. « ... Mandamus... quate-

casion que le cardinal d'Albano envoya au prieur sa consultation qui, par
conséquent, pourrait être datée de l'automne 1251[72]. En mai-juin 1252,
le pape donna au provincial des dominicains de Lombardie, de la
Marche de Trévise et de la Romagne le pouvoir de nommer les inquisiteurs, de les changer, de les révoquer. Lui-même multiplia dans sa
correspondance avec les inquisiteurs les recommandations les plus
vives sur la nécessité de contraindre par censure les pouvoirs séculiers à obéir aux lois canoniques et civiles. Dans la bulle *Orthodoxae
fidei* du 14 mai 1252, il fait une allusion très nette aux constitutions
de Frédéric II qui ont été reproduites et munies de la bulle pontificale et qui doivent être insérées dans les statuts municipaux. « Nous
voulons, écrit le pape, et par la teneur des présentes nous vous ordonnons d'exercer avec le plus grand soin votre influence auprès des podestats, conseils et assemblées communales des villes, des lieux fortifiés et de toutes les localités de la Lombardie, de la Marche de Trévise
et de la Romagne, afin que nos statuts et tous les autres, ecclésiastiques
et séculiers, même les constitutions de Frédéric, jadis empereur des
Romains, promulguées pour la défense de l'Eglise contre les hérétiques et leurs fauteurs... soient insérées dans leurs statuts, qu'ils les
observent et en assurent la plus stricte exécution[73]... »

En même temps qu'il relançait l'Inquisition monastique, le pape
essayait de relancer l'Inquisition séculière. C'est évidemment pour
appuyer les missions dominicaines qu'il multiplia ses appels, voire
ses menaces, aux podestats, recteurs, consuls des villes italiennes.
Dans une autre bulle *Orthodoxae fidei* du 27 avril 1252, il leur annonça
l'objet de la mission dominicaine, il leur ordonna d'insérer dans les statuts
et les constitutions du Saint-Siège et les constitutions civiles, notamment
celles de Frédéric II ; il les menaça, en cas de refus, des censures de
l'Eglise. Dans la bulle *Cum fratres praedicatores* du 11 mai, il insista
en termes de plus en plus pressants auprès des princes et des magistrats séculiers pour qu'ils traduisent sur le plan civil par la mise au
ban et la confiscation des biens les sentences des inquisiteurs. Enfin,
dans la fameuse bulle *Ad Extirpanda* du 15 mai, il leur ordonna de

---

nus hujusmodi negotium, quod principaliter residet cordi nostro, in Lombardia
et Romaniola per te ac fratres tuae curae commissos, quos ad hoc videris oppor-
tunos, affectu prompto suscipias ac ferventi animo persequaris... quia si forte,
quod non credimus... », cf. lettre précédente du 8 juin.

72. A. DONDAINE : *Le Manuel de l'Inquisiteur, Archivum...*, 1947, p. 158, d'après
le mss Vatican latin 2648, fol. 49[ra-va], le cardinal d'Albano s'adresse à N. provincial de Lombardie : « Cum nuper dominus papa tibi preceperit ut per te ac per
fratres tuos consistentes ad extirpandum de Lombardia et Romaniola provinciis
hereticam pravitatem... ». La consultation serait donc légèrement postérieure à
la lettre du 21 septembre ou du 10 novembre 1251.

73. Lettres des 13, 14, 15 mai, P. 14586, 14587, 14593 : lettre du 15 juin 1252,
P. 14635, invitant les dominicains à interpréter les lettres apostoliques malgré
les erreurs de style dûes à une trop grande hâte.

créer une police spéciale, ordonnée précisément à la recherche des hérétiques et à l'exécution des sentences inquisitoriales[74].

Le pape, considérant combien les événements contemporains ont facilité l'expansion de l'hérésie — l'ivraie de la parabole — s'accuserait de graves négligences s'il n'intervenait pas pour sauver le peuple chrétien. Il attend des chefs civils responsables une égale vigilance. Qu'ils reçoivent donc les constitutions pontificales ci-jointes, qu'ils les appliquent et les fassent observer sans jamais les laisser tomber en désuétude. Sinon, les inquisiteurs dominicains fulmineront par délégation apostolique des sentences d'excommunication et d'interdit, sans appel.

Suivent les constitutions. Elles peuvent se résumer de la manière suivante.

— L'organisation de la police inquisitoriale — Les podestats, recteurs, consuls des communes de Lombardie, de la Romagne et de la Marche de Trévise doivent jurer en termes précis et sans hésitation d'observer les constitutions et les lois, tant canoniques que civiles, qui ont été portées contre les hérétiques, à peine d'encourir les notes d'infamie et de parjure, d'être considérés comme fauteurs des hérétiques et soupçonnés même d'hérésie, d'être frappés d'une amende de deux cents marcs et d'une incapacité perpétuelle d'exercer aucune magistrature[75]. Le podestat ou recteur doit dans les trois jours qui suivent son entrée en fonction créer une police inquisitoriale, composée de douze catholiques énergiques et foncièrement honnêtes : *viros probos et catholicos* auxquels s'ajouteront deux notaires et deux « serviteurs ». Toutefois, le personnel ainsi constitué ne saurait entrer en fonction sans avoir reçu confirmation de l'Ordinaire et de deux frères prêcheurs et de deux frères mineurs, eux-mêmes désignés par leurs supérieurs s'il y a dans la cité des couvents dominicain et franciscain. Tout sujet, déclaré incapable par l'Ordinaire et les quatre religieux, doit être remplacé par le podestat[76].

La police inquisitoriale doit prêter serment devant le tribunal diocésain. Elle doit capturer les hérétiques et faire exécuter les sentences dans les cinq jours. Chacun des policiers a droit à un salaire fixe, sans préjudice du tiers des biens des hérétiques dont il se serait emparés

---

74. Bulles *Orthodoxae fidei* 27 avril 1252, *Cum fratres praedicatores*, 11 mai 1252, *Ad Extirpanda*, 15 mai 1252, P. 14575, 14584, 14592, *Reg.*, n° 7799 ; Mansi, t. XXIII, cc. 569-575

75. I : « Statuimus ut potestas, seu rector, qui civitati praeest... juret praecise et sine timore aliquo attendere inviolabiliter, et facere ab omnibus observari, toto tempore sui regiminis, quam in terris suae ditioni subjectis, omnes et singulas tam infra scriptas quam alias constitutiones et leges, tam canonicas quam civiles, editas contra haereticam pravitatem, et super his praecise observandis recipiant a quibuslibet sibi in potestateria vel regimine succedentibus juramenta... »

76. III : « Idem quoque Potestas seu Rector, infra tertium diem post introitum regiminis sui, duodecim viros probos et catholicos, et duos notarios et duos servitores vel quotquot fuerint necessarii, instituere teneantur : quod dioecesanus, si praesens extiterit et interesse voluerit, et duo fratres Praedicatores et duo Minores, ad hoc a suis Prioribus, si conventus ibi fuerint eorumdem ordinum, deputati, duxerint eligendos » ; item, XVII.

et du tiers des amendes des condamnés. Tout dommage subi dans l'exercice de la fonction policière inquisitoriale doit être réparé intégralement. La durée du mandat est de six mois, elle peut être prorogée de six autres mois par le podestat[77].

La police inquisitoriale peut requérir l'assistance de quiconque, de l'assesseur du podestat aux simples citoyens. Tout sujet requis doit obéir à peine de sanctions. Il n'est même pas nécessaire d'être requis. Quiconque découvre un hérétique a le droit de s'assurer de la personne et de s'emparer des biens qui lui appartiennent désormais de plein droit, à moins qu'il n'ait agi dans l'exercice d'une fonction publique, auquel cas, vu son salaire, il ne touche que le tiers des biens, comme on l'a noté ci-dessus[78].

— Les peines — Tout hérétique capturé doit être emprisonné en lieu particulièrement sûr, et différent de la prison commune pour les malfaiteurs, et aux frais de la ville, jusqu'à l'ouverture de l'instance. Le procès doit s'ouvrir devant l'Ordinaire ou son représentant spécialement qualifié, ou devant les inquisiteurs dans un délai de quinze jours[79]. Quiconque aurait l'audace ou d'empêcher la police inquisitoriale de procéder aux arrestations des hérétiques ou de ravir le coupable, serait puni conformément à la constitution de Frédéric II promulguée à Padoue, c'est-à-dire qu'il serait condamné à la prison perpétuelle, à la confiscation des biens avec destruction des maisons. De plus, la bulle veut que des amendes de cinquante, cent ou deux

77. VII : « Porro cum officiales hujusmodi eliguntur, jurent haec omnia exequ fideliter et pro posse, ac super his semper meram dicere veritatem..., IV : « Instituti autem hujusmodi et electi possint et debeant haereticos et haereticas capere et eorum bona illis auferre et facere auferri per alios, et procurare haec tam in civitate quam in tota ejus jurisdictione vel districtu plenarie adimpleri..., XXIV : « Damnatos vero de haeresi per dioecesanum, vel ejus vicarium, seu per inquisitores praedictos, Potestas seu Rector, vel ejus nuntius specialis, eos sibi relictos recipiat statim, vel infra quinque dies ad minus, circa eos constitutiones contra tales editas servaturus », XIII : « Sane ipsis officialibus dantur de camera communis civitatis vel loci, quando exeunt civitatem vel locum pro hoc officio exequendo, unicuique pro qualibet die decem et octo imperiales in pecunia numerata, quas Potestas vel Rector teneatur eis dare vel dari facere, infra diem tertium postquam ad eamdem redierint civitatem vel locum », XIV : « Et insuper habeant tertiam partem bonorum haereticorum quae occupaverunt, et mulctarum ad quas fuerunt condemnati, secundum quod inferius continetur, et hoc salario sint contenti » ; item, XII.

78. XIX, II : « ...et quicumque ipsum vel ipsam invenerit, libere capiat et capere possit impune et omnes res ipsius vel ipsorum eis licenter auferre, quae sint auferentium pleno jure, nisi auferentes hujusmodi sint in officio constituti. »

79. XXI : Teneatur insuper Potestas seu Rector quilibet omnes haereticos vel haereticas qui capti amodo fuerint per viros catholicos ad hoc electos a dioecesano, si fuerit praesens, et fratribus supradictis, in aliquo speciali carcere tuto et securo, in quo ipsi soli detineantur, seorsum a latronibus et bannitis, donec de ipsis fuerit definitum, sub expensis communis civitatis vel loci sui facere custodiri ». XXIII : « Teneatur insuper Potestas seu Rector quilibet cum bono et securo comitatu omnes haereticos et haereticas, quocumque nomine censeantur, infra quindecim dies postquam fuerint capti, dioecesano vel ejus speciali vicario, seu haereticorum inquisitoribus praesentare, pro examinatione de ipsis et eorum haeresi facienda. »

cents livres impériales soient versées par les localités où de tels méfaits auraient eu lieu, si dans le délai de trois jours le ou les coupables ne s'étaient livrés spontanément au podestat[80].

Tandis que les conciles du Languedoc demandaient à l'inquisiteur d'agir auprès des hérétiques avec la plus persuasive insistance, la bulle d'Innocent IV veut que le podestat ou le recteur obtienne l'aveu des hérétiques et la dénonciation des complices par le moyen de la torture sans aller toutefois jusqu'à la mutilation et au danger de mort, et de justifier la torture par cette analogie qui existe entre les voleurs de biens matériels et ces voleurs de biens spirituels et des âmes que sont les hérétiques[81].

La bulle exige encore la démolition de fond en comble, sans aucun espoir de reconstruction, de tout immeuble où l'on aurait découvert un hérétique, à moins que le propriétaire n'ait désigné lui-même cet immeuble aux inquisiteurs. On démolira de même tous les immeubles contigus du même propriétaire. Quiconque, à moins qu'il n'agisse dans l'exercice de ses fonctions, pourra s'adjuger en toute propriété, après inventaire, les objets qu'il aura trouvés dans la maison. Quant au propriétaire de l'immeuble, à moins certainement, bien que la bulle ne le précise pas, qu'il n'ait orienté vers sa maison le zèle des inquisiteurs, par analogie avec ce qui précède, il encourra l'infamie perpétuelle et versera à la commune une amende de cinquante livres impériales : s'il ne le peut, il sera condamné à la prison perpétuelle. Enfin, la bulle veut que la localité où se trouvait l'immeuble détruit et avec elle les localités voisines versent également à la commune une amende de cinquante ou de cent livres suivant l'importance du lieu[82].

---

80. XX : « Quicumque autem haereticum vel haereticam captum vel captam auferre de manibus capientium vel capientis ausus fuerit, vel defendere ne capiatur seu prohibere aliquem intrare domum aliquam vel turrim seu locum aliquem ne capiatur et inquiratur ibidem, juxta legem Paduae promulgatam per Fridericum tunc imperatorem, publicatis bonis omnibus ,in perpetuum relegetur et domus illa, a qua prohibiti fuerint, sine spe reaedificandi funditus destruatur : et bona quae ibi reperta fuerint fiant capientium, ac si haeretici fuissent ibidem inventi : et tunc propter hanc prohibitionem vel impeditionem specialem, burgus componat communi librarum ducentarum, et villa librarum centum, et vicinia tam burgi quam civitatis librarum quinquaginta imperialium, nisi infra tertium diem ipsos defensores vel defensorem haereticorum potestati captos duxerint personaliter praesentandos. »

81. XXV : « Teneatur praeterea Potestas seu Rector omnes haereticos quos captos habuerit cogere, citra membri deminutionem et mortis periculum, tamquam vere latrones et homicidas animarum, et fures sacramentorum Dei et fidei christianae, errores suos expresse fateri et accusare alios haereticos quos sciunt, et bona eorum et credentes et receptatores et defensores eorum sicut coguntur fures et latrones bonorum temporalium accusare suos complices et fateri maleficia quae fecerunt. »

82. XXVI : « Domus autem in qua repertus fuerit aliquis haereticus vel haeretica, sine ulla spe reaedificandi funditus destruatur, nisi dominus domus eos ibidem procuraverit reperire. Et si dominus illius domus alios domos habuerit contiguas illi domui, omnes illae domus similiter destruantur, et bona quae fuerint inventa in domo illa et in domibus illis adhaerentibus, publicentur, et fiant auferentium, nisi auferentes fuerint in officio constituti. Et insuper dominus domus illius, prae-

La destruction des maisons et la confiscation des biens doivent avoir lieu dans les dix jours, les amendes doivent être payées dans les trois mois. Du produit de la confiscation et des amendes on fera trois parts : l'une pour la commune, l'autre pour les membres de la police inquisitoriale, la troisième pour couvrir les frais[83].

La bulle rappelle les dispositions les plus sévères de la législation canonique sur la note d'infamie perpétuelle à appliquer aux fauteurs des hérétiques et sur les incapacités administratives qui les frappent, ainsi que les fils et petits-fils des hérétiques[84].

— Les archives — Les registres contenant les noms des hérétiques déclarés infâmes ou incapables doivent être tenus à jour par le podestat ou le recteur en quatre exemplaires, un pour la commune, un pour l'évêque, un pour les dominicains, un pour les franciscains. Les noms infâmes doivent être lus trois fois l'année en séances solennelles et publiques. Enfin, la présente législation, déclarée intangible à peine d'infamie perpétuelle et d'amende, doit se présenter en quatre exemplaires : un dans la bibliothèque de la commune, un dans celle du diocèse, un chez les dominicains, un chez les franciscains[85].

Ad Extirpanda a été complétée quelques mois plus tard par une autre bulle adressée aux mêmes destinataires : *Cum adversus haereticam*, 31 octobre 1252, dans laquelle le pape ne fait que préciser un point, important il est vrai, de la bulle précédente. Innocent IV avait canonisé expressément la législation impériale de Padoue. Peut-être certains en avaient-ils perdu le souvenir ou ne savaient-ils pas distinguer les unes des autres les constitutions qui avaient été promulguées contre les hérétiques, ou bien voulaient-ils simplement les ignorer ? Le pape les leur rappelle ; son insistance, la violence mal contenue du style, les menaces d'excommunication et d'interdit, les anathèmes fulminés contre les apostats, tout, semble-t-il, témoigne et de l'ampleur du mal et de l'insuffisance de la répression séculière[86].

ter notam infamiae perpetuae quam incurrat, componat communi civitatis vel loci quinquaginta libras imperiales in pecunia remunerata : quam si non solverit in perpetuo carcere detrudatur. Burgus autem ille in quo haeretici capti fuerint vel inventi componat communi civitatis libras centum, et villa libras quinquaginta, tam burgi quam civitatis libras quinquaginta imperiales in pecunia remunerata. »

83. XXXI et XXXIII.

84. XXIX, XXVII, XXXII : « Omnes autem condemnationes vel poenae quae occasione haeresis factae fuerint, neque per concionem, neque per consilium, neque ad vocem populi, ullo modo aut ingenio tempore valeant relaxari. » C'est la Loi de Majesté qui s'applique dans toute sa rigueur et sans miséricorde.

85. XXVIII : « ...et ipsorum nomina ter in anno et in concione publica solemniter faciant recitari », item XXXIV.

86. Bulle *Cum adversus haereticam*, 31 octobre 1252, P. 14762, *Reg.*, n⁰ 7.800, MANSI, t. XXIII, c. 586 et ss... « Cum adversus haereticam pravitatem quondam Fridericus Romanorum Imperator promulgaverit quasdam leges per quas ne pervagetur compesci poterit pestis illa, nos illas volentes ad robur fidei ac salutem fidelium observari, universitati vestrae per Apostolica scripta mandamus, quatenus eas, quorum tenores vobis mittimus insertos praesentibus, faciatis singuli in vestris capitularibus annotari contra haereticos sectae cujuslibet, secundum eas exacta diligentia processuri. Alioquin, dilectis filiis Priori provinciali et fra-

Quel jugement porter sur cette législation ?

D'abord, ce n'est pas à proprement parler un code de procédure, c'est un règlement de police. Il s'inspire très certainement de la constitution d'Annibaldo : on retrouve de part et d'autre la nécessité du serment à l'entrée en fonction du magistrat municipal, à peine d'amende et d'incapacité, la clause relative à la destruction des immeubles, le partage du produit des confiscation et des amendes. Il s'inspire également de la constitution impériale de Padoue à laquelle il se réfère expressément sur la destruction des immeubles. Il se réfère peut-être aussi aux témoins synodaux et aux Sociétés de la Foi, milanaise et florentine, ordonnées précisément à la recherche des hérétiques, à la défense de l'Eglise et de ses libertés. Le règlement de police inquisitoriale est minutieux et sévère. Un élément nouveau qui paraît ici pour la première fois dans la législation canonique est la torture. On a rapproché la torture de l'ordalie qui était d'usage courant dans les tribunaux ecclésiastiques du nord de la France au xiiie siècle. Mais l'ordalie était un moyen de preuve, en principe souverain, puisqu'elle était l'expression même du témoignage de Dieu. La torture n'est pas un moyen de preuve, c'est un procédé barbare destiné à provoquer la confession judiciaire. On l'appliquait aux voleurs. Les hérétiques, étant considérés comme des voleurs et des voleurs sacrilèges, suivant la doctrine canonique qui reçoit ici sa consécration officielle[87], la conclusion paraissait évidente. Innocent IV ne donne aucune précision sur le caractère de la torture[88], il en indique seulement les limites. Un autre élément nouveau, c'est la reconnaissance officielle de la peine du feu. Nous savions que la législation impériale contre les hérétiques avait été approuvée par Honorius III et par Grégoire IX, mais d'une façon générale qui impliquait par conséquent l'approbation au moins implicite de la peine du feu. Innocent IV, comme ses prédécesseurs et avec plus d'insistance encore, fait allusion dans *Orthodoxae fidei* et *Ad Extirpanda* aux constitutions de Padoue. Dans *Cum adversus haereticam* il précise davantage et, pour lever tous les doutes et toutes les ignorances, il insère dans le corps même de sa décrétale les constitutions impériales de la fin du règne qui condamnent les hérétiques au bûcher et à la prison, au nom de la Majesté Divine. Cette

---

tribus inquisitoribus haereticae pravitatis ordinis praedicatorum in Lombardia, marchia Tarvisina et Romaniola litteris nostris injungimus ut vos ad id per excommunicationem in personas et interdictum in terram, appellatione remota, compellant. ...Suivent dans le texte les constitutions de Frédéric II : *Commissi nobis, Inconsutilem tunicam, Patarenorum receptato es, Catharos, Patarenos...* à la date du 22 février 1239. ...Rex Regum, Apostatantes a fide catholica penitus execramur, insequimur ultionibus, bonis suis omnibus spoliamus. Et ut a professione vel vita naufragantes legibus coarctamus. Successiones tollimus, ab eis omne jus legitimum abdicamus.

87. L'analogie entre le voleur de biens sacrés et le voleur de biens profanes a été mise en évidence par Huguccio qui s'inspire d'Ulpien, voir chapitre I, p. 85 ss et notes.

88. Sur les espèces de torture, voir H.Ch. Lea : I, pp. 474 et ss ; E. Vacandard : L'*Inquisition*, pp. 175 et ss ; L. Tanon : *Histoire des Tribunaux...*, pp. 362 ss.

idée de Majesté, Innocent III, après la première carence impériale, se l'était appropriée. Innocent IV, après la seconde carence impériale, la reprend à son compte. Dans l'un et l'autre cas, le Saint-Siège donnait aux peines de l'Inquisition, et, d'une manière plus générale, au pouvoir coercitif de l'Eglise, et, sur un plan supérieur, aux structures mêmes de la Chrétienté, le fondement juridique de la Cité Romaine.

Quelle a été l'influence des deux bulles ?

Les dominicains qui œuvraient en Lombardie et en Romagne, dans les Marches de Trévise et d'Ancône se heurtaient à de graves difficultés. L'épiscopat ne paraissait guère les soutenir. En janvier 1253, le pape confirma les Statuts que le cardinal d'Albano avait donnés aux inquisiteurs en 1251 sur le point précis des garanties pécuniaires à exiger des hérétiques et de leurs fauteurs convertis, mais il invita en même temps les Ordinaires à utiliser ces garanties pour couvrir les dépenses du provincial des dominicains, des inquisiteurs et de leurs substituts[89]. Quant aux laïques, ils cherchaient à neutraliser l'Inquisition. En mars-avril, le pape ordonna aux inquisiteurs de s'assurer de deux « receleurs d'hérétiques », un comte Gilles de Curtenova et un citoyen de Milan, Manfred de Sexto[90], contre lesquels on n'osait peut-être pas procéder, ou bien ne le pouvait-on pas. Les Pouvoirs séculiers ne se souciaient guère d'insérer dans les Statuts municipaux bulles et constitutions. Innocent IV s'en plaignit amèrement. « Nous apprenons, écrit-il, qu'un certain nombre de seigneurs, podestats et d'autres magistrats de Lombardie, Romagne, Marche de Trévise, refusent d'insérer dans les Statuts des villes ou des localités à la tête desquelles ils se trouvent les bulles et constitutions impériales qui ont été promulguées contre les hérétiques » et d'exiger qu'on les contraigne par censures d'excommunication et d'interdit[91]. Ce n'était sans doute guère efficace. Innocent IV promulgua une seconde fois *Ad Extirpanda* et *Cum adversus haereticam* qui portent aussi dans le Registre les dates des 20 et 22 mai 1254[92]. Il envisagea enfin d'organiser une croisade contre le plus redoutable des princes.

Le terrible Ezzelin de Romano que Jean de Vicence avait jadis paru toucher demeurait le farouche défenseur des hérétiques dans la région de Trévise[93]. En avril 1254, le pape, dénonçant en termes d'une extrême violence les cruautés et les turpitudes de cet « ennemi du genre humain », fulmina contre lui l'anathème qui devait se traduire, conformément à la tradition canonique, par la déposition et la confiscation des biens, en faveur de son frère Albéric[94]. En mai, juin, juillet,

---

89. Lettres aux inquisiteurs et aux Ordinaires : 29 et 30 janvier 1253, P. 14853, 14856.
90. Lettres des 23 mars et 5 avril 1254, P. 15295, 15321.
91. Lettre aux Inquisiteurs : *Ad aures nostras pervenit*, 2 avril 1253, P. 14934.
92. P. 15375 et P. 15378.
93. Sur Ezzelin de Romano, voir H.-Ch. LEA : II, pp. 268 et ss. J. GUIRAUD : II, pp. 537 et ss.
94. Bulle *Truculentam*, 16 avril 1248 et 9 avril 1254, P. 12899 et 15331, *Annales Ecclesiastici*, t. XXI, 1254, n° 35-40, pp. 463-466 ; MANSI, t. XXIII, c. 526,

le pape par la bulle *Malitia hujus temporis* voulut organiser la croisade : que les évêques accordent les indulgences, que le provincial des dominicains envoie des prédicateurs, que les prédicateurs donnent à ceux qui feraient le vœu de combattre les hérétiques le caractère des croisés de Terre Sainte, qu'ils leur donnent l'absolution de toutes leurs censures, que même les anciens partisans de Frédéric II et de son fils Enzio puissent se croiser, à moins, conclut la bulle, que la monstruosité de leurs crimes n'exige la réserve de leur absolution au Saint-Siège[95]. On ne sache pas que la croisade ait eu lieu, à ce moment.

Dans la dernière année de son pontificat, Innocent IV divisa l'Italie en deux zones inquisitoriales. Par la bulle *Licet ex omnibus* du 29 mai 1254, la première zone comprit la Lombardie « depuis Bologne et Ferrare jusqu'à Gênes ». Elle fut attribuée une fois de plus aux dominicains. Le provincial désignerait quatre inquisiteurs[96]. Ces inquisiteurs procéderaient avec les Ordinaires, ayant qualité les uns et les autres pour interpréter les statuts portés contre les hérétiques. Ils devront détruire les tours et autres refuges des hérétiques, brûler leurs cadavres, notamment celui d'un certain Nazaire, leur « évêque », et démolir de fond en comble leur repaire[97]. Cependant le pape autorisa Rainier de Plaisance inquisiteur en Lombardie, à réduire les incapacités des fauteurs et de leurs descendants qui s'en remettraient purement et simplement à l'Eglise ou qui viendraient spontanément s'accuser d'ici la fin de l'année. Le cas du juriste milanais Guillaume, fils d'hérétique décédé, rétabli néanmoins, lui et sa famille, dans tous leurs droits et dans tous leurs biens, signifie peut-être que la vindicte

---

Ep. XIIIe s., t. III, n. 278, pp. 242-245 : « ...Nos igitur ...praefatum Ezilinum sicut manifestum hereticum sententialiter judicamus ipsum excommunicatum et anathematizatum cum dampnatis hereticis deputando, ascripta illis dampnationis stipendia recepturum... » De même, Innocent IV écrit aux Ordinaires pour qu'ils fulminent l'excommunication et l'anathème tous les dimanches et fêtes contre Ezzelin et ses fauteurs, quels qu'ils soient, et pour qu'ils contraignent toutes les autorités séculières à obéir aux lois canoniques et civiles contre les hérétiques.

95. Bulle *Malitia hujus temporis*, 30 et 31 mai, 19 juin et 12 juillet 1254, P. 15411, 15413, 15429, 15457, *Reg.*, n° 7793, 7792, 7794, Mansi, t. XXIII, cc. 584-586 : « Mandamus... quatinus in locis ubi contra haereticos vobis inquisitionis officium commissum est, curetis singuli opportuna instantia contra eosdem haereticos eorumque fautores proponere populis publice verbum crucis, et eos qui tacti zelo fidei ad extirpandam pravitatem eumdem votum assumpserint, crucis charactere consignare... vobis et eisdem fidelibus illam indulgentiam illudque privilegium elargimur quae transeuntibus in Terrae Sanctae subsidium in generali concilio conceduntur... Contra quos, prout audacia ipsorum exigerit, reges et principes christianos necnon crucesignatos pro terrae sanctae succursu curabimus invocare : cum non minus expediat, immo magis, fidem in locis prope positis quam procul distantibus defensare. »

96. Lettre adressée au prieur provincial de Lombardie : 29 mai 1254, P. 15407, *Reg.*, n° 7798.

97. Lettres des 9 mars, 21 juin, 20, 27 et 29 juillet, 19 août 1254, P. 15268, 15432, 15473, 15474, 15492, *Reg.*, n° 7795, 8310, 8311. Sur la doctrine de Nazaire, voir la *Somme de Raynier Sacconi*, dans D. Martène et U. Durand : *Thesaurus Anecdotorum*, vol. V, Paris, 1717, cc. 1773-1774.

de la législation canonique s'atténue et illustre peut-être aussi l'échec partiel de l'Inquisition dans l'Italie du nord[98].

Par la même bulle *Licet ex omnibus* en date du 30 mai, la zone franciscaine comprit la Marche de Trévise, la Romagne et la Marche d'Ancône, enlevées aux dominicains, et tout le reste de l'Italie : Toscane, Patrimoine, Maremme et Campanie[99]. Les inquisiteurs franciscains reçurent les mêmes directives que leurs collègues dominicains[100], y compris l'ordre de prêcher la croisade. Elle était ici d'autant plus urgente que les derniers Hohenstaufen tenaient encore l'Italie centrale et le royaume de Sicile. En mars 1254, le pape envoya deux bulles de croisade aux franciscains, dont la bulle *Tunc potissime Conditori* précédemment adressée aux dominicains, qui fut envoyée aux custodes de la Marche d'Ancône et à ceux de la Province de Rome[101]. Mais le 2 juin, Innocent IV signifia aux Ordinaires d'Italie qu'il avait décidé, après avoir pris l'avis de son conseil, d'annuler les bulles de croisade précédemment envoyées « depuis le dernier Noël jusqu'à l'Ascension », soit depuis le 25 décembre 1253 jusqu'au 22 mai 1254 : Pâques tombant le 12 avril, l'Ascension, quarante jours après, tombait le 22 mai. Il ne peut s'agir des menaces de croisade contenues dans *Misericors et miserator* de 1251 ni dans *Malitia hujus temporis* dont la première promulgation est du 30 mai. Restent les seules bulles de mars adressées aux franciscains. Ce qui le confirmerait, c'est la référence donnée dans le Registre pour la bulle du 2 juin aux *Annales Minorum* de Wadding[102]. La croisade n'eut pas lieu, sans doute parce qu'elle n'avait plus d'objet. La mort soudaine de Conrad, le 21 mai 1254, lui enlevait sa raison d'être. Le rapprochement des dates est significatif.

Le moment parut alors favorable d'accroître la pression de l'Inquisition sur les princes et les magistrats de l'Italie centrale et du royaume de Sicile qui redevenait pour un temps vassal du Saint-Siège[103]. Innocent IV envoya aux inquisiteurs franciscains *Cum adversus haereticam et Malitia hujus temporis*, mais on ne voit pas qu'aucune police inquisitoriale ait jamais été créée ni que les lois impériales aient été en-

98. Lettres à Raynier Sacconi, inquisiteur en Lombardie : 18 août 1254, *Reg.*, n° 8312, 8313.

99. Lettres des 18, 27, 28 mars et du 30 mai 1254, P. 15283, 15299, 15304, 15409, 15410, *Reg.*, n° 7797.

100. La Bulle *Super extirpatione pravitatis* envoyée le 30 mai aux dominicains est envoyée aux franciscains le 7 juillet : P. 15412 et 15449, *Reg.*, n° 7791 ; *Cum negotium fidei* adressée aux dominicains le 9 mars est envoyée aux franciscains le 8 avril : P. 15268 et 15330 ; *Tunc potissime Conditori* adressée aux dominicains le 27 septembre 1251 est envoyée aux franciscains de la Marche d'Ancône le 27 mars 1254, P. 14406 et 15299 ; *Cum adversus haereticam* adressée aux dominicains le 28 mai 1252 et le 7 juillet 1254 n'est envoyée aux franciscains que le 7 juillet 1254 ; P. 14607 et 15448, *Reg.*, n° 7802 ; *Malitia hujus temporis* adressée aux dominicains le 31 mai 1254 est envoyée aux franciscains le 13 juillet : P. 15413 et 15458, *Reg.*, n° 7792.

101. Lettres aux inquisiteurs franciscains : 23, 27, 28 mars 1254, P. 15293, 15299, 15304.

102. Bulle du 2 juin 1254, P. 15419, *Reg.*, n° 7796.

103. Ch. THOUZELLIER, *ouvr. cité*, p. 432.

voyées aux seigneurs et magistrats des villes[104]. Le pape mourut avant
d'avoir pu achever l'organisation de l'Inquisition franciscaine.

Malgré son intérêt, la législation d'Innocent IV ne présentait qu'un
caractère local. Tandis qu'au pays des Albigeois les conciles réformateurs organisaient, sous la double influence des légats du Saint-Siège
et de la monarchie capétienne, un régime inquisitorial cohérent dans
un climat de sérénité relative, l'Italie, au contraire, terriblement se-
couée par les crises de ces dernières années et en état permanent d'instabilité, ne pouvait être reprise par le Saint-Siège[105] que par des moyens
violents. Mais quand il s'adresse à la Chrétienté, Innocent IV fait
figure de conservateur.

Au moment où il envoyait pour la seconde fois aux podestats lombards les fameuses bulles *Ad extirpanda* et *Cum adversus haereticam*,
il adressait à tous les fidèles *Noverit Universitas* du 15 juin 1254 qui
reproduit mot pour mot les « Statuts du Saint-Siège » de Grégoire IX.
Dans la version d'Innocent IV le texte ne prête plus à difficulté :
les hérétiques impénitents sont livrés au Bras séculier qui leur applique
l'*animadversio debita*, c'est-à-dire la mort sans autre précision ; les
autres qui voudraient faire pénitence, *qui redire voluerint ad agendam condignam poenitentiam*, sont emprisonnés jusqu'à la mort...
Innocent IV ajoute seulement ces deux clauses sévères : tout clerc
hérétique ou fauteur, défenseur, receleur d'hérétiques doit être privé
pour toujours de son bénéfice et de toutes ses dignités ; tout enfant
d'hérétique doit être maintenu dans une minorité perpétuelle, ce qui
confirme et même aggrave sensiblement les peines d'incapacités[106].

*
* *

Alexandre IV continua l'œuvre de son prédécesseur. Il y apporta
toutefois quelques précisions et tempéraments. L'ensemble de ces modi-
fications peut se résumer de la manière suivante.

D'abord des définitions. Est hérétique quiconque évidemment est
convaincu d'hérésie, suivant la discipline traditionnelle, mais encore
tout suspect qui se dérobe à la citation et qui, excommunié pour ce
motif, ne demande pas dans le délai d'un an sa réconciliation[107]. Est

104. Lettres des 7 et 13 juillet 1254, P. 15448 et 15458, rien dans *Reg.* sur l'envoi des bulles aux franciscains.
105. Sur la politique italienne du Saint-Siège après la mort de Frédéric II, voir
Ch. Thouzellier, *ouvr. cité*, pp. 427 et suivantes.
106. Le 15 juin 1254, P. 15425, *Reg.*, n° 7790, Mansi, t. XXIII, c. 583 : « ...Illo-
rum autem filiorum emancipationem nullius momenti esse volumus quos parentes
post emancipationem hujusmodi ad viam superstitionis haereticae a via decli-
nasse constiterit veritatis. » Analogie avec la théorie d'Innocent III d'après laquelle celui qui manque à la fidélité qu'il doit à Dieu n'a plus le droit à la fidélité de ses vassaux : Bulle de croisade, 15 mars 1208, voir ch. IV, p. 200. Cette
incapacité est passée sous le nom d'Alexandre IV dans le Sexte : c. 2, § 4-V-II-VI°.
107. Lettre aux dominicains, 28 mai 1260, P. 17876, dans le Sexte : c. 7-V-
II-VI° : « Cum contumacia (in causa praesertim fidei) suspicioni praesumptionem

relaps d'après la consultation *Quod super nonnullis*, non seulement celui qui retombe dans une hérésie déjà embrassée et abjurée, mais encore celui qui tombe dans une hérésie dont auparavant il n'était que soupçonné et qu'il avait abjurée. En rigueur de Droit, *secundum propriam verborum significationem*, celui-ci n'est pas relaps, mais par fiction juridique il est néanmoins considéré comme tel. Toutefois on tiendra compte de cette fiction, si la suspicion d'hérésie était légère, dans l'application de la peine. Est parjure celui qui falsifie sa déposition. Mais on tiendra compte du motif qui l'a fait agir. Si ultérieurement et par « zèle de la foi » il dépose selon la vérité, on ne rejettera pas son témoignage *in favorem fidei*[108].

Ensuite des questions de compétence. Le pape exclut, sinon de la compétence de l'Inquisition, du moins de ses attributions ordinaires, toutes questions relatives aux sortilèges et à l'usure[109]. Par contre, la compétence des inquisiteurs en matière d'hérésie devient à ce point exclusive qu'elle paraît bien supplanter celle des évêques. Si le pape, dès le début de son pontificat, ordonna aux inquisiteurs italiens de procéder contre les hérétiques suivant les formules de son prédécesseur[110], il leur accorda des pouvoirs pratiquement discrétionnaires. Le nombre des dominicains lombards passa de quatre à huit[111]. Ils furent autorisés à procéder, quelles que soient les dispositions des Ordinaires, et ils reçurent les plus amples pouvoirs pour contraindre tout hérétique et instrumenter contre quiconque, fut-il privilégié[112]. C'est peut-être pour les affranchir de la Curie épiscopale qu'ils furent encore autorisés, à se choisir leurs propres notaires. Le pape les affranchit même de la juridiction de ses légats et leur donna des indulgences[113]. Les inquisiteurs de Toulouse et ceux d'Aragon furent également favorisés[114].

adjiciat vehementem : si suspectus de haeresi revocatus a vobis, ut de fide respondeat, excommunicationis vinculo (pro eo quod parere subterfugit, aut contumaciter se absentat) per vos fuerit innodatus quam si per annum animo sustineat pertinaci, ex tunc velut haereticus condemnetur. »

108. Bulle *Quod super nonnullis* aux franciscains : 27 septembre et 13 décembre 1258, P. 17382 et 17436 ; aux dominicains : 10 janvier 1260, P. 17745, dans N. EYMERIC, *Directorium Inquisitorum*, ed. F. Pegna, Venise, 1607, Litterae Apostolicae, p. 24 ; c. 8-V-II-VIº : Accusatus de haeresi vel suspectus... § 1. Eum vero... § 2. Ille quoque... § 3. ...cum crimen hujusmodi sit exceptum...

109. Item *Quod super nunnullis*, §§ 4 et 5 in VIº.

110. Lettres aux dominicains : 13 et 26 avril, 26 et 28 juillet, 9 août 1255, P. 15797, 15824, 15948, 15958, après 15986 ; aux franciscains : 13 avril et 1er août 1255, 22 novembre 1258, P. 15800, 15969, 17414.

111. Lettre du 20 mars 1256, P. 16295.

112. Lettres des 10 mars 1255, 11 janvier 1257, 9 octobre 1260, P. 15731, 16667, 17951.

113. Lettres des 18 avril 1259, 7 et 15 octobre 1260, P. 17536, 17950, 17955. *Directorium*, p. 39.

114. Toulouse, 5, 10, 15 décembre 1257, P. 17097, 17102 ; 17112 ; Aragon, 28 juillet 1257, d'après le ms. Vat. Lat. 3978, fol. 38rb-39rb, cf. A. DONDAINE, *Le manuel*, p. 146. Cette bulle, absente des répertoires, fut reprise en partie par Urbain IV, le 28 juillet 1262. C'est donc d'après la bulle d'Urbain IV, P. 18387, *Directorium Secunda Pars*, pp. 129-131, que nous pouvons reconstituer celle d'Alexandre IV ; *item*, 26 septembre 1260, P. 17945.

Les franciscains, désignés par leurs supérieurs, reçurent eux aussi, tout pouvoir de citer, de procéder, même contre les privilégiés, d'excommunier et d'absoudre, sans qu'il soit jamais fait mention des Ordinaires[115]. Peut-être même furent-ils indirectement autorisés à procéder contre eux. La bulle *Cupientes ut Inquisitionis* du 4 mars 1260 veut que tout possesseur de documents relatifs à l'Inquisition livre ces documents à la requête des inquisiteurs, à peine de censures[116]. Or, d'après *Ad Extirpanda*, les registres des noms des hérétiques devaient être tenus en quatre exemplaires, dont un pour la commune et un pour l'évêque. C'est vraisemblablement de ces registres qu'il s'agit. Le texte fait sans doute allusion aux podestats récalcitrants, mais les termes généraux : *omnes illos... scripta per quoscumque... factae* n'excluent pas nécessairement l'allusion aux Ordinaires[117]. Comme les dominicains, les franciscains furent autorisés à se choisir des notaires, ils furent exempts de la juridiction des légats et comblés d'indulgences[118].

La procédure demeura inchangée. Il fut admis cependant que désormais les inquisiteurs pourraient recevoir la déposition, même d'un excommunié[119]. Surtout, la procédure présente un caractère collégial. D'après une bulle *Prae cunctis*, véritable directoire envoyé aux inquisiteurs aragonais, l'interrogatoire des témoins se ferait en présence de deux personnes « religieuses et discrètes » ; les dépositions seraient enregistrées par notaire public ou par deux hommes compétents[120].

---

115. Lettres des 11 février et 15 septembre 1259 et 8 février 1261, P. 17474, 17664, 18035.

116. Lettre aux inquisiteurs franciscains de l'administration de Saint François, c'est-à-dire de la région de Spolète : H.-Ch. LEA : II, p. 279 : *Cupientes ut inquisitionis*, 4 mars 1260, P. 17800.

117. « Compellendi appellatione remota per censuram ecclesiasticam per vos vel per alios quos ad hoc idoneos vos, vel alter vestrum duxeritis eligendos omnes illos qui scripta vel instrumenta Inquisitionis, vel ad ejus officium pertinentia, per quoscumque hactenus factae, ac etiam faciendae contra haereticos, credentes, receptatores, seu defensores eorum habent, vel habuerunt, ut ea sine cujuslibet difficultatis, seu dilationis dispendio vobis vel alteri vestrum exhibeant... », *Directorium*, p. 35. La bulle *Cupientes* continue : « ...necnon absolvendi a sententia excommunicationis omnes illos, qui dimissa haereticorum perfidia ad unitatem Catholicae fidei libere, ac humiliter redire voluerint... ac etiam reconciliandi eos Ecclesiae... Convocandique clerum et populum civitatum, castrorum... Dandi quoque omnibus accedentibus ...quadraginta dierum indulgentiam... ut in eodem negotio summarie, absque judiciorum et advocatorum strepitu prodecere valeatis... Contradictores per censuram ecclesiasticam appellatione postposita compescendo. Non obstantibus... »

118. Lettres des 13 décembre 1258, 13 septembre 1259, 8 février 1261, P. 17435, 17662, 18035.

119. Lettres aux dominicains : 28 et 30 mai 1260, P. 17875, 17877, aux franciscains : 23 janvier 1261, P. 18016, 18017, c. 5-V-II-VI° : « In favorem fidei concedimus ut in negotio inquisitionis haereticae pravitatis excommunicati et participes vel socii criminis ad testimonium admittantur... »

120. Lettre aux dominicains aragonais du 28 juillet 1257, d'après la bulle d'Urbain IV du 28 juillet 1262, A. DONDAINE, *Le Manuel*, p. 140, confirmée par la lettre aux dominicains lombards : 15 octobre 1260, P. 17985, *Directorium*, p. 39 ; lettre aux franciscains : 8 février 1261, P. 18035.

Suivant une bulle adressée aux inquisiteurs de France, la sentence ne saurait être prononcée par les inquisiteurs sans l'assistance de juristes expérimentés[121].

Un certain nombre de dispositions miséricordieuses atténuent la rigueur des pénitences et des incapacités. Dominicains et franciscains furent autorisés à administrer les derniers sacrements aux hérétiques déjà livrés au Bras séculier qui donneraient des signes de pénitence[122]. Quand un hérétique réconcilié viendrait à mourir sans avoir encore reçu sa pénitence, ses descendants ne seraient pas obligés, d'après *Quod super nunnullis*, de recevoir cette pénitence ni, bien entendu, de l'accomplir, surtout si le défunt avait engagé ses biens. Mais, s'il mourait après avoir reçu sa pénitence sans avoir pu l'achever, ses héritiers devraient y pourvoir[123]. Dans le même esprit, les fils, évidemment catholiques, d'hérétiques décédés, furent autorisés à défendre par intermédiaires qualifiés la mémoire de leurs pères, en alléguant l'irresponsabilité des derniers moments, afin de sauver l'héritage. Par contre, un hérétique peut être déclaré tel après sa mort et ses biens, par conséquent, peuvent être confisqués[124].

Les clercs assez osés pour chercher à circonvenir les inquisiteurs, soit en invitant les hérétiques à faire de fausses déclarations, soit par tous autres moyens, seraient assimilés aux fauteurs d'hérésie. Les clercs « emmurés » doivent être auparavant dégradés. Les religieux condamnés pour hérésie doivent être plus sévèrement punis que les laïques. Il s'agit évidemment de religieux non clercs[125].

La plupart de ces dispositions ont été insérées dans le Sexte de Boniface VIII[126].

Alexandre IV précisa également certains articles de la législation de l'Inquisition séculière.

---

121. D'après la bulle *Cupientes quod in* adressée aux inquisiteurs de Paris ayant alors juridiction sur les terres d'Alphonse de Poitiers : 15 avril 1255, P. 15804, en relation probable avec la *Doctrina de modo procedendi contra haereticos* du mss. Vat. Lat., 3978, fol. 82rb et ss. A. DONDAINE, *Le Manuel*, p. 108-109, 153.

122. Bulle *Super eo quod* aux inquisiteurs de Toulouse : 14 mars 1257, d'après le mss. Vat. 3978, fol. 43va d'après A. DONDAINE : *Le Manuel*, p. 147 ; aux franciscains de Rome et de Spolète 26 septembre 1258 et 13 septembre 1259, P. 17381 et 17661 ; aux inquisiteurs de France : 30 avril 1260, P. 17845, c. 4-V-II-VIº : « ...respondemus quod taliter deprehensis, etiamsi (ut dictum est) sine ulla penitus audientia relinquendi sint judicio seculari : si tamen postmodum poeniteant, et poenitentiae signa in eis apparuerint manifesta, nequaquam sunt humiliter petita sacramenta poenitentiae ac Eucharistiae deneganda. »

123. Bulle *Quod super nonnullis*, déjà citée, c. 8, § 6 : *Si vero pro iis...*-V-II-VIº.

124. Bulle *Ex parte tua* aux franciscains : 24 septembre et 13 décembre 1258, P. 17377 et 17434, *Directorium, Ex parte vestra*, pp. 25-26 ; c. 3-V-II-VIº ; sur la condamnation posthume, c. 8, § 7-V-II-VIº.

125. Bulle *Quod super nonnullis*, c. 8, § 8-V-II-VIº. Grégoire IX, dans sa décrétale de 1231 avait rappelé que les clercs qui seraient condamnés comme hérétiques devaient être dégradés avant d'être livrés à la justice séculière.

126. Les autres dispositions d'Alexandre IV concernent notamment le refus de sépulture, les incapacités et les obligations du pouvoir temporel : cc. 2 et 6-V-II-VIº.

Ad Extirpanda obligeait les podestats à créer dans les trois jours qui suivraient leur entrée en fonction la police inquisitoriale. Le pape autorisa les dominicains à proroger le délai qui pourrait être porté de trois à dix jours[127]. Pendant ce temps le podestat prendrait connaissance des lois portées contre les hérétiques et aussi des archives de l'Inquisition. Il serait assisté de trois catholiques éprouvés *per tres viros catholicos et fideles* qui seraient désignés par l'Ordinaire et par les religieux dominicains et francisains. A leur défaut, soit qu'il y ait impossibilité matérielle ou refus, les inquisiteurs y pourvoieraient par délégation apostolique[128]. Une disposition ultérieure réserve à l'Ordinaire seul, en l'absence de toute communauté dominicaine ou francaine dans la localité, la désignation des trois assistants[129].

Ad Extirpanda donnait à la police inquisitoriale des pouvoirs étendus. Ces pouvoirs furent confirmés et accrus. Les policiers purent désormais exiger du podestat l'application des peines qu'ils auraient été amenés à infliger dans l'exercice de leurs fonctions. Ils purent aussi exiger de la commune, du bourg ou de la ville, la tradition des hérétiques qu'ils auraient assignés devant le tribunal de l'Ordinaire ou celui des Inquisiteurs. En cas de refus, la localité verserait une amende qui pourrait s'élever à deux cents marcs d'argent et serait mise au ban[130].

Ad Extirpanda avait insisté sur la destruction totale des immeubles où l'on aurait trouvé des hérétiques et des immeubles contigus, à peine d'amende. Elle avait aussi prévu la liquidation de tous les meubles. Ces dispositions furent rappelées et précisées. D'abord, il faut entendre par contigus tous les appendices ou toutes les dépendances d'un immeuble. En cas de contestation, on s'en remettra au jugement de

---

127. Lettres à Raynier Sacconi, inquisiteur en Lombardie : 26 avril et 28 juillet 1255, P. 15824 et 15958, lettres aux inquisiteurs de Lombardie et de Gènes : *Cum secundum tenorem* : 30 avril 1255, P. 15831 : « Teneatur insuper idem potestas vel rector infra decem dies sui regiminis syndicare praecedentem proximo potestatem vel rectorem et ejus etiam assessores per tres viros catholicos et fideles, electos ad hoc per dioecesanum, si fuerit praesens, et per fratres praedicatores et minores de omnibus quae in constitutionibus praefatis et legibus quae contra haereticos et eorum complices editis continentur », *Directorium*, pp. 19-20 ; *item*, 14 mars 1256, 6 mars 1257, 22 novembre 1258, P. 16292, 16764, 17414.

128. « ...Statuimus ut si dioecesanus et fratres minores praedictae electioni, praedictorum virorum noluerint, vel non potuerint, interesse, per aliquem vestrum, seu illos, quibus id duxeritis committendum, in locis in quibus inquisitionis officium exercetis, eligere personas seu viros hujusmodi libere valeatis, vobis et vestrum singulis auctoritate praesentium indulgemus » : 30 avril 1255 ; *Directorium*, p. 20.

129. « ...Si vero neutrius ordinis conventus ibi forsitan habeatur, ad solum dioecesanum eorumdem virorum electio pertinebit » : 6 mars 1257 ; *Directorium*, p. 22.

130. « ...Possunt autem praedicti officiales communitati, burgo et villae praecipere sub poena et banno, usque ad ducentas marchas argenti et ultra ad arbitrium potestatis loci ejusdem, quod potestati vel dioecesano aut ejus vicario seu inquisitoribus haereticorum praesentabunt infra praefigendum eis terminum competentem, omnes haereticos et haereticas quos sibi dicti officiales duxerint assignandos et potestas loci a non servantibus poenam hujusmodi exigere teneatur » : 6 mars 1257 ; *ibid.*, p. 21.

l'Ordinaire. Quant à la liquidation, elle s'impose en principe, à moins qu'il ne puisse être prouvé par des témoins dignes de foi et au-dessus de tout soupçon que les meubles n'appartenaient pas à l'hérétique, mais à des tiers[131].

Ces précisions données, Alexandre IV fit une nouvelle édition de *Ad Extirpanda* et il l'envoya, non seulement aux podestats lombards, mais à toutes les autorités séculières, quelles qu'elles fussent, de toute l'Italie. Il envoya de même aux chefs de toutes les principautés et aux magistrats de toutes les villes italiennes *Cum adversus haereticam*[132]. Ainsi la législation des deux zones fut uniformisée.

Dans quelle mesure fut-elle appliquée ?

L'Inquisition dominicaine se heurtait à la passivité des évêques et à l'hostilité des seigneurs. Le pape dut inviter l'archevêque de Gênes à contraindre la Commune à insérer dans ses statuts les constitutions d'Innocent IV. C'est alors qu'il doubla le nombre des inquisiteurs et qu'il les autorisa à passer outre aux résistances des évêques. Il multiplia ses encouragements à Raynier Sacconi et invita une fois de plus les prélats lombards et notamment l'archevêque de Gênes à assister les inquisiteurs[133].

Ezzelin de Romano dominait toujours dans la Marche de Trévise. La croisade qu'Innocent IV avait organisée contre lui fut relancée par Alexandre IV[134]. Elle échoua. Mais Ezzelin fut battu par ses propres alliés qui redoutaient son triomphe. L'un d'eux, Uberto Pallavacini, qui était suspect d'hérésie et défenseur notoire des hérétiques, fut élu, malgré la campagne de Raynier Sacconi, podestat de Milan. Un mouvement populaire obligea les inquisiteurs à s'exiler[135]. Le pape multiplia en vain ses lettres, tant aux inquisiteurs et pour stimuler leur zèle contre les Milanais coupables d'avoir élu ce « fils de perdition », et pour qu'ils fassent appliquer les lois de Frédéric II et invitent le podestat à comparaître à Rome même devant le Souverain Pontife, qu'aux prélats et abbés pour qu'ils assurent la protection

131. « ...Bona vero quae inventa fuerint in domibus supradictis debent in his casibus similiter publicari, nisi legitime constiterit per testes fide dignos et omni exceptione majores, ipsa bona esse aliarum personarum quam dominorum domuum earumdem... illud de appendicis domus illius debere intelligi declaramus, ut scilicet domus illa cum aliis ejusdem, domui ipsi contiguis hoc est ipsa et ipsius etiam appendicia, cum eadem sive in domo sive in appendiciis ejus haereticus vel haeretica repertus fuerit, destruantur : cum domus quamvis diversis mansionibus distinguatur, una nihilominus sit censenda » : 6 mars 1257 ; *ibid.*, p. 22.

132. *Ad Extirpanda* : 9 août 1257, d'après mss. Vat. Lat. 3978, fol. 39ʳᵇ-42ʳᵃ ; cf. A. DONDAINE : *Le Manuel*, p. 146 ; 30 novembre 1259, P. 17714 ; *Cum adversus haereticam* : 17 novembre 1258, P. 17045.

133. Lettres des 6 et 13 juillet 1256, P. 16453 et 16480 ; 11, 16 et 18 janvier 1257, P. 16667, 16679, 16685.

134. Lettres aux archevêques et évêques, au doge et conseil de Venise : 20 décembre 1255, P. 16143. Le 3 juillet 1258, Alexandre IV délia les sujets d'Ezzelin et de son frère Albéric de leur serment de fidélité, P. 17331, *Registre*, par A. COULON, Paris, 1931, n° 2604.

135. H.-Ch. LEA, II, p. 274, J. GUIRAUD, II, p. 543.

de Raynier et de ses frères dans leurs allées et venues dans l'Italie du nord[136].

L'Inquisition franciscaine rencontrait de pareilles difficultés. Nombreuses furent les recommandations pontificales aux inquisiteurs, aux évêques et aux communes. Les inquisiteurs doivent prendre des gages de la sincérité des convertis, contraindre à l'obéissance hérétiques suspects et hérétiques notoires, obliger les podestats à insérer dans les statuts des villes les lois impériales, excommunier les récalcitrants ; ils peuvent vendre les biens des hérétiques pour couvrir leurs frais et s'absoudre réciproquement des irrégularités qu'ils auraient pu encourir dans l'exercice de leurs fonctions[137].

En même temps, le pape recommanda au clergé de Toscane, du Patrimoine et de la Sabine, de la Maremme et de la Campanie d'assister les inquisiteurs, notamment le frère André et ses collaborateurs. Il fit ses recommandations non moins pressantes aux seigneurs, podestats, recteurs des villes et localités de ses mêmes régions, ceux de Viterbe entre autres, et de Sutri. Lui-même intervint, comme son prédécesseur l'avait fait en d'autres circonstances, à propos d'hérétiques milanais, contre les protecteurs d'un certain Capello de Chia[138].

Ces insistances nombreuses donnent la mesure de l'efficacité de l'Inquisition italienne.

Bien qu'il ait étendu à l'Italie entière les décrétales *Ad Extirpanda* et *Cum adversus haereticam*, Alexandre IV se contenta de rappeler au monde chrétien les Statuts du Saint-Siège par une nouvelle promulgation de *Noverit Universitas*[139].

Ses successeurs continuèrent d'organiser l'Inquisition suivant les formules traditionnelles. La période créatrice est close. Les lettres pontificales, nombreuses, mais souvent identiques, rappellent avec une insistance monotone l'urgence de contraindre les hérétiques et la nécessité de nouvelles missions inquisitoriales[140].

L'Inquisition épiscopale, en Italie, semble de plus en plus effacée. Le temps est loin du concile de Latran qui donnait à l'évêque et aux témoins synodaux une procédure. Rien qui ressemble ici aux conciles

136. Lettres aux inquisiteurs : 27 novembre, 2, 9, 11, 28 décembre 1260, P. 17977, 17984, 17985, 17987, 17991 ; lettres aux archevêques, évêques et abbés : 28 décembre 1260, P. 17997.

137. Lettres des 13 novembre 1258 et 20 septembre 1259, 23 janvier 1260, 27 septembre 1258, 20 et 23 janvier 1260, 24 septembre 1260, 11 décembre 1260, 5 mars 1261, P. 17401 et 17668, 17759, 17764, 17944, 17991, 18057.

138. Lettres des 15 novembre 1258, 15, 29, 30, 31 mars, 1er avril, 14, 15 mai, 15 juillet 1260, 12 janvier 1261, P. 17404, 17810, 17811, 17822, 17823, 17825, 17852, 17853, 17925, 18010.

139. *Noverit Universitas,* 25 avril 1260, P. 17840.

140. Urbain IV aux dominicains et aux franciscains : *Licet ex omnibus,* 20 et 21 mars 1262, P. 18253 et 18254. Clément IV aux mêmes : *Licet ex omnibus,* 17 septembre, 14 novembre 1265, 28 décembre 1266, P. 19348, 19448, 19905, *Registre*, par E. Jordan, Paris, 1912, no 1795 et 1879 seulement. Nicolas IV aux dominicains : *Licet ex omnibus,* 26 août 1289, P. 23053, *Registre*, par E. Langlois, Paris, 1886, no 1363.

du Languedoc. Au contraire, l'Inquisition, dite monastique, qui s'exerce par délégation pontificale, a supplanté la première. Les bulles *Licet ex omnibus* l'organisent sous forme collégiale. Dominicaine en Lombardie et à Gènes, elle comprend depuis Alexandre IV, huit inquisiteurs, sans préjudice des auxiliaires possibles[141]. Urbain IV leur donna ce qu'on pourrait appeler un cardinal-protecteur en la personne de Jean Gaetan Orsini, cardinal-diacre de Saint-Nicolas *in Carcere Tulliano*, futur Nicolas III[142]. Franciscaine ailleurs, elle paraît partagée en plusieurs districts : Marche de Trévise, Romagne, Toscane, Marche d'Ancône, Ombrie, Rome et sa province, chacun avec deux ou trois inquisiteurs[143]. Le royaume de Sicile où la guerre oppose aux derniers Hohenstaufen la nouvelle dynastie angevine n'a pas d'organisation inquisitoriale propre. Dans les dernières années du siècle, les inquisiteurs de Toscane sont envoyés en Sardaigne, d'autres sont envoyés en Bosnie[144].

L'Inquisition dominicaine de France comprit d'abord tout le royaume, avec le Poitou et le Languedoc, puis le seul royaume, à l'exclusion des terres d'Alphonse de Poitiers. Après la réunion définitive du midi à la Couronne, il n'y eut plus qu'une seule Inquisition. Le nombre des inquisiteurs varia en conséquence suivant l'aire inquisitoriale. En 1290, il fut fixé à quatre[145]. Une Inquisition dominicaine fonctionnait en terre d'Empire, dans les diocèses de Metz, Toul, Verdun, Besançon, Genève, Lausanne, Sion, indépendante de celle de France. Comme elle se heurtait à de graves difficultés, elle fut rattachée par Nicolas IV à l'Inquisition de France[146].

Une Inquisition franciscaine fut créée dans la Provence de Charles d'Anjou. Elle comprit Marseille, Forcalquier, Avignon et le Comtat

---

141. Urbain IV aux dominicains : *Licet ex omnibus* et *Ne catholicae fidei*, 23 mars et 26 octobre 1262, P. 18256 et 18418. Clément IV aux mêmes : *Licet ex omnibus* et *Ne catholicae fidei* : 18 octobre 1265 et 16 décembre 1266, P. 19406 et 19896, *Reg.*, n⁰ 1838 seulement. Nicolas III autorisa les inquisiteurs dominicains à laisser procéder dans leur district un franciscain, 25 septembre 1278, P. 21455, *Registre* par J. GAY et S. VITTE, Paris, 1932, n⁰ 127.

142. Lettre aux inquisiteurs lombards : 2 novembre 1262, P. 18422.

143. Clément IV aux franciscains : *Licet ex omnibus* : 29 septembre, 27 octobre, 20 novembre 1265, P. 19371, 19416, 19456, *Reg.*, n⁰ 1808, 1850, 1880 ; Nicolas IV : 3 octobre 1290 ; 3 mars, 29 juin, 31 juillet 1291, P. 23421, 23588, 23723, 23751, *Reg.*, n⁰ 4475, 5424, 5723.

144. Nous n'avons relevé aucune lettre adressée aux inquisiteurs franciscains de l'Italie méridionale. Honorius IV envoie les inquisiteurs de Toscane en Sardaigne : 18 septembre 1285, P. 22307. Nicolas IV envoie les inquisiteurs franciscains en Bosnie : 23 mars 1291, P. 23623, *Reg.*, n⁰ 6716. H.-Ch. LEA, II, p. 358.

145. Dans la même année, Alexandre IV rattache au royaume, puis en sépare, les terres d'Alphonse de Poitiers : 15 avril, 13 décembre 1255, P. 15804, 16132. Le midi fut de nouveau rattaché en 1257, de nouveau séparé en 1261 et définitivement rattaché en 1264. H.-Ch. LEA : II, p. 139-140. Nicolas IV chargea le provincial de France de désigner quatre inquisiteurs pour la France : 22 juin 1290, P. 23297, *Reg.*, n⁰ 2776.

146. Clément IV invita les inquisiteurs de ces régions à remplir leur devoir *cum justa severitate* : 6 juillet 1267, P. 20064. Nicolas IV chargea le provincial de France d'envoyer trois inquisiteurs dans ces diocèses : 27 juin 1290, P. 23298, *Reg.*,, n⁰ 2279.

Venaissin, Orange, Vaison, Arles, Aix, Embrun, Les inquisiteurs, d'abord au nombre de deux, furent augmentés progressivement. Nicolas IV leur donna plusieurs consultations, il leur envoya, entre autres, la bulle *Quod super nonnullis* d'Alexandre IV, et il les autorisa à subdéléguer leur juridiction[147].

L'Inquisition dominicaine aragonaise paraît définitivement organisée sous Urbain IV. Le pape confia au provincial d'Espagne la charge de l'Inquisition. Il envoya aux inquisiteurs le directoire *Prae cunctis* d'Alexandre IV. Il leur donna plusieurs consultations dans l'esprit de son prédécesseur : *Olim ex parte* sur la qualité des témoins, *Quod super nonnullis* déjà citée. Clément IV promulgua de nouveau la bulle *Prae cunctis*[148].

Ces documents sont dépourvus d'originalité. Les bulles *Licet ex omnibus* d'Urbain IV, Clément IV, Nicolas IV, et les bulles *Prae cunctis* d'Alexandre IV, Urbain IV, Clément IV se réfèrent implicitement aux bulles *Misericors et Miserator, Tunc potissime Conditori, Licet ex omnibus* par lesquelles Innocent IV, de retour en Italie après la mort de Frédéric II, organisait les premières missions dominicaines et franciscaines[149].

Les privilèges d'exemption, accordés par Alexandre IV, furent confirmés par Urbain IV, Clément IV, Nicolas IV[150]. Le privilège donné par Alexandre IV aux inquisiteurs franciscains de s'absoudre réciproquement de leurs censures fut étendu par Urbain IV aux inquisiteurs aragonais[151]. Clément IV autorisa les franciscains à exercer leur mandat inquisitorial, même pendant la vacance du Saint-Siège, privilège qui fut confirmé par Nicolas IV et étendu aux dominicains[152].

La procédure est définitivement établie. *Noverit Universitas* d'Innocent IV et d'Alexandre IV, fut encore promulguée par Nicolas IV en 1288 et en 1291[153]. *Ad Extirpanda* suivant la formule d'Alexandre IV fut également promulguée par Clément IV et Nicolas IV. *Cum adver-*

147. Urbain IV : 25 novembre 1263, 7 mai 1264, P. 18723, 18895. Clément IV : 29 septembre 1265, 20 novembre 1267, P. 19372, 20169, *Reg.*, n° 1809 seulement. Nicolas IV : 5 septembre et 23 décembre 1288, 20 février 1290, P. 22791, 22792, 22840-22845, 22847, 23185, *Reg.*, n° 318, 320, 427-433, 2124, 3378.

148. Urbain IV : 28 juillet, 1er, 4 et 21 août 1262, P. 18387, 18388, 18389, 18390, 18395, 18396. Clément IV : 28 janvier 1267, P. 19924.

149. L'essentiel de cette législation est passé dans le Sexte, sous le nom de Clément IV : *Ut officium inquisitionis*, c. 11-V-II-VI°.

150. Urbain IV aux inquisiteurs aragonais et italiens : 4 août et 28 octobre 1262, P. 18389 et 18419 ; Clément IV aux dominicains lombards : 13 janvier 1266, P. 19522 ; Nicolas IV aux franciscains de Provence : 15 mars 1289, P. 22907, *Reg.*, n° 684.

151. Alexandre IV : *Ut negotium fidei*, 5 mars 1261, P. 18057 ; Urbain IV : *Ut negotium fidei*, 4 août 1262, P. 18390.

152. Clément IV : *Ne aliqui dubitationem*, 30 septembre 1262, P. 19379, *Reg.*, n° 1940 ; c. 10-V-II-VI° ; Nicolas IV : *Ne aliqui dubitationem*, 29 juin et 7 juillet 1290, P. 23302, 23312, *Reg.*, n° 2780, 2781.

153. *Noverit Universitas* : Innocent IV : 15 juin 1254, Alexandre IV : 13 décembre 1257 et 25 avril 1260, P. 15425, mss. Vat. Lat. 3978, fol. 45ra-va, d'après A. DONDAINE : *Le Manuel*, p. 147, P. 17840. Nicolas IV : 23 décembre 1288 et 3 mars 1291, P. 22846 et 23589, *Reg.*, n° 434 et 4476.

sus haereticam fut envoyée une fois de plus par Clément IV aux franciscains et aux dominicains en 1265[154].

A partir de cette date, la législation de l'Inquisition séculière, **particulière à l'Italie**, se répandit hors de la Péninsule. Un directoire à l'usage des inquisiteurs transalpins contient le « mandement de Clément IV réitérant la promulgation des Constitutions de Frédéric II contre les hérétiques »[155]. Mais ce n'est qu'une trentaine d'années plus tard que la législation s'imposa à l'Eglise universelle.

Dans le Sexte de Boniface VIII[156], le canon 11 : *Ut officium inquisitionis* qui reproduit à peu près textuellement sous le nom de Clément IV l'essentiel de la procédure d'après les formules des bulles *Licet ex omnibus* et *Prae cunctis*, rappelle aussi dans le style de *Ad Extirpanda* l'obligation qui incombe aux magistrats des villes de jurer d'observer les constitutions promulguées par le Saint-Siège contre les hérétiques, leurs fauteurs et leurs descendants[157]. Les canons 12 et suivants représenteraient la législation de Boniface VIII. Cette législation a le caractère d'un directoire officiel qui aurait été envoyé à un inquisiteur de la province de Bordeaux[158]. Elle se réfère aux constitutions pontificales antérieures, ce qui lui enlève une grande partie de son originalité.

Toutefois, plusieurs remarques s'imposent.

L'inquisiteur, agissant par délégation pontificale, c. 12 : *Ut commissi vobis*, convoque le peuple, prêche, cite les hérétiques, peut subdéléguer ses pouvoirs et se constituer un conseil de juristes, instruit, juge et rend la sentence sans référence à l'Ordinaire, à moins qu'il ne s'agisse de bénéfices ou de dignités ecclésiastiques. Ainsi, ce qui était autrefois une règle devient une exception. L'Inquisition dite monastique, dont nous avons noté le processus d'émancipation, a définitivement supplanté d'Inquisition épiscopale. L'évêque n'est pas pour autant privé de son droit, c. 17 : *Per hoc* ; il convient même qu'il exerce l'Inquisition, soit collégialement avec l'inquisiteur, soit seul. Dans ce cas, l'un et l'autre se doivent communiquer dossiers et registres. Les différends, s'il y en a, seront tranchés par le Saint-Siège.

L'inquisiteur reçoit un code pénal, c. 18 : *Ut inquisitionis negotium*. Il s'agit de « certaines lois de Frédéric II, autrefois empereur des Romains, ordonnées à la gloire de Dieu et à l'honneur de la Sainte Eglise

---

154. *Ad Extirpanda* : Clément IV : 3 novembre 1265 et 18 janvier 1266, P. 19433 et 19523, *Reg.*, n° 1861 et 1922 ; Nicolas IV : 22 avril 1289, P. 22946, *Reg.*, n° 893. *Cum adversus haereticam* : Clément IV : 31 octobre 1265 aux franciscains, 1er novembre 1265 aux dominicains, P. 19423, 19428, *Reg.*, n° 1853.
155. A. Dondaine : *Le Manuel, op. cit.*, pp. 107 et 141.
156. Promulgué le 3 mars 1298, P. 24632.
157. « Statuimus insuper ut Potestas, Capitaneus seu Rector, vel consules... ad requisitionem Dioecesanorum... seu Inquisitorum haereticae pravitatis, jurent praecise attendere inviolabiliter et observare... constitutiones contra haereticos... a Sede Apostolica promulgatas ac etiam approbatas... »
158. Casus 12 : « Papa deputavit Inquisitores haereticae pravitatis in provincia Burdigalensi. Quaeritur de potestate ipsorum Inquisitorum... » Casus 18 :

et à l'extermination de l'hérésie »[159]. Il s'agit évidemment des constitutions impériales de la fin du règne qui ont été approuvées par le Saint-Siège. C'est la première fois, croyons-nous, que ces fameuses constitutions, déjà canonisées par Innocent IV et Alexandre IV pour la seule Italie, s'imposent officiellement hors de la Péninsule en territoire non-impérial, puisqu'il s'agit de la province de Bordeaux, et même à toute la chrétienté, puisque le directoire officiel de l'inquisiteur bordelais est inséré dans le Sexte.

Or, les constitutions de Frédéric II condamnaient les hérétiques, comme coupables de lèse-majesté divine, à la peine du feu, à la prison perpétuelle, suivant la formule de Grégoire IX, pour les convertis « par crainte de la mort », et à la confiscation totale de leurs biens jusqu'à la deuxième génération. Le c. 15 : *Statutum felicis*, rappelle cette disposition d'après Innocent IV et Alexandre IV. Comme il s'agit très vraisemblablement des décrétales *Ad Extirpanda* et *Cum adversus haereticam*, c'est donc encore à Frédéric II qu'il se réfère. Il aggrave la peine : il décide, peut-être pour couper court aux spéculations canoniques auxquelles nous faisons allusion plus loin, que, si les enfants d'un père hérétique sont frappés d'incapacités à la première et à la seconde génération, les enfants d'une mère hérétique le sont aussi, mais à la première génération seulement : c. 15-V-II-VIᵉ.

La canonisation des lois de Frédéric II et leur extension à toute l'Eglise, en uniformisant la législation, achève, croyons-nous, la période agitée des origines de l'Inquisition.

*
* *

A partir de 1250 environ commence à se répandre une littérature inquisitoriale, de caractère surtout pratique, à l'usage des inquisiteurs.

Elle se compose d'abord de documents officiels. On n'y retrouve cependant aucune des anciennes décrétales de Lucius III et d'Innocent III, ni les canons du IVᵉ concile de Latran, pas même les « Statuts du Saint-Siège » de Grégoire IX et d'Annibaldo, mais quelques constitutions d'Innocent IV, surtout d'Alexandre IV, de Clément IV, et celles de Frédéric II.

Outre les documents officiels, il y a diverses consultations données aux inquisiteurs par les Ordinaires et les légats. Nous en avons mentionné ci-dessus quelques-unes : celles de Pierre d'Albalat — et de

« Episcopus Pictaviensis vel Inquisitor a Sede Apostolica deputatus vult contra aliquem haereticum procedere : forte ad ipsius captionem et incarcerationem... utrum judices saeculares teneantur obedire episcopo vel inquisitori Sedis Apostolicae in captione et in incarceratione suspectorum a fide ?... »

159. « Ut inquisitionis negotium contra haereticam pravitatem, ad Dei gloriam et augmentum fidei nostris temporibus prosperetur, leges quasdam per Fredericum, olim Romanorum Imperatorem, tunc in devotione Romanae persistentem Ecclesiae, promulgatas, quatenus Dei et Ecclesiae sanctae suae honorem promovent, et haereticorum exterminium prosequuntur, et statutis canonicis non obsistunt, approbantes et observari volentes. »

Saint Raymond de Peñafort — au concile de Tarragone, celle du concile de Béziers aux inquisiteurs toulousains, celle du cardinal d'Albano aux inquisiteurs lombards. Une des plus importantes est celle de Guy Foulques, ancien archevêque de Narbonne, créé cardinal de Sainte-Sabine par Urbain IV auquel il succéda sous le nom de Clément IV. Si cette consultation a joui d'une « autorité exceptionnelle », ce n'est pas seulement, croyons-nous, à la fortune de son auteur qu'elle le doit, mais encore à sa valeur intrinsèque[160]. En fait, il s'agit de quinze consultations, les unes de quelques lignes, les autres plus étoffées, relatives à des problèmes de compétence et de procédure. L'intérêt de ces quinze consultations réside dans le choix des « autorités ». Si l'auteur utilise le Décret et les Décrétales, il cite abondamment le Digeste et le Code. Le Droit Canonique est expliqué suivant les règles du Droit Romain, conformément à la méthode des décrétistes et des décrétalistes.

La compétence des Inquisitions épiscopale et monastique ne laissait pas de créer dans la pratique quelques difficultés. L'Inquisition épiscopale parut éliminée au profit de l'Inquisition monastique. Cette évolution, commencée en fait, sinon en droit, dès le pontificat de Grégoire IX, contrariée en Allemagne et en France par les excès mêmes des inquisiteurs et provisoirement neutralisée par les évêques, dirigée au contraire dans le midi, Languedoc et Provence, par les conciles réformateurs, se poursuivait en Italie. Sous Alexandre IV, l'Inquisition monastique a bien supplanté l'Inquisition épiscopale, et Guy Foulques de justifier cette prépotence. Les inquisiteurs, dit-ils, sont analogues aux proconsuls qui tenaient dans les provinces la première place après le Prince : *majus imperium post principem*. Ils sont les légats du pape : leur juridiction passe celle des Ordinaires. Qu'ils citent devant leurs tribunaux, les Ordinaires n'ont pas à citer après eux, à plus forte raison, comme ils l'ont fait, à absoudre les coupables, voire à relâcher les condamnés. On ne dit pas que ce qu'ils ont fait est nul, on dit qu'ils n'agissent pas selon le Droit, mais le contexte est significatif : leurs actes sont illicites[161]. La sujétion des Ordinaires se tra

160. Dans la biographie résumée de Clément IV, A. POTTHAST, t. II, p. 1542, donne comme référence à la consultation de Guy Foulques, D. VAISSÈTE, III, p. 502, soit dans l'édition Privat, VIII, n⁰ 437, cc. 1322-1324. Or, il ne s'agit pas là de la consultation, mais d'une lettre collective de Guy Foulques, alors archevêque de Narbonne, et des évêques de Lodève, Agde et Béziers adressée à Alphonse de Poitiers, dénonçant les agissements des pouvoirs séculiers qui rendaient aux hérétiques les biens qu'ils leur avaient confisqués. La consultation se trouve dans C. CARENA : *Tractatus de Officio Sanctissimae Inquisitionis*, Crémone, 1655, pp. 397-432.

161. Q. I : « ...Nam legatum comparant omnes Doctores Proconsuli de quo dicit lex, quod in provincias majus imperium omnibus habet post principem ff de off. Proconsulis et Legat », soit Ulpien, dans Dig. I, XVI, *passim*. « ...Item constat quod Delegatus in commisso sibi negotio, major est quolibet ordinario, ut extra de off. et pot. Judic. delegat. sane » soit Alexandre III à Yves de Chartres, c. 11-X-I-29. « ...Pone ergo quod citatur aliquis ab Inquisitoribus, nemo certe dicit quod possit Ordinarius prohibere processum, quia inferior est, ut dixi, et minor in majorem nullum habet imperium, quinimo nec in parem, arg. 22 dist. inferior ff ad Trebell. ille a quo Tempestivum » soit c. 4, Dist. XXI et Dig. XXXVI,

duit par des prestations. Le *consilium* et l'*auxilium* qu'ils doivent
aux représentants du Saint-Siège exigent qu'ils couvrent leurs frais
et ceux de leurs notaires, conformément à cette constitution de Justinien d'après laquelle les juges doivent procéder *sine incommodo reorum* et à celle d'Innocent IV signifiant aux Ordinaires lombards d'avoir
à couvrir précisément les frais des dominicains[162]. Délégués du pape,
quoique désignés par leur prieur, les inquisiteurs peuvent, conformément au droit général, subdéléguer pour tous les actes de la procédure[163].

Les questions de compétence réglées, Guy Foulques précise quelques
définitions des mots *credentes*, *fautores*, *defensores*, dans l'esprit des
conciles de Tarragone et de Narbonne ; il invite les inquisiteurs à ne
pas qualifier imprudemment les prévenus[164]. Il rappelle également,
bien qu'il ne le dise pas, une disposition du concile de Narbonne sur
la prévention[165]. Il s'inspire encore des conciles du Languedoc, plus
que de Grégoire IX, quoi qu'il en dise, quand il voit dans la prison,
moins le châtiment d'un crime qu'une invitation à faire pénitence et
une préservation de la foi du peuple chrétien. Il se plaît à souligner
ce caractère médicinal et social de la prison qui exclut évidemment
la perpétuité de la peine[166]. La confiscation des biens s'applique à tous
les hérétiques, d'après *Vergentis in senium* d'Innocent III. Toutefois
une discrimination s'impose entre les hérétiques proprement dits, c'est-
à-dire contumaces, suivant la définition de saint Augustin, et ceux
qui reviennent spontanément à l'Eglise : les premiers, étant réellement

---

I, 13 : Ulpien, § 4 « et potius obediendum est majori potestati quam minori 11
q. 3 qui resistit », soit saint Augustin : De Verbis Domini, serm. 6, c. 92, C. XI,
Q. III. « Quid igitur faciet Ordinarius si illum citat, qui audietur ab Inquisitoribus ? Non recte agit, quia citatus est coram majore ff de in jus vocando, l. 2 fine »
soit Dig. II, IV, 2, Ulpien.
    162. Q. 3 : « ...Debent ergo Episcopi providere, qui mandatum apostolicum
receperunt, quod debent Inquisitoribus consilium et auxilium... » Références à
Justinien, Novelle CXXIV, ch. I : *Jubemus*, et Innocent IV : *Cum per nostras*,
30 janvier 1253, P. 14856.
    163. Q. 4 : « ...Sunt enim delegati a Principe, et ideo possunt aliis delegare au-
dientiam testium et similia » référence à Innocent III, c. 27-X-I-29, « ...Priori
provinciali nulla datur jurisdictio sed ministerium quoddam eligendi istos quos
transmittat, et ideo non a Priore, sed a Papa habent jurisdictionem... »
    164. QQ. 9, 10, 11, 12.
    165. Q. 5 : « ...Nam si citati erant non mutant forum, quia preventi sunt ff de
jurisd. omn. Judic. cum quaedam puella, extra de foro comp. c. proposuisti, quod
si citati non erant et ibi jam deliquerant, ibi possunt convenire ratione delicti ...»
Dig. II, I, 19 : Ulpien, et c. 19, Grégoire IX, X-II-2.
    166. Q. 13 : « ...Existimo quod absoluti et postmodum detrusi in carcerem, vel
aliis penitentiis levioribus onerati, nullam diffinitam receperunt, nam non sunt
soluti a Crimine quod utique probatum est, sed a sententia excommunicationis
quam incurrerunt ipso facto, sed nec pena eis imponitur judiciaria secundum quod
crimen requirit sed poenitentia temporalis, et carceris illa reclusio non est tam
ad poenam criminis quam ad cautelam, ne noceant ne alios infitiant ut appareat
an in tenebris ambulent an in luce, ut ibi poeniteant, nam diffinitive nemo in
poenam criminis ad perpetuum carcerem damnari potest ff de poenis, L. aut damnum, § solent... » soit Dig. XLVIII, XIX, 8 : Ulpien, liv. 7 de officio proconsulis : « ...carcer enim ad continendos homines, non ad puniendos haberi debet. »

coupables de lèse-majesté conformément à la constitution *Quisquis*
d'Honorius et d'Arcadius, se voient évidemment confisquer tous leurs
biens, les autres non, faute de preuves nettement établies et concor-
dantes. Dans ce cas, mieux vaut s'abstenir que de condamner[167]. La
consultation du cardinal de Sainte-Sabine s'achève sur une invitation
à la sagesse dans l'esprit des conciles de Narbonne et de Béziers.

La littérature inquisitoriale comprend encore des manuels de procédure ou recueils de formules dont les plus connus sont l'*Ordo processus Narbonensis*, le *De inquisitione haereticorum*, le *De modo proce-
denti contra haereticos*.

L'*Ordo processus Narbonensis* est le compte-rendu d'une mission
inquisitoriale : celle des dominicains Guillaume Raymond et Pierre
Durant[168]. Il débute par une lettre du provincial de Provence, Ponce
de Lesparre, envoyant les deux inquisiteurs, en vertu des pouvoirs
à lui accordés par le Saint-Siège, dans la province de Narbonne et
dans les diocèses d'Albi, Rodez, Mende et Le Puy[169]. La lettre est
datée du 21 octobre 1244. Elle ne fait aucune mention des Ordinaires.
La procédure se déroule suivant le processus connu : citation générale, temps de grâce, interrogatoire en quatorze points, formules de
condamnation.

Il y a quatre formules : la première de tradition des hérétiques au
Bras séculier, la deuxième de condamnation au « mur », la troisième
d'infliction de pénitences, la quatrième d'exhumation et de crémation des morts. Dans les deux premières il est fait mention expresse
des Ordinaires et des juristes dont les inquisiteurs ont demandé le
conseil. Il y a toutefois une nuance à observer. Pour la tradition au
Bras séculier, la formule porte : *adjunctis et assistentibus nobis Reve-
rendis Patribus jurisque discretis...* Pour l'emprisonnement : *adjunctis
et assistentibus nobis talibus prelatis jurisque discretis...* Dans les deux
autres formules, les inquisiteurs agissent d'eux-mêmes sans le concours, ni des évêques, ni des chefs des églises : curés, bénéficiers, ni
des hommes de loi.

L'*Ordo* s'achève par une triple déclaration : l'une de la publicité
des sentences en présence du clergé et du peuple et de leur enregistre-
ment sous le seing des inquisiteurs et celui de leurs assesseurs ; l'autre
de l'esprit de justice qui a guidé les inquisiteurs : la formule reproduit
à peu près textuellement la première partie du canon 23 du concile

---

167. Q. 15 : Voir ci-dessus ch. III, p. 156-157 la législation d'Innocent III et sa
correspondance avec la législation impériale romaine. On se rappelle que d'après
saint Augustin le criterium de l'hérésie est précisément l'obstination ou la contumace. Au contraire, ceux qui sont de bonne foi ne sauraient être considérés comme
hérétiques : c. 29, C. XXIV, Q. III.

168. Edité dans E. VACANDARD : *L'Inquisition*, Appendice A, pp. 313-321.

169. Le texte ne paraît pas autoriser les inquisiteurs à exercer dans le diocèse
de Toulouse : « Vos in provincia Narbonensi, exceptis Villelonge et Villemuriensi
archidiaconatibus, diocesis Tholosani, et in Albiensi, Ruthenensi, Mimatensi et
Aniciensi diocesibus ad inquirendum de hereticis, credentibus, fautoribus... »

de Narbonne de 1243[170] ; la dernière de la confiscation des biens des hérétiques livrés au Bras séculier et des emmurés. Les inquisiteurs estiment enfin avoir bien rempli leur mandat, ils espèrent que, si justice est faite des hérétiques et des relaps, si les biens sont confisqués, si les emmurés sont pourvus des choses nécessaires, l'Inquisition servira la gloire de Dieu[171].

Le *De Inquisitione haereticorum*, attribué à l'inquisiteur franciscain David d'Augsbourg, mort en 1291, décrit dans un but utilitaire les noms des hérétiques, leurs usages, et surtout leurs astuces. L'auteur, qui est assez amer, cherche à faire bénéficier de son expérience les jeunes inquisiteurs ; il pose notamment en principe que le signe d'une vraie contrition est la dénonciation par l'hérétique de ses coreligionnaires[172].

Le *De modo procedendi contra haereticos*, qui pourrait se situer entre les années 1278 et 1298[173], n'est qu'une compilation : on y retrouve une partie des actes du concile de Tarragone, notamment les définitions des catégories des hérétiques : *credentes, fautores*... et l'*Ordo processus* des dominicains narbonnais, le tout suivi de vingt et une formules.

De caractère moins exclusivement juridique, mais davantage théologique, les Sommes de Raynier Sacconi, l'inquisiteur lombard que nous avons déjà rencontré, et de Moneta de Crémone, son contemporain, étaient pour les inquisiteurs d'autant plus précieuses que l'information de leurs auteurs était plus précise et plus étendue[174]. On peut y ajouter la Somme du franciscain Jacques de Capelli, contemporain des deux autres, qui se recommande par son objectivité[175].

La polémique théologique est représentée par cette *Disputatio inter Catholicum et Paterinum*, attribuée jadis à un certain Grégoire de

---

170. « Condemnationes et penitentias memoratas facimus et injungimus, clero et populo convocatis solemniter et mature... Ad nullius vero condemnationem, sine lucidis et apertis probationibus vel confessione propria processimus nec, dante Domino, procedemus. Et omnes condempnationes et penitentias quas majores fecimus et facere proponimus non solum de generali sed etiam de speciali sigillato consilio prelatorum. » Comparer avec concile de Narbone, c. 23, ci-dessus, n. 32.

171. « Bona hereticorum tam dampnatorum quam immuratorum publicare facimus et compellimus ut debemus, et per hoc est quod specialiter confundit hereticos et credentes, et, si bene fieret justitia de damnatis et relapsis, et bona publicarentur fideliter, et incarceratis provideretur in necessariis competenter, in fructu Inquisitionis gloriosus Dominus et mirabilis appareret. » Comparer avec le *Directoire de Béziers*, ch. 16 ; ci-dessus, n. 31.

172. D. Martène : *Thesaurus*, t. V, Paris, 1717, cc. 1778-1794. Sur le traité et ses deux recensions, voir A. Dondaine : *Le Manuel*, pp. 104-105 et 180-183.

173. D. Martène : *Thesaurus*, t. V, cc. 1795-1914 ; A. Dondaine : *it.*, pp. 108-111.

174. M.-M. Gorce, art. Moneta de Crémone et Raynier Sacconi, dans *D. T. C.* Sur la Somme de Raynier et ses éditions, voir A. Dondaine, *it.*, pp. 170-174.

175. H. Maisonneuve, art. Capelli (Jacques de), dans *D. H. G. E.* P. Ilarino da Milano : *La « Summa contra haereticos » di Giacomo Capelli...*, collectanea Franciscana, t. 10, 1940, pp. 66 ss.

Florence, évêque de Fano, en réalité d'un certain Georges, laïque[176]. La *Disputatio* ne manque pas d'intérêt. Le chapitre XII notamment — il y en a XVII — sur la légitimité de la peine de mort infligée par l'Eglise ou sur sa demande aux hérétiques reprend les arguments du Décret de Gratien et conclut dans l'esprit de saint Augustin à la nécessité de la contrainte par l'exemple de la conversion de saint Paul et l'argument évangélique du *Compelle intrare*. Ainsi donc, conclut le catholique, nous vous obligeons à entendre, malgré vous, la parole de Dieu afin qu'en l'entendant vous reveniez spontanément à résipiscence *quia fides ex auditu*. Il s'agit évidemment de la citation générale et du temps de grâce. Que si, néanmoins, continue le texte, vous refusez d'entendre, qu'au moins vous soyez contraints au silence puisque votre langue aura été mutilée : *cum lingua vobis fuerit mutilata*. Qu'est-ce que cela signifie ? Serait-ce une menace ? On pense à cette constitution sicilienne de Frédéric II qui condamnait les hérétiques à la peine du feu ou à l'ablation de la langue[177]. Mais, si la peine du feu a été canonisée, l'ablation de la langue ne l'a jamais été à notre connaissance. Qu'elle ait pu être infligée au lieu et place de la mort dans des circonstances particulières, ce n'est pas impossible, encore faudrait-il en fournir la preuve. En l'absence de toute précision singulière, on pourrait peut-être interpréter métaphoriquement : vous serez réduits au silence par la solitude même de votre prison. Mais cette interprétation ne paraît guère satisfaisante : la prison n'était infligée qu'aux hérétiques repentants ; or, le texte de la *Disputatio* exclut l'hypothèse du repentir, au contraire. On revient à la constitution de Frédéric II.

*
* *

Moins directement ordonnée à la pratique inquisitoriale, la littérature des glossateurs et des décrétalistes et celle des théologiens fait plutôt la théorie de l'Inquisition d'après le Droit Romain, et la Bible et les Pères, suivant la doctrine de Gratien, éclairée par les Décrétales. Littérature abondante, mais dépourvue ordinairement d'originalité, elle témoigne de la diffusion de la doctrine inquisitoriale dans la Chrétienté.

L'idée d'Innocent III, que le délit d'hérésie est semblable au crime de lèse-majesté, reprise par Frédéric II, nous l'avons vu, puis par Innocent IV, entre désormais dans la tradition juridique, celle des Romanistes et celle des Canonistes.

176. D. MARTÈNE : *Thesaurus*, t. V, cc. 1705-1754. P. ILARINO DA MILANO : *Disputatio inter catholicum et paterinum haereticum*, dans *Ævum*, t. 14, 1940, pp. 85 ss. Sur l'auteur de la *Disputatio*, voir A. DONDAINE, it., pp. 174-180.

177. Constitution de Frédéric II, dans *M. G. H. Legum*, IV, *Constitutiones*, t. II, nᵒ 157, p. 195, ci-dessus ch. V, p. 244. Une recherche dans les Archives de l'Inquisition en Italie qui apporterait une précision sur ce point permettrait sans doute de situer l'origine et peut-être d'identifier le mystérieux Georges, auteur de la *Disputatio*.

Accurse, rencontrant dans ses commentaires du Code[178] le titre des Hérétiques, écrit à propos de la loi *Manicheos* d'Arcadius, Honorius et Théodose : *Publicum crimen dicitur in quo quilibet de populo accusari potest*. Or, nous l'avons vu, le *Publicum crimen* porte encore, d'après Ulpien, le nom de *Crimen lesae Majestatis*, auquel s'identifie le *crimen haereseos*, et de justifier ainsi l'accusation posthume et la condamnation de la mémoire[179].

Entre la loi *Manicheos* et la loi *Arriani* qui la suit dans le Code, Accurse insère la Constitution romaine de Frédéric II qui reproduit textuellement le canon 3 du IVᵉ concile de Latran : *Si vero Dominus temporalis...* Accurse voit dans ce paragraphe la justification du transfert du royaume de Sicile à Charles d'Anjou[180].

Entre les lois 19 et 20 Accurse reproduit encore la même Constitution de Frédéric II : *Gazaros, Patarenos...* condamnant au nom de la Majesté éternelle, dans le style d'Innocent III, les Cathares, Patarins, Pauvres de Lyon, Arnaldistes, etc... à l'infamie perpétuelle, au ban impérial et à la confiscation des biens. C'est là précisément l'une des constitutions canonisées par Innocent IV et ses successeurs.

Nous n'avons rien trouvé qui fut digne d'intérêt dans l'*Apparatus Innocentii super Decretales*[181].

Dans la *Summa* de Godefroy de Trani — ou de Trano — au contraire, le Titre *de Haereticis*, s'il ne tient qu'en trois pages, est dense et suggestif[182].

On peut être hérétique de six manières différentes : en professant une croyance erronée, soit qu'on l'enseigne, soit qu'on la suive, c. 28, C. XXIV, Q. III ; en interprétant l'Ecriture autrement que l'Eglise Romaine, c. 27, C. XXIV, Q. III ; en étant privé des sacrements et de la communion des fidèles, c. 2, C. IV, Q. I ; en pratiquant la simonie, c. 27, C. I, Q. VII ; en ayant une foi douteuse, c. 1-X-V-7, contrairement à la constitution dogmatique du IVᵉ concile de Latran qui exige une foi solide et ferme, c. 1-X-I-1, et à cette constitution impériale de Gratien, Valentinien et Théodose qui condamne même

---

178. E. Magnin, art. Accurse, dans *D. T. C.* — Codicis Sacratissimi Imperatoris Justiniani PP Augusti Libri XII Accursii commentariis ac Contii et Dionysii, Gothofredi atque aliorum quorumdam illustrium jurisconsultorum lucubrationibus illustrati, ed. Denys Godefroy, t. II, Lyon, 1618, col. 178-192.

179. « Haereseos crimen simile crimini lesae majestatis. Utpote crimen majestatis divinae vel humanae non extinguitur : ideoque lesae majestatis quis accusari post mortem et puniri potest memoria scilicet damnata. » Sur la doctrine des Romanistes, voir ch. I, pp. 62 ss.

180. « Vi hujus Authenticae Pontifex Romanus Friderico Imperatore regnum Siciliae transcripsit in Carolum Andegavum. » C'est en août 1250 qu'Innocent IV offrit le royaume de Sicile à Charles d'Anjou, mais ce n'est qu'en 1264 que Charles d'Anjou accepta d'Urbain IV la couronne de Sicile. Cf. Ch. Thouzellier, *ouvr. cité*, pp. 432 et 438-440.

181. Apparatus Innocentii super Decretales, Venise, 1495.

182. Summa Goffredi de Trano clarissimi juris interpretis in titulos Decretalium, Venise, 1570, pp. 199 c à 200 d. La Somme a été écrite vers 1241-1243 ; cf. A. Van Hove, *Proleg.*, p. 473.

la plus petite nuance de pensée religieuse non conforme à l'orthodoxie
officielle, **C. J** : I, V, 2 ; en rejetant le primat de l'Eglise Romaine,
c. 1, Dis. XXII[183]. Cette classification, qui s'inspire de Tancrède, revient à dire que l'Eglise Romaine est le criterium de la foi et que quiconque est en dehors d'elle par l'excommunication, même par un
léger doute, est hérétique. Le champ de l'hérésie est extrêmement
vaste.

L'hérétique est puni, continue Godefroy, « de quatre manières : par
l'excommunication, la déposition, la perte de tous ses biens, l'intervention militaire »[184].

Sur l'excommunication, Godefroy se contente de renvoyer à *Ad
Abolendam*, en précisant toutefois que la décrétale ne fait pas la distinction que la loi romaine établit entre *Majores* et *Minores*, Maîtres
et Disciples. La référence est donnée à la constitution justinienne
Quoniam, **C. J**: I, V, 21, qui précise de quelle manière les témoignages
des hérétiques, et de quels hérétiques, peuvent être reçus devant les
tribunaux. Mais il s'agirait plutôt de la constitution *Quicumque* de
Valentinien et Marcien à Palladius, déjà mentionnée, qui condamne
les Maîtres au dernier supplice et les Disciples, soit à l'exil perpétuel,
soit à de fortes amendes, **C. J** : 1, V, 8[185].

A propos de la déposition des clercs, Godefroy de Trano remarque
que l'Eglise ne livre pas *manualiter et corporaliter* les coupables à la
justice séculière. L'argumentation est subtile. L'Eglise, en effet, doit
intervenir pour eux, afin de leur éviter la mort, c. *Novimus* 27-X-V-40.
Or, l'Eglise n'intervient pas en faveur de ceux qui sont condamnés
corporaliter. Godefroy donne ici deux références. La première est inattendue : elle renvoie au principe de saint Grégoire, c. 7, C. XXIII,
Q. V qu'on interprète d'ordinaire comme la condamnation de ceux
qui versent le sang. Mais dans le présent contexte cette interprétation serait un contre-sens : il faut sans doute comprendre que l'Eglise
abandonne à leur sort ceux qui sont condamnés au dernier supplice.
Ce qui le confirme, c'est la seconde référence qui renvoie à une constitution sévère d'Arcadius et d'Honorius interdisant aux clercs et aux
moines toute manifestation en faveur des condamnés, **C. J** : I, IV, 6.

---

183. « Haereticus dicitur sex modis. Haereticus dicitur qui falsam de fide opinionem vel gignit ut haeresiarcha, sicut Arrius, Sabellius et Macedonius, vel sequitur, vel qui haeresiarcham visitatur, sicut et Arriani, Sabelliani et Macedo-
niani... Secundo modo potest haereticus appellari quicumque aliter scripturam
intelligit quod sensus spiritus sancti flagitat, a quo scripta est... Tertio modo dicitur haereticus qui sacramentis Ecclesiae et communione fidelium est divisus...
Quarto modo dicitur haereticus sacrorum perversor ut simoniacus qui emit et
vendit sacramenta ecclesiastica... Quinto modo dicitur haereticus dubius in fide
ut S eo c. I. Nam firmiter debemus credere ut S de Summa Trinitate et fide catholica, c. firmiter... unde levi argumento a fide deviare haereticus censetur ut
C. eo ti. l. 2. Sexto modo dicitur haereticus qui Romanae Ecclesiae privilegium
ab ipso summo ecclesiarum capite traditum auferre conatur... », n. 1.
184. « Punitur haereticus secundum jura canonica quattuor modis : excommunicatione, depositione, rerum omnium ablatione et militari persecutione », n. 2.
185. « ...non obstante distinctione legali quae inter majores et minores haereticos videtur distinguere C. eo L. quoniam », n. 2.

Puisque l'Eglise doit intervenir pour ses clercs déposés et ne doit pas intervenir pour les condamnés, c'est donc que la déposition n'entraîne pas *ipso facto* la perte de l'état clérical, suivant une remarque d'Huguccio que rapporte, nous le verrons ci-dessous, la Glose Ordinaire[186].

Comme Tancrède et Vincent d'Espagne, Godefroy de Trano insiste longuement sur *Vergentis* pour en souligner la rigueur et en minimiser la portée. « Est-ce que les catholiques, demande-t-il, peuvent de leur propre autorité dépouiller les hérétiques ? Assurément, l'Eglise leur a donné tout pouvoir pour les exterminer. Toutefois, il convient que la croisade soit organisée par le prince ou par l'Eglise pour éviter l'esprit de convoitise ou de vengeance, pour maintenir au contraire un esprit de justice et d'obéissance[187]. » Godefroy de Trano fait peut-être allusion à la Croisade albigeoise et rappelle les principes traditionnels du Décret et des Décrétistes.

« Et si les hérétiques, continue-t-il, reviennent à la foi, leur rendra-t-on leurs biens ? Seulement par faveur, d'après la décrétale. Mais si les hérétiques ont des fils orthodoxes, ceux-ci jouiront-ils de leurs droits d'hériter des biens paternels ? Il semble bien que non, d'après la décrétale qui s'oppose en cela aux lois romaines *Manicheos, Cognovimus, De Nestorianis* où il est dit que les biens des hérétiques sont dévolus à leurs fils orthodoxes ou, à leur défaut, à leur parenté ou à leurs alliés orthodoxes... » On retrouve ici la pensée et le style même de Vincent et de Tancrède[188].

Godefroy de Trano, pour concilier ces contradictoires, pense lui aussi que *Vergentis* ne s'applique qu'au domaine pontifical. Ailleurs, au contraire, les lois romaines resteraient en vigueur, parce qu'elles sont plus équitables que le décrétale[189]. Les références renvoient éga-

---

186. « ...non autem debet Ecclesia tradere depositum, sicut quidam male intelligentes dicunt quod Ecclesia manualiter et corporaliter tradere debet depositum judici saeculari. Ecclasia non pro damnandis corporaliter supplicat ut 23 q. 5 reos C. de epi. audi. L. addictos », n. 2.

187. « Numquid catholici possunt haereticos propria auctoritate spoliare ? Videtur quod sic. Ecclesia enim generalem auctoritatem eis praestitit ut eos exterminent. Concedit etiam idem privilegium exterminantibus quod euntibus in terrae sanctae subsidium est concessum... Verumtamen satis videtur tutum ut semper fiat specialis edicto principis vel Ecclesiae, ne alias ex cupiditate vel ultione potiusquam ex justitia vel obedientia pugnare videantur... », n. 4 et 5.

188. « Sed quod si convertuntur ad fidem, numquid eis ablata restituentur ? Respondeo non, nisi de gratia ut S eo tit. c. Vergentis. Sed quid si haeretici habeant filios orthodoxos, numquid jure haereditario capient bona paterna ? Videtur quod non, ut in eodem canone Vergentis, sed contradicunt leges Codicis, eodem titulo, L. Manichaeos et L. Cognovimus et auth. ibi signata item de Nestorianis ubi dicitur quod bona haereticorum devolvuntur ad filios orthodoxos, si haeretici habeant filios orthodoxos alioque ad agnatos vel cognatos orthodoxos devolvuntur. circa hoc dixerunt Lau, et Jo. quod decretalis illa Vergentis corrigit leges illas et jus illud antiquum trahitur ad hoc novum... », n. 6 et 7. Sur Vincent et Tancrède, voir Ch. V, pp. 280-283.

189. « Puto autem verius cum Tancrede quod decretalis praevalet legibus in terris quae sunt Romanae Ecclesiae temporali jurisdictioni subjectae, sicut principio decretalis innuitur manifeste. Leges vero praevalent decretali in terris quae

lement à la constitution *Placuit* de Constantin et Licinius, C. J : III, I, 8, puis à un c. *Eos*, Dis. 100 *(sic)* qui n'existe pas. Le copiste aura sans doute confondu C (100) avec L. On trouve, en effet, à la Dis. L un c. 42 *Eos vero* qui réduit « humainement » ou « plus humainement » de sept à cinq ans la pénitence des homicides involontaires. Une dernière référence est donnée au Digeste : *De Poenis, L. Plures*. Il s'agit vraisemblablement de la décision *Si praeses*, Dig. : XLVIII, XIX, 32, où Ulpien déclare qu'entre deux lois pénales également applicables à un coupable le juge doit choisir la moins sévère, *mitior lex*[190].

Dans cet esprit, Godefroy de Trano, non content de réduire la portée géographique de la décrétale, s'efforce encore d'en réduire la portée juridique. *Vergentis* se présente avec une sévérité à ce point excessive, voire scandaleuse, que le canoniste refuse d'y voir autre chose qu'une menace brandie sur les hérétiques pour les obliger à se convertir, dans la crainte de voir leurs enfants deshérités, tout au plus, une peine médicinale qui, en les punissant dans leurs fils plus cruellement qu'en eux-mêmes, — les parents, déclare Paul au Digeste : IV, II, 8, craignent plus pour leurs enfants que nour eux-mêmes[191] —, les inviterait à venir à résipiscence. Dans les deux cas, l'exhérédation ne serait qu'une manière de contrainte morale, plus efficace que la contrainte physique, une forme inattendue et subtile du *Compelle intrare*.

Cette interprétation de la célèbre décrétale, pour ingénieuse qu'elle soit, ne répond pas à la réalité. Innocent III, nous l'avons déjà dit, a voulu que sa décrétale fut appliquée hors du domaine pontifical, et elle le fut, avec la rigueur que l'on sait, au cours de la Croisade albigeoise. Mais, en dehors même de toute circonstance historique, dans l'ordre du droit pur, on trouve des lois, romaines et canoniques, qui punissent chez les enfants non coupables les crimes de leurs pères. Ainsi en est-il de la lèse-majesté, constitution *Quisquis* ou *Si quis cum militibus*, à laquelle se réfère d'ailleurs implicitement *Vergentis in senium* et que les décrétalistes rappellent constamment ; encore y a-t-il lieu de noter que l'Eglise ne saurait punir des innocents si elle remarque en eux des signes certains de foi et de dévotion, chacun ne pouvant subir, en effet, que la peine de ses propres délits : décrétale de Célestin III, c. 2-X-III-11[192].

non sunt temporaliter ecclesiae subjectae cum majori aequitate nitantur quam decre. imo decretalis rigorem continet, leges autem aequitatem. Aequitas praeferenda est juri scripto et stricto ut C. de judi. L. placuit 100 dis. c. eos ff. de poe. L. plures... », n. 7 et 8.

190. Ulpien, liv. 6 ad edictum : « ...Sed si utriusque legis crimina objecta sunt, mitior lex, id est privatorum, erit sequenda. »

191. « Credo quod Innocentius in poena filiorum consideravit parentes, an parentes, intelliguntur puniri poenis filiorum ut ff quod metus causa L. isti quidem », n. 9. Paul, liv. XI ad edictum : Dig : IV, II, 8 : « ...Cum pro affectu parentes magis in liberis terreantur. »

192. « ...Sed si Ecclesia videat pro certa indicia fidem et devotionem filiorum haereticorum quomodo puniet eos, cum poena suos auctores debeat tenere ut S de his quae fiunt a majoro parte capituli, c. quaesivit (c. 2-X-III-XI) cum filius non debeat puniri pro patre, ut C. ne filius pro patre (C.J. : IV. XIII, *passim*)

Toutefois, il faut bien reconnaître que l'Eglise inflige assez souvent des peines dans le temps : *temporaliter*, c'est-à-dire, croyons-nous, sans référence à l'au-delà, pratiquement des incapacités, aux enfants à cause du délit de leurs pères. Godefroy de rappeler le c. 10 du IXe concile de Tolède, c. 3, C. XV, Q. VIII, condamnant les enfants sacrilèges à la perte de leur liberté et de leur héritage, un *Dictum Gratiani* après le c. 11, C. I, Q. IV, où l'auteur du Décret insiste longuement sur les châtiments collectifs d'êtres irresponsables, même dépourvus de raison, comme les animaux des Amalécites que Saül devait exterminer, d'après I Sam : XV, *passim*, une réflexion de saint Ambroise, c. 16, C. I, Q. I disant que la vengeance de Dieu poursuit le simoniaque jusque dans sa descendance, les 18 canons du Titre *De filiis presbyterorum ordinandis vel non*, X-I-17 sur certaines incapacités des fils de prêtres et le c. 45, *In quibusdam* du IVe concile de Latran, c. 12-X-V-37 condamnant à diverses incapacités jusqu'à la quatrième génération les descendants des meurtriers des clercs[193].

On a l'impression que Godefroy de Trano ne laisse pas d'éprouver quelque gêne dans l'impossibilité où il se trouve de faire accorder avec le principe de la responsabilité personnelle la discipline canonique. Des distinctions entre peines vindicatives et médicinales, sanctions canoniques et purement morales, voire simplement exemplaires, comme il arrive si souvent dans les récits bibliques et comme il s'en rencontre précisément dans la discipline des incapacités, lui auraient fourni des éléments d'une *concordia discordantium*. Il ne l'a pas fait. Il se contente de mentionner les exceptions — on ne voit d'ailleurs pas pourquoi l'hérésie, si souvent assimilée à la simonie et à la lèse-majesté, ne constituerait pas une autre exception — et conclut qu'en dehors de ces cas, ce qui prévaut généralement, c'est la loi justinienne, Authentique *Bona*, qui corrige sur ce point de l'exhérédation la rigueur de la loi de majesté en réservant à la parenté sur toute la ligne directe et jusqu'au troisième degré en ligne collatérale les biens des condamnés et des proscrits... Nous en avons donné ci-dessus l'essentiel[194].

Sur la dernière forme de contrainte, l'intervention militaire, Godefroy de Trano résume sans commentaire les textes du IVe concile de Latran sur la croisade, l'expropriation du seigneur temporel et le réserve des droits du seigneur principal.

Somme toute, les considérations de Godefroy de Trano sur le Titre *De Haereticis* ne portent guère que sur le problème délicat de l'exhérédation. Il est étrange que notre canoniste ne fasse aucune allusion à la peine de mort, ni aux constitutions frédériciennes, ni aux fameux

---

cum Ecclesia omnes debeat juvare, omnes amare ut 8 q. I c. clemens (c. 13, C, VIII, Q. I) nulli volenti venire claudere gremium ut C. de sacrosanctis ecclesiis. L. ultima (C. J. : I, II, 26) », n. 8 et 9.

193. « ...et frequenter ecclesia punit temporaliter filium pro delicto patris ut 15, q. ulti. c. cum multae, I, q. 4, c. ecclesia, § item peccat I, q. I c. cito et S de filiis presbyt. per totum S de poenis, c. in quibusdam », n. 10.

194. « Alias autem generaliter bona damnatorum devolvuntur ad haeredes ut C de bonis damnatorum auth. bona (C. J. : IX, XLIX, après la loi 11). » Voir ch. V, p. 285.

« Statuts du Saint-Siège » de Grégoire IX, Il est remarquable qu'en un temps où les décrétales s'appliquaient sans discernement aux hérétiques et aux moindres suspects Godefroy ait essayé d'en atténuer la rigueur. Sans doute, il se situe dans le courant de pensée des premiers décrétalistes, c'est pourquoi il serait excessif de lui attribuer des vues originales. Cependant l'exégèse de *Vergentis*, quoique non justifiée dans la pratique, ouvre la voie sur le plan de la doctrine à des tempéraments possibles.

La Glose Ordinaire ne présente pas le même intérêt[195].

Bernard de Parme nous apprend, d'après Tancrède, qu'on peut être hérétique de bien des matières : au sens large, il y a les simoniaques, les schismatiques et tous les excommuniés ; plus précisément sont hérétiques ceux qui sur les articles de la foi ou sur les sacrements « pensent autrement » que l'Eglise Romaine, de même les fondateurs de sectes nouvelles avec leurs adhérents[196].

Il est facile de découvrir les hérétiques, soit à cause de leur propagande, soit sur dénonciation, soit par aveu[197]. L'hérétique qui avoue spontanément — il ne s'agit pas ici du temps de grâce, mais de la procédure, donc de l'hérétique qui se convertit « par crainte de la mort », comme disent les textes canoniques — doit abjurer, puis est condamné à la prison perpétuelle pour y faire pénitence[198]. Un clerc hérétique est déposé. La déposition n'entraîne pas nécessairement, d'après Huguccio, cité par Bernard, la perte du privilège clérical. Mais si le clerc se

195. Glossa Bernardi ordinaria super Decretalibus, dans l'édition romaine, Lyon, 1618. Bernard de Parme mourut en 1263 ; cf. A. VAN HOVE, *Proleg.*, p. 473.

196. C. 3, Firmissime, mot Haereticum. Haereticus multis modis dicitur. Ille dicitur haereticus qui pervertit sacramenta Ecclesiae, ut simoniacus. I, q. I eos qui per pecuniam (c. 9, C. I, Q. I) et 6, q. I, c. nos sequentes, § sed licet (Dic. Gra. après c. 19, C. VI, Q. I). Item ille qui scindit se ab unitate Ecclesiae 7 q. I, denique (c. 9, C. VII, Q. I). Item omnis excommunicatus 4, q. I quod autem hi (c. 2, C. IV, Q. I). Item qui errat in expositione Sacrae Scripturae. 24, q. 3. haeresis (c. 27, C. XXIV, Q. III). Item qui confingit novam sectam, vel conficiam sequitur. 24. q. 3 haereticus (c. 28, *ibid.*) Item qui aliter sentit de articulis fidei, quam Romana Ecclesia. 24, q. I hec est fides, et c. quoniam (cc. 14 et 25, C. XXIV, Q. I). Vel qui male sentiunt de sacramentis Ecclesiae. infra ad. abolendam. in princ. (c. 9-X-V-7). Tanc.

197. C. 9, Ad Abolendam, mot Deprehensus. Facti evidentia : puta quia publice praedicat haeresim. arg ff. de ri nupt. palam § ult. (Dig. : XXIII, II, 43, § 13). vel legitima probatione, puta per testes ; vel ex sua confessione.

198. C. 9, mot Sponte recurrere. Sed videtur quod etiam compelli debeat servare fidem. 45 dis. de Judaeis (c. 5, Dist. XLV : il s'agit du IVᵉ concile de Tolède dont nous avons déjà parlé au ch. I, p. 43). Postquam condemnatus est haereticus non compellitur, sed si vult sponte redire, debet recipi abjurato errore. 24. q. 3 dixit Apostolus (c. 29, C. XXIV, Q. III). Et in perpetuum carcerem ad agendam poenitentiam intrudi. infra eod. c. pen. On lit, en effet, dans la glose du c. 15 : Excommunicamus, au mot Deprehensi : Publice, ita quod notorium, vel etiam condemnati. Si vero postea redire voluerint. recipiendi sunt, quia Ecclesia non claudit gremium redeuntibus ad ipsam. C. de Sum. Tri. inter claras. circa fi. — C. J. : I, I, 8, § 6 — et delicti veniam petentibus damus. C. eod. titu. Manichaechaeos — C. J. : I, V, 4 — ita tamen ut in perpetuo carcere permaneant ut hic patet.

montre incorrigible, il perd son privilège et est livré à la justice séculière[199]. Un laïque, au contraire, ne saurait être livré, à proprement parler, à la justice séculière dont il relève naturellement. En ce cas, la justice séculière n'est que l'exécutrice de la sentence qui a été prononcée par l'Eglise[200].

A propos du dernier supplice, Godefroy de Trano faisait remarquer, sans insister davantage, que *Ad Abolendam* ne faisait aucune distinction entre *Majores* et *Minores*. Bernard de Parme rappelle précisément cette constitution *Quicumque* de Valentinien III et Marcien, C. J : I, V, 8, et il lui oppose la constitution *Culpa* de Valentinien Ier et Valens, C. J : IX, XVIII, 8, de plus d'une centaine d'années antérieure, qui assimile entièrement les disciples aux maîtres dans les délits de sortilèges et de maléfices. Comme les glossateurs semblent ignorer que des lois différentes répondent à des situations différentes, Bernard de Parme tente une explication qui n'a rien de démonstratif ni d'intéressant[201].

Sur *Vergentis*, la Glose reproduit à peu près exactement le texte de Tancrède, en y ajoutant quelques explications et quelques références[202]. C'est donc à juste titre, en vertu de la *Ratio peccati* et aussi de la loi de majesté, que le pape a le droit d'excommunier les juges qui ne rendent pas la justice et de déposer les princes à cause de leurs iniquités, de délier les sujets de leur serment de fidélité, de transférer l'empire d'un lieu à un autre — l'expression est de Tancrède — par conséquent de condamner les hérétiques et de confisquer

199. C. 9, mot Praerogativa. Arg. quod clericus depositus non habet privilegium clericale... Et hoc dixit Hug. Si vero incorrigibilis esset, tunc non solum perderet privilegium clericale : verum etiam saeculari curiae traderetur, supra de judic. cum non ab homine (c. 10-X-II-1), sed in casu isto perdit omne privilegium nisi revertatur, ut sequitur.

200. C. 9, mot Laicus. Laici enim per Ecclesiam condemnandi sunt de haeresi : sed judex saecularis illos punire debet, nec traditur laicus curiae saeculari, sed clericus solummodo. infra de verb. signi. novimus (c. 27-X-V-40) quia laicus semper est de foro saeculari : sed in casu isto sententia debet ferri per Ecclesiam : executio fit solummodo per judicem saecularem.

201. C. 15, Excommunicamus, mot Puniendi. Et hoc tantum habes supra eod. excommunicamus (c. 13). Sed qualiter isti haeretici puniri debent secundum leges, postquam per Ecclesiam sunt condemnati, ut hic dicit ? Ultimo supplicio puniuntur per judices saeculares, cum districtione ut videtur, ut docentes ultimo supplicio, addiscentes vero decem libris auri, ut C. eod. tit. quicumque ad fi (C. J. : I, V, 8). Sed contra C. de male et mathe, l. culpa (C. J. : IX, XVIII, 8) ubi dicitur quod culpa similis est tam prohibita discere, quam docere ; non est contra : quia l. illa quicumque intelligitur de illis qui nondum didicerunt, sed causa addiscendi ad haereticos accesserunt : si autem ad actum pervenissent simili poena punirentur, ut docentes, secundum legem illam culpa.

202. C. 10, Vergentis mot Praecipimus. Quod facere potest Papa ratione peccati supra de judiciis, novit (c. 13-X-II-1) et potest eos dignitate privare ut supra c. prox. § statuimus (c. 9-X-V-7) et propter alias iniquitates potest etiam Papa removere eos a dignitate 15 q. 6 alius (c. 3, C. XV, Q. 6) et imperium ipse transtulit de loco ad locum, propterea quia non defendebat Ecclesiam, supra de electione c. venerabilem (c. 34-X-I-6) ut ibi notatur. Ex judex saecularis potest excommunicari, si negligat facere justitiam 23 q. 5, administratores (c. 26, C. XXIII, Q. 5). Et hic expresse dicitur et supra c. proxi. § penultimum (c. 9-X-V-7). Et infra de maledicis, cap. 2 (c. 2-X-V-26).

leurs biens. Au mot *Exheredatio*, la Glose suit encore à peu près mot
à mot les textes de Tancrède et de Vincent d'Espagne. On y retrouve
par conséquent les mêmes remarques sur les lois romaines *Manichaos*,
Cognovimus et *De Nestorianis* qui ne concordent pas avec la décrétale. Il y a toutefois une différence de ton. Vincent d'Espagne et Tancrède, et après eux Godefroy de Trano, ne s'étaient pas contenté de
souligner la différence des législations, ils avaient tenté une explication qui, pour n'être point démonstrative, avait le mérite d'exister.
Bernard de Parme se borne à affirmer avec une certaine raideur que
la législation romaine est dépassée. « Qu'on s'en tienne aujourd'hui,
écrit-il, à cette décrétale, en haine du crime d'hérésie : comme dans
le crime de lèse-majesté où les fils sont punis quant à leurs biens, comme
il est dit 6, q. I, c. *Quaero § verum*, et *Si quis cum militibus* : à plus
forte raison dans ce crime (s.e. de lèse-majesté divine) comme il est
dit ici. D'ailleurs, cela a été dit en propres termes dans une constitution de Frédéric qui se trouvait autrefois dans la cinquième compilation, même titre. Et dans un autre cas, même les fils sont punis dans
le temps — *temporaliter* — à cause du délit de leurs pères jusqu'à la
quatrième génération, suivant *infra De Poenis, in quibusdam*. Et telle
iest l'opinion de Jean et de Laurent[203]. » Le texte de Bernard s'arrête
ci. Que signifie-t-il ?

La référence assez inattendue à cette constitution *Commissi nobis*
de Frédéric II reprenant à son compte l'idée de la majesté d'après
la décrétale d'Innocent III, le rappel du c. 45 du IVe concile de Latran, *In quibusdam*, condamnant à certaines incapacités les fils des
meurtriers des clercs, l'autorité invoquée de Jean et de Laurent qui
déclaraient que la décrétale avait introduit un droit nouveau, l'omis-
sion de la fin du texte de Vincent et de Tancrède estimant que la décrétale n'est valable que dans le domaine pontifical, tandis qu'ailleurs
les lois romaines resteraient en vigueur parce que plus équitables, et
qu'entre deux législations il faut suivre la moins sévère, tout cela
ressemble à un blâme infligé par Bernard à ses prédécesseurs et témoigne peut-être d'un courant de la doctrine plus conforme à la législation et surtout à la pratique inquisitoriale.

La Glose du c. *Excommunicamus* du IVe concile de Latran rappelle

203. C. 10, Vergentis, mot Exhaeredatio. Hic expresse habes, quod bona haereticorum confiscantur : sive habeant filios, sive non : nec catholicis filiis haereticorum aliquid relinquendum est, ut hic dicitur. Sed contra dicit l. C. eod. tit. .
Manichaeos et l. Cognovimus. et auth. idem est de Nestorianis (C. J. : I, V, 4,
19 et Nov. CXV, ch. III, § 14) ubi dicitur quod filii catholici propter hoc haereditate paterna non privantur : statur enim hodie huic decre. in odium criminis, sicut in crimine laesae majestatis : ubi filii puniuntur quoad bona, ut hic dicit et 6
q. I. c. Quaero. § verum et si quis cum militibus (Dic. Grat. après c. 21, C VI,
Q. I et c. 22 ibid. qui reproduit la constitution Quisquis d'Arcadius et d'Honorius :
C. J. IX, VIII, 5). multo fortius in isto crimine, ut hic dicitur, et hoc est expressum in Constitutione Friderici, hac edictali, quae olim erat in quinta compilatione.
eod. tit. et in alio casu etiam filii de delicto parentum puniuntur temporaliter,
usque ad quartam generationem, secundum quod habes infra de poenis. in quibusdam (c. 12-X-V-37) et in hac opinione fuerunt Jo et Lauren.

à propos de la réserve *salvi jure domini principalis* que la peine ne
saurait atteindre que les auteurs mêmes des délits et que c'est une
chose inique d'infliger un châtiment à quelqu'un en haine d'un autre.
Bernard de Parme renvoie, comme Godefroy de Trano, à cette décrétale de Célestin III, c. 2-X-III-11 qui s'inspire très certainement d'une
constitution *Sancimus* dans laquelle Honorius et Arcadius posent très
nettement le principe de la responsabilité individuelle. On lit dans la
décrétale : *Cum peccata suos auctores tenere debeant, nec poena sit ulterius protrahenda quam delictum fuerit in excedente repertum*, et dans
la constitution : C. J : IX, XLVII, 22 : *Peccata igitur suos teneant
auctores, nec ulterius progrediatur metus quam reperiatur delictum.*
L'autre référence renvoie à une loi justinienne condamnant l'iniquité
qui, à propos de successions, punit un innocent par haine d'un autre :
C. J : III, XXVIII, 33 : *Hoc iniquum judicantes ut alieno odio alius
praegravetur.* La contradiction est évidente avec ce qui précède. Bernard de Parme la reconnaît sans plus : autre est cette législation, autre
celle de *Vergentis in senium*[204].

Le reste de la Glose ne présente qu'un intérêt relatif. Au c. *Excommunicamus* de Grégoire IX on rappelle que l'hérétique est semblable
au simoniaque, d'après l'épitre de Taraise c. 21, C. I, Q. I et un *Dictum Gratiani* après le c. 19, C. VI, Q. I dont le rapport avec le sujet
ne paraît pas évident. Or, le simoniaque est enfermé dans un couvent,
d'après saint Ambroise, c. 7, C. I, Q. I et le IVe concile de Latran,
c. 40-X-V-3[205]. La conclusion s'imposait.

Avec Hostiensis, la doctrine canonique de l'Inquisition présente un
caractère de cohérence et de plénitude digne de remarque. Nous utilisons la *Summa Aurea* et la Glose sur les Décrétales[206].

On connaît l'étymologie traditionnelle du mot hérésie d'après saint
Jérôme. Hostiensis en connaît une autre qu'il indique d'après Azon.
Le mot hérésie viendrait de *haersiscor*, analogue à *divido* qui exprime
une idée de séparation : ainsi on appelle ermite celui qui est séparé
du monde et hérétique celui qui est séparé de l'Eglise[207] parce qu'il

---

204. C. 13, Excommunicamus, mot Salvo jure domini. Arg. quod propter delictum unius alius puniri non debet : quoniam poena debet tenere suos auctores,
supra de his quae fiunt a majori parte capituli, c. Quaesivit (c. 2-X-III-11) et C.
de poenis, l. Sancimus, et iniquum est aliquem alterius odio praegravari, C. de
inofficioso testamento, l. Si quis in suo. arg. contra supra eod Vergentis.

205. C. 15, Excommunicamus, mot Deprehensi... Sic et simoniaci in monasterio sub perenni poena detrudantur 1, q. I recipiuntur et supra de simonia, quoniam, quia et ipsi haeretici censentur, 1, q. I eos qui et 6, q. I, c. nos sequentes,
§ licet.

206. Summa Aurea, Venise 1570. Glossa Hostiensis, d'après N. EYMERIC : *Directorium*, pp. 143-166. La Glose renvoie plusieurs fois à la Somme. Celle-ci a
été composée vers 1250-1253 ; cf. A. VAN HOVE : *Proleg.*, p. 476.

207. Summa : Liber V : De Haereticis : « Dicitur autem haereticus ab haerciscor haersis id est divido dividis. inde fam. erci. id est iudicium substantiae dividendae. Inde et eremita quasi divisus ab aliis ; ita et haeresis dicitur divisio, id
est separatio a fide catholica secundum Azo », p. 397 d.

« pense autrement que l'Eglise » ou interprète l'Ecriture dans un sens différent de celui que le Saint Esprit a voulu lui donner[208].

La découverte de l'hérétique se fait par la visite canonique, suivie du temps de grâce et de la procédure. Hostiensis résume la discipline traditionnelle. Il insiste longuement sur les critères qui permettent d'identifier les hérétiques et il invite les inquisiteurs à la sagesse et au discernement[209] suivant un style de directoire qui fait penser aux conciles du Languedoc. Il n'est pas impossible, en effet, il est même probable, qu'Henri de Suse connaissait la législation inquisitoriale du midi de la France[210]. Il fait allusion dans la Glose à la coutume de Toulouse de poursuivre les hérétiques jusque dans la tombe[211]. Néanmoins, ni les notices de la *Gallia Christiana* ni les textes de Mansi ne font allusion à une participation quelconque de l'évêque de Sisteron ni de l'archevêque d'Embrun à des réunions conciliaires qui auraient eu pour objet la répression de l'hérésie.

Hostiensis, glosant le c. *Excommunicamus* du IVe concile de Latran, § *Qui autem inventi fuerint*, c. 13, § 2-X-V-7, explique longuement le processus de qualification d'hérésie, et conclut à peu près en ces termes : le premier degré est la suspicion notable, le deuxième la purgation canonique destinée à détruire ladite suspicion, le troisième l'excommunication, au cas où le suspect refuserait de prêter le serment purgatoire, le quatrième la note d'hérésie au cas où l'excommunié demeurerait un an dans sa peine sans demander l'absolution, le cinquième la condamnation. Ce processus doit être rigoureusement suivi, à peine de nullité de la sentence, et de citer mot à mot un extrait du c. 2, Dist. XLVIII, où saint Grégoire met en garde ses correspon-

---

208. Summa : « ...et in fine ponit regulam generalem quod quicumque aliter sentit vel intelligit scripturam quam sensus Sancti spiritus flagitat a quo consscripta est », p. 397 d.

209. Summa : « Ergo sola praesumptione, vel suspicione, quamvis vehementi, non tamen probabili de tanto crimine, non condemnatur quis ex quo negat, et paratus est Ecclesiae obedire. Sed ex suspicione et obstinatione et lapsu anni, per quem excommunicatus stetit contemnendo Ecclesiam et etiam Petri claves, ut dicit illa, infra de poenis. cap. ultimo (c. 13-X-V-37) et de excessione praelatorum. l. ultim. (c. 18-X-V-31) alias si suspicio habetur, quamvis vehemens et paratus sit haeresim abjurare, et recepta tamen securitate cum juramento, quod timore poenae temporalis debeat coercere admittitur et imponitur ei discreta poenitentia, ex qua appareat utrum in tenebris ambulet an in luce », p. 398 b. Cette dernière expression : ex qua appareat... reproduit textuellement une consultation d'Innocent III donnée à l'évêque de Nevers à propos des hérétiques de La Charité : c. 14-X-II-23. Voir ci-dessus, ch. III, p. 162.

210. Henri de Suse fut prieur d'Antibes, prévôt de Grasse, évêque de Sisteron, archevêque d'Embrun, cardinal-évêque d'Ostie. Il mourut en 1271. Voir Noël DIDIER : Henri de Suse, prieur d'Antibes, prévôt de Grasse, dans *Studia Gratiana*, t. II, Bologne, 1954, pp. 597-617 ; *Gallia Christiana novissima*, t. I, col. 712-714 : *Gallia Christiana*, t. III, col. 1079-1080 ; Ch. LEFEBVRE, art. Hostensis, dans *D. D. C.*

211. Glose sur le c. 5 : Si quis episcopus : « ...et ita servatur de consuetudine in partibus Tholosanis aliquo fluxu temporis non obstante... » *Directorium*, p. 146, col. b, 5.

dants contre les promotions hâtives et les invite à suivre les étapes qui conduisent normalement aux honneurs (ou aux ordres)[212].

Hostiensis remarque en passant que la procédure ecclésiastique peut être facilitée par une constitution de Frédéric II condamnant les suspects contumaces à l'infamie et au ban impérial et les excommuniés, contumaces au bout d'un an, aux peines des hérétiques, soit la prison ou le bûcher, suivant les autres constitutions impériales. Il n'empêche que la connaissance du crime d'hérésie est du ressort exclusif de l'Eglise. Au reste, ladite constitution frédéricienne n'a pas été seulement approuvée par l'Eglise — allusion à *Cum adversus haereticam* d'Innocent IV — mais encore suggérée par elle, puisque Frédéric II reproduit à peu près à la lettre le § *Qui autem inventi fuerint* du IVe concile de Latran. Quoi qu'il en soit, il est légitime de l'utiliser, conformément aux Décrétales : cc. 10-X-I-2 et 1-X-V-32 où Lucius III déclare que le Droit Ecclésiastique et le Droit Séculier peuvent se compléter mutuellement, sans oublier le primat du Droit Ecclésiastique : argument tiré d'une consultation de Grégoire IX à propos des biens d'églises, c. 2-X-III-23[213].

Les causes des hérétiques ressortissent, en effet, à la compétence de l'Eglise. Le Pouvoir Séculier n'intervient que pour exécuter les sentences, conformément à la doctrine traditionnelle, notamment à la doctrine d'Innocent III à laquelle se réfère sans le dire Hostiensis, qui allègue le fameux texte de Jérémie : *Ego constitui te...*, la *Ratio peccati* et la réserve *Salvo jure Domini principalis* qui passa de la théorie canonique de la Croisade albigeoise dans le c. 3 du IVe concile de Latran[214].

212. Glose sur le c. 13 : Excommunicamus, § Qui autem : « Et nota gradus per quos in hoc casu ad condemnationem criminis haereseos pervenitur. Primus est suspicio notabilis. Secundus quod propter hanc suspicionem indicatur purgatio. Tertius, quod si negligat se purgare, propter hoc feratur in ipsum excommunicatio. Quartus, quod si hac de causa ligatus in sententia per annum pertinaciter permanserit, sequatur condemnatio... alias casum sententiae appetit, quae istis gradibus in tali casu postpositis, quaerit per abrupta ascensum argu. 48. distin. cap. fi. (c. 2, Dis. XLVIII), pp. 157 b-158 a, 10. Voir Summa : De Praesumptionibus : « Et est notandum quod quamvis haeretici levi ar. detegantur, scilicet quantum ad hoc ut suspecti habeantur, ut C. de haereticis, l. 2 (C. J. : I, V, 2), non debet tamen quis in tanto crimine et propter violentam praesumptionem condemnari... », p. 173 b.

213. Glose sur le c. 13 : Excommunicamus, § Qui autem : « Hodie vero non est necesse, quod tales per Ecclesiam condemnentur, sicut patet per l. Friderici positam, C. de haereti. in modum Authen. quae sic dicit : Gazaros, Patarenos... Nec obstat quod crimen haereseos est de foro Ecclesiae, quia dicta constitutio fuit par Romanam Ecclesiam non solum approbata, sed procurata, et sic ea uti possimus, supra de constitutionibus, Ecclesia sanctae Mariae (c. 10-X-I-2), et patet in eo quod not. infra de ope no. nun. c. 1 et supra de solu. c. 2 (c. 1-X-V-32 et c. 2-X-III-23), p. 158 a et b, 13, 14.

214. Summa : « Ergo cognitio, examinatio et condemnatio istius criminis ad ecclesiasticum judicem pertinet principaliter non ad saecularem, licet saecularis executionem habeat... et ratio (sic) peccati Ecclesia jurisdictionem habet, etiam in temporalibus... unde Dominus ad Hieremiam. Ecce constitui te... et ideo seculares tanquam inferiores, sive sint temporales, sive perpetui in principio administrationis suae tenentur jurare publice quod a terris suae jurisdictioni subjectis

Le crime d'hérésie est un crime de lèse-majesté. « L'hérétique, écrit Hostiensis, doit être puni de peines sévères, nombreuses, diverses, parce qu'il porte préjudice à tous, car ce qui est commis contre la divine religion est une injure pour la communauté : c'est un crime public, comme il est dit dans le Code : loi *Manichaeos*. Nous ne devons pas laisser impuni l'outrage infligé à celui qui a détruit nos outrages : voir *supra De Judaeis*, § *illud* : c. 15-X-V-6. Il est, en effet, beaucoup plus grave d'offenser la majesté divine que la majesté temporelle : voir infra *Vergentis*, et Authentique *Ut non luxuriantur contra naturam*, col. 6, et plus loin : *De Maledicis*[215]. »

La peine suit la gravité du délit. Hostiensis, interprétant l'*animadversio debita* de *Ad Abolendam* suivant la discipline contemporaine, écrit dans la Glose : *Ultio debita est ignis crematio*. La justification qu'il en donne est inattendue. Au lieu d'une référence au Droit Romain ou à la législation de Grégoire IX, il donne une référence biblique, non à l'Ancien Testament, mais au Nouveau, à l'Evangile de saint Jean : XV, 6, et d'expliquer de la manière suivante : « *Si quelqu'un ne demeure pas en moi*, c'est-à-dire par une foi solide et sans artifice, c. 1-X-I-I, *on le jette dehors*, c'est-à-dire par l'excommunication, cc. 9, 13-X-V-7, *comme le sarment*, c'est-à-dire tel un homme infidèle, inutile et mort en qui la grâce de Dieu est absolument éteinte, c. 6-X-III-13, *et*, à moins de faire pénitence, *il sèche*, s'il est laïque, par sentence condamnatoire du juge ecclésiastique, tradition à la justice séculière et exécution de la peine corporelle ; s'il est clerc, par une semblable condamnation, puis une dégradation, enfin la tradition à la justice séculière... *et on le jette au feu* : c'est la justice séculière qui s'en charge, *et il brûle* : il est à la lettre jeté au feu et consumé par le feu[216]. »

universos haereticos ab Ecclesia denudatos studebunt exterminare bona fide totis viribus, ut infra eodem excommunicamus itaque, § moneantur... », p. 398 d. *Item*, Glose sur le c. 13 : Excommunicamus, § Moneantur : Domini principalis « id est majoris et immediate superioris, nam res immobiles prioris Domini sunt... » (Dig. : XLIX, XV, 28 ; XLI, I, 51 ; etc...), p. 160 a, 12.

215. Summa : « Qua poena feriatur. Et certe magna et non solum una, sed multis et diversis, et hoc ideo, quia haereticus omnes offendit, quod enim in religionem divinam committitur, in omnium fert injuriam, et ideo publicum crimen dicitur : ut C. eodem titu. Manichaeos. Non ergo debemus dimittere inultum opprobrium illius qui proba nostra delevit, ut supra de Judaeis, in nonnullis, § illud, quia longe gravius est divinam quam temporalem offendere majestatem, ut infra eodem Vergentis et in authen. ut non luxu. contra naturam. col. 6 et dicitur infra de maledi. (C. J. : I, V, 4 ; c. 15-X-V-6 ; c. 10-X-V-7 ; Nov. LXXVII ; De Maledicis : deux canons-X-V-26), p. 399 b.

216. Glose sur le c. 9 Ad Abolendam, debitam : « Ultio debita est ignis crematio sicut probatur ex verbis Domini dicentis. Jo 15 b. *Si quis in me non manserit*, per fidem firmam et simplicem, supra de sum. Tri. c. 1 in prin. sed ab ea exorbitaverit, *mittetur foras*, id est extra communionem Ecclesiae, sive clericus-sive laicus sit, per sententiam excommunicationis : qui tamen hodie omnes sunt excommunicati, supra eo. c. responso I et infra eo. excommunicamus. 1 et 2. *Sicut palmes*, id est homo infidelis et inutilis ac mortuus, cum in eo omnino Dei gratia sit extincta, supra de rebus Ecclesiae non alie. si quis presbyterorum (c. 6-X-III-13). Et nisi poenituerit, *arescet*, laicus fit, per judicis ecclesiastici condemnationem, et curiae saecularis damnationem, et poenae corporalis execu-tionem. Si vero clericus sit, per praemissam consimilem condemnationem et secu-

Le texte johannique serait confirmé, d'après Hostiensis, par la loi romaine, et de citer à ce sujet les lois *Manichaeos* et *Ariani* : C. J : I, V, 4 et 5 d'Arcadius, Honorius, Théodose et Valentinien, et deux textes du Digeste : XLVIII, XIX, 21 et 28, le premier de Celse disant que le dernier supplice veut dire la mort, l'autre de Callistrate précisant qu'il faut entendre par là soit la pendaison, soit la crémation du vivant, soit la décapitation[217]. En fait, l'exégèse d'Hostiensis lui a été plutôt suggérée par le Droit Romain, peut-être encore par l'argument tiré du c. *Firmissime* de ce même Titre *De Haereticis* : c. 3-X-V-7, où saint Augustin affirme comme un article de foi que « tout hérétique ou schismatique impénitent est l'associé du Diable et de ses anges dans l'incendie du feu éternel », et par la coutume générale d'infliger aux hérétiques la peine du feu[218]. Il n'est fait à ce sujet aucune mention des lois de Frédéric II.

On a même l'impression qu'Hostiensis, s'il n'ose désapprouver cette coutume générale — il ne peut ignorer que les lois germaniques ont été canonisées — fait quelques réserves en faveur des clercs déposés. « Comment, écrit-il dans la Somme, en suivant le texte de Godefroy de Trano, le clerc déposé doit-il être remis au Pouvoir Séculier ? D'aucuns estiment que l'Eglise doit le livrer en personne de la main à la main... opinion à rejeter, car l'Eglise doit intercéder pour eux, suivant le c. 7, C. XXIII, Q. V et C. J : I, IV, 6. » Voici, d'après Hostiensis, comment il faut procéder. La dégradation se fait en présence du Pouvoir séculier. Alors le clerc dégradé passe aussitôt du for ecclésiastique au for séculier : il n'y a donc pas tradition corporelle, mais seulement tradition juridique. L'Eglise intercède en faveur du cou-

---

tam degradationem et curiae saeculari traditionem et colligent potestates saeculares, *eum*, scilicet laicum per damnationem corporalis poenae et executionem : clericum vero in foro suo recipient ut et datam per eos poenalem contra eum sententiam exequatur. *Et in ignem mittent*, ministri saecularium potestatum de mandato eorum. *Et ardet*, id est ad litteram tradetur igni et comburetur, ex hac auctoritate sic exposita, satis potest colligi id quod legitur et no. inf. de verb. sign. novimus (c. 27-X-V-40), pp. 149 b-150 a, 11.

217. Glose sur le c. 9, suite : « Lex etiam humana in hac poena concordat : dicit enim tales ultimo supplicio puniendos C. eo. tit. Arriani. Quod ultimum supplicium alia lex mortem interpretatur, ff de poenis, ultimum supplicium. » (Dig. : XLVIII, XIX, 21 : Celsus, lib. 37 Digestorum : Ultimum supplicium (esse) mortem solam interpretamur). « Et tertia lex expresse dicit, quod vivi crematio ultimum est. ff de poenis, capitalium » (Dig. : *ibid.*, 28 : Callistratus, lib. 6 de Cognitionibus : Capitalium poenarum fere isti gradus sunt. Summum supplicium esse videtur ad furcam damnatos : item vivi crematio (quod quanquam summi supplicii appellatione merito contineretur, tamen, eo quod postea id genus poenae adinventum est, posterius primo visum est) : item capitis amputatio.), p. 150 a, 11, 12.

218. Glose sur le c. 9, suite : « Hanc etiam poenam sic interpretata est generalis consuetudo secundum quam igni traduntur haeretici universi. Ergo non solum secundum legem Evengelicam, sed et secundum humanam, nec non et generalem consuetudinem omnibus haereticis debita est haec poena. Sed et ad hoc praestat arg. Lex Canonica, supra eod. Firmissime, responso I ubi probatur quod diabolo et angelis ejus participant aeterni ignis incendio puniendi », p. 150 a, 13.

pable pour lui éviter la mort, conformément à la procédure d'Innocent III, c. 27-X-V-40[219].

Sur la peine du « mur » Hostiensis n'insiste pas. Il se contente dans la Glose, au c. *Excommunicamus* de Grégoire IX, de la justifier comme Bernard de Parme en quelques lignes. L'hérétique est assimilé, dit-il, au simoniaque : voir c. 21, C. I, Q. I et c. 5-X-V-3. Or, le simoniaque est enfermé dans un couvent, d'après saint Ambroise, c. 7, C. I, Q. I et le IVe concile de Latran qui paraît s'en inspirer, c. 40-X-V-3[220].

Par contre Hostiensis insiste longuement sur la confiscation des biens. Comme tous les décrétalistes, il note la différence qui existe entre les constitutions impériales romaines et la décrétale *Vergentis*. Le texte de la Glose reproduit à peu près mot pour mot celui de Bernard de Parme[221], mais, au lieu de constater purement et simplement la différence de législation, il cherche à l'expliquer, mieux que Vincent, Tancrède et Godefroy, en s'efforçant de faire concorder les textes suivant la méthode traditionnelle.

Les constitutions punissent inégalement les hérétiques. Les Manichéens, Samaritains, Païens, etc... sont frappés d'incapacités et la confiscation de leurs biens est totale : voir la constitution *Quicumque* de Valentinien et Marcien à Palladius — nous l'avons citée précédemment — et la constitution *Quoniam multi* de Justinien au préfet du Prétoire, C. J : I, V, 8, 21. « Ces hérétiques, en effet, n'ont rien de commun avec les autres hommes, ni leurs lois, ni leurs mœurs », écrit Hostiensis en reproduisant le texte de la Somme d'Azon que nous avons également cité[222]. Mais, tandis qu'Azon, et avec lui Tancrède, pensent que la descendance catholique peut hériter, Placentin, au contraire, et avec lui Jean et Laurent, estiment qu'elle ne le peut pas.

Les premiers ont en leur faveur les constitutions *Manichaeos* et *Cognovimus* et la Novelle *De Nestorianis*, C. J : I, V, 4, 19 ; Nov. XCV, ch. III, § 14, Mais ils ont contre eux la décrétale *Vergentis*. Comment résoudre cette difficulté ? Hostiensis écarte avec raison l'hypothèse

219. Summa : « Quomodo **ergo traderet ipsos manualiter puniendos**, ideo dic quod praesente saeculari potestate ejus est degradatio celebranda, et cum fuerit celebrata dicetur ei, ut in suum forum recipiat degradatum et sic intelligitur tradi pro eo. Debet tamen Ecclesia efficaciter intercedere, ut citra mortis periculum ejus sententia moderetur, ut infra de verborum significatione, c. novimus (c. 27-X-V-40) et licet in haeresi lex imponat poenam ultimi simplicii, ut C. eodem. Arriani quam mortem interpretatur alia lex ff de poenis ultimorum suppliciorum. de consuetudine tamen tales cremantur : quia et vivi crematio ultimum supplicium est ff de poenis capitalium », p. 399 d. Références données ci-dessus, n. 217.

220. Glose sur le c. 15 : Excommunicamus, in perpetuo carcere. Sicut et simoniacus est in monasterium detrudendus, I, q. I, reperiantur. supra de Simonia, quanta (pour quoniam) et est bona similitudo, nam simoniacus haereticus reputatatur. I. q. I. eos qui. 6. q. I, § sed licet (Dic. Gr. après c. 19, C. VI, Q. I constatant qu'il est permis aux infames d'accuser les hérétiques). supra de simonia. quotiens, ubi de hoc et idem juris est hodie de credentibus, ut infra § I. p. 165 b, 5.

221. Glose sur le c. 10 : Vergentis, exhaeredatio. « Hic expresse habes... », p. 152 b, 5.

222. Sur les constitutions et sur Azon, voir ch. I, pp. 64-65.

de Godefroy de Trano limitant la portée de la décrétale aux Etats
de l'Eglise, mais le motif qu'il donne n'est pas celui qu'on pourrait
attendre, savoir la diffusion de la décrétale, sur l'ordre d'Innocent III,
hors du domaine pontifical et hors de l'Italie. Le motif allégué est
désormais traditionnel dans la doctrine : « les lois, écrit Hostiensis,
sont plus équitables que la décrétale : le fils ne doit pas être puni à
cause de son père, voir C. J : IV, XIII : *Ne filius pro patre, passim.*
Chacun subit la peine qu'il a méritée : c. 2-X-III-11. L'Eglise doit
aimer tout le monde : c. 13, C. VIII, Q. I, et ne se fermer à personne :
C. J : I, I, 8 *in fine.* L'équité des lois doit passer avant la stricte rigueur canonique[223]. » D'ailleurs, la loi de majesté n'est peut-être qu'un
épouvantail. La constitution *Quisquis* peut s'expliquer, en effet, par
cette raison d'ordre psychologique et social : la crainte que les fils
ne deviennent les imitateurs de l'iniquité paternelle : *nam timuerunt
ne filii essent imitatores paternae iniquitatis.* Ce propos de Godefroy,
Hostiensis le redit, puis il ajoute : « La crainte peut induire en erreur »,
par conséquent la constitution peut être sans objet. Cette interprétation ferait de la constitution une peine plus médicinale que vindicative, voire même un remède préventif, une menace destinée à maintenir dans le respect du pouvoir ceux qui seraient tentés de s'en affranchir. Cela peut être vrai de toute loi pénale, mais en l'occurrence on
ne voit pas que la peine qui affligerait le coupable épargnerait ses enfants que la crainte maintiendrait dans la fidélité. Au contraire, la
constitution prévoit quelques tempéraments à la spoliation totale.
C'est donc que cette spoliation affecte bel et bien les enfants, quelle
que puisse être leur attitude. L'interprétation d'Hostiensis appelle-
rait donc quelques réserves. Mais il ne s'agit pas tellement de la constitution, il s'agit avant tout de la décrétale qui s'y réfère. Hostiensis
partage entièrement sur ce point l'opinion de Godefroy. Il n'est pas
impossible que ce préjugé ait influencé son exégèse. Et quand bien
même la constitution serait vindicative, on ne voit pas pourquoi la

---

223. Summa : « Nam leges majori aequitate nituntur quam decre : nec puniendus est filius pro patre. C. ne fil. pro pa. et poena suos debet tenere auctores,
supra de his quae fi. a ma. par. c. quaesivit (c. 2-X-III : de his quae fiunt a
majori parte capituli, 11) et Ecclesia omnes debet amare. 8. q. I. clemens nec
alicui debet claudere gremium. C. de summ. Tri, I. fi. Ergo aequitas legum praeferenda est in restricto et rigore canonico. » Sur l'équité canonique, voir Ch. Lefebvre : *Les Pouvoirs du Juge en Droit Canonique*, Paris, 1938, pp. 163-212. A
la p. 182, l'auteur rappelle la définition d'Hostiensis donnée au Titre De Dispen-
sationibus. Voici le texte : « Jus autem est ars aequi et boni — c'est la définition même d'Ulpien, au Digeste : I, I, 1 — cujus merito nos sacerdotes appellat,
id est sacramentorum praeceptorum ministros. ff. de just. et ju. l. 1, § jus. Aequitas vero media est inter rigorem et dispensationem, sive misericordiam, ut C. de
judi. placuit (C. J. : III, I, 8). Hoc autem Cypriano sic describitur. Aequitas est
justitia dulcore misericordiae temperata, vel dic quod aequitas est motus ratio-
nabilis regens sententiam et rigorem, haec enim est aequitas quam judex qui minister juris est semper debet habere prae oculis. ff. de eo quod certo loco dari
oportet, quod si Ephesi, in fine (Dig. : XIII, IV, 4), scilicet sciat bonos remune-
rare, malos punire. Via regia incedens et se rationabiliter regens non declinans
ad dexteram vel sinistram », p. 490 b.

décrétale le serait également. « L'Eglise, conclut Hostiensis dans le style de Godefroy, peut remarquer d'après les indices qui ne trompent pas que (ou mieux si) les héritiers sont orthodoxes[224]. » La conclusion s'impose ; elle leur rendra leurs biens.

Placentin, au contraire, estime que la spoliation des hérétiques est totale. Leur descendance hérétique ne saurait récupérer quoi que ce soit de l'héritage : cependant il n'est pas exclu que la descendance catholique puisse obtenir une toute petite part, ainsi qu'il est dit dans la loi de majesté[225]. Nous avons noté ci-dessus que la constitution *Quisquis* faisait, en effet, quelques réserves. Plus sévère est la décrétale. Jean et Laurent, auxquels il faut joindre Bernard de Parme, l'interprètent strictement et concluent à l'exhérédation totale des héritiers, quels qu'ils soient. Cela, il faut bien le reconnaître. Hostiensis, à la suite de Godefroy, rappelle dans un ordre différent les sanctions bibliques et canoniques : le *Dictum Gratiani* sur l'extermination des Amalécites et de leurs troupeaux, les propos de saint Ambroise sur les simoniaques, les peines infligées par le concile de Tolède aux enfants sacrilèges et par le IVe concile de Latran aux fils des meurtriers des clercs. Mais, interprétant ces textes comme la loi de majesté, il écrit : « *Et est ratio quia forte pater magis verebitur exhaeredationem filii quam propriam. ff quod metus causa, isti quidem.* » La référence au Digeste : IV, II, 8, déjà donnée par Godefroy à propos de la loi de majesté, rappelée ici à propos des autres sanctions canoniques, est significative. Hostiensis ne prétend sans doute pas réduire ces peines à de pures menaces, mais il cherche, en les expliquant dans un contexte psychologique et juridique, à en réduire, sinon l'efficacité, du moins l'application. « En dehors de ces cas, conclut-il à la suite de Godefroy, la règle générale est que les biens des condamnés passent à leurs héritiers, d'après l'authentique *Bona* » que nous avons analysée[226].

Hostiensis incline évidemment du côté d'Azon et de Tancrède, en faveur de l'équité, mais, pour ne pas heurter trop violemment le point de vue de Placentin ni surtout la lettre de la décrétale qui n'est guère équitable, il trouve un moyen terme, cette *concordia discordantium* que Godefroy de Trano aurait pu faire et qu'il fait dans le même esprit. « A la vérité, dit-il, on peut sauver le point de vue d'Azon en disant que les lois dont il fait état *(Manichaeos, Cognovimus, de Nestorianis)* peuvent s'entendre de l'hérétique décédé avant accusation et dénonciation, c'est-à-dire de l'hérétique occulte. Le point de vue de Placen-

224. Summa : « Nec obest quod in crimine lesae majestatis puniuntur haeredes, quia ibi timuerunt. 1. ne filii essent paterni criminis imitatores. 6. q. 2. quisquis cum militibus. qui timor fallit, ex quo Ecclesia per certa indicia videt quod filii sunt orthodoxi », p. 399 b.

225. Summa : « Pro Placentino. infra eodem Vergentis, per quod dicunt magistri Joan. et Lau. leges corrigi. quia tales omnino tamquam crimine lesae majestatis tenentur, et ideo bona omnino confiscantur et publicantur », p. 399 b. Sur Placentin, voir ch. I, p. 63.

226. Summa : « ...Alias regulare est quod bona damnatorum ad haeredes perveniunt C. de bonis Damnatorum, authentic. Bona, et hoc verius videtur », ibid.

tin est vrai après accusation et publication selon les remarques faites
précédemment au mot *vitari* et au § *qualiter deprehendantur*, au mot
adverte — (*vitari* : on n'est tenu d'éviter que celui qui a été condamné
ou déclaré coupable par l'Eglise ; *adverte* : il s'agit de la notoriété de
droit sans laquelle on ne saurait qualifier quiconque, même suspect,
d'hérésie). — Mais j'ajoute, continue Hostiensis, que, même après sentence, la vraie loi : *vera lex* — il s'agit des constitutions impériales —
et la doctrine d'Azon peuvent encore se soutenir[227].

Une analyse serrée de *Vergentis* conduit à de pareilles conclusions.
La décrétale ne parle que des fils de pères hérétiques : *filii eorum*.
Donc, dans l'hypothèse où la mère seule serait hérétique, la législation ne s'applique pas : le fils en effet suit la condition du père. Les
références au Droit Romain abondent[228]. Autrement, la mesure serait
non seulement injuste, comme contraire au Droit, mais encore odieuse
et immorale : punir le fils, en effet, serait offenser l'amour du père,
blesser son honneur, accroître ses charges : Dig. : XXVII, XV, 1 ;
C. J : XXXVII, X, 17. « Si donc, écrit Hostiensis, en ce qui concerne
les dignités et les honneurs le fils ne suit pas la condition de sa mère, à
plus forte raison doit-il en être de même en matière pénale où l'interprétation des lois doit être plus bienveillante que sévère » conformément
au principe d'Hermogène invoqué par Vincent et Tancrède[229]. Tout
au plus pourrait-on accuser le mari de complicité dans le crime d'hérésie de sa femme au cas où il l'aurait épousée, la sachant pertinem-
ment hérétique, encore n'est-ce pas tellement certain. « Je n'étendrai
pas cette loi pénale, déclare Hostiensis, au contraire j'en réduirai la
portée, comme étant odieuse. L'époux est la tête de l'épouse, il est
donc plus vraisemblable que ce soit lui qui l'attire à sa condition. »
Quant aux filles, elles suivent la condition, non de leur père, mais
de leur mari, conformément au Droit, Digeste : I, IX, 8. La descendance des filles est donc exempte de toute peine[230].

227. Summa : « Verumtamen et prima sententia salvari potest, quia sententia Azonis, et leges suae, id est pro eo inductae, intelligi possunt quando haereticus mortuus est ante accusationem et denuntiationem, cum occultus esset. Sententia vero Pla. locum habet post accusationem et publicationem, secundum ea
quae no. supra prox. ver. vitari et § qualiter deprehendantur. versi. adverte »,
p. 399 b-c.
228. Références données par Hostiensis : le fils suit la condition de son père :
Institutes : III, XIX, § 4 ; Dig. : I, V, 19 : Code : VI, XXVI, 11 — dans les
honneurs : Dig. : I, IX, 10 : Code : X, XXXI, 22, 36, 44, 62 — et dans les
peines : Dig. : XLVIII, XIX, 9 § 3, 26 ; Code : IX, XLVII, 3, 12.
229. Glose sur le c. 10 : Vergentis, quanto magis. « ...Si ergo in beneficiis et dignitatibus filius ex matrimonio natus matris conditione non sequitur, quanto magis dicendum est in poenis contra jura maxime adinventis, non debeat sequi conditionem ejusdem ? Cum poenae legum interpretatione sint molliendae, non exas-
perandae (Dig. : XLVIII, XIX, 42), p. 152 a, 4.
230. Glose sur le c. 10, suite : « Huic igitur adhaerebo favori, maxime quantum
ad Ecclesiam, quae innocentem punire non desiderat : immo nec nocenti redeunti
claudere gremium consuevit... Non ego eam extendam, sed refringam, ut odio-
sam, quia cum vir caput sit uxoris, verisimilius est ipsam trahi ad legem ipsius.
Unde et hoc deterius contingere posset si cum catholico filia nubere non posset,
scilicet augmentum haereticorum et diminutio catholicorum. Et quia vir, qui di-

De ces analyses subtiles une impression de sérénité se dégage. Hostiensis, en invoquant le principe juridique et moral de l'équité et la *ratio legis* de la crainte grave voulue par le législateur, interprète les lois inquisitoriales dans un esprit de justice plutôt que de vindicte, suivant la tradition des décrétistes plutôt que celle des inquisiteurs.

Les commentaires de Bernard de Montmirat — Abbas Antiquus — sur le titre *De Haereticis* sont loin de présenter le même intérêt. Ils portent notamment sur les canons *Ad Abolendam, Excommunicamus* du IVᵉ concile de Latran, *Absolutos*[231].

Bernard commence par définir l'hérésie. « Ceux-là sont hérétiques qui pensent autrement que l'Eglise Romaine, l'Evêque ou son Chapitre pendant la vacance du Siège. » Or, la pensée de l'Eglise a été clairement exprimée par le IVᵉ concile de Latran dans sa fameuse constitution dogmatique c. 1-X-I-1. Quiconque rejette en totalité ou en partie ladite constitution est donc hérétique. En cas de doute, on consultera le Saint-Siège suivant la discipline qui réserve à l'Eglise Romaine la connaissance des Causes Majeures : références données au c. 3-X-III-42 sur le baptême de surprise ou de force, au c. 5, Dis XVII sur le caractère, canonique ou non, des assemblées ecclésiastiques, au c. 12, C. XXIV, Q. I (et non IV) sur la nécessité de recourir au Saint-Siège au sujet de tout ce qui intéresse la foi[232].

Tout hérétique nettement caractérisé encourt nécessairement, sauf purgation canonique, les peines établies par les décrétales et le IVᵉ concile de Latran. Tout refus de prêter serment purgatoire équivaut à un crime d'hérésie[233].

Les princes temporels sont spoliés de leurs terres sous réserve des droits du seigneur principal, pourvu que ledit seigneur « purge » sa terre de l'hérésie. Ainsi, écrit Bernard, le roi d'Aragon gardait sur le

---

vinare non potuit haeresim alienam propter justum suum errorem, puniri non debet. Si vero scienter talem duceret, ei forsitan esset imputandum, ut not. inf. de poen. in quibusdam, § sacri (c. 12-X-V-37), p. 152 a et b, 4.

231. Bernard de Montmirat, Abbas antiquus : Lectura in Decretales Gregorii IX, dans *Perillustrium Doctorum tam veterum quam recentiorum in lib. Decretalium aurei commentarii, videlicet Abbatis Antiqui, cum Additionibus Sebastiani Medices Juriscon. Florentini, hactenus non impressis...*, t. I, Venise, 1588, in-fol. pp. 137-138. La Lectura a été composée vers 1259-1266 ; cf. A. van Hove, *Proleg.*, p. 478.

232. Ab Abolendam. Casus + Primo dicitur quod qui de sacramentis ecclesiae sentiunt aliter quam Romana Ecclesia, vel quam ipsa judicat, vel episcopus vel suum capitulum, vacante ecclesia : haeretici sunt censendi et sunt excommunicati... [Haereticos judic.] ...in haeresim incidisse damnatam et indubitatam — alias si esset dubium de aliquo articulo, hoc sola ecclesia Romana terminaret. Sup. de bapt. majores ; 17. di. multis ; 24. q. 4 *(sic)*. quotiens ; p. 137, col. 2.

233. Excommunicamus... [velut haeretici] + numquid confiscabuntur, vel infligentur poenae supra statutae ? Videtur per hanc litteram quod sic, cum dicatur, velut haeretici condemnentur. Et verum hoc, si se non poterunt expurgare — inf. de pur. ca. inter... alias non sunt velut haeretici puniendi, cum se negant haereticos ; tamen si se nollent purgare tunc haberet locum quod velut haeretici puniantur ; p. 138, col. 1.

comté de Toulouse son droit de suzeraineté, mais le roi de France pouvait aussi bien justifier l'occupation de cette terre[234].

Sur les peines des hérétiques Bernard est extrêmement réservé. Il n'est jamais question de l'*adnimadversio debita*. Le mot et la chose paraissent inconnus. On ne parle que des incapacités[235] parmi lesquelles on peut ranger toutes les obligations de caractère naturel ou contractuel qui lient les uns aux autres les membres d'une même société. Le problème — le seul qui paraisse intéresser notre auteur — est celui-ci : Un excommunié a-t-il encore des droits ?

Deux opinions s'opposent. Barthélémy de Brescia dit non, Jean (de Dieu ?) est plus nuancé qui estime que toute obligation due à un excommunié en vertu d'un serment demeure, nonobstant l'excommunication de l'ayant droit. Cette position se justifie par deux décrétales d'Alexandre III et deux d'Innocent III.

Les deux premières confirment le caractère sacré du serment. L'une veut que tout contrat, sanctionné par serment, oblige le débiteur à restituer à son créancier, même excommunié, les sommes empruntées avec leurs intérêts, dût l'Eglise contraindre l'usurier à restitution, c. 6-X-II-24. L'autre estime que tout serment, même prêté sous l'empire d'une crainte grave, oblige, sous cette unique réserve que son objet ne porte pas préjudice au salut éternel ; mais l'Eglise, ajoute le texte, a l'habitude d'absoudre ceux qui auraient prêté de tels serment, c. 8-X-II-24.

Les deux autres décrétales apportent à la rigueur de la « communication » avec l'excommunié les tempéraments que rendent nécessaires ou bien les circonstances, ainsi les croisés embarqués sur les bateaux des Vénitiens excommuniés, c. 34-X-V-39, ou bien les conditions mêmes de la vie familiale ou sociale, c. 31-X-V-39, suivant les exceptions autorisées déjà par Grégoire VII, c. 103, C. XI, Q. III[236].

---

234. [Si vero dominus] — poena dominorum non purgantium terram suam de haeresi. Item [Salvo jure] ar. op. pro Rege Aragoniae contra Regem Francorum : quia propter haeresim, a qua purgatur Rex Francorum, terram comitis Tholosani non debuit privare jure suo, quod habebat in terra ipsius comitis : licet ecclesia ipsam exposuerit Regi Francorum occupandam. [Dummodo] ista littera est magnum ar. contra Regem Aragoniae, et pro ipso Rege Francorum, quia ipse Rex Arago. impedimentum praestitit ipsis Gallicis occupantibus ipsam terram ; p. 138, col. 1.

235. [Sit intestabilis]... qua quaeritur an excommunicatus possit condere testamentum, vel ex testamento capere. Cum enim post annum, ut dicitur hic, non possint capere : relinquitur quod ante possent, et ex successione capere, et condere testamentum : et tamen erant excommunicati, ut hic dicitur ; p. 138, col. 1.

236. Absolutos. Casus + Habes hic, quod nullus tenetur haeretico satisfacere, quantumcumque sibi fuerit obligatus. Quid dices de illo qui alias est excommunicatus, non pro facto haeresis ? Dicit Bar. et in eadem sententia videtur esse glossa, quod non tenetur per jura, quae hic inducit, tam in prima glos — quam in secunda. Jo. dicit contra. Dicit enim quod si quis tenetur aliquid solvere excommunicato, certo termino per juramentum : vel cum adjectione poenae ; a perjurio non excusatur, vel a poena, ratione excommunicationis, si die assignata non solvat : ar. bonum sup. de jurejur. debitores (c. 6-X-II-24), nam contractus cum excommunicato celebratus bene tenet ; et ex eo excommunicatus potest agere post absolutionem — inf. de sent. exc. si vero (c. 34 : si vere — X-V-39). Item

Ces arguments, Bernard croit devoir les renforcer par certaines preuves indirectes, tirées des Décrétales et du Digeste, concluant à la nécessité d'exécuter, sauf exceptions, les rescrits pontificaux, cc. 9-X-I-3 et 6-X-III-5, et les mandats de légataires et de fideicommis, Dig., *de usu*, sans autre précision, sans doute XXXIII, II, *passim.* « L'opinion de Jean est donc bonne et sûre », conclut Bernard.

On s'abstiendra par conséquent de « communiquer » dans la plupart des cas avec l'excommunié. Encore faut-il que l'excommunication soit notoire ; au cas, en effet, où elle serait occulte, la défense de la « communication » ne s'imposerait pas, conformément à ces remarques de saint Jérôme et de saint Ambroise invitant les sujets des princes, même païens ou apostats, à leur obéir dans la mesure où rien ne leur est commandé de contraire à la Loi de Dieu, cc. 93 et 94, C. XI, Q. III[237]. L'excommunié ne perd donc pas ses droits, même si l'exercice lui en est interdit.

S'il en est ainsi de tout excommunié, il doit en être de même de tout hérétique. La législation qui les concerne est néanmoins beaucoup plus sévère. *Vergentis in senium* et *Excommunicamus* du IVe concile de Latran s'opposent formellement à toute restitution des droits. Cette discipline, Bernard de Montmirat voudrait, lui aussi, en atténuer la rigueur. Il lui oppose une décrétale d'Alexandre III autorisant un schismatique converti à exercer dans l'Eglise, après dispense pontificale, quelque juridiction, c. 5-X-I-6. Mais la comparaison ne vaut guère entre un hérétique contraint de rentrer dans le sein d'une Eglise dont il a rejeté les dogmes et la discipline et un schismatique qui demande spontanément à entrer dans une Eglise qui lui était étrangère.

C'est peut-être parce qu'il en a conscience que Bernard s'efforce de faire à son tour, en s'appuyant sur l'autorité de Vincent d'Espagne, une *concordia discordantium*, à la vérité assez obscure. La différence de discipline se justifierait, autant qu'on en peut juger, par ce qu'on pourrait appeler la qualité du délit. Il y a, en effet, des délits qui ne portent pas préjudice à l'Eglise : *quia tamen delictum personae in damnum Ecclesiae redundare non debet*, suivant une formule d'Innocent III, c. 6-X-II-25, qui ne semble pas avoir dans son contexte le sens absolu que Bernard, croyons-nous, lui donne ici. Les délinquants — sans doute la plupart des excommuniés — s'ils perdent la jouissance de leurs droits, gardent néanmoins leurs titres. L'absolution leur resti-

---

juramentum hujusmodi potest servari sine interitu animae, et sic obligat. sup. de jurejur. si vero (c. 8-X-II-24). Possum enim solvere uxori, mercenario, filio ant servo : quia illi sine poena excommunicationis ipsi communicare possunt, inf. de sent. exc. inter (c. 31-X-V-39). arg. XI. Q. 3, quam multos (c. 103, C. XI, Q. III)... p. 138, col. 2.

237. Dic quod bonum est et tutum tenere opinionem Jo. ante terminum, post terminum non potest habere locum opinio Bar... Ego addo unum verbum. Omnia praedicta locum habent cum est publica excommunicatio ; secus vero cum occulta, tunc enim indistincte crederem eum teneri ad solvendum quia etiam apostatae domino est obediendum quamdiu toleratur. 11. q. 3. Julianus, cum praece. c. (c. 93, 94, C. XI, Q. III), p. 138, col. 2.

tuera la jouissance, conformément à la décrétale précitée d'Alexandre III c. 5-X-I-6, et à une autre, plus significative, d'Honorius III déclarant déliés de leur fidélité les sujets d'un prince excommunié *quamdiu in excommunicatione perstiterit*, c. 13-X-V-37. Il y a donc d'autres délits qui portent préjudice à l'Eglise. Les délinquants — ce sont les hérétiques — ont consommé avec l'Eglise une rupture aussi radicale en son genre que la rupture du baptisé avec le paganisme, c. 129, D. IV *de cons.* Tous les liens antérieurs sont à jamais brisés. Les hérétiques ne sauraient donc recouvrer la jouissance de droits à jamais perdus[238].

Ces délits qui portent à l'Eglise un pareil préjudice et qui sont sanctionnés de peines aussi définitives, il n'est peut-être pas téméraire de les qualifier de crimes de lèse-majesté. Cela, Bernard ne le dit pas. La concision de son texte ne permet pas non plus de dire qu'il le suggère. Mais l'exégèse qu'on en peut faire, dans le contexte des gloses et des sommes contemporaines, autorise peut-être à donner cette conclusion.

Le *Speculum Judiciale* de Guillaume Durant ne contient aucun traité *ex professo* de l'hérésie et de la vindicte. L'évêque de Mende se contente de rappeler très succinctement que le crime d'hérésie est assimilé au crime de lèse-majesté, et de donner les références traditionnelles au Droit Romain et aux Décrétales : constitutions *Manichaeos* et *Ariani*, auxquelles on joint désormais, depuis Accurse, la constitution *Gazaros* de Frédéric II, *Ad Abolendam*, *Vergentis*, *Excommunicamus* du IVe concile de Latran[239].

Deux questions retiennent l'attention du Speculator : celle des incapacités et celle du mariage des hérétiques.

Les incapacités signifient la nullité de tout acte fait par un hérétique à partir de sa condamnation. Nous retrouvons la théorie, exposée précédemment, de Saint Raymond de Peñafort sur la valeur des sacrements conférés par les hérétiques : de même qu'en dehors de l'Eglise il n'y a pas de sacrements, de même en dehors de la Société Chrétienne il ne saurait y avoir d'acte juridique ayant valeur en soi. Au reste,

---

238. Sed contra istam decretalem pone, quod aliquis qui manifeste incidit in haeresim, convertatur ad fidem : numquid illi qui ei antea tenebantur, recedunt in pristinam obligationem ? Respondeo in haeretico planum est, quod non, cum bona fuerunt confiscata — sup. eo vergentis et c. excommunicamus — primo resp. ar. contra sup. de elec. quia diligentia (c. 5-X-I-6) ubi recuperat pristinam dignitatem, postquam fuit conversus. Super hoc distingue cum Vincen. Aut quis tenetur ecclesiae : quo casu obtinet illa decr. — quia illi. et est ratio. quia delictum personae et c. sup. de ex. cum venerabilis (c. 6-X : De Exceptionibus : II-25). Aut tenetur personae privatae : et tunc non renascitur obligatio : quia obligatio semel extincta amplius non reviviscit. de conse. dist. 4. quaeris (c. 129. D. IV de cons.), et hoc est verum in causa haeresis. secus in excommunicatis. illi enim post absolutionem recuperant omnia sua jura aut nomina, ut nota in illa quia diligentia, et probatur opti. inf. poen. c. ulti. ibi. quandiu in excommunicatione perstiterit, etc ; p. 138, 2e col.

239. Guillaume Durant, *Speculum Judiciale*, t. I, Lyon, 1504, t. 2, Lyon, 1505 ; Lib. 4, part. 4 : De Haereticis, dans t. 2, p. 175 d-176 a et b. Le *Speculum* date de 1272, 1287 ; cf. A. van Hove, *Proleg.*, p. 492.

l'hérétique, même « revêtu », même pénitent, est infâme, et il le demeure aussi longtemps qu'il n'a pas été réconcilié, conformément à la discipline en usage. Or, nous l'avons vu, l'infamie entraîne toutes sortes d'incapacités[240].

Le mariage des hérétiques avait posé, nous l'avons vu également, un problème qui n'était pas sans analogie avec celui du mariage des infidèles. On pouvait invoquer le privilège paulin et solliciter le divorce pour cause d'hérésie. Innocent III n'avait autorisé que la séparation. Cependant, Grégoire IX avait permis au conjoint catholique d'entrer en religion, même contre la volonté de l'autre conjoint, demeuré dans l'hérésie. Le Speculator ne fait que rappeler cette discipline[241].

Joannes Andreae, glossateur des Décrétales et du Sexte[242] résume l'exégèse d'Hostiensis sur le texte de saint Jean qui donne à la peine du feu sa justification théologique[243], mais on s'étonne qu'il reprenne, avec une certaine réserve, il est vrai, le point de vue de Godefroy et de ses prédécesseurs sur l'extension géographique de *Vergentis*[244]. Les questions délicates relatives à la spoliation des biens le retiennent moins longuement qu'Hostiensis dont il résume les discussions. La législation de Boniface VIII, il est vrai, a élucidé certaines difficultés. l'exhérédation qui n'atteignait jusqu'ici que les fils et petits-fils de pères hérétiques affecte désormais, quelles qu'aient pu être sur ce

240. « Quid de portantibus crucem propter hereticam pravitatem : numquid possunt a testimonio repelli. et videtur ex premissis quod sic. Item publice penitentes quodammodo sunt infames. arg. I Distinctio confirmando *(!)* et tales non admittuntur ut S versic. item quod est infamis. Item qui semel fuit malus semper presumitur esse malus ff de accusa si cui (Dig. : XLVIII, II, 7) et XLV distinctione sed illud (c. 27) prope finem. Item hec publica penitentia imponitur credentibus, fautoribus et defensoribus hereticorum et tales infames sunt, ut extra de here. excommunicamus. § credentes (c. 13-X-V-7)..., t. I, p. 115 d. Sur la peine d'infamie, voir ch. I, p. 31-32. Ailleurs le Speculator écrit sur la valeur des actes faits par des hérétiques : « Quod si confectum instrumentum ab heretico sit ? Responsum. Dico quod non valet si confectum est postquam fuit de heresi condemnatus. Secus si autem dum ut catholicus agebat et contrahebat. » Les *références* renvoient au canon précédent. § credentes, à la loi *Barbarius* invoquée par Tancrède, Dig. : I, XIV, 3, de même Dig. : XXXIX, V, 15, et à la loi *Manichaeos*, t. I, p. 116 c.

241. « Item fit divortium quoad thorum si duorum fidelium alter transit ad haeresim vel infidelitatem... Eodem modo (il s'agit de la nullité du mariage) si contraxit cum heretico non baptizato, secus si esset baptizatus quia tunc teneret matrimonium contractum ut in precedenti c. non oportet (c. 16, C. XXVIII, Q. I), t. 2, p. 169 b-c.

242. La Glose ordinaire du Sexte remonte aux toutes premières années du XIVe siècle. La glose sur les Décrétales est un peu plus tardive, vers 1338. Cf. A. VAN HOVE : *Proleg.*, pp. 474-479. — Joannes ANDREAE, *Glossa Ordinaria*, in VIo éd. romaine, Lyon, 1618.

243. C. 9 : Ad Abolendam, mot Debitam. Hic et supra eod. intelligitur debita poena, ignis crematic quod probatur Joan. 15 b ibi : Si quis in me non manserit... »

244. C. 10 : Vergentis, in fine : Ego crederem hanc decretalem praevalere legibus in illis terris tantum quae subsunt temporali jurisdictioni domini Papae. In illis autem... »

point les spéculations des canonistes, les fils de mères hérétiques. Joannes Andreae qui le constate remarque qu'il s'agit là d'un droit nouveau, et il le justifie, conformément à la méthode traditionnelle, par les constitutions romaines et par les décrétales. Le législateur aurait eu le souci de ne point favoriser l'incontinence des épouses. Les enfants illégitimes, en effet, n'étant pas *in potestate patris*, d'après Institutes : I, X, § 13, seraient favorisés par rapport aux enfants légitimes, « la luxure serait mieux traitée que la chasteté (conjugale) », comme il est dit dans la Novelle XXXIX, ch. II, § 1 ; ce serait évidemment immoral et scandaleux. Ou bien, il ne faut voir dans cette législation qu'une application aux fils de mères hérétiques des lois canoniques frappant les enfants illégitimes d'incapacités comme l'accès aux Ordres et aux dignités de l'Eglise. Le glossateur renvoie aux 14 canons de la Distinction LVI, aux 18 canons du Titre *De filiis presbyterorum*, si souvent invoqués par les décrétalistes, à la consultation d'Innocent III sur la légitimation des enfants naturels, c. 13-X-IV-17. Il aurait pu ajouter cette autre référence au fameux canon *In quibudam*, si souvent allégué lui aussi, qui exclut de l'état clérical et de l'état religieux les fils des meurtriers des clercs jusqu'à la quatrième génération, c. 12-X-V-37[245].

*
* *

Les théologiens sont plus sensibles au caractère dogmatique des hérésies qu'à la théorie de la vindicte. Toutefois, comme le problème se pose, ils s'appliquent à le résoudre, en s'appuyant sur les textes sacrés et patristiques, suivant un processus augustinien qui les conduit à justifier, plus ou moins heureusement, la discipline contemporaine.

Voyons d'abord les théologiens franciscains.

Alexandre de Halès consacre dans sa *Summa*[246] sous la rubrique des péchés contre Dieu une Question à l'hérésie. Il s'inspire notamment de la Glose Ordinaire des théologiens[247], du Décret de Gratien et des Décrétales. L'hérésie, qui consiste suivant saint Augustin dans une perversité de l'esprit et une obstination de la volonté[248], est une forme

---

245. C. 15 : Statutum in VI°, mot Volumus : ... quia in quantum punit descendentes per masculinum declarat jus vetus : in quantum descendentes per foemininum, statuit jus novum ...hoc est aequum, ne plus habeat luxuria quam castitas... Verum est tamen quod isti alio capite prohibentur a successione, ut supra...

246. *Summa Theologica*, Liv. II, 2ᵉ Partie, Quest. 163, d'après l'édition de Cologne, 1622 ; tome III, Inq. III, Trac. VIII, Sec. I, Q. I, Tit. III, pp. 737-752, dans l'éd. de Quaracchi, 1930. Cf. A. VACANT, art. Alexandre de Halès, dans *D. T. C.*

247. Glose Ordinaire, faussement attribuée à Walafrid Strabon, cf. H. PELTIER, art. Walafrid Strabon, dans *D. T. C.* Sur la Glose elle-même, J. DE GHELLINCK : *Le Mouvement Théologique*, ouvr. cité, 2ᵉ éd., pp. 104-112.

248. « Qui in Ecclesia Christi morbidum aliquid... », dans *De Civit. Dei* : XVIII, c. 51, n. 1, reproduit dans Gratien : c. 31, C. XXIV, Q. III.

de l'orgueil. Elle en est peut-être même la forme la plus expressive. Comme la foi est, d'après la Glose Ordinaire, le fondement de tous les biens[249], ainsi l'hérésie est la racine de tous les maux. Les hérétiques sont les loups ravisseurs dont parle l'Evangile, Mtt : VII, 15. D'autre part, ils jouent un rôle dans l'Eglise, d'après saint Paul et saint Augustin : I Cor : XI, 19 et *De vera Religione*, ch. VI, n. 10[250] ; l'attitude qu'on doit prendre à leur égard est évidemment délicate. Le fameux texte de Mtt : XIII, 29-30 sur la Parabole de l'ivraie condamne hérétiques et orthodoxes à la coexistence. Au contraire, saint Paul exige l'exclusion des pécheurs et le rejet de tout ce qui est impur : il dénonce la nocivité d'un peu de ferment jeté dans la pâte : I Cor : V, 11 ; II Cor : VI, 17, 18 ; Gal : V, 9. Les Pères proclament la nécessité de la séparation et de la vindicte. Les références d'Alexandre de Halès renvoient toutes au Décret de Gratien, notamment à la Cause XXIII[251], les Papes fulminent des anathèmes et infligent des peines temporelles. Alexandre renvoie expressément à *Ad Abolendam* de Lucius III et *Excommunicamus* de Grégoire IX. Mais on le sent gêné.

Avec Gratien, dont il suit les *Dicta* précédant les canons 18 et 32, C. XXIII, Q. IV, il estime qu'il vaut mieux supporter les hérétiques, s'ils sont majoritaires, autrement il faut les exclure de la communauté ; encore fait-il avec saint Augustin quelques réserves : on tolère les hérétiques occultes, on ne poursuit que les hérétiques notoires[252].

Alexandre se heurte aux mêmes difficultés quand il aborde le sujet de la réconciliation des hérétiques. Le Christ dit à saint Pierre qu'il faut pardonner *usque ad septuagies septies*, Mtt : XVIII, 20-21. Cependant, les décrétales sont sévères. *Ad abolendam* refuse tout pardon aux hérétiques relaps, *Vergentis in senium* refuse de rendre la totalité de leurs biens, même aux repentis[253]. Alexandre essaie de justifier les décrétales dans un texte embarrassé, au nom d'un intérêt supérieur à celui des individus : le Bien Public de l'Eglise[254].

249. « Fides est fundamentum omnium bonorum » : Gl. Ord. in ep. ad Hebr., ch. XI, v. I : *P. L.*, t. 114, c. 663.

250. *P. L.*, t. 34, c. 127.

251. c. 6, D. 40 ; C. XXIII, Q. I, c. 4 ; Q. II, cc. 1, 2 ; Q. III, c. 1 ; Q. IV, c. 31 ; Q. V, c. 32 ; Q. VIII, cc. 13, 14.

252. *Summa Theologica*, pp. 748-750. Saint AUGUSTIN : *De vera Religione*, ch. V, n. 9 et ch. VI, n. 10, *P. L.*, t. 34, c. 127.

253. « Ad quod dici potest quod redeuntes ab haeresi secundum debitam conditionem recipiendi sunt primo ad unitatem Ecclesiae, etsi non ad omnia bona sua recuperanda, sicut supra habitum est, Extra, eodem Vergentis, ubi loquitur de poena haereticorum. Si vero postea deprehensi fuerint recidisse in eamdem haeresim, non recipiuntur : hoc autem est propter criminis abominationem et ut alii timeant simile attentare », p. 752.

254. « Ad id vero quod primo objectum est, dicendum quod, licet delinquant contra fundamentum Ecclesiae, tamen, si velint reverti, prima vice sunt recipiendi ut ostendatur pietas matris Ecclesiae erga illos qui aliquando erant filii, ut faciant quod in se est. Quod autem deprehensi secundo non consequuntur effectum misericordiae, hoc est quia timetur eorum obstinatio et membrorum Ecclesiae per ipsos corruptio. Nec hoc est propter perjurium tantum vel propter haeresim tantum, sed propter utrumque ex quo timetur magis damnum Ecclesiae. Quod autem dicitur quod « Ecclesia non claudit gremium redeunti », hoc intelligi potest si sta-

Il n'y a pratiquement rien à tirer relativement à notre sujet des
Œuvres de saint Bonaventure[255]. On y retrouve seulement l'étymologie
du mot hérésie donnée par saint Jérôme et rappelée dans Gratien,
c. 29, C. XXIII, Q. III[256], et aussi quelques comparaisons bibliques
traditionnelles et faciles. L'hérésie est la lèpre que Jésus guérit[257]. Les
hérétiques sont pareils à des renards. De même que ces bêtes astucieuses
et on ne peut plus rusées vivent de rapines, et cachées dans leurs ta-
nières parmi les habitations des hommes, suivant une définition de
saint Ambroise rappelée dans la Glose Ordinaire, de même les hérétiques exercent leur séduction sur les âmes qu'ils déçoivent. Comme
les renards de Samson, ils portent des queues enflammées[258]. On pense
ici naturellement aux renards qui dévastaient la vigne du Seigneur,
dénoncés jadis par saint Bernard, et à la propagande occulte et active
contre laquelle s'élevaient à peu près en même temps les Conciles de
Reims et de Tours[259].

Ailleurs, les hérétiques ressemblent aux épines et aux ronces parce
qu'ils ne peuvent donner ni vérité, ni sainteté — saint Bonaventure
reproduit un texte de la Glose Ordinaire — mais seulement infliger
à ceux qui les approchent de douloureuses piqûres[260]. Les hérétiques
sont des chasseurs qui cherchent à corrompre les âmes en les prenant
dans leurs filets : bienheureuses celles qui peuvent leurs échapper[261].
Ils ne sont même pas comme des mercenaires qui disent encore la
vérité et assurent la garde du troupeau, mais comme des voleurs qui
mentent et déchirent les brebis[262]. Ils persécutent le Christ, non par

---

tim in prima vice redeat. Ad aliud vero dicendum quod illud quod dicitur **Petro**
non intelligitur de peccantibus peccato haereseos. : hoc enim est peccatum quo
injuria fit Ecclesiae : intelligitur autem de illis peccatis quibus frequenter fit personae injuria, et tunc, si petatur venia, dimittendum est peccatum, ita tamen
quod competens fiat satisfactio », p. 752.

255. *Opera Omnia*, tomes 1-10, Quaracchi, 1882-1902.

356. Commentaires sur le *Quatrième Livre des Sentences*, t. 4, Dist. XIII, dubium IV, p. 313.

257. Serm. XIIIe Dim. ap. la Pentecôte : Luc : XVII, 11-19 : t. 9, p. 406 a.

258. Comm. sur Luc : IX, 58, t. 7, p. 209, n. 104 : « Per vulpes intelliguntur
haeretici, quoniam tortuosi et subdoli sunt et ignem habent in caudis, sicut dicitur de vulpibus Samsonis Judicum decimo quinto » : Jug. : XV, 4. Saint Bonaventure s'inspire très certainement d'un commentaire de saint Ambroise sur le
même texte évangélique, passé dans la Glose Ordinaire : « Vulpes, animal fallax,
insidiis intentum, rapinas fraudis exercens, etiam inter ipsa hominum hospitia
habitans in foveis : ita haereticus, domum fidei non habens, alios in suam frau-
dem trahit et a fide seducit », *P. L.*, t. 114, c. 283.

259. Voir ci-dessus ch. II, pp. 103 ss.

260. Serm. VIIe Dim. ap. la Pentecôte : Mtt : VII, 16 : t. 9, p. 382 : « Spinae
et tribuli sunt haeretici, a quibus nullus sapientum veritatem vel sanctitatem poterit invenire, sed conscindunt et cruentant approximantes. » Cf. Glose Ordinaire,
P. L., t. 114, cc. 110 et 877.

261. Serm. II sur la Purification de la Sainte Vierge, t. 9, p. 647 b : « Anima
nostra sicut passer erepta est... Ps. CXXIII, 6, hoc est ab errore haereticorum
qui venantur homines ut seducant et in errorem trahant. »

262. Comm. sur Jean : X, 12, 13, t. 6, p. 388, n. 27 : « Mercenarius veritatem
dicit et oves conservat, sed fur, falsitatem et oves dilacerat, ut haereticus. »

intérêt, comme les simoniaques, mais par méchanceté et par haine[263].

On peut les reconnaître à certains détails vestimentaires. Saint Bonaventure note que les hérétiques affectaient d'aller nu-pieds, sous prétexte que Dieu ordonna à Moïse dans le Buisson Ardent d'enlever ses sandales : Ex : III, 5 ; que le Chef mystérieux de l'armée de Dieu ordonna à Josué devant Jéricho d'enlever pareillement ses sandales, Jos : V, 15 ; qu'Isaïe, sur l'ordre de Dieu, marcha déchaussé, Is : XX, 2[264].

Tels sont les hérétiques. On fuira donc leur société, mais faudra-t-il les « contraindre » ou les « poursuivre » ? Saint Bonaventure ne le dit pas expressément, mais il remarque, à propos de l'évangile de saint Luc : IV, 41 où les malades guéris s'exclament : « Tu es le Fils de Dieu », que ceux qui, en annonçant le Christ, mêlent le vrai et le faux, doivent être absolument réprimés, et de leur appliquer la réflexion de saint Paul sur le peu de ferment qui suffit à corrompre la pâte[265]. Il n'y a point là discussion de textes, mais simple constatation, encore qu'on ne le dise pas, de la discipline ecclésiastique.

Les théologiens dominicains sont plus explicites, peut-être parce qu'ils sont les frères en religion des inquisiteurs.

Albert le Grand, lui aussi, compare les hérétiques aux lépreux : Mtt : VIII, 2 et X, 8, aux loups ravisseurs : Mtt : VII, 15, au ferment des Pharisiens : Luc : XII, 1[266]. Plus curieuse est la comparaison avec la sandale. Nous venons de voir, d'après saint Bonaventure, que les hérétiques affectaient de marcher nu-pieds, et pour quels motifs ils agissaient ainsi, Mais ils prenaient l'Ecriture à contre-sens. Albert le Grand, commentant l'Evangile de saint Luc : X, 4, où le Christ dit à ses Apôtres qu'il envoie en mission de ne porter « ni bourse, ni besace, ni sandales », estime que les sandales signifient précisément les hérétiques. Enlever sa sandale, comme Moïse, Josué, Isaïe et les Apôtres, c'est faire un geste symbolique dans le goût de l'Ancien Testament, qui signifie le rejet de l'erreur et la purification de l'esprit. Il serait donc plus conforme au symbolisme scripturaire que les hérétiques fussent chaussés et les orthodoxes déchaux, mais, comme la nudité des pieds peut être une occasion de luxure, il vaut mieux s'en tenir aux usages de la bonne société[267].

263. Comm. sur Jean : XVIII, 19, t. 6, p. 615, n. 1 : « Ad quorum exemplum quidam hodie persequuntur Christum-veritatem ex cupiditate, ut simoniaci, quidam ex malignitate et invidia, sicut haeretici, quidam ex populari gratia vel favore, sicut praedicatores remissi. »

264. T. 8, Opusc. XI, *Apologia pauperum*, ch. X, p. 305, n. 4.

265. Comm. sur Luc : IV, 41, t. 7, p. 110, n. 91 : « Ex quo nobis datur intelligi quod qui in praedicando Christum veris falsa permiscent omnino sunt cohibendi, sicut haeretici, I Cor : V, 6 : « Modicum fermenti totam massam corrumpit. »

266. Comm. sur Mtt : VII, VIII, X, dans *Opera Omnia*, éd. P. Jammy, Lyon, 1651, t. 9, pp. 176, 194, 217 ; sur Luc : XII : t. 10, p. 99.

267. Comm. sur Luc : X, t. 10, 2e partie, p. 8 : « ...quia non intelligentes Scripturas, sectas sibi novas confinxerunt, nomen accipientes Discalceatorum : quod secundum legem improperii et confusionis nomen est in populo Dei... sed etiam,

Cette exégèse paraît vaine et plaisante. Elle n'est pas sans rapport avec les recommandations qu'Innocent III faisait aux Pauvres Lombards et aux Pauvres Catholiques. Il les invitait notamment à porter des chaussures fermées pour éviter le scandale de chaussures « ouvertes sur le dessus » et de signifier par ce détail leur séparation avec la communauté vaudoise et leur agrégation à l'Eglise Catholique[268].

Faut-il contraindre les hérétiques et de quelle manière ?

Albert le Grand, commentant l'Apocalypse : II, 2, où saint Jean félicite l'Ange d'Ephèse de ne pouvoir supporter les méchants, conclut à la nécessité de la vindicte. Mais saint Augustin blâme, au contraire, celui qui ne peut tolérer les méchants. Comment accorder ces textes contradictoires ? Albert le Grand, suivant la méthode de Gratien, qui est celle des canonistes et des théologiens, distingue : on peut considérer le mal ou dans sa nature, ou dans ses manifestations. Dans sa nature, on est bien obligé de le supporter, mais dans ses manifestations il n'en est plus de même. Toutefois, ici encore, une discrimination s'impose « entre les méchants qui portent préjudice au bien universel de l'Eglise, par exemple les hérétiques, et ceux qui ne portent pas préjudice au bien général, tels les simples pécheurs qui restent dans leur croyance fidèles à l'Eglise. Les premiers ne sauraient être tolérés. C'est d'eux qu'il s'agit dans le texte de saint Jean. Il faut au contraire supporter les autres dans l'espoir de les convertir. C'est en ce sens qu'il faut interpréter le texte de saint Augustin[269]. » On retrouve ici cette idée de Bien Public, déjà notée dans la *Summa* d'Alexandre de Halès, mais on eut aimé retrouver encore les nuances de la pensée augustinienne : l'hérétique n'est pas nécessairement inconvertissable, on peut espérer que monitions et corrections pourront l'amener à résipiscence. C'est seulement en cas d'obstination prolongée, ou, comme on dit en style canonique, de contumace, qu'il devient qualifié et qu'il est exclu de l'Eglise par l'excommunication et de la Société par la mort. C'est sans doute à ces hérétiques qualifiés qu'Albert

secundum civilitates hominum et mores, inhonestum est denudare pedes et nudos digitos pedum sic mulieribus ostendere, et occasio est turpitudinis quam dicere non oportet. »

268. Voir ci-dessus, ch. III, pp. 177-184.

269. Comm. sur l'*Apocalypse*, *Vision I*, ch. II, t. 11, p. 31. Aux félicitations de saint Jean : « Et quia non potestis sustinere malos », *Apoc.* : II, 2, s'oppose le blâme de saint Augustin : « Bonus non fuit qui malos sustinere non potuit », qui paraît être, plutôt qu'une citation précise, le résumé de la pensée augustinienne : cf. *Enarratio, II* in Ps. 25, *P. L.*, t. 36, cc. 190-191 : Serm. 78 (ou 18) de Verbis Domini, sur Mtt : XX, 30-34, *P. L.*, t. 38, cc. 549-553, d'où sont tirés les can. 1, 2, 4, 9, C. XXIII, Q. IV : Serm. 73 sur Mtt : XIII, 24, 30, 36-43, *P. L.*, t. 38, cc. 470-472, et tous les textes de saint Augustin cités dans le Décret, aux Causes que nous avons analysées. « Responsio — Duo sunt in malo : natura et vitium ; natura debet sustineri, sed vitium non. De hoc loquitur hic. Vel dicendum quod quidam sunt mali qui intendunt corrumpere universale bonum Ecclesiae ut haeretici : et isti non sunt sustinendi : et de his loquitur hic. Alii sunt qui non intendunt corrumpere illud bonum, ut peccatores fideles tantum : et tales sunt sustinendi dum speratur eorum correctio et sic intelligitur verbum Augustini. »

le Grand fait allusion. Il ne fait en cela que constater purement et simplement la pratique inquisitoriale.

La vindicte est sévère. Albert le Grand voit dans le Puits de l'Abyme l'image de l'hérésie et dans les « chevaux préparés pour la guerre » : Apoc : IX, 2, 7, 17, la figure des hérétiques *propter eorum velocem discursum*, par quoi peut être caractérisée aussi bien la subtilité de leurs discours que leur méthode de propagande[270]. Il voit aussi dans l'Ange de la Septième Coupe, Apoc : XVI, 17-21, le symbole de l'Ordre Dominicain, dans les îles qui s'enfuient la société des justes qui évitent le contact au moins spirituel, sinon physique, des méchants, dans la pluie de grêle la prédication dominicaine qui secoue la nonchalance coupable du monde[271]. Albert le Grand voit dans les hérétiques les fourriers de l'Anté-Christ[272]. Les ravages qu'ils font dans l'Eglise étant plus graves et plus dangereux que tous les autres parce qu'ils détruisent la foi qui est le fondement de tous les biens, le fidèle ne peut que se réjouir dans leur malheur : *et ideo de plaga eorum magis gaudium erit sanctis*[273]. Nous sommes ici dans un climat de pure vindicte, suivant le style à peu près contemporain de Conrad de Marbourg et de Robert le Bougre.

Saint Thomas d'Aquin aborde, lui aussi, de manière plus sereine, le problème de l'hérésie. Les textes scripturaires, patristiques et canoniques dont il fait état se retrouvent à peu près tous dans le Décret de Gratien et dans les Décrétales.

Le problème se pose à propos de l'infidélité, dans la *Secunda Secundae, QQ. X et XI*. Saint Thomas pose en principe que l'hérésie est une forme de l'infidélité, et la pire de toutes. Les définitions qu'il en donne sont celles, devenues classiques, de saint Jérôme, qui se fondent sur l'étymologie, et celles de saint Augustin qui se fondent sur la psychologie des hérétiques. Les unes et les autres se trouvent dans le Décret : cc. 27, 28, 29, 31, C. XXIV, Q. III. Face à l'hérésie, l'Eglise Romaine est la norme de la foi, d'après Innocent Ier au concile de Milève et saint Jérôme dans sa correspondance avec le pape Damase : cc. 12, 14, C. XXIV, Q. I[274].

270. Comm. sur l'*Apocalypse, Vision III*, ch. IX, t. 11, pp. 72-74. Sur la propagande active et clandestine des hérétiques, voir ci-dessus ch. II, pp. 102, 109.

271. Comm. *item*, t. 11, p. 121. : Per istum Angelum signatur Ordo Praedicatorum qui praedicabit contra acediam quae ad modum agitati aëris huc atque illuc circa illicita pervagatur, quam omnis creatura reprehensibilem ostendit, quae sine fatigatione praeceptum Dei peragit... Omnis bonorum congregatio (fugit) scilicet societatem malorum mente, etsi non corpore. » D'après saint Augustin, Comm. in Ps. 106, 18 : « Acidia est taedium aeterni boni », *P. L.*, t. 37, c. 1425.

272. *Liber de Mulieri forti*, ch. X, § 1 ; t. 12, p. 41 : « ...Haeretici sunt nuntii Antichristi, I Jo, IV : Omnis spiritus... officium gerit Antichristi qui veniet personaliter in futuro, sed venit jam etiam in membris et nuntiis suis... »

273. Comm. sur l'*Apocalypse, item*, t. 11, p. 122. « Persecutio haereticorum gravior est et magis nociva quam aliorum, quia haec est contra fidem quae fundamentum est omnium bonorum (cf. Gl. Ord. ci-dessus) et ideo de plaga eorum magis gaudium erit sanctis. »

274. *Summa Theologica*, Secunda Secundae, Q. X, art. 4 et 5 ; Q. XI, art. 1 et 2 ; éd. F. Lachat, t. VII, Paris, 1863.

Pour ce qui est de la tolérance et de la contrainte, saint Thomas, comme ses contemporains, comme Gratien dont il décante et résume la théorie, se heurte à des textes contradictoires. Dieu ne veut pas la mort du pécheur. Le Christ dans la fameuse parabole de l'ivraie, donne une leçon de tolérance. Saint Paul souligne la nécessité — ou la fatalité — des « hérésies » dans l'Eglise. Il invite son disciple Timothée à convertir les hérétiques par la douceur. Or, conclut saint Thomas, « si, au lieu de tolérer les hérétiques, on les met à mort, on leur enlève la faculté de se repentir ». Agir ainsi à leur égard paraît contraire au précepte de l'Apôtre[275]. Mais ailleurs saint Paul recommande à Tite de rejeter l'hérétique après deux tentatives inutiles de conversion : un tel homme « est un perverti qui se condamne lui-même ». Il ne s'agit encore que d'une rupture, mais on ira plus loin. Le Christ ordonne à ses Apôtres de contraindre à entrer dans sa maison, c'est-à-dire dans l'Eglise, tous ceux qui errent sur les chemins... Le *compelle intrare* de la parabole du Banquet qui soulagea la conscience de saint Augustin permet à saint Thomas de justifier pareillement les mesures coercitives de son temps. Toutefois, il fait une distinction importante.

Il y a lieu de considérer les infidèles qui n'ont jamais reçu la foi et ceux qui l'ont rejetée. Les premiers ne sauraient être forcés à croire « parce qu'il faut vouloir pour croire », suivant la doctrine de saint Augustin et celle du IVe Concile de Tolède, lequel, nous l'avons vu, blâme les conversions forcées des Juifs[276]. « Cependant, écrit saint Thomas, les fidèles doivent employer la force contre eux, s'ils sont en état de le faire, pour les empêcher de mettre obstacle au progrès de la foi par leurs blasphèmes, leurs discours impies ou la persécution ouverte. Et telle est, en effet, la cause des guerres que les chrétiens entreprennent souvent contre les infidèles : ils ne prétendent pas les forcer à croire, puisque, quand le sort des armes les fait tomber entre leurs mains, ils les laissent libres d'embrasser la foi ou non ; ils ne veulent que les réduire à l'impossibilité d'empêcher le développement de la foi chrétienne. » Au contraire, continue saint Thomas, à l'égard de ceux qui ont professé la foi, comme les apostats, et de ceux qui la professent encore en partie, comme les hérétiques, « on doit employer tous les moyens coercitifs pour les obliger à remplir tout ce qu'ils ont promis et à continuer de vivre dans la foi qu'ils ont embrassée »[277]. Saint Thomas d'appuyer son propos par quatre références

275. Références à Ezechiel : XVIII, 32, Mtt : XIII, 24-30, I Cor. : XI, 19, II Tim. : II, 24, dans SS. Q. X, a. 8 et Q. XI, a. 3 : « Sed, si haeretici non tolerantur, sed morti traduntur, aufertur eis facultas poenitendi. »

276. Dans Gratien, c. 5, D. XLV. Voir ci-dessus ch. I, p. 42.

277. SS. Q. X, a. 8 : « Respondeo dicendum quod infidelium quidam sunt, qui nunquam susceperunt fidem, sicut gentiles et judaei : et tales nullo modo sunt ad fidem compellendi, ut ipsi credant : quia credere voluntatis est. Sunt tamen compellendi a fidelibus, si adsit potestas, ut fidem non impediant vel blasphemiis, vel malis persuasionibus, vel etiam apertis persecutionibus... Alii vero sunt infideles qui quandocumque fidem susceperunt vel eam profitentur, sicut haeretici et quicumque apostatae : et tales sunt etiam corporaliter compellendi ut impleant quod promiserunt et teneant quod semel susceperunt. »

à saint Augustin, dont trois se retrouvent dans le Décret : cc. 19, 43, C. XXIII, Q. IV, et c. 48, C. XXIII, Q. V. Cette dernière, tirée de la correspondance de saint Augustin avec le comte Boniface, justifie la persécution des Donatistes par les empereurs : elle légitime en même temps l'Inquisition. « Aucun de nous, dit le texte, ne veut la mort d'un hérétique. Qu'on songe cependant que la maison de David ne put avoir la paix qu'après que son fils Absalon eut trouvé la mort dans la guerre qu'il faisait à son père. C'est ainsi que l'Eglise catholique, s'il faut qu'elle sacrifie quelques membres pour sauver tous les autres, console son cœur de mère par la pensée de la délivrance d'un grand nombre de peuples[278] »

Ailleurs, saint Thomas ne fait que constater la discipline en usage quand il écrit : « ...Ceux qui, après une seconde correction, persévèrent obstinément dans l'erreur, doivent être, non seulement excommuniés, mais encore livrés au pouvoir séculier pour être exterminé[279]. » On pourrait assurément discuter sur le sens de l'extermination. Nous avons vu comment le mot a changé de sens, depuis l'exil jusqu'à la mort, et plus précisément la mort par le feu[280]. Saint Thomas n'apporte aucune précision, mais les explications qu'il donne ont évidemment pour but de justifier la législation inquisitoriale. Le texte vaut la peine d'être cité. « Il y a deux choses à considérer à l'égard des hérétiques : l'une par rapport à eux, l'autre par rapport à l'Eglise. Par rapport à eux, c'est le péché dont ils sont coupables et par lequel ils ont mérité non seulement d'être séparés de l'Eglise par l'excommunication, mais encore d'être ôtés du monde par la mort. C'est un crime beaucoup plus énorme, en effet, de corrompre la foi qui est la vie de l'âme, que d'altérer la monnaie, qui ne sert qu'aux besoins de la vie corporelle. Par conséquent, si les princes séculiers peuvent, sans blesser la justice, mettre immédiatement à mort ceux qui falsifient la monnaie et les autres malfaiteurs, à plus forte raison peut-on, sans blesser la justice, non seulement excommunier, mais encore mettre à mort les hérétiques, du moment qu'ils sont convaincus d'hérésie. Par rapport à l'Eglise, il faut considérer la miséricorde qu'elle porte à quiconque revient de ses égarements. Et voilà pourquoi elle ne condamne pas les hérétiques immédiatement, mais seulement après une seconde correction, comme le veut l'Apôtre. Et si l'hérétique se montre obstiné, alors l'Eglise, désespérant de sa conversion, avise au salut des autres en le séparant de son sein par la sentence d'excommunication ; et elle le livre enfin au juge séculier pour qu'il le fasse disparaître du nombre des vivants. » Suit une citation de saint Jérôme sur la néces-

---

278. SS. Q. X, a. 8, ad 4 : « Nullus nostrum vult aliquem haereticum perire. Sed aliter non meruit habere pacem domus David, nisi Absalon filius ejus in bello, quod contra patrem gerebat, fuisset extinctus. Sic Ecclesia catholica, si aliquorum perditione caeteros colligit, dolorem materni sanat cordis tantorum liberatione populorum. »

279. SS. Q. XI, a. 3 : « ...Qui vero post secundam correptionem in suo errore obstinati permanent, non modo excommunicationis sententiae, sed etiam seculatibus principibus exterminandi tradendi sunt. »

280. Voir ci-dessus ch. V, p. 245 ss.

sité de « retrancher les chairs gangrenées, et de chasser loin du bercail la brebis galeuse... », au Décret : c. 16, C. XXIV, Q. III[281].

Si l'hérétique obstiné est finalement condamné à mort, l'hérétique
relaps l'est également. Au reste, cette rechute dans l'hérésie après
abjuration n'est-elle point signe de contumace ? « L'Eglise présume
que ceux qui retombent, après avoir été reçus une première fois, ne
reviennent pas sincèrement. C'est ce qui fait qu'elle ne leur ferme
pas la voie du salut, mais qu'elle ne les met pas non plus à l'abri de
la mort[282]. » D'ailleurs, la Décrétale *Ad Abolendam* le dit en propres
termes. C'est la seule Décrétale citée par saint Thomas, qui donne
la référence : c. 9-X-V-7.

La démonstration de saint Thomas n'est guère satisfaisante. D'abord,
il paraît en contradiction avec lui-même : il affirme d'une part que
« si, au lieu de tolérer les hérétiques, on les met à mort, on leur enlève
la faculté de se repentir » et que « l'Eglise porte miséricorde à quiconque revient de ses égarements » ; il conclut d'autre part à leur
extermination au sens, désormais reçu, de la mort. Ensuite, la justification qu'il en donne repose sur une comparaison qui ne joue pas
et sur des interprétations excessives. Quel rapport entre le faux mon-
nayeur ou le criminel que les princes condamnent en raison de leurs
délits, et l'hérétique qui mériterait la mort à cause de son seul péché ?
Saint Thomas eut été mieux inspiré ou de ne pas établir cette comparaison entre les délits des uns et le péché des autres, ou d'insister sur
le caractère délictueux de l'hérésie, corruptrice de la Société Chrétienne, comme il le dit ailleurs. Quant aux textes patristiques et canoniques sur lesquels il s'appuie, ils n'ont pas nécessairement le sens
qu'il leur donne. Nous avons remarqué déjà, à propos de Gratien,
qu'il y a lieu de faire à ce sujet de graves réserves[283]. Ainsi, le texte
de saint Augustin sur la mort d'Absalon ne fait que constater que
la mort du prince a donné la paix au royaume : il n'invite pas le moins

---

281. SS. Q. XI, a. 3 : « Respondeo dicendum quod circa haereticos duo sunt
consideranda : unum quidem ex parte ipsorum : aliud vero ex parte Ecclesiae.
Ex parte quidem ipsorum est peccatum per quod meruerunt non solum ab Ecclesia per excommunicationem separari, sed etiam per mortem a mundo excludi.
Multo enim gravius est corrumpere fidem per quam est animae vita, quam fal-
sare pecuniam per quam temporali vitae subvenitur. Unde si falsarii pecuniae
vel alii malefactores statim per seculares principes juste morti traduntur, multo
magis haeretici, statim ex quo de haeresi convincuntur, possunt non solum excommunicari, sed et juste occidi. Ex parte Ecclesiae est misericordia ad errantium conversionem : et ideo non statim condemnat, sed « post primam et secundam correptionem », ut Apostolus docet. Postmodum vero si adhuc pertinax inveniatur, Ecclesia de ejus conversione non sperans, aliorum saluti providet, eum
ab Ecclesia separando per excommunicationis sententiam ; et ulterius relinquit
eum judicio seculari a mundo exterminandum per mortem. Dicit enim Hiero-
nimus... »
282. SS. Q. XI, a. 4, ad 1 : « ...Praesumit enim eos non vero reverti, quia cum
recepti fuissent, iterum sunt relapsi. Et ideo eis viam salutis non denegat, sed
a periculo mortis eos non tuetur. » Saint Thomas ferait-il allusion à cette « disposition miséricordieuse d'Alexandre IV autorisant les hérétiques abandonnés à
la justice séculière à recevoir les Sacrements ? ». Voir ci-dessus, p. 321.
283. Voir ci-dessus ch. I, p. 78-79.

du monde, à punir de mort les rebelles[284]. De même, le texte de *Ad Abolendam* signifie, non la mort des hérétiques, mais des peines d'incapacité, des amendes, l'exil et la confiscation des biens, suivant le concept primitif de l'*exterminatio*.

Saint Thomas a peut être senti la faiblesse de sa démonstration, qui s'applique à faire une *concordia* entre l'Ecriture qu'il cite et les Canons. Répondant à l'objection tirée de saint Paul sur les avantages des hérésies, il écrit : « L'intention des hérétiques est de corrompre la foi : ce qu'il y a de plus nuisible. C'est pourquoi il faut considérer davantage les conséquences de leur intention pour les exclure que le bien qui résulterait de leur hérésie pour les tolérer[285]. » Il interprète la parabole de l'ivraie en s'appuyant sur l'autorité de saint Augustin — références données ci-dessus au Décret — de la manière suivante : le Seigneur ordonne de laisser croître ensemble le bon grain et le mauvais jusqu'au temps de la moisson de peur qu'en arrachant l'ivraie on arrache aussi le bon grain. Mais, s'il n'y a pas de danger d'arracher le bon grain, il n'y a aucune raison de ne pas arracher l'ivraie. Une citation d'Urbain II, tirée elle aussi du Décret : c. 37, C. XXIV, Q. III, établit à propos de la parabole une distinction entre excommunication et extirpation : *eradicatio*. La première est destinée à sauver l'âme du pécheur, suivant la définition de saint Paul : I Cor : V, 5. La seconde prend, dans le contexte de saint Thomas, le sens de tradition au Bras séculier, par conséquent de mort. Quoi qu'il en soit de ces subtilités, l'interprétation de la parabole revient à peu près à dire, comme Alexandre de Halès et avec Gratien, que, si les hérétiques sont en majorité, il vaut mieux les supporter, mais que, s'ils sont en petit nombre, il ne faut pas hésiter à les « contraindre ».

Comme Alexandre de Halès encore, saint Thomas résout la difficulté du pardon *usque ad septuagies septies* en distinguant l'offense de l'individu à l'individu, qui doit être remise au nom de la charité, de l'offense de l'individu à l'Eglise qui ne saurait être pardonnée au nom du salut éternel des âmes en péril et, ce qui revient à peu près au même, au nom du bien général de la Société. « Si l'Eglise, écrit saint Thomas, recevait toujours les hérétiques qui reviennent à la foi, en leur conservant la vie et les autres avantages temporels, il pourrait en résulter un préjudice pour le salut des autres, soit, parce que,

---

284. E. Vacandard : *L'Inquisition, ouvr. cité*, p. 207, insiste sur ce point et donne en note le texte de saint Augustin, tiré de la lettre au comte Boniface,, ep. CLXXXV, 32, dans *C. S. E. L.*, 57, p. 29 ; Gratien, c. 48, C. XXIII, Q. V, reproduit fidèlement le texte de saint Augustin d'après lequel David déplore la mort d'Absalon auquel il voulait pardonner, mais il omet la comparaison : ainsi l'Eglise catholique... saint Thomas mutile le texte de saint Augustin et celui de Gratien, de telle sorte que ce qui est présenté comme un fait, aux conséquences à la vérité assez heureuses pour la paix du royaume, devient une règle de conduite.

285. SS. Q. XI, a. 3, ad 2 : « ...Sed ex intentione eorum est corrumpere fidem : quod est maximi nocumenti. Et ideo magis respiciendum est ad id quod est per se de eorum intentione ut excludantur, quam ad hoc quod est praeter eorum intentionem ut sustineantur. »

s'ils venaient à retomber dans l'hérésie, ils corrompraient les autres, soit parce que leur impunité serait pour eux une espèce d'encouragement qui les ferait se laisser aller plus facilement à l'hérésie. Il est écrit, en effet : Parce que ne s'exécute pas immédiatement la sentence portée contre celui qui fait le mal, les fils des hommes commettent le mal sans aucune crainte, Ecclésiaste : VIII, 11. Voilà pourquoi, lorsque les hérétiques reviennent une première fois de leur erreur, l'Eglise, non seulement les reçoit à la pénitence, mais encore leur conserve la vie, et les réintègre quelquefois, en les dispensant des peines canoniques, dans les dignités ecclésiastiques qu'ils possédaient auparavant, s'ils paraissent véritablement convertis. On trouve dans l'histoire des exemples d'une semblable conduite, motivés par le bien de la paix. Mais, lorsqu'après avoir été reçus une première fois, ils retombent de nouveau, c'est une preuve qu'ils sont inconstants dans la foi : c'est pourquoi on les admet encore à la pénitence, mais on laisse agir la justice qui les condamne à mort »[286]. Ces réflexions n'appellent d'autres commentaires que les faits historiques et juridiques que nous avons cités.

*
* *

Ainsi, la justification dernière de la mort des hérétiques, c'est le Bien Public de l'Eglise ou le Bon Ordre de la Société Chrétienne ou les Structures religieuses de la Civilisation médiévale, termes à peu près équivalents dans un milieu — celui des canonistes et des théologiens du XIIIe siècle — où le catholicisme est la religion de la Cité.

Cette idée du Bien Public n'est pas sans analogie avec l'idée de Majesté. Ce sont même deux idées complémentaires : celle-ci de caractère plus juridique, mais religieusement indifférente aux conceptions spirituelles de la Cité, celle-là de caractère plus théologique, mais sans référence précise aux valeurs temporelles de la Cité. Le Bien Public donne à la Majesté une nuance religieuse qui la justifie et la renforce. Dans cette conception totalitaire d'une Religion de la Cité, la persécution des hérétiques est une opération de police légitime et l'Inquisition une Haute-Cour de Justice où les Vertus ne laissent pas d'être plus ou moins refoulées par les exigences du Droit.

---

286. SS. Q. XI, a. 4 : « ...Si autem haeretici revertentes semper reciperentur ut conservarentur in vita et aliis temporalibus bonis, posset in praejudicium salutis aliorum hoc esse, tum quia, si relaberentur, alios inficerent, tum etiam quia, si sine poena evaderent, alii securius in haeresim laberentur. Dicitur enim Eccles. VIII : « Etenim quia non cito profertur contra malos sententia, absque timore ullo filii hominum perpetrant mala. » Et ideo Ecclesia primo quidem revertentes ab haeresi non solum recipit ad poenitentiam, sed etiam conservat eos in vita, et interdum restituit eos dispensative ad Ecclesiasticas dignitates quas prius habebant, si videantur vere conversi. Et hoc pro bono pacis frequenter legitur esse factum. Sed quando recepti iterum relabuntur, videtur esse signum inconstantiae eorum circa fidem. Et ideo ulterius redeuntes recipiuntur quidem ad poenitentiam, non tamen ut liberentur a sententia mortis. »

CONCLUSION

L'Inquisition n'est pas une création spontanée de l'Eglise. Si les historiens s'accordent généralement à lui donner pour date de naissance la Décrétale *Ad Abolendam* de Lucius III au concile de Vérone en 1184, ils reconnaissent aussi qu'une longue période a précédé et qu'une autre a suivi au cours de laquelle la nouvelle institution s'est peu à peu organisée.

La préhistoire de l'Inquisition remonte à l'Empire Romain. Les empereurs réagissent vigoureusement, au nom de la religion établie, contre les hérétiques. Les Pères de l'Eglise, il s'agit notamment de saint Augustin, déplorent ces mesures, mais finissent par reconnaître le bien-fondé de la législation impériale. Les collections canoniques insèrent, parmi canons et décrétales, un certain nombre de constitutions.

Ce n'est pas seulement un code pénal que le monde antique a livré au Moyen Age. C'est encore — et cela est au moins aussi important — une théorie du délit public et de la Majesté. Dans un monde où l'Etat ne se conçoit pas sans religion, où la religion de la Cité s'impose à tous les citoyens, toute offense grave et publique à la religion est un crime de lèse-majesté.

Cette idée réapparaît au Moyen Age dans les Sommes des Romanistes, plus discrètement chez les Glossateurs du Décret. Elle s'exprime pour la première fois dans un texte officiel avec la célèbre décrétale *Vergentis in senium* d'Innocent III, adressée d'abord aux fidèles du Patrimoine, étendue ensuite à toute l'Eglise. Elle s'impose aux Décrétalistes. Ceux-ci peuvent en discuter certaines modalités, ils n'en discutent pas le principe. Les théologiens, de leur côté, s'ils ne parlent pas de la Majesté, parlent du Bien Public, ce qui revient à peu près au même.

Il serait évidemment excessif de conclure que l'Inquisition est un produit du Droit Romain, mais il ne paraît pas excessif de dire que c'est le Droit Romain qui a donné à l'Inquisition sa justification suprême.

Lorsque l'hérésie renaît au Moyen Age dans la Chrétienté occidentale, deux zones apparaissent, nettement différenciées.

Dans les anciens pays austrasiens on brûle les hérétiques. Les clercs, d'abord enclins à la tolérance, organisent bientôt au concile de Reims de 1157 un système de répression qui fut en vigueur sur une aire étendue pendant près d'un siècle.

Ce que le concile de Reims apporte à la future Inquisition, c'est une procédure et l'usage d'une peine. La procédure se compose de trois éléments : l'assemblée synodale, la forme accusatoire, la purgation par ordalies. L'assemblée synodale demeurera en évoluant vers des formes spécialisées : il n'est peut-être pas trop téméraire de situer au terme de l'évolution les inquisiteurs dominicains et franciscains, les sociétés de la foi et la police inquisitoriale. La forme accusatoire demeurera également, généralisée, rendue obligatoire, récompensée par les ordonnances, les décrétales et les canons, mais sous la dépendance nécessaire et stimulante de la forme inquisitoriale. Quant aux ordalies, elles disparaîtront lentement à une époque tardive. La peine des hérétiques est la peine du feu ; elle n'est pas d'origine exclusivement germanique, puisque le Droit Romain l'inflige aux magiciens et aux manichéens, plus ou moins assimilés les uns aux autres ; mais c'est principalement dans les pays germaniques ou influencés par le germanisme qu'elle est en usage.

Dans les pays méditerrannéens, au contraire, notamment dans le midi de la France, l'indolence des clercs et l'apathie des princes font le jeu des hérésies. Devant l'échec des missions, le IIIe concile de Latran lance l'idée de la croisade ; Innocent III organise cette croisade ; le IVe concile de Latran consacre les résultats obtenus. Les Français ont introduit en Occitanie les usages germaniques comme en témoignent, croyons-nous, la création de sociétés religieuses ordonnées à la recherche des hérétiques, le caractère inexpiable de la guerre albigeoise, les massacres et flambées d'hérétiques. Après la pacification du pays, une législation civile et conciliaire s'élabore dans un contexte de sérénité relative et de justice sévère qui organise la triple Inquisition épiscopale, monastique et séculière.

En Italie, les clercs et les princes ou magistrats réagissaient parfois avec une grande vigueur contre les hérétiques, mais ces réactions n'étaient que très locales et très discontinues. Les papes et les empereurs auraient pu, sans leurs constantes querelles, donner ensemble à l'Italie une Inquisition de caractère à la fois romain et germanique. C'est seulement après la chute des Hohenstaufen, malgré l'instabilité politique et religieuse de la Péninsule, que l'Inquisition put être organisée par Innocent IV et ses successeurs, avec le concours des dominicains et des franciscains, mais dans l'esprit et suivant la lettre même des constitutions de Frédéric II. Les usages germaniques, désormais canonisés, s'imposent dans la Haute-Italie, puis dans toute la Péninsule. Ils furent étendus à la fin du xiiie siècle à toute la Chrétienté.

Dans la mesure où des formules, nécessairement brutales et insuffisamment nuancées, peuvent exprimer l'essentiel d'une évolution historique, et sous réserve des influences qui dans chaque circonstance peuvent se faire jour, il n'est sans doute pas inexact de dire que c'est de la rencontre de la Tradition Romaine, impériale et canonique, et de la Tradition Germanique qu'est née l'Inquisition.

INDEX

ADDENDUM

P. 162, sur Robert de Courçon, voir Ch. Dickson : Le Cardinal Robert de Courçon, sa vie, dans Archives d'Histoire doctrinale et littéraire du Moyen Age, Paris, 1934, t. IX, pp. 53-142.

P. 167, Raoul de Nemours ou de Namur, voir M.Th. d'Alverny : Un fragment du procès des Amauryciens, dans Archives d'Histoire doctrinale et littéraire du Moyen Age, Paris, 1951, t. XVIII, pp. 325-336.

P. 200, n. 1, ajouter : voir l'ouvrage récent de Zoë Oldenbourg, Le Bucher de Montségur, collection Trente Journées qui ont fait la France, t. 6, Paris, 1959.

P. 356, n. 247, ajouter : la Glose Ordinaire est attribuée à Anselme de Laon, voir P. Glorieux : Pour revaloriser Migne, dans Mélanges de Science religieuse, Cahier supplémentaire, Lille, 1952, p. 56.

TABLE DES MATIÈRES

4-1960. — Imprimerie Ch.-A. BÉDU, Saint-Amand (Cher).
Dépôt légal d'imprimeur, 2ᵉ trimestre 1960 n° 1839

[2]